D1472262

Analyse financière et gestion du fonds de roulement

2e édition

Les Éditions SMG
5365 boul. Jean XXIII, bureau 203
Trois-Rivières G8Z 4A6
Tel: (819) 376-5650
Télécopie: (819) 373-2904

Coordination éditoriale et
responsable de la production : Gérald Baillargeon
Traitement de texte et mise en page : Gérald Baillargeon et Sylvain Ricard
Illustrations et graphiques : Guy Jetté
Conception du couvert : Guy Jetté

Analyse financière et gestion du fonds de roulement, 2ᵉ éd.

Copyright © 2008 Les Éditions SMG

Bibliothèque nationale du Québec
Bibliothèque nationale du Canada

ISBN 978-2-89094-213-4

Analyse financière et gestion du fonds de roulement
2e édition

Denis Morissette
Département des sciences de la gestion
Université du Québec à Trois-Rivières

Les Éditions SMG
Trois-Rivières,Qc

Distributeur exclusif pour tous les pays (sauf le Canada) :
Technique et Documentation Lavoisier
14 rue de Provigny
F-94236 Cachan cedex France
www.Lavoisier.fr

AUTRES OUVRAGES DE DENIS MORISSETTE

■ **Valeurs mobilières et gestion de portefeuille**, 4e édition, Les Éditions SMG, 2005, xx + 754 pages.

■ **Corrigé des exercices - Valeurs mobilières et gestion de portefeuille**, 4e édition, Les Éditions SMG, 2005, 120 pages.

■ **Gestion financière**, Les Éditions SMG, 2003, 634 pages.

■ **Corrigé des exercices - Gestion financière**, Les Éditions SMG, 2003, 114 pages.

■ **Initiation aux mathématiques financières**, Les Éditions SMG, 2001, 57 pages.

■ **Cas en valeurs mobilières et gestion de portefeuille**, Les Éditions SMG, 1999, 94 pages.

■ **Analyse financière et gestion du fonds de roulement**, Les Éditions SMG, 1995, 386 pages.

■ **Corrigé des exercices - Analyse financière et gestion du fonds de roulement**, Les Éditions SMG, 1995, 60 pages.

■ **Décisions financières à long terme**, 3e édition, Les Éditions SMG, 1994, 546 pages (avec la collaboration de Wilson O'Shaugnessy). (Épuisé).

■ **Corrigé d'exercices choisis - Décisions financières à long terme**, 3e édition, Les Éditions SMG, 1994, 84 pages.

Avant-propos à la 2e édition

Structure de l'ouvrage

Cet ouvrage traite des méthodes d'analyse et de prévisions financières ainsi que des décisions d'investissement et de financement à court terme. Il se divise en trois parties. Dans la première partie - *L'objectif financier de l'entreprise et la fonction finance* -, nous décrivons brièvement les principales décisions financières auxquelles est confronté le gestionnaire financier en milieu corporatif et rappelons l'objectif fondamental de l'entreprise dans une économie capitaliste.

Dans la deuxième partie - *L'analyse et la prévision financières* - (chapitres 2 à 6), nous abordons les méthodes d'analyse et de prévisions financières les plus couramment utilisées par les gestionnaires et les analystes externes. Cette partie de l'ouvrage traite notamment des thèmes suivants :

- l'information contenue dans les états financiers;
- l'établissement et l'analyse de l'état des flux de trésorerie;
- l'analyse verticale et l'analyse horizontale;
- l'analyse par ratios;
- le concept de « qualité des bénéfices »;
- la prévision de faillite;
- les mesures de création de valeur (la valeur ajoutée économique (VAE),
- la valeur ajoutée par le marché (VAM), etc.);
- la notion de flux de trésorerie disponible et l'évaluation de l'entreprise;
- l'analyse du point mort;
- les effets de levier d'exploitation et financier;
- la préparation d'un budget de caisse et des états financiers prévisionnels;
- la détermination des besoins de financement externes requis.

Quant à la troisième partie de l'ouvrage - *La gestion de l'actif et du passif à court terme* - (chapitres 7 à 11), elle est consacrée aux décisions d'investissement et de financement à court terme de l'entreprise (gestion de l'encaisse, gestion des comptes clients, gestion des stocks et choix des modes de financement à court terme). La gestion financière à court terme vise à apporter des réponses à des questions du genre suivant :

- Comment estimer les besoins de financement en fonds en roulement de l'entreprise?

- Quel devrait être le niveau d'encaisse optimal de l'entreprise?
- Dans quels titres disponibles sur le marché monétaire les liquidités excédentaires à court terme devraient-elles être investies?
- Quelle quantité de matières premières l'entreprise devrait-elle commander?
- Quelle devrait être la politique de crédit de l'entreprise?
- Quels modes de financement à court terme l'entreprise devrait-elle retenir?

etc.

Finalement, l'annexe A à la fin de l'ouvrage rappelle les concepts fondamentaux des mathématiques financières. Le lecteur, dont les connaissances en mathématiques financières sont plutôt limitées, aurait tout avantage à lire cette annexe avant d'aborder l'étude du chapitre 4.

Approche pédagogique

L'approche pédagogique se caractérise par les particularités suivantes :

1. Le texte est rédigé dans un langage simple et facilement accessible à des non spécialistes de la discipline.
2. Dans le but d'illustrer les concepts théoriques présentés, nous avons recours, tout au long de cet ouvrage, à de nombreux exemples numériques.
3. Nous présentons les différents sujets dans une séquence qui facilitera grandement leur compréhension et leur intégration.
4. Les objectifs pédagogiques énoncés au début de chaque chapitre donnent une vue d'ensemble des notions importantes à maîtriser.
5. À la fin de chaque chapitre, une section est consacrée à la révision des concepts fondamentaux.
6. Plusieurs exercices, de difficultés variables, sont proposés à la fin de chaque chapitre et permettent au lecteur de vérifier son degré de compréhension des sujets étudiés et d'approfondir ses connaissances de la matière. Les réponses aux exercices suggérés apparaissent à la fin de l'ouvrage.
7. Le lecteur qui désire approfondir ses connaissances de certains sujets peut consulter les sites Internet mentionnés dans les marges et/ou les références indiqués à la fin de l'ouvrage.
8. La plupart des définitions importantes sont mises en exergue.
9. Des remarques aparaissent à plusieurs endroits dans le texte de façon à bien faire ressortir certains points importants ou complémentaires.
10. Un sommaire des principales formules est présenté à la fin de la plupart des chapitres.
11. Une annexe permettra au lecteur de voir ou de revoir les concepts fondamentaux des mathématiques financières.
12. Les tables financières requises et une table de la loi normale centrée réduite figurent à la fin de l'ouvrage.

Matériel pédagogique complémentaire

Un corrigé complet des exercices est disponible auprès des Éditions SMG.

Clientèle visée

Ce volume s'adresse aussi bien aux praticiens de la finance qu'aux étudiants et étudiantes en administration, en comptabilité et en finance. Nous croyons qu'il est très bien adapté aux contenus des cours de base en finance corporative dispensés dans les établissements d'enseignement supérieur.

Remerciements

En terminant, l'auteur voudrait particulièrement remercier Monsieur Gérald Baillargeon pour ses nombreuses suggestions et remarques pertinentes, mais surtout pour son appui constant tout au long de ce projet. Il remercie également Monsieur Daniel Valois qui a participé à la collecte de certaines données et à l'élaboration des solutions de plusieurs exercices des chapitres 2 à 4. Enfin, l'excellent travail de traitement de texte de Monsieur Sylvain Ricard mérite d'être souligné.

Denis Morissette
Juin 2008

Table des matières

3 L'analyse et l'interprétation des états financiers

4 Les mesures de création de valeur

5 L'analyse du point mort et l'effet de levier

6 La prévision financière

Partie III: La gestion de l'actif et du passif à court terme

7 La gestion du fonds de roulement

8 La gestion de l'encaisse et des titres négociables

9 La gestion des comptes clients

10 La gestion des stocks

11 Les sources de financement à court et moyen termes

Annexe A: Valeurs actualisées et valeurs capitalisées

Partie I : Introduction

Chapitre 1 : L'objectif financier de l'entreprise et la fonction finance

1

L'objectif financier de l'entreprise et la fonction finance

Sommaire

1

Lorsque vous aurez complété l'étude du chapitre 1,

1. vous connaîtrez les trois décisions financières à long terme (décision d'investissement, décision de financement et décision relative à la politique de dividende) auxquelles sont confrontés les gestionnaires de l'entreprise ainsi que les caractéristiques essentielles de ces décisions;

2. vous pourrez identifier les principales variables qui exercent une influence sur la valeur boursière de l'action de l'entreprise;

3. vous connaîtrez les caractéristiques essentielles des décisions financières à court terme et des décisions financières à long terme;

4. vous saurez que les décisions financières de l'entreprise devraient viser à maximiser la richesse des actionnaires;

5. vous serez sensibilisé au fait que les objectifs des gestionnaires de l'entreprise ne sont pas nécessairement les mêmes que ceux des actionnaires;

6. vous connaîtrez les principaux moyens dont disposent les actionnaires afin d'accroître les chances que les gestionnaires agissent dans leur intérêt;

7. vous saurez que la maximisation des bénéfices n'est pas l'objectif à viser lors de la prise de décisions financières;

8. vous connaîtrez le rôle de la fonction finance dans l'entreprise.

1.1 Les décisions financières de l'entreprise

Dans un contexte pratique, le gestionnaire est confronté à trois décisions financières importantes, soit le choix des investissements à court et long termes, le choix des modes de financement à court et long termes et le choix d'une politique de distribution des dividendes. Comme l'illustre la figure 1.1, le gestionnaire financier prend ces décisions en tenant compte des données internes disponibles (information comptable et autres), des particularités de l'environnement dans lequel l'entreprise opère et de son degré d'aversion à l'égard du risque[1]. Il va de soi que les décisions liées à l'investissement, au financement et à la distribution des dividendes sont très importantes, puisque ce sont elles qui déterminent les flux monétaires[2] anticipés de l'entreprise, leur chronologie et leur

---

[1] Un individu a de l'aversion à l'égard du risque si, entre deux flux monétaires dont les valeurs espérées sont identiques, il préfère celui dont le risque (l'écart-type) est le plus faible. Ainsi, un individu ayant de l'aversion à l'égard du risque préfère un flux monétaire certain de 100 $ plutôt qu'un flux monétaire dont la distribution de probabilité est la suivante:

Probabilité	Flux monétaire
1/2	0
1/2	200 $

[2] Le flux monétaire de l'entreprise pour une période donnée est défini comme étant la différence entre les rentrées et les sorties de fonds de cette période. La notion de flux monétaire est discutée plus en profondeur aux chapitres 2 et 4.

Figure 1.2

Lien entre les décisions financières de l'entreprise et le prix de l'action en Bourse

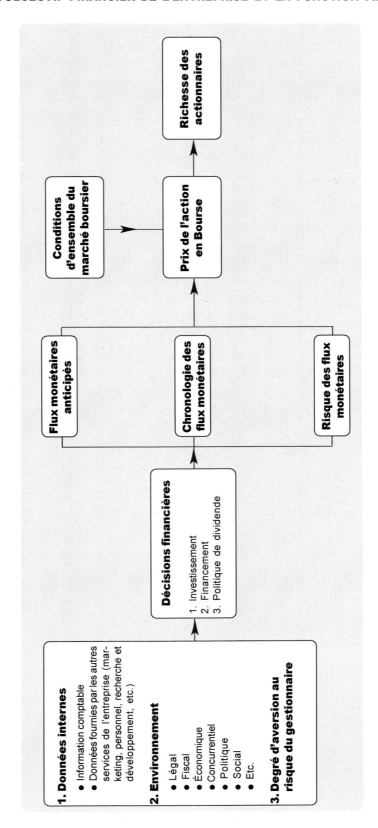

degré de risque. En plus des décisions prises par le gestionnaire financier, on constate, à la figure 1.1, que les conditions prévalant sur le marché boursier exercent également une influence sur la valeur marchande de l'action d'une entreprise. En effet, comme nous en discutons au chapitre 6 de notre ouvrage intitulé « Gestion financière[3] », les actions de la très grande majorité des entreprises ont tendance à fluctuer dans la même direction.

Ci-dessous, nous décrivons brièvement chacune des trois décisions financières de l'entreprise. Ces décisions sont discutées en détail plus loin dans cet ouvrage (pour ce qui est de l'aspect à court terme) et dans notre autre ouvrage (pour les décisions à long terme).

1.1.1 La décision d'investissement

· · ·
Décision d'investissement
Choix concernant les actifs à acquérir de façon à assurer la croissance de l'entreprise

La décision d'investissement est la décision financière la plus importante parmi les trois énumérées précédemment. D'ailleurs, dans le cadre d'un marché des capitaux parfait (pas d'impôt, pas de frais de transaction, rationalité des individus, information gratuite et accessible à tous simultanément, etc.), on peut démontrer qu'il s'agit de la seule décision financière ayant un impact sur la valeur de l'entreprise.

Cette décision détermine les sommes d'argent qui seront investies par l'entreprise de même que les actifs spécifiques qui seront retenus. Au bilan d'une entreprise, la décision d'investissement, c'est-à-dire l'acquisition d'actifs réels corporels (stocks, terrains, bâtiments, équipements, etc.) ou incorporels (brevets d'invention, marques de commerce, etc.) détermine la composition de son actif (voir la figure 1.2).

Figure 1.2
Les décisions financières et le bilan de l'entreprise

Décision d'investissement	Décision de financement
Actifs à court terme	Dettes à court terme
Actifs à long terme corporels et incorporels	Dettes à long terme
	Avoir des actionnaires

1.1.2 La décision de financement

· · ·
Décision de financement
Détermination des sources de fonds les plus appropriées pour acquérir des actifs réels

La seconde décision d'importance pour l'entreprise est la décision de financement. Cette dernière a trait à la façon dont seront recueillis les fonds dans le but de financer les projets d'investissement jugés rentables. Il s'agit pour le gestionnaire financier de déterminer la façon optimale (obligations, actions privilégiées, actions ordinaires, titres convertibles, etc.) d'amasser les fonds nécessaires au développement de l'entreprise. Il est à noter que, dans le cadre

---

[3] Voir, Morissette D., « Gestion financière », publié chez le même éditeur.

d'un marché parfait, la décision d'investissement est dissociable de la décision de financement, c'est-à-dire que dans ce contexte idéal le gestionnaire financier n'a pas, lors de l'analyse de la rentabilité d'un investissement, à tenir compte de la façon dont celui-ci sera financé. Toutefois, dans une situation réelle - notamment à cause de l'existence des impôts -, les décisions d'investissement et de financement ne peuvent être séparées, puisque la façon dont l'entreprise se finance a un certain impact sur la valeur de ses projets d'investissement.

Au bilan d'une entreprise (voir la figure 1.2), la décision de financement, c'est-à-dire la vente d'actifs financiers ou valeurs mobilières (papier commercial, obligations, actions, etc.) aux investisseurs détermine la composition de son passif.

1.1.3 La décision relative à la politique de dividende

Décision relative à la politique de dividende
Choix entre le réinvestissement des bénéfices de l'entreprise ou leur distribution en espèces aux actionnaires

La décision relative à la politique de dividende détermine le pourcentage des bénéfices qui seront versés en argent aux actionnaires, la stabilité temporelle des dividendes, les dividendes en actions et le rachat d'actions. À l'instar de la décision de financement, la décision relative à la politique de dividende n'influence pas la valeur de l'entreprise dans le cadre d'un marché des capitaux parfait. Toutefois, à cause de certaines imperfections du marché des capitaux, il est possible, qu'en pratique, il existe une politique de dividende optimale, c'est-à-dire une politique qui maximise le prix de l'action de l'entreprise.

1.1.4 Les décisions financières à court terme versus les décisions financières à long terme

La majeure partie de cet ouvrage porte sur les décisions financières à court terme de l'entreprise. Afin de bien faire ressortir les caractéristiques essentielles des décisions financières à court terme, on peut les opposer aux décisions financières à long terme sur plusieurs aspects:

1. Les décisions financières à court terme ont un impact sur les postes à court terme du bilan de l'entreprise, c'est-à-dire les espèces et les quasi-espèces, les placements à court terme, les comptes clients, les stocks et les dettes à court terme. Pour leur part, les décisions financières à long terme touchent les postes à long terme du bilan de l'entreprise, c'est-à-dire les immobilisations, les dettes à long terme et l'avoir des actionnaires.

2. Les décisions financières à court terme ont un effet sur les rentrées et sorties de fonds de l'entreprise de la prochaine année alors que l'impact des décisions financières à long terme sur les flux monétaires de l'entreprise se fera sentir pendant plusieurs années. Pour illustrer, supposons qu'une entreprise achète au comptant des matières premières et anticipe vendre au comptant les produits finis dans 6 mois. Dans le cas de cette décision financière à court terme, les flux monétaires impliqués peuvent être représentés schématiquement de la façon suivante:

0
Sortie de fonds : achat
au comptant de matiè-
res premières

6 mois
Entrée de fonds : argent
reçu suite à la vente de
produits finis

Par ailleurs, si une entreprise achète maintenant une pièce d'équipement qui lui permettra de réduire ses frais d'exploitation pendant 4 ans, on aura, pour cette décision d'investissement à long terme, le schéma suivant :

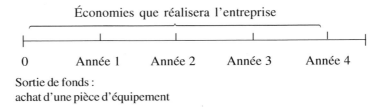

Économies que réalisera l'entreprise

0   Année 1   Année 2   Année 3   Année 4

Sortie de fonds :
achat d'une pièce d'équipement

3. Les décisions financières à court sont prises quotidiennement alors que les décisions financières à long terme sont prises de façon discontinue ou sporadique. En pratique, le gestionnaire financier passe la majorité de son temps à analyser des décisions à court terme.

4. Contrairement aux décisions financières à court terme qui peuvent habituellement être corrigées rapidement, les décisions financières à long terme engagent l'avenir de l'entreprise et sont, dans la plupart des cas, difficilement réversibles.

5. Pour analyser les décisions financières à long terme (c.-à-d. les décisions dont les flux monétaires s'étalent sur plusieurs périodes), on doit, la plupart du temps, recourir aux méthodes basées sur l'actualisation des flux monétaires alors que de telles méthodes ne sont pas nécessaires pour analyser les décisions financières à court terme (c.-à-d. les décisions dont l'horizon est d'une seule période). Les décisions financières à court terme font plutôt parfois appel aux techniques de la recherche opérationnelle (dans le cas de la gestion de l'encaisse et des stocks) ou à l'analyse discriminante (dans le cas de la gestion des comptes clients).

1.1.5 Les décisions financières et la relation risque-rendement

La plupart des décisions financières d'une entreprise ou d'un investisseur implique un arbitrage entre le risque et le rendement espéré. En général, plus l'entreprise ou l'investisseur est disposé à supporter un degré de risque substanciel, plus le rendement espéré est élevé. Par exemple, dans le domaine du choix des investissements, une entreprise qui décide de se lancer dans la fabrication d'un nouveau produit prend un risque beaucoup plus élevé qu'en plaçant les fonds disponibles dans des obligations fédérales. Toutefois, selon la relation risque-rendement, le rendement que peut espérer en retirer l'entreprise est beaucoup plus élevé dans le premier cas que dans le second. De même, un investisseur qui place ses liquidités dans les actions ordinaires d'une compagnie cotée en Bourse peut espérer réaliser un rendement plus élevé qu'en investissant les fonds disponibles dans des bons du Trésor du gouvernement. Cela est attribuable au fait que les actions ordinaires comportent, en général, un risque relativement élevé et que les bons du Trésor constituent un placement dénué de risque.

1.2 L'objectif financier de l'entreprise

1.2.1 La maximisation de la richesse des actionnaires

Dans la première partie du chapitre, nous avons discuté des décisions financières fondamentales de l'entreprise, soit la décision d'investissement, la décision de financement et la décision relative à la politique de dividende. Maintenant, nous tentons de répondre à l'importante question suivante: sur quel critère devraient se baser les gestionnaires pour prendre de telles décisions? En principe, la réponse à cette question est simple. En effet, comme les actionnaires ordinaires sont les véritables propriétaires de l'entreprise, les décisions financières devraient normalement viser à maximiser la richesse de ces derniers. Concrètement, cette richesse peut se définir comme étant la somme des dividendes versés et de la valeur marchande des actions ordinaires de l'entreprise. Ainsi, dans l'intérêt des actionnaires, les gestionnaires devraient retenir tous les projets d'investissement qui, d'après les estimations, feraient augmenter la valeur marchande des actions ordinaires. De même, en ce qui a trait à la décision de financement, les gestionnaires devraient choisir le ratio d'endettement permettant de minimiser le coût global du financement de l'entreprise.

Bien entendu, dans l'exercice de leurs fonctions, les gestionnaires doivent régulièrement négociés des ententes avec d'autres parties prenantes de l'entreprise (créanciers, clients, employés, fournisseurs, sous-traitants, gouvernement, etc.) dont les objectifs spécifiques divergent de ceux des actionnaires. Dans un tel contexte, certains soutiennent que les décisions financières devraient être prises en tenant compte des intérêts de toutes les parties prenantes (*stakeholders*) de l'entreprise et non seulement de ceux des actionnaires.

Pour notre part, nous estimons, qu'il s'avère difficile, voire impossible, de tenter d'atteindre simultanément les objectifs disparates des différents groupes préoccupés par la gestion de l'entreprise. En conséquence, nous considérons, dans nos ouvrages de base en finance corporative, que la maximisation de la richesse des actionnaires est l'objectif à prioriser lors de la prise de décisions d'investissement et de financement.

1.2.2 Les incitatifs à la maximisation de la richesse des actionnaires

Les objectifs des gestionnaires de l'entreprise ne sont pas nécessairement identiques à ceux des actionnaires. Ainsi, les gestionnaires peuvent être portés à prendre des décisions d'investissement et de financement plutôt conservatrices afin de minimiser le risque de faillite de l'entreprise et ainsi s'assurer de conserver leurs emplois. Toutefois, des décisions financières possédant cette caractéristique ne sont pas nécessairement optimales du point de vue des actionnaires, car en agissant ainsi les gestionnaires seront tentés de rejeter de bonnes opportunités d'investissement qui présentent un certain risque - même si ce risque est parfaitement tolérable pour un actionnaire qui détient un portefeuille d'actions bien diversifié et dont les titres de l'entreprise inclus dans ce portefeuille ne représentent qu'une faible proportion de sa richesse - et à limiter le recours à l'endettement qui est pourtant un mode de financement beaucoup moins onéreux que les fonds propres.

. . .
Régime de rémunération à base d'options d'achat d'actions
Régime de rémunération variable permettant aux cadres supérieurs d'acquérir des actions de l'entreprise à un prix fixé d'avance - appelé prix d'exercice - et ce, au cours d'une certaine période de temps

Les actionnaires disposent cependant de certains moyens afin d'accroître les chances que les gestionnaires agissent dans leur intérêt. Ainsi, plusieurs entreprises ont mis sur pied des régimes de rémunération à base d'options d'achat d'actions[4] permettant aux gestionnaires d'acquérir des actions de la compagnie à un prix fixé à l'avance et ce, pendant une certaine période de temps. En admettant que le cours boursier de l'action de la compagnie se situe actuellement à 10 $, un gestionnaire peut, par exemple, se voir offrir la possibilité d'acquérir 25 000 actions de la société à ce prix pendant les quatre prochaines années. Dans un tel contexte, il apparaît clairement qu'il a avantage à prendre les décisions financières permettant de maximiser la valeur boursière de l'action. En effet, si l'on suppose que le cours de l'action sera de 15 $ dans trois ans, il pourra alors en acheter 25 000 à 10 $ l'unité et les revendre à 15 $ chacune sur le marché secondaire. Une telle transaction lui permettra de réaliser un gain en capital de 125 000 $, soit 25 000 (15 $ - 10 $).

Un autre facteur qui incite les gestionnaires à agir dans l'intérêt des actionnaires est la menace d'une prise de contrôle externe qui plane lorsque l'action de l'entreprise est sous-évaluée parce que les décisions prises par les gestionnaires en place ne permettent pas de maximiser la valeur boursière de l'action. Dans une telle situation, une autre société pourrait être disposée à payer pour les actions de l'entreprise un prix plus élevé que leur cours boursier actuel et, par la suite, congédier les gestionnaires en place pour les remplacer par des gestionnaires plus performants. En agissant ainsi, cela devrait permettre aux actionnaires de l'acquéreur de réaliser un gain en capital intéressant, suite à la

---

[4] Suite aux abus des dirigeants de certaines entreprises bien connues - Nortel, Enron et Worlcom en sont des exemples probants - qui, par l'entremise d'artifices comptables présentaient un portrait financier plutôt flatteur, mais déformé, de leur société et, par la suite, en retiraient des avantages pécuniers substanciels en levant leurs options d'achat avant que les investisseurs ne découvrent après coup que la situation financière de la compagnie était pour le moins précaire et les perspectives à long terme plutôt sombres, ces régimes de rémunération ont été l'objet de nombreuses critiques récemment.

hausse de la valeur marchande de la société acquise engendrée par la prise de meilleures décisions financières.

1.2.3 La maximisation des bénéfices versus la maximisation de la richesse des actionnaires

Supposons que les gestionnaires prennent les décisions ayant pour conséquence de maximiser les bénéfices de l'entreprise. En résultera-t-il pour autant une richesse maximale pour les actionnaires de l'entreprise? La réponse à cette question est négative. Pour bien comprendre pourquoi il en est ainsi, supposons le cas d'une entreprise ayant actuellement 1 000 000 d'actions en circulation et dont les bénéfices totaux s'élèvent à 2 000 000 $, soit 2 $ par action. Cette entreprise décide d'émettre 1 000 000 de nouvelles actions et investit les fonds reçus dans des projets d'investissement ayant pour effet d'augmenter les bénéfices totaux de 1 000 000 $. Le bénéfice par action passera alors à 1,50 $ (soit $\frac{2\,000\,000\,\$ + 1\,000\,000\,\$}{1\,000\,000 + 1\,000\,000}$) et il en résultera vraisemblablement une baisse de la valeur marchande de l'action ordinaire et, par conséquent, de la richesse des actionnaires. Par exemple, si les actions ordinaires de l'entreprise se transigent normalement à un ratio cours-bénéfice de 10, on peut en déduire que leur prix initial était de 20 $ (soit 2 $ x 10) et que, suite à l'acceptation des nouveaux projets d'investissement (et en supposant que le ratio cours-bénéfice demeurera inchangé), leur prix passera à 15 $ (soit 1,50 $ x 10).

> **Ratio cours-bénéfice**
> La valeur marchande de l'action divisée par le bénéfice par action

L'exemple précédent illustre clairement que la maximisation des bénéfices totaux n'est pas l'objectif à viser lors de la prise de décisions financières. On peut alors se demander si la maximisation du bénéfice par action conduit nécessairement à la maximisation de la richesse des actionnaires. La réponse à cette question est également négative puisque ce critère ne tient pas compte du risque des bénéfices et de la valeur temporelle de l'argent. De plus, le bénéfice par action dépend, en partie, des méthodes comptables utilisées par l'entreprise. Ci-dessous, nous discutons, à tour de rôle, de chacune des lacunes de ce critère.

> **Risque**
> Probabilité que le résultat réel s'écarte du résultat espéré. Plus l'éventail des résultats possibles est large, plus le projet d'investissement comporte un risque substantiel

❶ Le risque. Supposons deux projets d'investissement mutuellement exclusifs[5], A et B. Le projet A est très risqué et aurait pour conséquence d'accroître le bénéfice espéré par action de 1 $ alors que le projet B est beaucoup moins risqué et aurait pour effet de le hausser de seulement 0,50 $. Si l'objectif est de maximiser le bénéfice espéré par action, il est clair que l'on doit retenir le projet A, puisque ce dernier permet d'accroître de façon plus marquée le bénéfice espéré par action de l'entreprise. Toutefois, tout dépendant du degré d'aversion envers le risque des actionnaires de l'entreprise, le projet B peut être préférable au projet A. Le meilleur de ces deux projets est en fait celui qui aurait l'impact le plus positif sur le cours de l'action de l'entreprise.

---

[5] Deux projets d'investissement sont mutuellement exclusifs si on ne peut les réaliser en même temps. Cette notion est discutée plus en détail au chapitre 4 du volume « Gestion financière ».

2. **La valeur temporelle de l'argent.** Un second problème associé à la maximisation du bénéfice par action a trait à la valeur temporelle de l'argent. Ainsi, un projet qui aurait pour effet d'accroître le bénéfice espéré par action de 0,50 $ par année pendant 4 ans n'est pas nécessairement préférable à un autre projet qui aurait pour effet de le hausser de 1,75 $ lors de la première année seulement. Dans un tel contexte, le meilleur projet dépend du taux d'actualisation choisi par l'entreprise pour tenir compte de la valeur de l'argent dans le temps.

3. **Les méthodes comptables utilisées par l'entreprise.** Une dernière difficulté inhérente à la maximisation du bénéfice par action est attribuable au fait que celui-ci est notamment fonction des choix effectués par l'entreprise en ce qui concerne ses méthodes comptables. Ainsi, les choix relatifs à la méthode d'amortissement des immobilisations et à la méthode d'évaluation des stocks influencent le bénéfice par action de l'entreprise et ce, même s'ils n'ont aucun impact sur les flux monétaires de cette dernière et ne devraient pas, par conséquent, affecter la richesse des actionnaires[6].

1.2.4 Résumé

Le point important à retenir, suite à la lecture de la seconde partie de ce chapitre, est que les gestionnaires de l'entreprise devraient, dans l'intérêt des actionnaires, prendre les décisions permettant de maximiser le prix de l'action ordinaire (les actionnaires disposent d'ailleurs de certains moyens afin de les inciter à agir ainsi). La qualité des décisions financières prises par les gestionnaires déteminera les flux monétaires anticipés de l'entreprise, leur degré de risque, leur chronologie et, par conséquent, le prix de l'action ordinaire sur les marchés boursiers. Du point de vue des actionnaires, plus ce prix est élevé, meilleure est l'équipe de gestionnaires en place.

1.3 La fonction finance dans l'entreprise

La figure 1.3 représente la structure organisationnelle d'une grande entreprise en mettant surtout l'emphase sur la fonction finance. On y observe que le responsable de la gestion financière dans l'entreprise est le vice-président finance. Ce dernier, qui relève du président, coordonne les activités du trésorier et du contrôleur. Le trésorier est habituellement responsable de la gestion des postes du fonds de roulement (espèces et quasi-espèces, placements temporaires, comptes clients et stocks), de l'obtention du financement, de la gestion des investissements, du paiement des dividendes et de l'administration des assurances et du régime de retraite. Le contrôleur, pour sa part, est notamment responsable de la comptabilité générale, du prix de revient, des questions fiscales

---

[6] À ce sujet, la plupart des études empiriques réalisées à ce jour indiquent que le prix de l'action n'est pas affecté par des changements de méthodes comptables qui ont pour effet d'augmenter le bénéfice net.

Figure 1.3

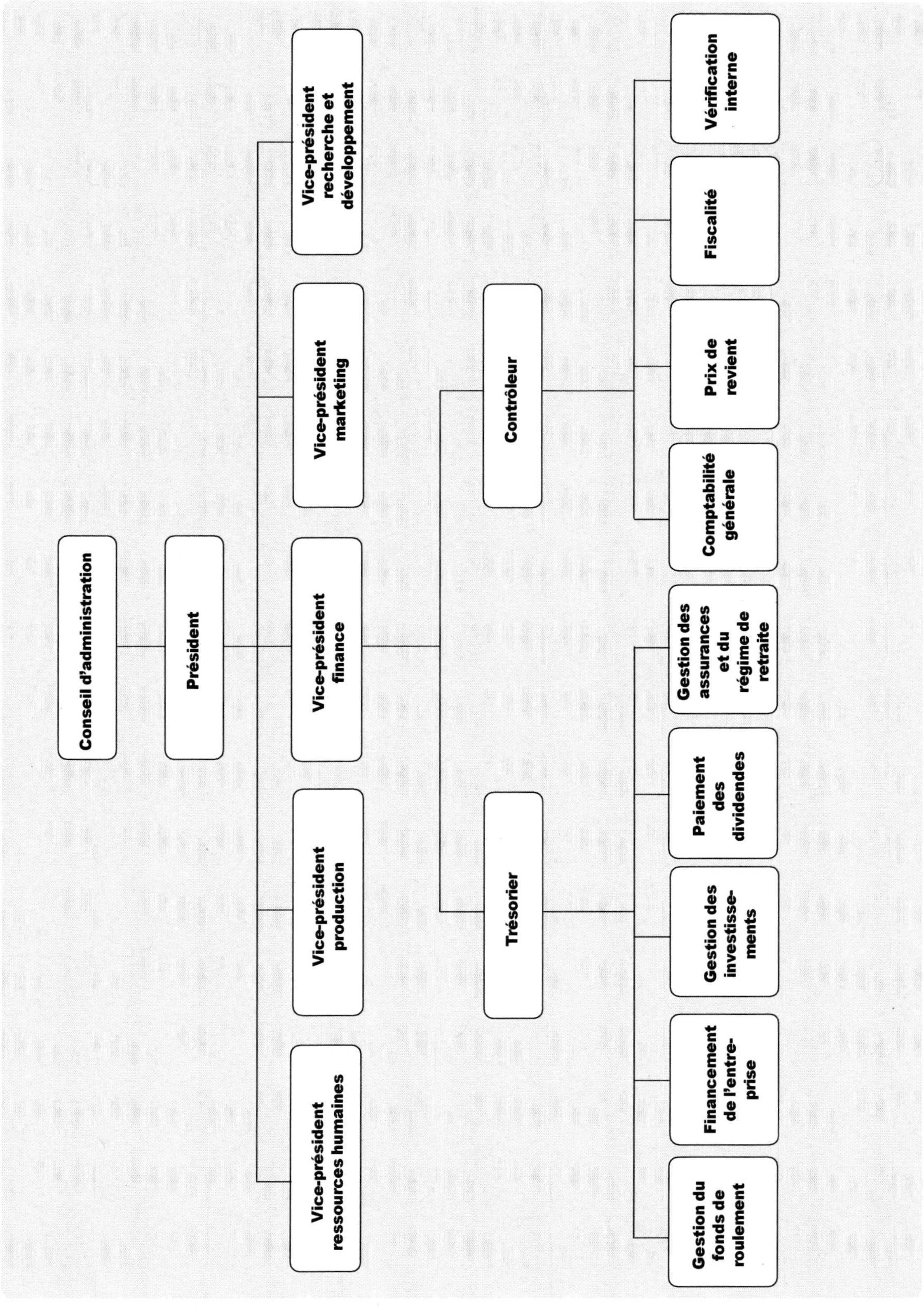

La structure organisationnelle de l'entreprise et la fonction finance

et de la vérification interne. En résumé, on peut dire que le trésorier s'occupe de la fonction finance externe alors que le contrôleur dirige la fonction finance interne. Il va de soi que la matière couverte dans le présent ouvrage concerne davantage les tâches du trésorier que celles du contrôleur.

1.4 Concepts fondamentaux

- Les trois décisions financières fondamentales auxquelles est confronté le gestionnaire en milieu corporatif sont : (1) la décision d'investissement, (2) la décision de financement et (3) la décision relative à la politique de dividende.

- La décision d'investissement consiste à affecter les ressources disponibles aux projets présentant le meilleur profil risque-rendement.

- La décision de financement concerne la façon optimale de recueillir les capitaux nécessaires pour démarrer les projets d'investissement jugés rentables.

- La décision relative à la politique de dividende a trait à l'arbitrage entre le réinvestissement des bénéfices dans de nouveaux projets d'investissement ou leur distribution en espèces aux détenteurs d'actions ordinaires.

- Les décisions financières à court terme exercent un impact sur les flux monétaires (rentrées et sorties de fonds) de l'entreprise de la prochaine année. Pour leur part, les décisions financières à long terme génèrent des flux monétaires s'échelonnant sur plusieurs années et engagent l'avenir de l'entreprise.

- L'objectif financier primordial de l'entreprise consiste à maximiser la richesse de ses actionnaires.

- La maximisation du bénéfice par action (BPA) n'entraîne pas nécessairement la maximisation de la richesse des actionnaires. Ce critère comporte comme inconvénients majeurs de faire abstraction du risque et de ne pas tenir compte de la valeur temporelle de l'argent.

- Les régimes de rémunération à base d'options d'achat d'actions accroissent la probabilité que les gestionnaires agissent dans l'intérêt des actionnaires, mais sont sujets à certains abus de la part de gestionnaires opportunistes s'ils ne sont pas assortis de mesures incitatives à long terme.

1.5 Mots clés

Décision de financement
Décision d'investissement
Décisions financières à court terme
Décisions financières à long terme
Décision relative à la politique de dividende
Flux monétaire
Fonction finance
Maximisation des bénéfices totaux

1.5 Mots clés (suite)

Maximisation du bénéfice par action
Objectif financier de l'entreprise
Parties prenantes de l'entreprise
Ratio cours-bénéfice
Régime de rémunération à la base d'options d'achat d'actions
Relation risque-rendement
Richesse des actionnaires
Risque
Valeur temporelle de l'argent

1.6 Exercice

1. Vrai ou faux.

a) Les décisions financières de l'entreprise devraient viser à maximiser les bénéfices totaux.

b) Dans un marché des capitaux parfait, la décision de financement exerce une influence déterminante sur la valeur au marché de l'entreprise.

c) Une obligation gouvernementale est un actif réel.

d) Une hypothèque constitue un actif financier.

e) Un terrain représente un actif réel.

f) Le gestionnaire financier devrait prendre les décisions qui ont pour effet de maximiser la richesse des actionnaires.

g) Un projet d'investissement qui aurait pour effet d'augmenter le bénéfice par action de l'entreprise pour les trois années à venir devrait nécessairement être accepté.

h) Le gestionnaire financier prend des décisions concernant l'acquisition d'actifs réels et le financement de ces actifs.

i) Habituellement, plus un projet d'investissement est risqué, plus son taux de rendement espéré est élevé.

j) Contrairement aux décisions financières à court terme, les décisions financières à long terme entraînent des retombées sur l'entreprise pendant plusieurs années.

k) Habituellement, pour une période donnée, le flux monétaire de l'entreprise correspond à son bénéfice comptable.

l) Dans l'intérêt des actionnaires, le gestionnaire financier ne devrait jamais accepter un projet d'investissement risqué.

m) Dans l'intérêt des actionnaires, le gestionnaire financier devrait toujours financer les nouveaux projets d'investissement par fonds propres.

n) Dans un contexte réel, des conflits d'intérêts peuvent surgir entre les gestionnaires et les actionnaires de l'entreprise.

Partie II : L'analyse et la prévision financières

Chapitre 2 : **Les états financiers fondamentaux**

Chapitre 3 : **L'analyse et l'interprétation des états financiers**

Chapitre 4 : **Les mesures de création de valeur**

Chapitre 5 : **L'analyse du point mort et l'effet de levier**

Chapitre 6 : **La prévision financière**

2

Les états financiers fondamentaux

Sommaire

2

Lorsque vous aurez complété l'étude du chapitre 2,

1. vous connaîtrez le contenu et le rôle de chacun des quatre états financiers fondamentaux (bilan, état des résultats, état des bénéfices non répartis et état des flux de trésorerie);

2. vous serez familier avec les principaux postes que l'on retrouve généralement dans chacun des états financiers;

3. vous connaîtrez les principales particularités des états financiers consolidés;

4. vous comprendrez les relations qui existent entre les différents états financiers;

5. vous saurez que certaines charges (l'amortissement, les impôts futurs, la part des actionnaires sans contrôle, etc.), qui sont considérées dans le calcul du bénéfice net de l'entreprise, ne provoquent aucun mouvement de fonds.

2.1 Introduction

Dans ce chapitre, nous discutons des quatre états financiers fondamentaux de l'entreprise, soit le bilan, l'état des résultats, l'état des bénéfices non répartis et l'état des flux de trésorerie ainsi que des liens existant entre ces états. Au chapitre suivant, qui porte sur l'analyse financière, nous utiliserons abondamment l'information contenue dans ces rapports financiers.

2.2 Les états financiers fondamentaux

2.2.1 Le bilan

Bilan financier
État financier qui expose la situation financière d'une entreprise à une date donnée

Le bilan représente en quelque sorte une photo de la situation financière d'une entreprise à un moment précis dans le temps. Il comporte deux parties. La première partie indique les actifs que possède l'entreprise et les sommes d'argent qui lui sont dues alors que la seconde montre ses dettes (son passif) et l'avoir des actionnaires (ou la valeur nette de l'entreprise). L'avoir des actionnaires représente l'excédent de l'actif de l'entreprise sur son passif. On peut aussi dire que l'actif total de l'entreprise correspond à la somme de ses dettes et de l'avoir des actionnaires. L'équation comptable fondamentale peut donc s'écrire ainsi :

$$\begin{pmatrix} \text{Avoir des} \\ \text{actionnaires} \end{pmatrix} = \begin{pmatrix} \text{Actif} \\ \text{total} \end{pmatrix} - \begin{pmatrix} \text{Passif} \\ \text{total} \end{pmatrix}$$

ou

$$\begin{pmatrix} \text{Actif} \\ \text{total} \end{pmatrix} = \begin{pmatrix} \text{Passif} \\ \text{total} \end{pmatrix} + \begin{pmatrix} \text{Avoir des} \\ \text{actionnaires} \end{pmatrix}$$

Pour illustrer, considérons les bilans de la société Fictive inc. au 31/12/XX+1 et au 31/12/XX+2.

Fictive inc.

Bilan
(en milliers de dollars)

	31/12/XX+2	31/12/XX+1
ACTIF		
Actif à court terme		
Trésorerie et équivalents	30 000 $	24 800 $
Placements à court terme	50 000	38 000
Débiteurs	150 000	125 000
Stocks	135 000	115 000
Frais payés d'avance	8 000	6 000
Impôts futurs	2 000	2 000
	375 000 $	310 800 $
Placement à long terme	190 000	190 000
Immobilisations corporelles, montant net	606 000	550 000
Actifs incorporels	34 400	37 000
Autres éléments d'actifs	2 600	2 600
Total de l'actif	1 208 000 $	1 090 400 $
PASSIF ET AVOIR DES ACTIONNAIRES		
Passif à court terme		
Emprunt bancaire à court terme	37 000 $	49 000 $
Créditeurs	120 000	110 000
Dividendes à payer	6 000	6 000
Impôts sur le revenu à payer	27 000	20 000
Produits reportés	5 000	5 000
Impôts futurs	8 000	8 000
Tranche de la dette à long terme échéant à moins d'un an	15 000	20 000
Tranche des obligations locatives échéant à moins d'un an	2 000	5 000
	220 000 $	223 000 $
Dette à long terme	320 000	290 000
Obligations locatives	27 000	40 000
Impôts futurs	30 000	16 000
Avoir des actionnaires		
Capital-actions	230 000	250 000
Surplus d'apport	30 000	30 000
Bénéfices non répartis	351 000	241 400
Total du passif et de l'avoir des actionnaires	1 208 000 $	1 090 400 $

Interprétation des postes du bilan

Les postes de l'actif

Les postes de l'actif sont classés par ordre de liquidité décroissante. Ces postes sont ceux qui seront convertis en liquidités au cours de la prochaine année alors que les immobilisations représentent des sommes investies dans des actifs à long terme (c'est-à-dire des actifs dont la durée de vie est supérieure à un an) qui sont utilisés pour produire des biens et services.

Les principaux postes composant l'actif d'une entreprise sont décrits brièvement ci-après.

1. **La trésorerie et les équivalents de trésorerie.** La trésorerie et les équivalents de trésorerie comprennent l'argent en caisse, les soldes des comptes bancaires et les placements à court terme dans les instruments du marché monétaire - comme les bons du Trésor - dont l'échéance à l'origine est de 90 jours ou moins. Les « Équivalents de trésorerie » sont des placements facilement convertibles en un montant connu de liquidités et dont la valeur marchande n'est pas susceptibles de fluctuer de façon importante.

2. **Les placements à court terme.** Les placements à court terme désignent les titres comportant une échéance initiale de plus de 90 jours. Les fonds excédentaires investis dans ces titres visent à optimiser la rentabilité de l'entreprise.

   Selon les nouvelles normes comptables en vigueur sur les instruments financiers, les placements effectués par l'entreprise sont, au moment de leur acquisition, répartis dans l'une ou l'autre des trois catégories suivantes : (1) ceux détenus jusqu'à leur date d'échéance, (2) ceux détenus à des fins de transaction et (3) ceux destinés à la vente. Les placements détenus jusqu'à la date d'échéance sont initialement comptabilisés au coût d'acquisition et le montant inscrit au bilan ne sera pas modifié ultérieurement, sauf si les titres subissent une baisse de valeur durable. Pour leur part, les placements détenus à des fins de transaction et ceux destinés à la vente sont présentés à la juste valeur[1] à la date du bilan de l'entreprise et sont donc soumis à une évaluation périodique.

3. **Les débiteurs ou comptes clients.** Les débiteurs ou comptes clients constituent des sommes d'argent dues à l'entreprise pour des marchandises qu'elle a vendues ou des services qu'elle a rendus. Ces sommes sont exigibles d'ici un an. On soustrait habituellement du solde des comptes clients un certain montant - appelé provision pour créances douteuses - pour tenir compte du fait que certains clients de l'entreprise n'acquitteront pas leurs factures. Cette provision constitue un montant estimatif qui, compte tenu notamment de l'expérience passée et de la conjoncture économique, ne pourra être recouvré.

---

[1] Dans le cas d'un titre négocié activement sur le marché secondaire, la cotation la plus récente disponible représente la meilleure estimation de sa juste valeur.

4. **Les stocks.** Les stocks des entreprises commerciales représentent la valeur des articles immédiatement disponibles pour la vente. Selon les principes comptables généralement reconnus, les produits qu'une entreprise conservent en inventaire doivent être évalués au moindre du prix coûtant et de la valeur nette de réalisation.

Dans le but d'établir le coût de stocks, les comptables peuvent avoir recours à l'une ou l'autre des quatre méthodes suivantes :

■ **La méthode du coût propre.** Selon cette méthode, on attribue à chaque article le montant réellement déboursé pour se le procurer. Cette approche est rarement utilisé sauf pour les entreprises qui détiennent des biens dispendieux en quantité restreinte.

■ **La méthode du coût moyen pondéré.** Selon cette méthode de calcul, on effectue une moyenne pondérée des coûts des articles en inventaire au début de l'exercice et de ceux acquis pendant l'exercice.

■ **La méthode du premier entré, premier sorti ou PEPS.** Selon cette méthode, on suppose que les articles achetés en premier sont également ceux qui sont vendus en premier.

■ **La méthode du dernier entré, premier sorti ou DEPS.** Cette méthode de calcul repose sur l'hypothèse que les derniers articles achetés sont ceux qui sont vendus en premier. Soulignons que, depuis le 1er janvier 2008, cette méthode d'évaluation des stocks n'est plus autorisée au Canada.

Il va de soi que, dans un contexte inflationniste, la méthode d'évaluation retenue par l'entreprise exercice une influence sur la valeur des stocks inscrite au bilan ainsi que sur la marge bénéficiaire montrée à l'état des résultats.

Pour leur part, les stocks des entreprises manufacturières renferment habituellement des matières premières (c'est-à-dire des biens achetés dans le but de fabriquer un produit), des produits en cours ou semi-finis (c'est-à-dire des produits dont la fabrication n'est pas encore complétée) et des produits finis (c'est-à-dire des produits dont la fabrication est terminée, mais qui n'ont pas encore été vendus).

5. **Les frais payés d'avance.** Ces frais représentent des dépenses futures qui ont déjà été payées par l'entreprise (par exemple, les assurances et le loyer).

6. **Les impôts futurs.** Les impôts futurs montrés à l'actif du bilan représentent des impôts déjà payés mais qui n'ont pas encore été comptabilisés comme dépenses dans les livres de l'entreprise. La notion d'impôts futurs est discutée en détail plus loin dans ce chapitre.

7. **Les placements à long terme.** Les placements à long terme représentent les titres à long terme (actions, obligations, hypothèques, etc.) détenus par une entreprise - appelée société participante - dans le but d'engranger des revenus de placements, de générer des bénéfices ou d'exercer un contrôle sur une autre société. Sur la base du pourcentage d'actions volantes que détient la société participante de la société émettrice, on peut répartir les

placements à long terme en actions en trois catégories, soit les placements de portefeuille, les placements dans les sociétés satellites et les placements dans les filiales.

Un placement à long terme est généralement considéré comme un placement de portefeuille lorsque la société participante détient moins de 20% des actions votantes de la société émettrice des titres. Il vise à procurer à la société participante des revenus sous forme d'intérêts, de dividendes et de gains en capital au moment de la disposition des titres. D'un point de vue comptable, ce genre de placement apparaît dans les livres de l'entreprise à sa juste valeur.

Dans le cas d'un placement dans une société satellite, la société participante détient de 20% à 50% de l'entité émettrice des titres. Le but recherché par la société participante est alors d'exercer une influence notable sur les décisions de l'entité émettrice. D'un point de vue comptable, ce genre de placement est inscrit aux livres à la valeur de consolidation. Cela signifie que le coût d'acquisition initial des actions de la société émettrice est, à chaque exercice, ajusté pour tenir compte de la quote-part de l'entité participante dans les bénéfices et les dividendes déclarés par la société émettrice[2].

Finalement, dans le cas d'un placement dans une filiale, la société participante détient plus de 50% des actions votantes de la société émettrice. Il convient alors, selon les principes comptables généralement reconnus, de combiner les états financiers (bilan, état des résultats, état des bénéfices non répartis et état des flux de trésorerie) de la société mère avec ceux de sa (ou ses) filiale(s) et de ne présenter qu'un seul ensemble d'états financiers - appelés états financiers consolidés. Il est à noter que, dans ce genre de situation, les placements dans les filiales n'apparaissent pas sous la rubrique « Placements à long terme » dans les états financiers de l'entité mère. Les états financiers consolidés et leurs particularités sont abordés plus loin dans ce chapitre.

8. **Les immobilisations corporelles.** Les immobilisations corporelles représentent les actifs qui sont utilisés dans l'exploitation courante de l'entreprise et dont la durée de vie utile excède un an. Parmi ces actifs, on retrouve notamment les terrains et les bâtiments, les équipements de fabrication, le matériel roulant, le mobilier, le matériel informatique, les outils utilisés pour l'entretien et la réparation des immobilisations, les biens loués en vertu des contrats de location-acquisition et les amélioration locatives. Ces biens, qui procurent des avantages à long terme, sont inscrits au coût d'origine dans les livres de l'entreprise. De plus, à l'exception des terrains, les immobilisations sont amorties à chaque année et l'amortissement cumulé est retranché du coût de ces actifs. L'amortissement cumulé constitue en fait un compte de contrepartie qui diminue le coût des immobilisations du montant

---

[2] Les bénéfices de la société émettrice augmentent la valeur du placement de la société participante alors que les dividendes déclarés par l'entité émettrice ont l'effet contraire.

total d'amortissement inscrit aux livres depuis que l'entreprise a commencé à utiliser les actifs concernés.

Pour déterminer la charge annuelle d'amortissement qui sera portée à l'état des résultats, les deux méthodes les plus utilisées sont celles de l'amortissement linéaire (on impute, à chaque exercice financier, un montant identique d'amortissement) et de l'amortissement dégressif (on impute, à chaque exercice financier, le même taux d'amortissement au solde non amorti ou à la valeur comptable de l'actif).

9. **Les actifs incorporels.** Contrairement aux immobilisations corporelles, les actifs incorporels ne comportent pas d'existence physique. Ils comprennent notamment les brevets d'invention, les marques de commerce, les droits d'auteur, les franchises et l'écart d'acquisition[3].

De nombreux actifs incorporels comportent une durée de vie limitée alors que d'autres - c'est notamment le cas de certains types de marque de commerce - possèdent une durée de vie indéterminée. Comme pour les immobilisations corporelles, on doit, lorsqu'il s'agit d'un actif incorporel à durée de vie limitée, établir une charge d'amortissement annuelle qui vient réduire le montant des immobilisations incorporelles figurant à l'actif du bilan de l'entreprise.

10. **Les autres éléments d'actif.** Les autres éléments d'actif renferment les actifs qui peuvent difficilement être rattachés aux autres sections du bilan. Ces actifs concernent notamment les frais de constitution, les avances de fonds consenties aux actionnaires ou aux employés et les frais reportés (c.-à-d. des paiements qu'à effectués l'entreprise et qui généreront des avantages étalés sur plusieurs exercices financiers).

Les postes du passif et de l'avoir des actionnaires

Les actifs d'une entreprise sont financés par les créanciers et les actionnaires. Les principaux postes du passif et de l'avoir des actionnaires font l'objet d'une brève description ci-après.

1. **Les emprunts bancaires à court terme.** Il s'agit habituellement des dettes à court terme contractées par l'entreprise auprès de sa banque. Très souvent, les découverts bancaires (c.-à-d. le montant des chèques émis qui dépasse les fonds déposés) sont amalgamés aux emprunts bancaires à court terme de l'entreprise et présentés sous un seul poste au passif de son bilan.

2. **Les créditeurs ou comptes fournisseurs.** Les créditeurs représentent les sommes d'argent que l'entreprise devra verser à court terme à ses fournisseurs pour des achats à crédit qu'elle a effectués antérieurement.

3. **Les dividendes à payer.** Ce poste réfère aux dividendes déclarés par l'entreprise au cours de l'exercice, mais qui n'ont pas encore été versés aux actionnaires à la date du bilan.

---

[3] Le poste « Écart d'acquisition » est abordé plus loin dans ce chapitre dans la section consacrée aux états financiers consolidés.

4. **Les impôts sur le revenu à payer.** Ces impôts concernent des sommes d'argent qui devront être versées aux différents paliers de gouvernement à court terme.

5. **Les produits perçus d'avance.** Les produits perçus d'avance représentent des sommes d'argent reçues à l'avance pour des biens qui n'ont pas encore été livrés ou des services qui seront rendus dans le futur.

6. **La tranche de la dette à long terme échéant à moins d'un an.** Ce poste représente le montant de capital sur la dette à long terme que devra rembourser l'entreprise au cours de son prochain exercice financier.

7. **La tranche des obligations locatives échéant à moins d'un an.** Il s'agit du montant de capital que devra rembourser l'entreprise au cours du prochain exercice financier suite aux contrats de location-acquisition qu'elle a signés pour se procurer les services de certaines immobilisations.

8. **La dette à long terme.** La dette à long terme de l'entreprise renferme notamment les emprunts hypothécaires, les obligations et les débentures[4]. Dans le cas d'un emprunt hypothécaire, l'entreprise rembourse habituellement sa dette par une série de versements mensuels égaux (comprenant capital et intérêts) échelonnés sur plusieurs années. Pour leur part, les obligations et les débentures constituent un engagement formel de la part de l'entreprise de rembourser ses prêteurs à la date d'échéance des titres et de leur verser des intérêts sur une base semestrielle. Il est à noter que la partie de la dette à long terme qui échoit à moins d'un an doit figurer dans la section « Passif à court terme » du bilan.

9. **Les obligations découlant de contrats de location.** Les contrats de location qui transfèrent la quasi-totalité des avantages et des risques inhérents à la propriété d'un actif sont inscrits à titre de contrats de location-acquisition au passif du bilan. D'un point de vue financier, ces contrats s'apparentent à l'achat d'un actif financé par un emprunt. En conséquence, ils sont classés dans les immobilisations corporelles du coté de l'actif et dans les dettes à long terme du côté du passif au bilan. À l'état des résultats, on doit inscrire à chaque exercice financier des charges d'intérêts et une dépense liée à l'amortissement des immobilisations. Tous les autres contrats de location constituent des contrats de location-exploitation en vertu desquels les paiements de loyer sont passés aux dépenses à l'état des résultats au fur et à mesure où ils sont engagés. De plus, les contrats de location-exploitation ne sont pas affichés au bilan de l'entreprise (ils sont plutôt mentionnés dans les notes explicatives jointes aux états financiers).

10. **Les impôts futurs.** Les impôts futurs représentent la différence entre les impôts inscrits à l'état des résultats de l'entreprise et ceux montrés dans ses déclarations de revenus soumises au fisc. Ils sont attribuables au fait que le calcul du bénéfice imposable de l'entreprise en vertu des lois fiscales fédérales et provinciales ne s'effectue pas de la même manière que le cal-

---

[4] Les débentures constituent des obligations qui ne sont pas garanties par des actifs spécifiques de l'entreprise.

cul de son bénéfice avant impôts présenté à l'état des résultats.

Les écarts entre le bénéfice avant impôts calculés à des fins comptables et le bénéfice imposable de l'entreprise revêtent plusieurs formes et peuvent être permanents ou temporaires.

Les écarts permanents sont ceux qui ne se résorbent pas avec le temps et qui n'occasionnent pas d'impôts futurs. Ils proviennent d'éléments qui ne doivent pas être inclus dans le calcul du bénéfice imposable de l'entreprise, mais qui sont pris en compte dans le calcul de son bénéfice avant impôts ou l'inverse. Par exemple, les dividendes de sources canadiennes reçus par une société sont considérés dans le calcul de son bénéfice avant impôts, mais ils sont exclus du calcul du bénéfice imposable.

Les écarts temporaires sont ceux qui se résorberont avec le temps. Ce sont ces derniers qui occasionnent les impôts futurs. Parmi les écarts de cette nature, le plus courant d'entre eux est, sans aucun doute, celui provenant des différences entre le calcul de l'amortissement comptable et de l'amortissement fiscal. Pour illustrer le calcul des écart temporaires, considérons l'exemple suivant.

Exemple 2.1 **Calcul des impôts futurs attribuables aux écarts entre l'amortissement fiscal et l'amortissement comptable**

Au début de l'année XX+1, la compagnie KSW inc. acquiert un camion de livraison au coût de 60 000 $. Pour fins fiscales, ce véhicule est amortissable au taux dégressif annuel de 30%. D'un point de vue comptable, il sera amorti linéairement sur une période de six ans (on anticipe aucune valeur résiduelle au terme de cette période).

Par ailleurs, pour les années XX+1 à XX+3 inclusivement, le bénéfice comptable prévu avant amortissement et impôts de KSW inc. s'élève à 50 000 $. KSW inc. est assujettie à un taux d'imposition de 40%.

a) En faisant abstraction de la règle du demi-taux qui s'applique à l'amortissement fiscal, calculez, pour les années XX+1 à XX+4 inclusivement, les écarts temporaires et les impôts futurs attribuables à l'amortissement.

b) Calculez le bénéfice net comptable de KSW inc. pour les années XX+1 à XX+3 inclusivement.

■ **Solution**

a) Les écarts temporaires et les impôts futurs attribuables à l'amortissement sont présentés au tableau ci-dessous.

Années	Amortissement fiscal	Amortissement comptable	Écart temporaire	Impôt futur
XX+1	18 000 $	10 000 $	8 000 $	3 200 $
XX+2	12 600	10 000	2 600	1 040
XX+3	8 820	10 000	(1 180)	(472)
XX+4	6 174	10 000	(3 826)	(1 530)

Notes explicatives :

1. Amortissement comptable annuel = 60 000/6 =10 000 $.

2. En faisant abstraction de la règle du demi-taux, l'amortissement fiscal annuel se calcule ainsi :

Amortissement fiscal
de l'année XX+1 = (60 000)(30%) = 18 000 $
Amortissement fiscal
de l'année XX+2 = (60 000 - 18 000)(30%) = 12 600 $
Amortissement fiscal
de l'année XX+3 = (60 000 - 18 000 - 12 600)(30%) = 8 820 $
Amortissement fiscal
de l'année XX+4 = (60 000 - 18 000 - 12 600 - 8 820)(30%) = 6 174 $

3. L'impôt futur correspond à l'écart temporaire multiplié par le taux d'imposition de l'entreprise.

b) Le calcul du bénéfice net comptable pour les années XX+1 à XX+3 est présenté ci-après.

	Années		
	XX+1	**XX+2**	**XX+3**
Bénéfice net avant amortissement et impôts	50 000 $	50 000 $	50 000 $
Amortissement comptable	10 000	10 000	10 000 $
Bénéfice avant impôts	40 000 $	40 000 $	40 000 $
Impôts			
- Exigibles	12 800	14 960	16 472
- Futurs	3 200	1 040	(472)
Bénéfice net	24 000 $	24 000 $	24 000 $

Notes explicatives :

1. Le montant des impôts figurant à l'état des résultats est identique pour chacune des années considérées, puisqu'il n'est aucunement influencé par les diverses règles régissant le calcul de l'amortissement fiscal. Il est égal au bénéfice comptable avant impôts multiplié par le taux d'imposition de l'entreprise, soit 40 000 $ × 40% =16 000 $.

2. L'impôt exigible est égal au bénéfice imposable (c'est-à-dire le bénéfice avant amortissement et impôts diminué de l'amortissement fiscal) multiplié par le taux d'imposition de l'entreprise. Ainsi, pour l'année XX+1, on a :

(50 000 - 18 000) × 40% = 12 800 $

C'est ce dernier montant que KSW inc. devra effectivement verser au fisc à l'année XX+1. Quant au montant de 3 200 $, il sera ajouté au compte « Passif d'impôts futurs ».

Notes explicatives (suite)

3. À l'année XX +3, l'amortissement comptable est supérieur à l'amortissement fiscal et KSW inc. devra, par conséquent, réduire le solde du compte « Impôts futurs » de 472 $. En effet, on observe, qu'à l'année XX+3, les impôts futurs deviennent dus.

Dans le cas où les impôts exigibles excèdent ceux calculés à partir du bénéfice comptable avant impôts, il en résulte des impôts futurs qui seront présentés du côté de l'actif au bilan de l'entreprise.

11. Le capital-actions. Le montant inscrit à ce poste représente les sommes d'argent reçues par l'entreprise lorsqu'elle a procédé à des émissions d'actions pour se financer. Il est à noter que le montant indiqué au bilan ne reflète aucunement la valeur boursière des actions ordinaires en circulation de la compagnie.

12. Le surplus d'apport. Le surplus d'apport provient des sources autres que les bénéfices qui affectent l'avoir des actionnaires. Il peut notamment résulter de l'émission à prime d'actions ordinaires comportant une valeur nominale ou de dons effectués par les actionnaires.

13. Les bénéfices non répartis. Les bénéfices non répartis représentent les bénéfices cumulatifs de l'entreprise qui ont été réinvestis défalqués des dividendes versés et autres ajustements.

14. Le cumul des autres éléments du résultat étendu. Ce poste, qui figure dans la section des capitaux propres, cumule les gains et les pertes après impôts qui proviennent des autres éléments de l'état du résultat étendu. Une fois que ces gains et ces pertes se seront matérialisés, ils viendront affecter le solde du poste « Bénéfices non répartis ».

2.2.2 L'état des résultats

L'état des résultats permet d'apprécier la rentabilité d'une entreprise au cours d'une période de temps donnée, habituellement une année. Il suffit de retrancher des ventes nettes ou du chiffre d'affaires les différentes charges que doit encourir l'entreprise pour en arriver à établir le bénéfice net disponible pour les actionnaires ordinaires.

À titre d'exemple, nous reproduisons, ci-dessous, l'état des résultats de la compagnie Fictive inc. pour l'année XX+2.

Les principaux postes de l'état des résultats sont décrits brièvement ci-après.

1. Les ventes nettes. Les ventes nettes représentent les sommes gagnées par l'entreprise suite à la vente de ses produits ou des services qu'elle rend à ses clients. La méthode de la comptabilité d'exercice exige que les ventes soient inscrites aux livres dans l'exercice financier au cours duquel les produits sont vendus et ce, indépendamment du moment où les clients de l'entreprise acquittent leurs factures. Ainsi, une vente à crédit de marchan-

Fictive inc.
État des résultats pour l'année
se terminant le 31 décembre XX+2
(en milliers de dollars, sauf pour
les montants par action)

Ventes nettes	1 800 000 $
Coût des marchandises vendues	1 100 000
Bénéfice brut	700 000 $
Frais de vente et d'administration	330 000
Amortissement	80 000
Intérêts débiteurs	30 000
Bénéfices avant impôts	260 000 $
Impôts sur le revenu	
- Exigibles	90 000
- Futurs	14 000
Bénéfice net	156 000 $
Bénéfice par action	
De base	1,04 $
Dilué	1,02 $

dises effectuée en décembre de l'année XX+1 et qui sera réglée par le client en janvier de l'année XX+2 sera comptabilisée dans les ventes de l'année XX+1.

Pour obtenir le montant net des ventes, on doit retrancher du montant brut les rendus et rabais sur ventes[5] ainsi que les escomptes accordés aux clients qui règlent rapidement leurs factures.

2. **Les autres produits.** Les autres produits ne découlent pas des activités principales de l'entreprise. Ils comprennent notamment des intérêts et des dividendes sur les placements de l'entreprise, des revenus de location, des redevances sur les brevets et des procédés de fabrication qu'elle détient et des gains découlant de la disposition d'immobilisations. Dans le cas de la compagnie Fictive inc., nous supposons qu'il n'y a aucun autre produit pour l'exercice financier concerné.

3. **Le coût des marchandises vendues.** Pour la plupart des entreprises, le coût des marchandises vendues représente la charge la plus importante inscrite à l'état des résultats. Elle reflète le coût d'acquisition des marchandises - incluant, le cas échéant, les frais de transport et de dédouanement - qui, par la suite, sont revendus aux clients. Dans le cas d'une entreprise commerciale, cette charge se calcule comme suit :

---

[5] Les rendus et rabais sur ventes représentent la valeur des marchandises retournées après l'achat en échange d'un remboursement total ou partiel au client.

$$\text{Coût des marchandises vendues} = \left(\begin{array}{c}\text{Stocks}\\\text{au début de}\\\text{l'exercice}\end{array}\right) + \left(\begin{array}{c}\text{Achats}\\\text{de}\\\text{l'exercice}\end{array}\right) - \left(\begin{array}{c}\text{Stocks}\\\text{à la fin}\\\text{de l'exercice}\end{array}\right)$$

Il est à noter que les stocks détenus au début de l'exercice augmentés des achats effectués durant l'exercice donnent le coût des marchandises destinées à la vente. En retranchant de ce dernier montant les biens que l'entreprise détient toujours en inventaire à la fin de l'exercice, on obtient alors le coût des marchandises vendues.

4. **Le bénéfice brut.** Le bénéfice brut ou la marge brute représente la différence entre le montant des ventes nettes et le coût d'acquisition des marchandises vendues aux clients durant l'exercice.

5. **Les frais de vente et d'administration.** Les frais de vente englobent notamment les salaires et les commissions versés aux vendeurs, les dépenses de publicité et les frais liés à l'entreposage, la manutention et l'expédition des marchandises destinées à la vente. Quant aux frais d'administration, ils comprennent, entre autres, les assurances, le chauffage, les impôts fonciers, les fournitures de bureau et la rénumération des cadres[6] et des autres employés affectés à la gestion de l'entreprise.

6. **L'amortissement.** L'amortissement vise à étaler le coût d'acquisition d'un actif - comme le bâtiment ou l'équipement - sur sa durée de vie utile. Il est à noter qu'il s'agit d'une charge qui n'occasionne aucun mouvement de fonds de la part de l'entreprise. Le montant d'amortissement réclamé pour l'exercice vient accroître le solde du compte « Amortissement cumulé » figurant au bilan de l'entreprise.

7. **Les intérêts sur la dette.** Cette charge reflète les intérêts versés durant l'exercice aux investisseurs qui ont avancé des fonds à l'entreprise.

8. **Les impôts exigibles et les impôts futurs.** Comme nous l'avons mentionné dans la section portant sur les différents postes du bilan, les impôts exigibles représentent le montant des impôts que l'entreprise devra effectivement payer au gouvernement pour l'exercice concerné. Quant aux impôts futurs, ils constituent une charge qui, dans l'immédiat, n'entraîne aucune sortie de fonds pour l'entreprise. L'excédent de la provision pour impôts sur les impôts exigibles pour l'exercice a pour conséquence d'accroître le solde du poste « Passif d'impôts futurs ».

9. **Les éléments extraordinaires.** Ce poste concerne un gain ou une perte lié à une situation unique, complètement distincte de l'exploitation normale de la société et qui ne découle pas directement ou indirectement des décisions

---

[6] En plus des salaires versés en espèces et des avantages sociaux, la rémunération des dirigeants et administrateurs comprend, la plupart du temps, l'octroi d'options d'achat d'actions leur permettant d'acquérir des actions de la compagnie à un prix déterminé. Même si ces régimes de rémunération à base d'options d'achat n'entraînent aucune sortie de fonds pour l'entreprise, il convient d'inscrire à l'état des résultats une charge liée à cette forme de rémunération.

prises par les gestionnaires. Un élément extraordinaire peut notamment résulter d'une expropriation, d'un tremblement de terre, d'une inondation ou d'un attentat terroriste.

Il est bien évident que, si les éléments extraordinaires étaient considérés dans le calcul du bénéfice de l'entreprise, les résultats seraient trompeurs et peu utiles à des fins de comparaison. Dans ce contexte, les normes comptables canadiennes exigent que les sociétés présentent leurs résultats avant et après éléments extraordinaires. De plus, les éléments extraordinaires nets d'impôt doivent être montrés séparément à l'état des résultats. Dans le cas de la compagnie Fictive inc., nous avons supposé qu'il n'y avait aucun élément extraordinaire pour l'année XX+2.

10. **Le bénéfice net, le bénéfice par action et le bénéfice dilué par action.** Le bénéfice net représente le montant que l'on obtient après avoir retranché du chiffre d'affaires de l'entreprise toutes les charges - y compris les impôts - qu'elle doit encourir durant l'exercice. C'est ce dernier montant qui sera inscrit à l'état des bénéfices non répartis.

Quant au bénéfice par action (1,04 $ dans notre exemple), il mesure le bénéfice après impôts dégagé par chacune des actions ordinaires en circulation.

Il se calcule ainsi :

$$\text{Bénéfice par action} = \frac{\left(\begin{array}{c}\text{Bénéfice}\\\text{après impôts}\end{array}\right) - \left(\begin{array}{c}\text{Dividendes}\\\text{privilégiés}\end{array}\right)}{\text{Nombre d'actions ordinaires en circulation}}$$

Finalement, le bénéfice dilué par action montre la réduction maximale du bénéfice par action de la société qui résulterait de la conversion éventuelle des dettes et des actions privilégiées convertibles en actions ordinaires, de l'exercice des bons et des droits de souscription et de la levée des options d'achat d'actions détenues par les dirigeants et administrateurs. Dans notre exemple, ces conversions de titres et exercices d'options réduiraient le bénéfice par action de la société de 0,02 $.

L'état du résultat étendu

En plus des états financiers traditionnels, une nouvelle norme comptable introduite à la fin de 2006 exige que les entreprises présentent un état financier additionnel intitulé « L'état du résultat étendu ». Le résultat étendu se calcule en ajoutant au bénéfice net de l'entreprise les éléments suivants : (1) les gains et les pertes non réalisés attribuables aux fluctuations des justes valeurs des actifs financiers disponibles à la vente, (2) les gains et les pertes non réalisés découlant des fluctuations des justes valeurs des instruments de couverture des flux de trésorerie et (3) la variation de l'écart de conversion relativement aux établissements étrangers autonomes.

De plus, la nouvelle norme exige que le poste « Cumul des autres éléments du résultat étendu » figure dans la section des capitaux propres du bilan.

2.2.3 L'état des bénéfices non répartis

État des bénéfices non répartis
État financier qui montre les transactions qui ont influencé le solde du compte bénéfice non répartis entre deux dates de bilan

L'état des bénéfices non répartis sert en quelque sorte de lien entre le bilan et l'état des résultats. Ainsi, le bénéfice de l'entreprise pour un exercice donné est calculé à l'état des résultats puis ajouté au solde initial des bénéfices non répartis (c'est-à-dire le total des bénéfices réalisés par l'entreprise au cours des exercices précédents qui n'ont pas été distribués aux actionnaires sous forme de dividendes). Par la suite, on soustrait le montant des dividendes versés aux actionnaires pour obtenir le solde des bénéfices non répartis à la fin d'exercice (c'est ce dernier montant qui apparaît au bilan de l'entreprise). Dans le cas de la compagnie Fictive inc., on peut dresser l'état suivant :

Fictive inc.
État des bénéfices non répartis
au 31 décembre XX+2
(en milliers de dollars)

Solde au début de l'exercice	241 400 $
Bénéfice net	156 000
	397 400 $
Dividendes versés aux actionnaires ordinaires	46 400
Solde à la fin de l'exercice	351 000 $

2.2.4 L'état des flux de trésorerie

État des flux de trésorerie
État financier qui montre les rentrées et les sorties de fonds de l'exercice, regroupées en activités d'exploitation, de financement et d'investissement

L'état des flux de trésorerie vient compléter les trois autres états financiers dont il a été question précédemment en fournissant au lecteur de précieux renseignements sur la liquidité de l'entreprise qu'il ne peut obtenir qu'indirectement en consultant le bilan et l'état des résultats. Il montre les rentrées et les sorties de fonds de l'entreprise au cours d'un exercice donné et permet d'effectuer le rapprochement avec les variations des liquidités entre deux dates de bilan. Dans cet état financier, les mouvements de trésorerie sont classés en trois catégories, soit les activités d'exploitation, les activités de financement et les activités d'investissement.

L'analyse de l'état des flux de trésorerie permet aux investisseurs et autres utilisateurs des états financiers d'évaluer la solvabilité de l'entreprise, d'apprécier sa capacité d'autofinancement et de vérifier si elle est apte à rembourser ses dettes[7] et à verser des dividendes à ses actionnaires. De façon plus précise, l'examen de cet état financier permet d'apporter des réponses à des questions du genre suivant :

- À quoi ont servi les fonds générés par les activités d'exploitation de l'entreprise? Ces fonds s'avèrent-ils suffisants pour financer les acquisitions d'immobilisations, rembourser les dettes et payer des dividendes aux actionnaires et ce, sans recourir à des sources de financement externes?

---

[7] À ce sujet, il est bon de rappeler que le remboursement des dettes s'effectue à l'aide des liquidités dont dispose l'entreprise et non à partir du bénéfice net divulgué à l'état des résultats.

● Comment l'entreprise peut-elle verser des dividendes même si elle a réalisé une perte au cours du dernier exercice financier?

● De quelle façon les achats d'immobilisations ont-il été financés?

● De quelle façon l'entreprise a-t-elle remboursé une partie de sa dette à long terme?

Etc.

L'analyse de cet état permet aussi au gestionnaire financier de mettre en évidence certaines anomalies ayant trait aux activités d'investissement et de financement de l'entreprise et de prendre, par la suite, les mesures correctrices appropriées. Par exemple, l'analyse de cet état pourra révéler que des acquisitions d'immobilisations sont financées en bonne partie par des emprunts à court terme. En pareil cas, il y a de bonnes chances que l'entreprise éprouve à un moment donné certaines difficultés à honorer ses engagements à court terme.

Définition des liquidités

Aux fins de présentation de l'état des flux de trésorerie, les liquidités représentent l'argent en caisse, les soldes des comptes bancaires et les placements à court terme dans les instruments du marché monétaire dont l'échéance à l'origine est de 90 jours ou moins. Il s'agit du montant qui paraît au poste « Trésorerie et équivalents de trésorerie » - également appelé « Espèces et quasi-espèces » - au bilan de l'entreprise.

Structure de cet état financier

L'état des flux de trésorerie doit être préparé de façon à expliquer la variation du poste « Trésorerie et équivalents de trésorerie » au bilan de l'entreprise. Rappelons que la variation enregistrée à ce poste entre deux bilans successifs découle des mouvements de fonds liés aux activités d'exploitation, de financement et d'investissement de l'entreprise. Ces trois types de mouvement de fonds sont expliqués ci-dessous.

1 **Mouvements de fonds liés aux activités d'exploitation.** Cette section de l'état des flux de trésorerie permet aux utlisateurs des états financiers de déterminer si les liquidités générées par les activités d'exploitation de l'entreprise se sont avérées suffisantes pour financer ses achats d'immobilisations, régler ses dettes et verser des dividendes à ses actionnaires et ce, sans recourir à des capitaux externes. Pour calculer les fonds liés aux activités d'exploitation, il suffit d'ajouter au bénéfice net de l'entreprise certaines charges considérées à l'état des résultats qui n'entraînent aucune sortie de fonds. Parmi les principales charges de cette nature, on retrouve l'amortissement, les impôts futurs, la part des actionnaires sans contrôle[8] et la rémunération à base d'options d'achat. Dans cette section de l'état des flux de trésorerie, on doit également tenir compte de la variation nette des soldes hors caisse liés à l'exploitation, c'est-à-dire des variations des différents

---

[8] Cet élément est abordé dans la section traitant des états financiers consolidés.

postes de l'actif à court terme et du passif à court terme, à l'exception du poste « Trésorerie et équivalents de trésorerie ».

Il est à noter que les augmentations des postes de l'actif à court terme et les diminutions des postes du passif à court terme doivent être retranchées du bénéfice net pour obtenir les rentrées nettes de fonds générées par l'exploitation de l'entreprise. Par exemple, une augmentation du solde des comptes clients signifie que certaines ventes qu'a effectuées l'entreprise au cours de l'exercice n'ont pas encore été encaissées et que, par conséquent, le bénéfice net surestime les rentrées nettes de fonds générées par l'exploitation d'un montant équivalent à la hausse du solde des comptes clients. De la même façon, l'augmentation des frais payés d'avance doit être défalquée du bénéfice net car il s'agit d'un décaissement effectué par l'entreprise qui n'a pas été considéré comme une dépense dans le calcul du bénéfice net du présent exercice financier.

Les diminutions des postes de l'actif à court terme et les augmentations des postes du passif à court terme doivent, pour leur part, être ajoutées au bénéfice net pour déterminer les rentrées nettes de fonds générées par l'exploitation de l'entreprise. Par exemple, une augmentation du solde des comptes fournisseurs indique que certains coûts engagés par l'entreprise - qui ont été considérés dans le calcul du bénéfice net - n'ont pas encore donné lieu à des décaissements et que, par conséquent, le bénéfice net sous-estime les rentrées nettes de fonds générées par l'exploitation de l'entreprise.

2. **Mouvements de fonds liés aux activités de financement.** Cette section de l'état des flux de trésorerie renseigne le lecteur des états financiers sur la façon dont les nouveaux capitaux externes ont été amassés et sur l'importance des sommes d'argent qui ont été consacrées à rembourser les bailleurs de fonds de l'entreprise. Elle tient notamment compte des nouvelles émissions d'obligations et d'actions, des variations des emprunts bancaires durant l'exercice, des remboursements de dettes et des rachats d'actions. De plus, les dividendes versés durant l'exercice sont habituellement inclus dans cette section.

3. **Mouvements de fonds liés aux activités d'investissement.** Cette section de l'état des flux de trésorerie renseigne les utilisateurs des états financiers sur l'importance des fonds consacrés à l'achat d'immobilisations, la variation des placements à court terme et les sommes générées par les cessions de certains éléments d'actif à long terme.

Nous montrons à la page suivante, comment dresser et interpréter l'état des flux de trésorerie de la compagnie Fictive inc. pour l'année XX+2.

Exemple 2.2 | **Établissement et interprétation de l'état des flux de trésorerie**

Afin de dresser l'état des flux de trésorerie de la compagnie Fictive inc., nous aurons recours aux renseignements contenus dans ses autres états financiers (soit ses deux derniers bilans, son état des résultats et son état des bénéfices non répartis). Les renseignements additionnels suivants concernant les opérations effectuées par la compagnie durant l'année XX+2 nous serons également utiles.

1. À la fin de décembre, la compagnie a investi 12 000 000 $ dans des titres à court terme échéant dans six mois.

2. Fictive inc. a acheté des immobilisations corporelles au coût de 133 400 000 $ durant l'exercice.

3. L'amortissement réclamé pour l'exercice s'est élevé à 77 400 000 $ dans le cas des immobilisations corporelles et à 600 000 $ en ce qui concerne les actifs incorporels.

4. L'entreprise a réduit sa dette bancaire à court terme de 12 000 000 $.

5. Fictive inc. a émis de nouvelles obligations pour un montant de 30 000 000 $ et remboursé 5 000 000 $ de sa dette à long terme.

6. La compagnie a diminué ses obligations découlant des contrats de location-acquisition de 16 000 000 $. Elle n'a signé aucun nouveau contrat de location-acquisition durant l'exercice.

7. L'entreprise a procédé à un rachat d'actions de 20 000 000 $ durant l'exercice.

8. Comme l'indique son état des bénéfices non répartis, Fictive inc. a versé des dividendes ordinaires de 46 400 000 $ durant l'exercice.

■ **Solution**

Pour l'année XX+2, l'état des flux de trésorerie de la compagnie Fictive inc. se présente ainsi :

Fictive inc.
État des flux de trésorerie pour l'année
se terminant le 31 décembre XX+2
(en milliers de dollars)

Flux de trésorerie liés aux activités d'exploitation

Bénéfice net	156 000 $
Variation nette des soldes hors caisse liés à l'exploitation	(30 000)
Amortissement	80 000
Impôts futurs	14 000
	220 000

Flux de trésorerie liés aux activités de financement

Produit de l'émission de la dette à long terme	30 000
Remboursement de la dette à long terme	(5 000)
Remboursement de l'emprunt bancaire à court terme	(12 000)
Remboursement des obligations des contrats de location-acquisition	(16 000)
Dividendes versés aux actionnaires ordinaires	(46 400)
Rachat d'actions	(20 000)
	(69 400)

Flux de trésorerie liés aux activités d'investissement

Acquisition de placements à court terme	(12 000)
Acquisition d'immobilisations corporelles	(133 400)
	(145 400)
Augmentation (diminution) de la trésorerie et équivalents de trésorerie	5 200
Trésorerie et équivalents de trésorerie au début de l'exercice	24 800
Trésorerie et équivalents de trésorerie à la fin de l'exercice	30 000 $

Notes explicatives :

1. Le calcul de la variation nette des soldes hors caisse liés à l'exploitation s'effectue à partir des données disponibles dans les deux derniers bilans de la compagnie :

Augmentation des débiteurs ou des comptes clients	(25 000) $
Augmentation des stocks	(20 000)
Augmentation des frais payés d'avance	(2 000)
Augmentation des créditeurs ou des comptes fournisseurs	10 000
Augmentation des impôts à payer	7 000
Variation nette des soldes hors caisse liés à l'exploitation	(30 000) $

En ce qui a trait aux postes de l'actif et du passif à court terme, il nous semble utile de rappeler les règles générales suivantes :

- une augmentation d'un poste de l'actif à court terme exerce un impact négatif sur les flux de trésorerie liés aux activités d'exploitation;

- une diminution d'un poste de l'actif à court terme se traduit par une hausse des flux de trésorerie liés aux activités d'exploitation;

- une augmentation d'un poste de passif à court terme exerce un impact positif sur les flux de trésorerie liés aux activités d'exploitation;

- une diminution d'un poste de passif à court terme se traduit par une baisse des flux de trésorerie liés aux activités d'exploitation.

2. L'amortissement et les impôts futurs de l'exercice sont ajoutés au bénéfice net car ils n'entraînent aucune sortie de fonds pour l'entreprise dans l'année courante.

3. Dans la section concernant les activités de financement, nous avons tenu compte du fait qu'une nouvelle émission de titres occasionne une rentrée de fonds pour l'entreprise alors que le remboursement d'une dette implique plutôt une sortie de fonds.

4. Dans la section portant sur les activités d'investissement, nous avons considéré le fait que l'acquisition d'immobilisations corporelles et de titres nécessite des sorties de fonds de la part de l'entreprise. Inversement, la vente d'immobilisations ou de placements à court terme générerait une rentrée de fonds pour l'entreprise.

5. Le solde du poste « Immobilisations corporelles nettes » à la fin de l'année XX+2 (voir le bilan de l'entreprise) s'explique ainsi :

$$\begin{array}{c} \text{Immobilisations} \\ \text{corporelles} \\ \text{nettes} \\ \text{au 31/12/XX+2} \end{array} = \begin{pmatrix} \text{Immobilisations} \\ \text{corporelles} \\ \text{nettes} \\ \text{au 31/12/XX+1} \end{pmatrix} + \begin{pmatrix} \text{Acquisitions} \\ \text{d'immobilisations} \\ \text{corporelles} \\ \text{durant l'exercice} \end{pmatrix} - \begin{pmatrix} \text{Amortissement} \\ \text{de l'exercice} \end{pmatrix}$$

$$606\ 000 = 550\ 000 + 133\ 400 - 77\ 400$$

6. La « Trésorerie et équivalents de trésorerie » à la fin de l'exercice se calcule comme suit :

Flux de trésorerie liés aux activités d'exploitation	220 000 $
Flux de trésorerie liés aux activités de financement	(69 400)
Flux de trésorerie liés aux activités d'investissement	(145 400)
Variation nette de la trésorerie et équivalents de trésorerie durant l'exercice	5 200 $
Trésorerie et équivalents de trésorerie au début de l'exercice	24 800
Trésorerie et équivalents de trésorerie à la fin de l'exercice	30 000 $

Interprétation

L'analyse de l'état des flux de trésorerie de Fictive inc. pour l'année XX+2 révèle que ses liquidités ont été essentiellement générées par ses activités d'exploitation. L'émission d'une dette à long terme de 30 000 000 $ a également contribué à accroître les liquidités de l'entreprise. Fictive inc. a utilisé ses liquidités pour réduire sa dette à long terme de 33 000 000 $ (soit 5 000 000 $ + 12 000 000 $ + 16 000 000 $), verser de généreux dividendes de 46 400 000 $ à ses actionnaires ordinaires et racheter des actions pour un montant de 20 000 000 $. De plus, la compagnie a effectué des investissements importants en immobilisations corporelles (soit 133 400 000 $) et a placé un montant de 12 000 000 $ dans des titres à court terme. Finalement, on constate que les fonds générés par les activités d'exploitation ont permis à l'entreprise d'accroître sa trésorerie de 52 000 000 $ pour l'exercice financier concerné. Pour l'année XX+2, Fictive inc. peut donc être considérée comme une entreprise très liquide qui a été en mesure de réduire ses dettes, de payer des dividendes substantiels, de racheter une partie de ses actions ordinaires, de procéder à d'importants investissements en immobilisations corporelles, d'acquérir des titres à court terme et d'accroître sa trésorerie à partir des liquidités dégagées principalement par ses activités d'exploitation.

2.2.5 Les états financiers consolidés et leurs particularités

États financiers consolidés
États financiers dont l'objectif consiste à présenter la situation financière et les résultats d'un ensemble de sociétés comme si ces dernières ne constituaient qu'une seule compagnie

Comme nous l'avons mentionné précédemment, lorsqu'une compagnie détient une participation majoritaire (c'est-à-dire qu'elle possède plus de 50% des actions votantes) dans une ou plusieurs autres sociétés, on doit alors combiner les états financiers de la société mère avec ceux de sa (ou de ses) filiales (s) et ne présenter qu'une seule série d'états financiers - appelés états financiers consolidés.

Les principales caractéristiques des états financiers consolidés peuvent se résumer ainsi :

1. Les états financiers combinent les comptes de la société mère et ceux de sa (ou de ses) filiales (s). Lors du processus de consolidation des états financiers, les opérations et les comptes intersociétés doivent être éliminés. Par exemple, si KGV inc. (la société mère) facture à sa filiale SKM inc. des frais de gestion mensuels de 100 000 $ pour des services administratifs qu'elle lui rend régulièrement, les revenus annuels de KGV inc. incluent en montant de 1 200 000 $ (soit 12 × 100 000 $) alors que les dépenses annuelles de SKM inc. comprennent un montant de 1 200 000 $. Lors de l'établissement des états financiers consolidés, on doit éliminer ce revenu de 1 200 000 $ de l'état des résultats de KGV inc. ainsi que cette dépense de 1 200 000 $ de l'état des résultats de SKM inc.

2. Parmi les actifs à long terme de la société mère, on retrouve le poste « Écart d'acquisition ». Cet élément du bilan consolidé représente l'excédent du prix d'acquisition de la filiale sur la juste valeur attribuée aux actifs acquis et aux dettes prises en charge. L'écart d'acquisition n'est pas amorti, mais il est soumis à un test de dépréciation annuel ou à des intervalles plus fréquents si des événements ou des changements de situation suggèrent qu'il pourrait avoir subi une perte de valeur.

3. Lorsque la compagnie mère ne détient pas la totalité des actions de sa filiale, on retrouve du côté du passif au bilan consolidé le poste « Part des actionnaires sans contrôle ». Ce poste reflète la part de l'actif net de la filiale qui revient aux actionnaires autres que ceux de la compagnie mère. Il permet de tenir compte du fait que, lors de la consolidation des états financiers, l'intégralité des montants relatifs à la filiale ont été ajoutés à ceux de la société mère et ce, même si cette dernière n'est pas propriétaire de toutes les actions de la filiale.

4. À l'état des résultats du groupe consolidé, le poste « Part des actionnaires sans contrôle » permet de prendre en considération la part des bénéfices de la filiale qui revient aux actionnaires autres que ceux de la société mère. Par exemple, si la société mère détient 70% des actions de sa filiale et que cette dernière engrange un bénéfice net de 500 000 $, on devra, lors de la consolidation des états financiers, ajouter un montant de 500 000 $ aux résultats de la société mère. Toutefois, une déduction de 150 000 $ (soit 30% × 500 000 $) sera présentée à l'état consolidé des résultats, de façon à tenir compte de la part des bénéfices de la filiale qui, à juste titre, revient aux actionnaires minoritaires.

2.2.6 Les notes afférentes aux états financiers

De façon à faciliter la compréhension de leurs états financiers et de permettre aux lecteurs de mieux évaluer leur situation financière, les sociétés divulgent, dans une série de notes complémentaires, les principales conventions comptables utilisées et apportent des précisions concernant certains postes. Parmi les postes qui font régulièrement l'objet des notes afférentes aux états financiers, on retrouve notamment les stocks, les immobilisations, les impôts, les dettes à long terme, les régimes d'options d'achat d'actions, les instruments financiers dérivés, le capital-actions et le bénéfice par action. En outre, les notes complémentaires fournissent aux utilisateurs des rapports financiers, des renseignements pertinents se rapportant aux engagements contractuels financiers importants (par exemple, une entente relative à la location de propriétés), aux éventualités (par exemple, les poursuites judiciaires auxquelles fait face la société) et aux événements postérieurs à la date du bilan (par exemple, l'acquisition d'une entreprise après la date du bilan).

2.2.7 Relations entre les différents états financiers

La figure 2.1 permet de visualiser les principaux liens existant entre les différents états financiers. En résumé, on peut affirmer que :

1. l'état des résultats mesure la rentabilité de l'entreprise au cours d'une période de temps donnée;

2. le bilan montre la situation financière de l'entreprise à une date précise;

3. l'état des bénéfices non répartis permet d'expliquer la variation du poste « Bénéfice non répartis » entre deux dates de bilan;

4. l'état des flux de trésorerie montre les rentrées et les sorties de fonds de l'exercice, regroupées en activités d'exploitation, de financement et d'investissement. Il permet d'expliquer la variation du poste « Trésorerie et équivalents de trésorerie » entre deux dates de bilan. En analysant ce rapport financier, le lecteur peut également retracer les décisions financières de l'entreprise (décisions d'investissement, décisions de financement et décisions relatives à la politique de dividende) prises par les gestionnaires durant l'exercice.

Figure 2.1

Relations entre les différents états financiers

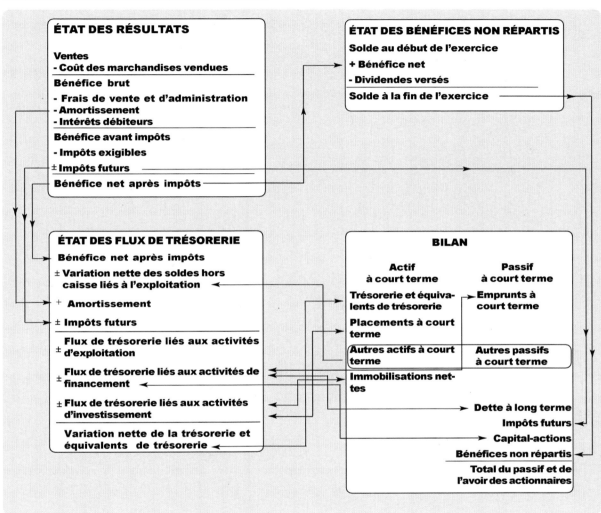

2.2.8 L'amortissement et les flux de trésorerie

À l'état des flux de trésorerie de la compagnie Fictive inc., nous avons ajouté au bénéfice net l'amortissement et les impôts futurs pour déterminer les rentrées de fonds générées par les activités d'exploitation de l'entreprise. Nous avons procédé ainsi parce que ces charges, qui n'entraînent aucun mouvement de fonds, ont été prises en considération dans le calcul du bénéfice net de la compagnie.

Pour mieux comprendre l'impact de l'amortissement sur les flux de trésorerie de l'entreprise, considérons la situation simplifiée suivante. Une entreprise, dont le bénéfice avant amortissement et impôts s'élève à 200 000 $, achète une pièce d'équipement de 80 000 $ amortissable linéairement sur une période de 5 ans. En supposant que la valeur résiduelle anticipée dans 5 ans est nulle, l'amortissement annuel s'élèvera alors à 16 000 $, soit 80 000 $/5. Dans ce cas, les bénéfices comptables et le flux de trésorerie de l'entreprise pour les années 1 et 2 se calculeront ainsi :

	Année 1		Année 2	
	Bénéfice comptable	**Flux monétaire**	**Bénéfice comptable**	**Flux monétaire**
Bénéfice avant amortissement et impôts	200 000 $	200 000 $	200 000 $	200 000 $
Moins: amortissement	(16 000)	(16 000)	(16 000)	(16 000)
Bénéfice avant impôts	184 000 $	184 000 $	184 000 $	184 000 $
Impôt (40%)	(73 600)	(73 600)	(73 600)	(73 600)
Bénéfice après impôts	110 400 $	110 400 $	110 400 $	110 400 $
Sortie de fonds de l'année 1 relative à l'achat d'une pièce d'équipement		(80 000)		-
Charge d'amortissement n'entraînant aucune sortie de fonds		16 000		16 000
Flux monétaire		46 400 $		126 400 $

2.3 Concepts fondamentaux

■ Les états financiers préparés en conformité avec les principes comptables généralement reconnus (PCGR) comprennent un bilan, un état des résultats, un état des bénéfices non répartis, un état des flux de trésorerie et des notes afférentes portant notamment sur les conventions comptables utilisées par l'entreprise.

■ Le bilan renseigne l'utilisateur des états financiers sur la situation financière de l'entreprise à une date précise. Il montre les actifs détenus par l'entreprise et indique de quelle façon ces derniers ont été financés. Cet état financier est construit en respectant l'identité comptable fondamentale suivante :

$$\text{Actif} = \text{Passif} + \text{Avoir des actionnaires}$$

■ Parmi les principaux actifs de l'entreprise qui figurent à son bilan, on retrouve la trésorerie et équivalents de trésorerie (ou les espèces et quasi-espèces), les placements à court terme, les comptes clients (ou débiteurs), les stocks, les frais payés d'avance, l'actif d'impôts futurs, les placements à long terme, les immobilisations corporelles nettes, les actifs incorporels, les écarts d'acquisition (dans le cas d'un bilan consolidé) et les autres éléments d'actif. Pour sa part, la section passif et avoir des actionnaires du bilan renferme notamment les postes suivants : les emprunts bancaires à court terme, les comptes fournisseurs, les billets à payer à des fournisseurs, les dividendes à payer, les impôts sur le revenu à payer, les produits perçus d'avance, la tranche de la dette à long terme échéant à moins d'un an, la dette à long terme, le passif d'impôts futurs, la part des actionnaires sans contrôle (dans le cas où la société mère ne détient pas la totalité des actions votantes de sa filiale), le capital-actions, les bénéfices non répartis et le surplus d'apport.

■ L'état des résultats renseigne le lecteur des états financiers sur la rentabilité de l'entreprise. Il indique les ventes (ou produits) de l'entreprise pour un exercice donné, ses dépenses (ou charges) et le résultat net obtenu qui est un bénéfice lorsque les produits excèdent les charges et une perte dans le cas contraire.

■ Parmi les principaux postes figurant à l'état des résultats, mentionnons les ventes nettes (ou produits nets), les autres produits, le coût des marchandises vendues, le bénéfice brut, les frais de vente et d'administration, l'amortissement, les intérêts sur la dette, les impôts exigibles, les impôts futurs, la part des actionnaires sans contrôle (dans le cas où la compagnie mère ne détient pas 100% des actions votantes de sa filiale), les éléments extraordinaires et le bénéfice par action (de base et dilué).

■ Plusieurs charges - c'est notamment le cas de l'amortissement, des impôts futurs, de la rémunération à base d'options d'achat d'actions et de la part des actionnaires sans contrôle - prises en compte dans le calcul du bénéfice net n'entraînent aucune sortie de fonds pour l'entreprise.

■ L'état du résultat étendu permet de faire ressortir des gains et des pertes non matérialisés découlant des fluctuations des justes valeurs de certains instruments financiers.

■ L'état des bénéfices non répartis vise à faire ressortir les opérations qui ont affecté le solde des bénéfices non répartis entre deux dates de bilan.

■ L'état des flux de trésorerie constitue le seul état financier axé sur les liquidités de l'entreprise. Cet état financier montre les mouvements de fonds liés aux activités d'exploitation, de financement et d'investissement de l'entreprise, tout en permettant d'expliquer la variation du solde du poste « Trésorerie et équivalents de trésorerie » entre deux dates de bilan. Les renseignements contenus dans l'état des flux de trésorerie s'avèrent très utiles au lecteur pour évaluer la liquidité de l'entreprise, apprécier sa capacité d'autofinancement et vérifier si elle est en mesure de rembourser ses dettes et payer des dividendes.

■ Les états financiers consolidés permettent d'apprécier la situation financière et les résultats d'un ensemble de sociétés comme si ces dernières ne constituaient qu'une seule compagnie.

2.4 Mots clés

Actif
Actifs incorporels
Amortissement
Amortissement dégressif
Amortissement linéaire
Autres éléments d'actif
Avoir des actionnaires
Bénéfice brut
Bénéfice de base par action
Bénéfice dilué par action
Bénéfice net
Bénéfices non répartis
Bilan
Capital-actions
Charges
Comptes clients
Comptes fournisseurs
Coût des marchandises vendues
Créditeurs
Cumul des autres éléments du résultat étendu
Débiteurs
Dividendes
Écart d'acquisition
Écart permanent
Écart temporaire
Éléments extraordinaires
Emprunts bancaires à court terme
Espèces et quasi-espèces
État des bénéfices non répartis
État des flux de trésorerie
État des résultats
État du résultat étendu
États financiers
États financiers consolidés
Filiale
Flux de trésorerie liés aux activités de financement
Flux de trésorerie liés aux activités d'exploitation
Flux de trésorerie liés aux activités d'investissement

Flux de trésorerie liés aux activités d'investissement
Frais de vente et d'administration
Frais payés d'avance
Immobilisations corporelles
Impôts exigibles
Impôts futurs
Impôts sur le revenu à payer
Intérêts débiteurs
Liquidités
Location-acquisition
Location-exploitation
Mouvements de fonds
Notes afférentes aux états financiers
Obligations à payer
Obligations découlant des contrats de location
Part des actionnaires sans contrôle
Passif
Placements à court terme
Placements à long terme
Placements de portefeuille
Produits
Produits perçus d'avance
Régimes de rémunération à base d'options d'achat
Rendus et rabais sur ventes
Société-mère
Société participante
Société satellite
Stocks
Surplus d'apport
Tranche de la dette à long terme échéant à moins d'un an
Trésorerie et équivalents de trésorerie
Valeur de consolidation
Variation nette des soldes hors caisse liés à l'exploitation
Ventes nettes

2.5   Exercices

1. Vrai ou faux.

a) L'actif total d'une entreprise correspond à sa dette totale moins l'avoir des actionnaires.

b) La composition du passif et de l'avoir des actionnaires indique de quelle façon l'entreprise a financé son actif.

c) Au bilan de l'entreprise, le montant des immobilisations représente habituellement leur juste valeur marchande.

d) Le montant figurant au bilan sous la rubrique « amortissement cumulé » représente l'amortissement déduit par l'entreprise dans son état des résultats le plus récent.

e) Le montant figurant au bilan sous la rubrique « bénéfices non répartis » représente les liquidités dont dispose actuellement l'entreprise pour financer l'acquisition de nouveaux actifs.

f) Les placements à court terme doivent être évalués au plus élevé du coût et de leur valeur au marché.

g) Les créances irrécouvrables et l'amortissement constituent des charges qui entraînent des sorties de fonds pour l'entreprise.

h) Les rendus et rabais augmentent les ventes nettes de l'entreprise.

i) Les impôts à payer représentent des sommes d'argent qui n'ont pas encore été versées au fisc.

j) Le solde des comptes clients reflète des ventes réalisées par l'entreprise mais qui n'ont pas encore donné lieu à des rentrées de fonds.

k) En période de hausse des prix, l'utilisation de la méthode du premier entré, premier sorti (PEPS) permet à l'entreprise de présenter des stocks de fin d'exercice plus élevés et d'afficher une meilleure marge bénéficiaire brute que la méthode du dernier entré, premier sorti (DEPS).

l) Tous les actifs incorporels doivent être amortis.

m) La tranche de la dette à long terme échéant à moins d'un an représente le montant de capital sur la dette à long terme qui devra être remboursé au cours des trois prochains exercices financiers.

n) Un contrat de location-acquisition permet à l'entreprise de financer l'acquisition d'un actif à long terme.

o) À l'instar d'un contrat de location-acquisition, un contrat de location-exploitation entraîne la comptabilisation d'un actif et d'une dette au bilan de l'entreprise.

p) Les impôts futurs sont attribuables aux écarts temporaires.

q) Lorsque la provision pour impôts inscrite à l'état des résultats de l'entreprise excède le montant des impôts exigibles pour l'exercice, il en résulte un passif d'impôts futurs.

r) L'actif d'impôts futurs peut s'interpréter comme étant des impôts déjà payés mais qui n'ont pas encore été comptabilisés à titre de dépenses dans les livres de l'entreprise.

s) Le bénéfice dilué par action peut être supérieur au bénéfice de base par action.

t) Une nouvelle émission d'obligations convertibles durant l'exercice aura un impact positif sur le bénéfice dilué par action.

u) Dans le calcul du bénéfice par action ordinaire, on doit soustraire le montant des dividendes privilégiés.

v) Une diminution des comptes clients doit être retranchée du bénéfice net pour obtenir les flux de trésorerie liés aux activités d'exploitation de l'entreprise.

w) Une augmentation des stocks doit être ajoutée au bénéfice net pour obtenir les flux de trésorerie générés par les activités d'exploitation de l'entreprise.

x) Les flux de trésorerie liés aux activités d'exploitation de l'entreprise sont nécessairement supérieurs à son bénéfice net.

y) Dans le calcul des flux de trésorerie liés aux activités d'exploitation de l'entreprise, on doit ajouter, le cas échéant, un gain découlant de la cession d'immobilisations.

z) Dans le calcul des flux de trésorerie liés aux activités d'exploitation de l'entreprise, on doit soustraire, le cas échéant, la rémunération à base d'option d'achat.

aa) L'écart d'acquisition doit être amortie linéairement sur une période de quarante ans.

bb) Une entreprise rentable est nécessairement liquide.

cc) Lorsque la société-mère détient la totalité des actions votantes de sa filiale, le poste « Part des actionnaires sans contrôle » figure au passif du bilan consolidé.

dd) Le poste « Part des actionnaires sans contrôle » à l'état consolidé des résultats permet de tenir compte de la part des bénéfices de la filiale qui revient aux actionnaires minoritaires.

2. Indiquez dans quelle section du bilan apparaît habituellement chacun des postes suivants :

		Actif à court terme	Actif à long terme	Dette à court terme	Dette à long terme	Avoir des actionnaires
a)	Trésorerie et équivalents de trésorerie	——	——	——	——	——
b)	Comptes fournisseurs	——	——	——	——	——
c)	Salaires à payer	——	——	——	——	——
d)	Terrain	——	——	——	——	——
e)	Obligations à payer	——	——	——	——	——
f)	Passif d'impôts futurs à long terme	——	——	——	——	——
g)	Bénéfices non répartis	——	——	——	——	——
h)	Équipement	——	——	——	——	——
i)	Billet à court terme à payer	——	——	——	——	——
j)	Tranche de la dette à long terme échéant à moins d'un an	——	——	——	——	——
k)	Capital-actions	——	——	——	——	——
l)	Part des actionnaires sans contrôle	——	——	——	——	——
m)	Surplus d'apport	——	——	——	——	——
n)	Obligations découlant de contrats de location-acquisition	——	——	——	——	——
o)	Écart d'acquisition	——	——	——	——	——
p)	Emprunt hypothécaire	——	——	——	——	——
q)	Dividendes à payer	——	——	——	——	——
r)	Charges payées d'avance	——	——	——	——	——
s)	Placements à court terme	——	——	——	——	——
t)	Tranche des obligations locatives échéant à moins d'un an	——	——	——	——	——
u)	Frais de constitution	——	——	——	——	——
v)	Comptes clients	——	——	——	——	——
w)	Produits perçus d'avance	——	——	——	——	——

3. On dispose des renseignements suivants concernant la compagnie SKM inc.:

- Bénéfice avant intérêts et impôts: 300 000 $

- Intérêts payés: 40 000 $

- Dividendes versés aux actionnaires privilégiés: 25 000 $

- Dividendes versés aux actionnaires ordinaires: 38 000 $

- Nombre d'actions ordinaires en circulation: 50 000

- Taux d'impôt: 36%

Calculez :

a) le bénéfice par action ordinaire;

b) l'augmentation des bénéfices non répartis pour l'année.

4. Étant donné les variations suivantes des soldes de différents postes du bilan de la compagnie BMD inc. au cours d'une période donnée, déterminez la variation des bénéfices non répartis au cours de la même période:

	Variation
• Espèces et quasi-espèces	+ 4 000 $
• Placements à court terme	+ 6 000
• Comptes fournisseurs	+18 000
• Amortissement cumulé	+ 5 000
• Stocks	+15 000
• Billet à payer	- 9 000
• Comptes clients	- 3 000

5. Expliquez pourquoi une entreprise pourrait être inclinée à sous-estimer le montant de ses créances irrécouvrables.

6. Au cours de la dernière année, les ventes de la compagnie SXZ inc. ont cru de 3%. Pour leur part, les rendus et rabais sur ventes ont affiché une croissance de 20%. Qu'est-ce que cela pourrait bien suggérer?

7. En analysant les trois derniers bilans annuels de la compagnie Rozo inc., vous constatez que le poste de passif « Avances des actionnaires » a augmenté considérablement d'une année à l'autre. Quelle conclusion en tirez-vous?

8. L'entreprise Gamma inc. désire présenter le bénéfice net le plus élevé possible. Dans ce contexte, devrait-elle attribuer à ses immobilisations corporelles une durée de vie utile plus courte ou plus longue? Quel impact cette décision aura-t-elle sur les flux de trésorerie de l'entreprise?

9. Au début de l'année XX+1, la compagnie BSB inc. achète de l'équipement au coût de 110 000 $. Pour fins fiscales, cet actif est amortissable au taux dégessif annuel de 20%. D'un point de vue comptable, il sera amorti linéairement sur une période de huit ans (on anticipe une valeur résiduelle de 10 000 $ au terme de cette période).

Par ailleurs, pour les années XX+1 à XX+4 inclusivement, le bénéfice comptable prévu avant impôts de BSB inc. s'élève à 60 000 $. BSB inc. est assujettie à un taux d'imposition de 36%.

a) En faisant abstraction de la règle du demi-taux qui s'applique à l'amortissement fiscal, calculez, pour les années XX+1 à XX+4 inclusivement, les écarts temporaires et les impôts futurs attribuables à l'amortissement.

b) Calculez le bénéfice net comptable de BSB inc. pour les années XX+1 à XX+4 inclusivement.

10. Les bilans de l'entreprise Mitek inc. pour les années XX+1 et XX+2 sont les suivants :

Actif	XX+2	XX+1
Espèces et quasi-espèces	40 000 $	32 000 $
Placements à court terme	10 000	75 000
Comptes clients	80 000	60 000
Stocks	110 000	75 000
Total de l'actif à court terme	240 000 $	242 000 $
Immobilisations (au coût)	300 000	250 000
Moins: amortissement cumulé	110 000	80 000
Immobilisations nettes	190 000	170 000
Total de l'actif	430 000 $	412 000 $

Passif et avoir des actionnaires		
Comptes fournisseurs	70 000 $	30 000 $
Emprunts bancaires	80 000	80 000
Total du passif à court terme	150 000 $	110 000 $
Dette à long terme	50 000	150 000
Impôts futurs	30 000	12 000
Capital-actions	100 000	100 000
Bénéfices non répartis	100 000	40 000
Total du passif et de l'avoir des actionnaires	430 000 $	412 000 $

De plus, la compagnie a effectué les transactions suivantes durant l'année XX+2 :

1. Dividendes versés aux actionnaires ordinaires : 20 000 $

2. Achat d'immobilisations corporelles : 50 000 $

3. Liquidation de placements à court terme : 65 000 $

4. Remboursement de la dette à long terme : 100 000 $

Autres renseignements :

1. Bénéfice net de l'année XX+2 : 80 000 $

2. Amortissement de l'année XX+2 : 30 000 $

3. Excédent de la provision pour impôts sur les impôts exigibles pour l'année XX+2 : 18 000 $

Établissez, pour l'année XX+2, l'état des flux de trésorerie de la compagnie Mitek inc. Commentez les résultats obtenus.

11. Pour l'exercice terminé le 31 décembre XX+2, la société HBR inc. a réalisé un bénéfice net de 1 600 000 $. Ce montant a été obtenu en considérant notamment les charges suivantes :

1. Amortissement : 500 000 $

2. Coût des marchandises vendues : 1 800 000 $

3. Gain sur la vente d'un terrain : 100 000 $

4. Intérêts débiteurs : 300 000 $

5. Rémunération à base d'options d'achat : 120 000 $

6. Part des actionnaires sans contrôle : 280 000 $

7. Impôts inscrits à l'état des résultats comme dépense : 700 000 $ (les impôts exigibles pour l'exercice se sont élevés à 450 000 $)

De plus, au cours de l'année XX+2, la société a effectué les opérations suivantes :

1. Acquisition d'immobilisations corporelles : 1 800 000 $

2. Dividendes versés aux actionnaires ordinaires : 800 000 $

3. Vente d'un terrain pour 140 000 $

4. Remboursement des obligations à long terme : 900 000 $

5. Produit d'un emprunt bancaire à court terme : 1 400 000 $

Enfin, les soldes des postes de l'actif et du passif à court terme ont affiché les variations positives suivantes entre le 31 décembre XX+1 et le 31 décembre XX+2 :

1. Comptes clients : + 300 000 $

2. Stocks : + 225 000 $

3. Frais payés d'avance : + 40 000 $

4. Comptes fournisseurs : + 200 000 $

Sachant que le solde du poste « Trésorerie et équivalents de trésorerie » s'élevait à 300 000 $ au début de l'année XX+2, dressez l'état des flux de trésorerie de la société HBR inc. pour l'année XX+2. Quels problèmes l'analyse de cet état financier fait-elle de faire ressortir?

12. Le bilan de la compagnie Aurka inc. au 31 décembre de l'année XX+1 se présente ainsi :

Aurka inc.

Bilan au 31 décembre XX+1

ACTIF

Actif à court terme :

Trésorerie et équivalents de trésorerie	35 000	$
Comptes clients	50 000	
Stocks	40 000	
Total de l'actif à court terme	125 000	

Immobilisations :

Bâtiment et équipement (au coût)	300 000	
Moins: amortissement cumulé	(75 000)	
Terrain	200 000	
Total des immobilisations	425 000	
Total de l'actif	550 000	$

PASSIF ET AVOIR DES ACTIONNAIRES

Passif à court terme :

Comptes fournisseurs	30 000	$
Emprunt bancaire à court terme	70 000	
Total du passif à court terme	100 000	

Dette à long terme :

Impôts futurs	20 000	
Obligations à payer	180 000	
Total du passif à long terme	200 000	

Avoir des actionnaires :

Capital-actions	100 000	
Bénéfices non répartis	150 000	
Total de l'avoir des actionnaires	250 000	
Total du passif et de l'avoir des actionnaires	550 000	$

Autres informations :

1. Ventes nettes de l'année XX+2 : 600 000 $.

2. Coût des marchandises vendues : 55% des ventes.

3. Amortissement pour l'année XX+2 : 30 000 $.

4. Intérêts débiteurs pour l'année XX+2 : 25 000 $

5. Frais de vente et d'administration : 10% des ventes.

6. Impôts exigibles pour l'année XX+2 : 30% du bénéfice avant impôts.

7. Excédent des impôts inscrits à l'état des résultats sur les impôts exigibles pour l'année XX+2 : 10 000 $

8. Durant l'année XX+2, les comptes clients, les stocks et les comptes fournisseurs ont augmenté respectivement de 10%, 15% et 20%.

9. À la fin de l'année XX+2, l'entreprise a acquis une pièce d'équipement coûtant 50 000 $.

10. Dividendes versés aux actionnaires ordinaires à la fin de l'année XX+2 : 18 000 $.

11. Durant l'année XX+2, la compagnie a racheté des obligations pour 20 000 $ et a contracté un emprunt bancaire à court terme de 8 000 $.

Préparez :

a) l'état des résultats de la compagnie Aurka inc. pour l'année XX+2;

b) l'état des bénéfices non répartis de la compagnie Aurka inc. au 31 décembre XX+2;

c) le bilan de la compagnie Aurka inc. au 31 décembre XX+2;

d) l'état des flux de trésorerie de la compagnie Aurka inc. pour l'année XX+2.

3

L'analyse et l'interprétation des états financiers

Sommaire

3

Objectifs pédagogiques

Lorsque vous aurez complété l'étude du chapitre 3,

1. vous pourrez énumérer les principales sources d'information disponibles concernant les entreprises;

2. vous serez en mesure d'effectuer une analyse verticale et une analyse horizontale;

3. vous pourrez décrire les principales normes avec lesquelles on peut comparer les ratios d'une entreprise;

4. vous connaîtrez les cinq catégories de ratios et les principaux ratios appartenant à chacune des catégories;

5. vous serez en mesure de calculer et d'interpréter les ratios financiers les plus courants;

6. vous serez sensibilisé au fait que les valeurs prises par les ratios financiers sont influencées par les méthodes comptables utilisées par l'entreprise;

7. vous serez capable d'utiliser le système Du Pont ainsi que la démarche en sept étapes qui est suggérée dans le texte;

8. vous connaîtrez les principales limites de l'analyse par ratios;

9. vous serez sensibilisé à l'importance du concept de « qualité des bénéfices ».

3.1 Introduction

Dans ce chapitre, nous discutons des méthodes d'analyse financière les plus connues et les plus utilisées en pratique. Ces méthodes permettent d'observer l'évolution de l'entreprise au fil du temps, de se faire une idée de sa situation financière actuelle et future, d'identifier ses forces et ses faiblesses et d'apporter, s'il y a lieu, les mesures correctives qui s'imposent.

L'analyse financière devrait permettre de fournir des éléments de réponse aux questions que se posent les parties prenantes (*stakeholders*) de l'entreprise concernant sa situation financière et sa rentabilité future. Sans être limitatif, les principales parties prenantes de l'entreprise sont les actionnaires, les gestionnaires, les fournisseurs, les créanciers à court et à long termes, les clients, les sous-traitants, les gouvernements, les employés et le syndicat. Ces différents groupes d'utilisateurs ont, bien entendu, des intérêts qui ne concordent pas nécessairement. Ainsi, les fournisseurs seront surtout intéressés à connaître la liquidité de l'entreprise afin de s'assurer que cette dernière pourra rencontrer ses créances courantes. De leur côté, les actionnaires actuels et potentiels s'attarderont particulièrement aux indicateurs de la rentabilité de l'entreprise. Quant aux créanciers à long terme, ils voudront s'assurer que l'entreprise sera apte à faire face à ses engagements contractuels relativement aux versements périodiques des intérêts et au remboursement du capital à la date d'échéance des titres. Ils concentreront donc leur analyse sur la rentabilité à long terme de l'entreprise, sa structure de capital et son risque. Les employés et le syndicat sont, quant à eux, préoccupés par la pérennité de l'entreprise, les salaires et les conditions de travail. Dans ce contexte, ils examineront particulièrement le risque et la rentabilité de l'entreprise. Enfin, les dirigeants de l'entreprise, qui doivent veiller à maximiser la richesse des actionnaires et s'assurer également que les dettes à court et à long termes seront remboursées au moment opportun, s'intéressent à toutes les dimensions de l'analyse financière.

3.2 Les sources d'information

Plusieurs sources d'information sont disponibles concernant les entreprises canadiennes. La difficulté en analyse financière réside beaucoup plus souvent dans l'interprétation des résultats que dans la disponibilité desdites informations. Une bonne analyse d'une petite quantité d'informations pertinentes est beaucoup plus utile qu'une analyse effectuée à partir d'une quantité imposante d'informations plus ou moins pertinentes. Parmi les principales sources de renseignements permettant d'obtenir les états financiers des entreprises canadiennes et les ratios en vigueur dans les différents secteurs industriels, mentionnons :

1. SEDAR (Système Électronique de Données, d'Analyse et de Recherche).
Ce site Web fournit à l'utilisateur les rapports annuels et les états financiers intermédiaires des sociétés ouvertes. De plus, il permet de visualiser la plupart des documents publics (communiqués de presse, rapports de gestion, etc.) déposés par les compagnies publiques auprès de l'Autorité Canadienne des Valeurs Mobilières (ACVM).

Site Internet
www.sedar.com

2. Dun and Bradstreet. La banque de données de Dun and Bradstreet contient des ratios portant sur 800 secteurs d'activité économique d'après la classification industrielle standard (CIS). Pour chacun des quatorze ratios disponibles, on peut obtenir le quartile supérieur, le quartile inférieur ainsi que la valeur médiane.

Site Internet
www.dnb.com

3. Statistique Canada. Cet organisme gouvernemental donne accès à une quantité impressionnante de données portant sur l'économie canadienne. De plus, son ouvrage intitulé « Indicateurs de performance des entreprises canadiennes » présente les quinze ratios financiers principaux selon le secteur d'activité économique et la taille de l'entreprise (petites, moyennes et grandes).

Site Internet
www.statcan.ca

3.3 Les différentes méthodes d'analyse

Pour analyser la situation financière d'une entreprise et ses résultats, il existe différentes méthodes. Dans ce volume, nous discutons particulièrement des méthodes d'analyse suivantes :

- l'analyse de l'état des flux de trésorerie (ce sujet a été abordé au chapitre précédent);
- l'analyse verticale et l'analyse horizontale;
- l'analyse par ratios;
- l'analyse de la qualité des bénéfices;
- le modèle de prévision de faillite de E. Altman (ce modèle est décrit en annexe au présent chapitre).

3.3.1 L'analyse verticale et l'analyse horizontale

L'analyse verticale

Essentiellement, l'analyse verticale consiste à exprimer les postes du bilan en pourcentage de l'actif total et les postes de l'état des résultats en pourcentage des ventes. L'analyse verticale donne lieu à des états financiers établis en pourcentage. Ce genre d'analyse est particulièrement utile pour comparer des entreprises de taille différente.

L'analyse horizontale

L'analyse horizontale consiste à observer l'évolution sur un certain nombre d'années (par exemple, 5 ou 10 ans) de certaines variables financières, telles que les ventes, le bénéfice par action, le dividende par action, le ratio du fonds de roulement et le ratio d'endettement. Cette méthode d'analyse peut être utile pour identifier certaines tendances. Une bonne façon de faciliter l'analyse horizontale consiste à recourir aux graphiques.

À titre d'exemple d'analyse verticale et d'analyse horizontale, considérons les données financières suivantes concernant l'entreprise Simtex inc. :

Simtex inc.
Bilan

Actif	Année 3 $	Année 3 %	Année 2 $	Année 2 %	Année 1 $	Année 1 %
Espèces et quasi-espèces	15 000	2,42	18 000	4,16	22 000	7,17
Comptes clients	130 000	20,97	110 000	25,40	80 000	26,06
Stocks	345 000	55,65	200 000	46,19	125 000	40,72
Immobilisations nettes	130 000	20,97	105 000	24,25	80 000	26,06
Total de l'actif	620 000	100,00	433 000	100,00	307 000	100,00

Passif et avoir des actionnaires

	Année 3 $	Année 3 %	Année 2 $	Année 2 %	Année 1 $	Année 1 %
Comptes fournisseurs	190 000	30,65	95 000	21,94	58 000	18,89
Emprunts bancaires à court terme	100 000	16,13	40 000	9,24	0	0,00
Total du passif à court terme	290 000	46,78	135 000	31,18	58 000	18,89
Dette à long terme	15 000	2,42	20 000	4,62	25 000	8,14
Capital-actions	125 000	20,16	125 000	28,87	125 000	40,72
Bénéfices non répartis	190 000	30,65	153 000	35,33	99 000	32,75
Total du passif et de l'avoir des actionnaires	620 000	100,00	433 000	100,00	307 000	100,00

Simtex inc.
État des résultats

	Année 3		Année 2		Année 1	
	$	%	$	%	$	%
Ventes	1 025 000	100,00	1 000 000	100 00	950 000	100,00
Coût des marchandises vendues	830 000	80,98	810 000	81,00	760 000	80,00
Bénéfice brut	195 000	19,02	190 000	19,00	190 000	20,00
Frais de vente et d'administration	85 000	8,29	80 000	8,00	75 000	7,89
Amortissement	18 000	1,76	15 000	1,50	12 000	1,26
Intérêts sur la dette	12 000	1,17	6 000	0,60	2 500	0,26
Bénéfice avant impôts	80 000	7,80	89 000	8,90	100 500	10,59
Impôt	32 000	3,12	35 600	3,56	40 200	4,23
Bénéfice net	48 000	4,68	53 400	5,34	60 300	6,36
Bénéfice par action (125 000 actions ordinaires)	0,38		0,43		0,48	

Les états financiers comparatifs montrés ci-dessus révèlent notamment les faits suivants :

1. Les espèces et les quasi-espèces ont tendance à décroître d'une année à l'autre alors que les soldes des autres postes de l'actif à court terme (comptes clients et stocks) ont tendance à augmenter.

2. Les stocks représentent une part de plus en plus importante de l'actif total et ce, malgré la faible augmentation du chiffre d'affaires.

3. L'actif total a augmenté substantiellement, compte tenu de la faible augmentation des ventes. La rentabilité de l'actif total est en baisse. Par rapport au chiffre des ventes, le niveau des actifs - en particulier celui des stocks - est probablement trop élevé.

4. La part du passif à court terme dans le financement de l'entreprise a augmenté beaucoup plus rapidement que la portion de l'actif total qui est constituée d'éléments à court terme. À l'année 3, l'entreprise semble utiliser de façon abusive le crédit à court terme.

5. La marge brute sur les ventes est relativement constante d'une année à l'autre.

6. La baisse du bénéfice net et du bénéfice par action est attribuable à une augmentation (en dollars et en pourcentage) des frais de vente et d'administration, de l'amortissement et des intérêts sur la dette.

7. De façon générale, on observe que la situation financière de l'entreprise s'est détériorée d'une année à l'autre.

En conclusion, l'analyse verticale et l'analyse horizontale nous permettent d'avoir une vue d'ensemble de l'évolution de la situation financière d'une entreprise, sans toutefois nous en expliquer parfaitement les causes. Ces méthodes contribuent à mettre en évidence les éléments à surveiller et à analyser en ayant recours à des méthodes plus sophistiquées.

3.3.2 L'analyse par ratios

• • •
Ratio
Rapport entre deux montants figurant aux états financiers permettant d'évaluer un aspect de la situation financière de la société

Un ratio est tout simplement un rapport existant entre deux postes des états financiers. Par exemple, si le ratio actif à court terme sur passif à court terme est égal à 2, cela signifie que l'actif à court terme représente deux fois le passif à court terme ou encore que pour chaque dollar de dettes à court terme l'entreprise possède deux dollars d'actif à court terme.

En principe, l'analyste peut calculer un très grand nombre de ratios financiers à partir des états financiers d'une entreprise donnée. Par exemple, si les états financiers d'une entreprise comportent 30 postes, il est alors possible d'obtenir 870 ratios financiers[1]. Toutefois, de nombreux ratios (comme, par exemple, le ratio encaisse sur passif d'impôts futurs) seraient dénués de sens et inutile pour fin de décision. Dans ce contexte, l'analyste se limitera généralement à calculer un nombre limité de ratios - de 12 à 15 - à partir des postes qui ont certaines affinités entre eux. Par la suite, il comparera les valeurs numériques obtenues avec celles d'entreprises similaires.

3.3.2.1 Les normes de comparaison

Afin de mettre en relief les forces et les faiblesses relatives d'une entreprise, les ratios de cette dernière doivent être comparés à certaines normes. Les principales normes de comparaison qui peuvent être utilisées sont les suivantes :

❶ L'ensemble des entreprises canadiennes
Dans la plupart des cas, cette norme de comparaison s'avère inappropriée, puisque l'échantillon considéré est très large et comprend des entreprises qui, en plus d'être très disparates au niveau de la taille, exercent leurs activités dans des secteurs industriels différents.

❷ L'ensemble des entreprises oeuvrant dans le même secteur industriel
Très souvent, en pratique, les ratios de l'entreprise sont mis en parallèle avec les ratios moyens de l'industrie qui sont publiés par des agences comme « Dun and Bradstreet ». L'analyste doit cependant être prudent lorsqu'il utilise de telles normes de comparaison. En effet, des divergences au niveau de la taille des entreprises, de leurs conventions comptables et de leur date de fin d'exercice financier peuvent rendre les comparaisons difficiles. De plus, le phénomène de la diversification des entreprises peut poser certaines difficultés à rattacher une entreprise à un secteur industriel donné.

---

[1] De façon générale, le nombre de ratios que l'on peut obtenir se calcule ainsi :

$$\text{Nombre de ratios} = A_n^2 = \frac{n!}{(n-2)!} = n(n-1) \text{ où } n : \text{Nombre de postes que comportent les}$$

états financiers.

Enfin, notons que la définition des normes du secteur peut causer certains problèmes particuliers: doit-on utiliser la moyenne arithmétique, la médiane, le mode, la moyenne pondérée selon les valeurs comptables ou la moyenne pondérée selon les valeurs marchandes pour définir les ratios standards de l'industrie?

3. **Les entreprises d'importance similaire opérant dans le même secteur industriel**

Lorsque les dates de fin d'exercice financier coïncident, les ratios de ces entreprises sont probablement les meilleures normes de comparaison.

4. **L'entreprise avec elle-même**

Cette approche nous permet d'observer l'évolution de l'entreprise dans le temps et de déceler certaines tendances. Toutefois, elle ne nous permet pas de savoir comment l'entreprise se classe relativement à d'autres sociétés similaires.

3.3.2.2 Les catégories de ratios

On peut répartir les ratios en cinq catégories. Ces catégories sont les suivantes :

1. **Les ratios de liquidité.** Ces ratios indiquent la capacité de l'entreprise à rencontrer ses obligations financières à court terme.

2. **Les ratios d'endettement (d'équilibre).** Ces ratios montrent dans quelle mesure l'entreprise a recours au financement par dette pour financer ses activités. De plus, ils permettent d'apprécier la capacité de l'entreprise à faire face à ses charges financières fixes.

3. **Les ratios de gestion.** Ces ratios indiquent si l'entreprise utilise efficacement ses actifs.

4. **Les ratios de rentabilité.** Ces ratios indiquent si les bénéfices de l'entreprise sont suffisants, compte tenu du volume des ventes, des actifs utilisés et de la mise de fonds des actionnaires.

5. **Les ratios d'évaluation par le marché.** Ces ratios permettent d'apprécier la perception des investisseurs à l'égard de la performance de l'entreprise, de son risque et de sa croissance anticipée.

Pour montrer comment calculer et interpréter certains ratios appartenant à chacune des catégories mentionnées ci-dessus, nous utiliserons les données financières apparaissant dans le rapport annuel de la compagnie Rondeau inc. pour les années 20X1 et 20X2. Cette entreprise québécoise est un important distributeur, importateur et manufacturier de produits de quincaillerie. Ses nombreux produits disponibles sur le marché visent notamment à satisfaire les besoins de ses clients impliqués dans la fabrication d'armoires de cuisine et de salles de bain, de portes et fenêtres, de meubles résidentiels et de bureau, de même que ceux des détaillans (petites et moyennes quincailleries, grandes surfaces de rénovation).

État des résultats
(en milliers de dollars, sauf les montants par action)

	20X2	20X1
Ventes	624 443 $	537 773 $
Coût des marchandises vendues	449 962	406 499
	174 481 $	131 274 $
Charges		
Frais de vente et d'administration	75 817	71 331
Intérêts	14 918	17 412
Amortissement	36 559	38 209
Bénéfice avant impôts	47 187 $	4 322 $
Impôts sur les bénéfices		
Exigibles	15 940	1 383
Futurs	416	208
Bénéfice net	30 831	2 731
Bénéfice par action	0,31 $	0,03 $

Bilan (en milliers de dollars)

	20X2	20X1
ACTIF		
À court terme		
Trésorerie et équivalents de trésorerie	10 332 $	6 216 $
Débiteurs	77 829	71 709
Stocks	120 200	124 314
Frais payés d'avance	639	429
	209 000	202 668
Immobilisations nettes	106 329	121 329
Placements et autres éléments d'actifs	6 334	10 703
Total de l'actif	321 663 $	334 700 $
PASSIF ET AVOIR DES ACTIONNAIRES		
À court terme		
Dette bancaire	2 712 $	3 129 $
Créditeurs	60 708	54 916
Impôts sur les bénéfices à payer	8 309	1 712
Tranche de la dette à long terme échéant à court terme	12 108	10 116
	83 837	69 873
Dette à long terme	61 668	92 708
Impôts futurs	2 341	1 719
Capital-actions	40 000	40 000
Bénéfices non répartis	133 817	130 400
Total du passif et de l'avoir des actionnaires	321 663 $	334 700 $

3.3.2.2.1 Les ratios de liquidité

Les mesures de liquidité les plus utilisées en pratique sont le ratio de fonds de roulement et le ratio de trésorerie.

Le ratio du fonds de roulement

Le ratio du fonds de roulement ou le ratio de liquidité générale se calcule en divisant l'actif à court terme par le passif à court terme. L'actif à court terme comprend généralement la trésorerie et les équivalents de trésorerie (ou

• • • •
Ratio du fonds de roulement
Ratio permettant de comparer l'actif à court terme total de l'entreprise avec l'ensemble de ses dettes à court terme

les espèces et les quasi-espèces), les placements à court terme, les comptes clients (ou débiteurs), les stocks et les frais payés d'avance. Quant au passif à court terme, il se compose notamment des emprunts bancaires à court terme, des comptes fournisseurs (ou créditeurs), des dividendes à payer et de la tranche de la dette à long terme échéant à moins d'un an. Dans le cas de la société Rondeau inc., on obtient les résultats suivants pour les années 20X1 et 20X2 :

$$\text{Ratio du fonds de roulement} = \frac{\text{Actifs à court terme}}{\text{Passif à court terme}}$$

$$= \frac{202\,668}{69\,873} = 2,90 \text{ (pour 20X1)}$$

$$= \frac{209\,000}{83\,837} = 2,49 \text{ (pour 20X2)}$$

Plus le ratio du fonds de roulement est élevé, plus il devrait être facile pour l'entreprise de faire face à ses engagements à court terme. Dans le cas de la société Rondeau inc., la valeur du ratio du fonds de roulement à la fin de 20X2 nous indique que l'entreprise aurait pu réaliser ses actifs à court terme à

40,16% (c.-à-d. $\frac{1}{\text{ratio du fonds de roulement}} = \frac{1}{2,49} = 40,16\%$) de leur valeur

aux livres et être en mesure d'honorer la totalité de ses dettes à court terme.

Traditionnellement, les analystes financiers considèrent que le ratio du fonds de roulement d'une entreprise devrait se situer aux environs de 2. Cependant, de nos jours, on reconnaît de plus en plus que la valeur optimale de ce ratio devrait plutôt être fonction de facteurs tels que le secteur industriel auquel appartient l'entreprise, la taille de cette dernière et l'année considérée. En conséquence, un ratio du fonds de roulement de 2 pourrait être trop faible pour une entreprise appartenant à un secteur industriel donné et être trop élevé pour une autre entreprise qui opère dans une industrie différente.

Le ratio de trésorerie

• • • •
Ratio de trésorerie
Ratio permettant de comparer les actifs à court terme les plus facilement réalisables de l'entreprise avec l'ensemble de ses dettes à court terme

Le ratio de trésorerie, également appelé le ratio de liquidité immédiate, constitue une mesure plus restrictive de la liquidité de l'entreprise que le ratio du fonds de roulement. En effet, dans le calcul du ratio de trésorerie, on ne considère que les éléments les plus monnayables de l'actif à court terme de l'entreprise. Généralement, les stocks et les frais payés d'avance représentent les éléments les moins monnayables de l'actif à court terme. Dans ce contexte, on calculera le ratio de trésorerie en soustrayant de l'actif à court terme la valeur des stocks et des frais payés d'avance et en divisant le résultat obtenu par le passif à court terme. Pour Rondeau inc., on obtient les résultats suivants pour les années 20X1 et 20X2 :

$$\text{Ratio de trésorerie} = \frac{\text{Actifs à court terme - Stocks - Frais payés d'avance}}{\text{Passif à court terme}}$$

$$= \frac{202\ 668 - 124\ 314 - 429}{69\ 873} = 1,12 \ (\text{pour } 20X1)$$

$$= \frac{209\ 000 - 120\ 200 - 639}{83\ 837} = 1,05 \ (\text{pour } 20X2)$$

La valeur du ratio de trésorerie à la fin de l'année 20X2 nous indique que l'entreprise aurait pu réaliser les éléments les plus liquides de son actif à court terme à 95,24% de leur valeur aux livres et être en mesure de rembourser la totalité de ses dettes à court terme.

Historiquement, les analystes financiers considèrent comme étant approprié un ratio de trésorerie de 1. Ici encore, il convient de souligner le caractère quelque peu arbitraire de cette règle empirique et de rappeler que la valeur optimale du ratio de trésorerie devrait plutôt dépendre des facteurs mentionnés précédemment pour le ratio du fonds de roulement.

À la lumière des deux ratios de liquidité que nous avons calculés ci-dessus, on peut conclure que la liquidité de la compagnie est excellente et ce, même si les valeurs des ratios concernés ont diminué quelque peu de 20X1 à 20X2.

3.3.2.2.2 Les ratios d'endettement

Les ratios d'endettement se répartissent en deux catégories: (1) ceux que l'on peut calculer à partir des postes du bilan et (2) ceux que l'on peut obtenir à partir des postes de l'état des résultats. Les premiers nous indiquent la part des créanciers dans le financement de l'entreprise. Un exemple de ratio appartenant à cette catégorie est celui du passif total à l'actif total (aussi appelé le ratio d'endettement). Les seconds cherchent à mesurer la capacité de l'entreprise à faire face à ses charges financières fixes. Des exemples de ratios inclus dans cette catégorie sont le ratio de couverture des intérêts et le ratio de couverture des charges financières.

Ratio du passif total à l'actif total
Ratio qui indique la proportion de l'actif total qui est financée par des dettes

Le passif total par rapport à l'actif total

Le ratio du passif total à l'actif total ou le ratio d'endettement se calcule en divisant le passif total de l'entreprise par son actif total. Dans le cas de Rondeau inc., on obtient les valeurs numériques suivantes pour les années 20X1 et 20X2 :

$$\text{Ratio du passif total à l'actif total} \ (\text{ratio d'endettement}) = \frac{\text{Passif total}}{\text{Actif total}}$$

$$= \frac{69\ 873 + 92\ 708}{334\ 700} = 0,4858 \ (\text{pour } 20X1)$$

$$= \frac{83\ 837 + 61\ 668}{321\ 663} = 0,4524 \ (\text{pour } 20X2)$$

Dans les calculs de la page précédente, nous incluons le passif d'impôts futurs dans l'avoir des actionnaires - plutôt que dans la dette - étant donné que ces impôts ne portent pas intérêt, n'ont pas de date d'échéance, ne sont pas à payer si l'entreprise fait faillite et peuvent être reportés indéfiniment si l'entreprise achète régulièrement des immobilisations. De plus, lorsque l'actif incorporel constitue une proportion importante de l'actif total de l'entreprise - ce qui n'est pas le cas de l'entreprise Rondeau inc. -, il est généralement préférable de ne pas en tenir compte dans le calcul des ratios puisque cet élément d'actif est la plupart du temps trop spécialisé pour être vendu facilement.

Les résultats précédents nous indiquent que chaque dollar d'actif de la compagnie est financé à 45,24% par dette et à 54,76% par fonds propres à la fin de 20X2. De plus, on constate que, suite au remboursement d'une partie de sa dette à long terme, le ratio d'endettement de l'entreprise, calculé à partir des valeurs aux livres, s'est amélioré quelque peu de 20X1 à 20X2.

De façon générale, les créanciers préfèrent un faible ratio d'endettement car ils sont mieux protégés en cas de liquidation de l'entreprise. De leur côté, lorsque l'entreprise réalise un taux de rendement sur ses actifs supérieur au coût de ses emprunts, les actionnaires ont une préférence pour un ratio d'endettement élevé puisqu'ils bénéficient alors d'un effet de levier financier. Cependant, dans les périodes économiques difficiles, la présence de charges financières fixes substantielles découlant d'un ratio d'endettement élevé peut entraîner pour l'entreprise certains problèmes financiers.

Le ratio de couverture des intérêts

Ratio de couverture des intérêts
Ratio qui indique le nombre de fois que le bénéfice avant intérêts et impôts permet de payer les intérêts sur la dette

Le ratio de couverture des intérêts indique le nombre de fois que le bénéfice avant intérêts et impôts de l'entreprise couvre la charge d'intérêt que doit rencontrer cette dernière pendant l'exercice financier. De façon générale, plus le ratio de couverture des intérêts est élevé, meilleure est la protection offerte aux créanciers. Dans le cas de Rondeau inc., ce ratio a pris successivement les valeurs suivantes en 20X1 et 20X2 :

$$\text{Ratio de couverture des intérêts} = \frac{\text{Bénéfice avants intérêts et impôts}}{\text{Intérêts sur la dette}}$$

$$= \frac{131\,274 - 71\,331 - 38\,209}{19\,412} = 1,25 \text{ fois (pour 20X1)}$$

$$= \frac{174\,481 - 75\,817 - 36\,559}{14\,918} = 4,16 \text{ fois (pour 20X2)}$$

Les résultats précédents indiquent que le bénéfice avant intérêts et impôts de Rondeau inc. correspondait à 1,25 fois ses charges d'intérêt en 20X1 et à 4,16 fois ces mêmes charges en 20X2. En 20X1, le bénéfice avant intérêts et impôts généré par l'entreprise lui permettait à peine de couvrir ses charges d'intérêt. Toutefois, pour l'année 20X2, la valeur de ce ratio excédait la norme minimale acceptable pour ce genre d'entreprise.

Ratio de couverture des charges financières
Ratio qui indique le nombre de fois que le bénéfice avant intérêts et impôts permet de couvrir les charges financières fixes

Bien que très utile, le ratio précédent comporte certaines lacunes évidentes. Premièrement, on devrait idéalement utiliser au numérateur les flux de trésorerie avant intérêts et impôts dégagés par les activités d'exploitation de l'entreprise au lieu de ses bénéfices, puisque ces derniers tiennent compte de certaines charges qui ne nécessitent aucune sortie de fonds. Deuxièmement, le dénominateur devrait inclure, en plus des charges d'intérêt, d'autres charges fixes que doit rencontrer l'entreprise, comme les loyers, le remboursement du principal de la dette et les dividendes versés aux actionnaires privilégiés. Pour pallier à la seconde lacune du ratio de couverture des intérêts, l'analyste peut calculer, lorsque les données disponibles le permettent, un ratio plus global que l'on appelle le ratio de couverture des charges financières. Ce ratio se calcule ainsi[2] :

$$\text{Ratio de couverture des charges financières} = \cfrac{\text{Bénéfice avants intérêts, loyers et impôts}}{\text{Intérêts sur la dette} + \text{Loyers} + \cfrac{\text{Remboursement du principal de la dette} + \text{Dividendes privilégiés}}{1-T}}$$

Ce ratio donne une meilleure idée, que le ratio de couverture des intérêts, du risque financier de l'entreprise.

3.3.2.2.3 Les ratios de gestion

Les ratios de gestion - également appelés les ratios d'activité - mesurent l'efficacité avec laquelle l'entreprise gère ses différents actifs. Chacun de ces ratios nous indique le nombre de dollars de ventes que réalise l'entreprise par dollar investi dans un élément d'actif donné. Ci-dessous, nous discutons des ratios de gestion les plus connus et les plus utilisés en pratique, soit la rotation des stocks, le délai moyen de recouvrement des comptes clients, la rotation des immobilisations et la rotation de l'actif total.

La rotation des stocks

Ratio de rotation des stocks
Ratio qui indique le nombre de fois que l'entreprise a renouvelé ses stocks au cours de l'exercice

Le calcul du ratio de rotation des stocks permet de juger si l'entreprise maintient des stocks trop élevés ou trop faibles. Une façon de calculer ce ratio est de diviser le coût des ventes par la valeur des stocks de fin d'exercice[3].

---

[2] Le remboursement du principal de la dette et les dividendes privilégiés doivent être divisés par le facteur (1-T), puisque ces déboursés ne sont pas déductibles d'impôt et doivent, par conséquent, être payés à même le bénéfice après impôts.

[3] Dans le cas d'une entreprise saisonnière, il est préférable d'utiliser la valeur moyenne des stocks au cours de l'exercice (c.-à-d. <u>Stocks du début + Stocks de la fin</u>).

Dans le cas de la compagnie Rondeau inc., on obtient les résultats suivants[4] pour les années 20X1 et 20X2 :

$$\text{Rotation des stocks} = \frac{\text{Coût des ventes}}{\text{Stocks}}$$

$$= \frac{406\ 499}{124\ 314} = 3,27 \text{ fois (pour 20X1)}$$

$$= \frac{449\ 962}{120\ 200} = 3,74 \text{ fois (pour 20X2)}$$

Les calculs précédents montrent que les stocks de Rondeau inc. ont été renouvelés 3,27 fois en 20X1 et 3,74 fois en 20X2. De façon générale, un ratio de rotation des stocks élevé s'avère préférable à un ratio qui est bas, puisqu'une valeur élevée indique que le capital improductif est faible. Toutefois, un ratio de rotation des stocks significativement plus élevé que celui de la moyenne du secteur auquel appartient l'entreprise peut signifier que les stocks de l'entreprise sont insuffisants pour satisfaire la demande de ses clients et que cette dernière doit fréquemment refuser des ventes.

Une autre façon d'apprécier la durée d'écoulement des stocks consiste à calculer le délai de rotation des stocks à l'aide de la formule suivante :

Délai de rotation des stocks
Nombre de jours nécessaire pour écouler la marchandise en stock

$$\text{Délai de rotation des stocks} = \frac{365}{\text{Ratio de rotation des stocks}}$$

$$= \frac{365}{3,37} = 111,62 \text{ jours (pour 20X1)}$$

$$= \frac{365}{3,74} = 97,59 \text{ jours (pour 20X2)}$$

Les résultats précédents révèlent que la compagnie Rondeau inc. a, en moyenne, renouvelé ses stocks à tous les 111,62 jours en 20X1 et à tous les 97,59 jours en 20X2.

Il nous semble important de souligner que les deux ratios précédents sont influencés par la méthode d'évaluation des stocks qu'utilise l'entreprise, ce qui a pour conséquence de rendre difficile les comparaisons d'une entreprise à l'autre. Ainsi, le ratio de rotation des stocks d'une entreprise qui utilise pour évaluer ses stocks la méthode du premier entré, premier sorti (PEPS) n'est pas directement comparable au ratio moyen de l'industrie si la plupart des entreprises du secteur industriel concerné utilise comme méthode d'évaluation des stocks celle du dernier entré, premier sorti (DEPS).

---

[4] De façon à uniformiser la méthode de calcul avec celle utilisée par les agences qui publient des normes sectorielles, on calcule très souvent le ratio de rotation des stocks de la façon suivante :

$$\text{Rotation des stocks} = \frac{\text{Ventes}}{\text{Stocks de fin d'exercice}}.$$

Il est à noter que le ratio ci-dessus ne mesure pas la véritable rotation des stocks puisque les stocks sont évalués au coût et les ventes au prix du marché.

Le délai moyen de recouvrement des comptes clients

Le délai moyen de recouvrement des comptes clients indique la période moyenne qui s'écoule entre le moment où la vente a lieu et celui où le client règle la facture. Pour Rondeau inc., ce ratio[5] se calcule ainsi pour les années 20X1 et 20X2 :

$$\text{Délai moyen de recouvrement des comptes clients} = \frac{\text{Comptes clients}}{\text{Ventes quotidiennes}} = \frac{\text{Comptes clients}}{\text{Ventes annuelles}/365}$$

$$= \frac{71\ 709}{537\ 773\ /\ 365} = 48,67 \text{ jours (pour 20X1)}$$

$$= \frac{77\ 829}{624\ 443\ /\ 365} = 45,49 \text{ jours (pour 20X2)}$$

Pour l'année 20X2, les comptes clients (débiteurs) de l'entreprise Rondeau inc. représentaient donc 45,49 jours de ventes. De plus, on observe que le délai moyen de recouvrement des comptes clients a diminué d'environ trois jours durant le dernier exercice financier.

Un délai moyen de recouvrement des comptes clients supérieur à la moyenne du secteur industriel concerné et qui a tendance à augmenter avec le temps suggère que les procédures de recouvrement de l'entreprise ne sont pas suffisamment contraignantes. À l'inverse, un délai moyen de recouvrement des comptes clients nettement inférieur à la moyenne de l'industrie concernée peut signifier que les prodécures de recouvrement de l'entreprise sont trop contraignantes et exercent un impact négatif sur les ventes de cette dernière.

Classement chronologique des comptes clients

Dans le but d'obtenir des renseignements supplémentaires sur la liquidité des comptes clients de l'entreprise, on peut classifier ces derniers en fonction de leur ancienneté. Dans le cas des entreprises X et Y, dont les conditions de crédit sont « net 30 jours » et les ventes annuelles à crédit de 270 000 $, les comptes clients se répartissent ainsi en fonction de leur ancienneté :

Jours	Entreprise X	Entreprise Y
0 - 30	5 000 $ (19%)	26 000 $ (74%)
31 - 60	10 000 $ (37%)	5 000 $ (14%)
61 - 90	10 000 $ (37%)	2 000 $ (6%)
91 et +	2 000 $ (7%)	2 000 $ (6%)
	27 000 $ (100%)	35 000 $ (100%)

---

[5] Dans le cas d'une entreprise saisonnière, il est préférable d'utiliser au numérateur le solde moyen des comptes clients, soit :

$$\frac{\text{Comptes clients au début de l'exercice} + \text{Comptes clients à la fin de l'exercice}}{2}$$

De plus, lorsque ce nombre est disponible, il est préférable d'utiliser au dénominateur le montant des ventes à crédit plutôt que le montant total des ventes de l'entreprise.

Pour chacune de ces entreprises, le délai moyen de recouvrement des comptes clients se calcule de la façon suivante :

Délai moyen de recouvrement des comptes $=$ $\dfrac{27\ 000}{270\ 000\ /\ 365}$ $= 36,5$ jours
clients de l'entreprise X

Délai moyen de recouvrement des comptes $=$ $\dfrac{35\ 000}{270\ 000\ /\ 365}$ $= 47,3$ jours
clients de l'entreprise Y

Sur la base du délai moyen de recouvrement des comptes clients, on serait porté à conclure que l'entreprise X a une politique de recouvrement plus efficace que celle de l'entreprise Y. Toutefois, une analyse plus rigoureuse, fondée sur une classification des comptes clients en fonction de leur âge, nous indique qu'il en va autrement. En effet, on note que 81% des comptes clients de l'entreprise X sont en souffrance alors que ce pourcentage n'est que de 26% dans le cas de l'entreprise Y. Dans la plupart des situations, le délai moyen de recouvrement des comptes clients, comme c'est d'ailleurs le cas des autres ratios, doit être interprété avec circonspection et en tenant compte des conditions de crédit offertes par l'entreprise.

La rotation des immobilisations

Ratio de rotation des immobilisations
Ratio qui montre si les ventes de l'entreprise sont suffisantes compte tenu des sommes investies dans les immobilisations

Ce ratio indique le nombre de dollars de ventes que réalise l'entreprise par dollar investi en immobilisations. Il permet de juger si l'entreprise utilise efficacement ses immoblilisations ou si, à l'inverse, le montant investi en actifs immobilisés est excessif. Pour Rondeau inc., la rotation des immobilisations se mesure ainsi pour les années 20X1 et 20X2 :

$$\text{Rotation des immobilisations} = \frac{\text{Ventes}}{\text{Immobilisations nettes}}$$

$$= \frac{537\ 773}{121\ 329} = 4,43 \text{ fois (pour 20X1)}$$

$$= \frac{624\ 443}{106\ 329} = 5,87 \text{ fois (pour 20X2)}$$

La valeur de ce ratio pour l'année 20X2 montre que l'entreprise a généré 5,87 $ de ventes par dollar investi en immobilisations à la fin de l'année concernée. De plus, on observe qu'elle a utilisé plus efficacement ses immobilisations en 20X2 qu'elle ne l'a fait en 20X1. Afin de déterminer si Rondeau inc. utilise pleinement ses immobilisations, il faudrait, comme cela s'impose pour tous les ratios, comparer les ratios obtenus pour cette entreprise avec ceux d'entreprises similaires - taille et âge - opérant dans la même industrie.

La rotation de l'actif total

Ratio de rotation de l'actif total
Ratio permettant d'apprécier l'ampleur des ventes réalisées par l'entreprise par rapport aux actifs sous gestion

Ce ratio indique l'efficacité avec laquelle l'entreprise utilise l'ensemble de ses actifs. Il se calcule en divisant le montant des ventes nettes par l'actif total. Pour Rondeau inc., on obtient les valeurs numériques suivantes pour les années 20X1 et 20X2 :

$$\text{Rotation de l'actif total} = \frac{\text{Ventes}}{\text{Actif total}}$$

$$= \frac{537\,773}{334\,700} = 1,61 \text{ fois (pour 20X1)}$$

$$= \frac{624\,443}{321\,663} = 1,94 \text{ fois (pour 20X2)}$$

Les résultats obtenus montrent que, pour chaque dollar investi dans l'actif, l'entreprise a généré 1,94 $ de ventes en 20X2 et 1,61 $ de ventes en 20X1. En comparant la valeur de ce ratio pour les deux années en cause, on peut aisément en déduire que la société a utilisé plus efficacement ses actifs en 20X2.

Pour conclure sur ce ratio, mentionnons qu'une valeur élevée n'est pas toujours préférable à une faible valeur puisqu'elle peut révéler que l'entreprise opère avec de vieux actifs pratiquement tous amortis.

3.3.2.2.4 Les ratios de rentabilité

Les ratios de rentabilité sont utilisés dans le but de porter un jugement sur la performance globale de l'entreprise et de ses gestionnaires. Quelques-uns des ratios appartenant à cette catégorie sont discutés ci-dessous.

La marge brute sur les ventes

Marge brute sur les ventes
Ratio qui montre le bénéfice brut produit par dollar de vente

La marge brute sur les ventes indique la proportion du chiffre d'affaires de l'entreprise qui est disponible pour couvrir les frais de vente et d'administration ainsi que les charges financières. Ce ratio se calcule en divisant le bénéfice brut de l'entreprise par le montant des ventes. Dans le cas de la compagnie Rondeau inc., on trouve, à partir des données disponibles à l'état des résultats, les valeurs suivantes pour les années 20X1 et 20X2 :

$$\text{Marge brute sur les ventes} = \frac{\text{Ventes - Coût des ventes}}{\text{Ventes}}$$

$$= \frac{537\,773 - 406\,499}{537\,773} = 24,41\% \text{ (pour 20X1)}$$

$$= \frac{624\,443 - 449\,962}{624\,443} = 27,94\% \text{ (pour 20X2)}$$

Les résultats obtenus révèlent que la marge brute de Rondeau inc. est passée de 24,41% en 20X1 à 27,94% en 20X2. Il s'agit là d'une augmentation de 3,51% ou 353 points de base (note : 1 point de base équivaut à 1/100 de 1%).

La marge nette sur les ventes

Marge nette sur les ventes
Ratio qui montre le bénéfice net ou la perte nette produit par dollar de vente

La marge nette sur les ventes indique le bénéfice net ou la perte nette que réalise l'entreprise pour chaque dollar de vente. Ce ratio se calcule en divisant le bénéfice net ou la perte nette de l'entreprise (après impôt et avant éléments extraordinaires) par le montant des ventes. Dans le cas de Rondeau inc., on obtient les valeurs numériques suivantes pour les années 20X1 et 20X2 :

$$\text{Marge nette sur les ventes} \quad = \quad \frac{\text{Bénéfice net ou perte nette}}{\text{(avant éléments extraordinaires)}}$$

$$= \frac{2\,731}{537\,773} = 0,51\% \text{ (pour 20X1)}$$

$$= \frac{30\,831}{624\,443} = 4,94\% \text{ (pour 20X2)}$$

Les résultats précédents montrent que la marge nette sur les ventes de Rondeau inc. s'est améliorée sensiblement de 20X1 à 20X2. En effet, la valeur de ce ratio a pratiquement décupler d'un exercice à l'autre. De façon générale, une augmentation de la marge nette sur les ventes peut s'expliquer par une hausse du prix de vente, par un meilleur contrôle des coûts, par l'introduction de produits plus rentables ou par une baisse du taux d'imposition de l'entreprise.

La rentabilité de l'actif total

> **• • • •**
> **Rentabilité de l'actif total**
> Ratio qui indique le bénéfice net produit par dollar investi dans les actifs

La rentabilité de l'actif total indique le bénéfice net ou la perte nette que réalise l'entreprise par dollar investi. Ce ratio, communément appelé le ROI (*Return on investment*), se calcule en divisant le bénéfice net ou la perte nette de l'entreprise (après impôt et avant éléments extraordinaires) par son actif total. Dans le cas de la compagnie Rondeau inc., la rentabilité de l'actif total se mesure ainsi pour les années 20X1 et 20X2[7] :

$$\text{Rentabilité de l'actif total} \quad = \quad \frac{\text{Bénéfice net ou perte nette}}{\text{(avant éléments extraordinaires)}}$$

$$= \frac{2\,731}{334\,700} = 0,82\% \text{ (pour 20X1)}$$

$$= \frac{30\,831}{321\,663} = 9,58\% \text{ (pour 20X2)}$$

Pour l'année 20X2, on constate que l'entreprise a réalisé un bénéfice net de 9,58 cents pour chaque dollar investi dans ses actifs. Cela constitue une nette amélioration comparativement à la piètre performance de l'année 20X1.

---

[7] Puisque l'actif de l'entreprise est financé à la fois par les actionnaires et les créanciers, il serait préférable, afin de rendre plus cohérent le numérateur et le dénominateur du ratio précédent et ainsi obtenir une appréciation plus juste de la rentabilité de l'actif total, de tenir compte au numérateur de la rémunération qui revient aux actionnaires et aux créanciers. En effectuant le calcul de cette manière, la rentabilité de l'actif total serait alors égale à :

Rentabilité de $\quad = \dfrac{\text{Bénéfice net + Intérêts (1 - Taux d'impôt de l'entreprise)}}{\text{Actif total}}$
l'actif total

$\qquad = \dfrac{\text{Bénéfice avant intérêts et impôts (1 - Taux d'impôt de l'entreprise)}}{\text{Actif total}}$

Le numérateur de l'expression précédente représente la rémunération totale des pourvoyeurs de fonds (actionnaires et créanciers) alors que le dénominateur tient compte des capitaux totaux qu'ils ont fournis. De plus, notons que pour déterminer la sortie de fonds qu'entraîne pour l'entreprise le financement par dette, la charge d'intérêts doit être multipliée par le facteur (1 - Taux d'impôt). L'économie d'impôt liée à la charge d'intérêts réduit donc le coût du financement par dette.

La rentabilité de l'avoir des actionnaires

Rentabilité de l'avoir des actionnaires
Ratio qui permet d'apprécier le bénéfice net dégagé par l'entreprise pour chaque dollar de financement provenant des propriétaires

Ce ratio mesure le bénéfice net ou la perte nette réalisé par l'entreprise pour chaque dollar investi par les actionnaires ordinaires. Il se calcule en divisant le bénéfice net ou la perte nette de l'entreprise (après impôt et avant éléments extraordinaires) par l'avoir des actionnaires ordinaires (incluant le passif d'impôts futurs). Pour Rondeau inc., on obtient les résultats suivants pour les années 20X1 et 20X2 :

$$\text{Rentabilité de l'avoir des actionnaires} = \frac{\text{Bénéfice net ou perte nette (avant éléments extraordinaires)}}{\text{Avoir des actionnaires ordinaires}}$$

$$= \frac{2\,731}{1\,719 + 40\,000 + 130\,400} = 1,59\% \text{ (pour 20X1)}$$

$$= \frac{30\,831}{2\,341 + 40\,000 + 133\,817} = 17,50\% \text{ (pour 20X2)}$$

Les résultats précédents révèlent que la rentabilité de l'avoir des actionnaires s'est améliorée sensiblement de 20X1 à 20X2. De plus, on note que, pour les deux années concernées, la rentabilité de l'avoir des actionnaires a surpassé celle de l'actif total. Cela s'explique par le fait que l'entreprise a bénéficié d'un effet de levier financier favorable, c'est-à-dire qu'elle a réalisé sur les capitaux investis un rendement supérieur au coût de ses emprunts après impôt. Dans un tel cas, l'écart entre le rendement des capitaux investis et le coût de la dette après impôt contribue à accroître la rentabilité des fonds propres.

Le bénéfice par action

Bénéfice par action
Portion du bénéfice net revenant au détenteur d'une action ordinaire

Une statistique très surveillée par les analystes financiers et les investisseurs est de bénéfice par action. Il se calcule ainsi[7] :

$$\text{Bénéfice par action} = \frac{\text{Bénéfice net}}{\text{Nombre d'actions ordinaires en circulation}}$$

Dans le cas de Rondeau inc., l'état des résultats montre qu'elle a réalisé un bénéfice par action de 0,03 $ en 20X1 et de 0,31 $ en 20X2. Le résultat net par action dégagé en 20X2 représente donc une nette amélioration comparativement à celui de 20X1.

Les sociétés déclarent habituellement leur résultat par action sur une base trimestrielle. Lorsque le bénéfice par action annoncé est inférieur aux prévisions (consensus) des analystes et des investisseurs, il s'ensuit, la plupart du temps, une chute du cours de l'action sur le marché boursier. Inversement, dans le cas où le bénéfice par action surpasse les attentes des analystes et des investisseurs, il en résulte normalement une appréciation du prix de l'action sur le marché secondaire.

---

[7] Habituellement, le dénominateur représente le nombre pondéré d'actions ordinaires en circulation au cours de l'exercice. De plus, lorsque l'entreprise a en circulation des actions privilégiées, il faut retrancher du bénéfice net le montant des dividendes privilégiés.

3.3.2.2.5 Les ratios d'évaluation par le marché

Les ratios d'évaluation par le marché les plus populaires auprès des investisseurs sont le ratio cours-bénéfice et le ratio valeur marchande de l'action sur valeur comptable de l'action.

Le ratio cours-bénéfice

· · ·
Ratio cours-bénéfice
Ratio qui met en relation le cours boursier de l'action ordinaire et le bénéfice par action dégagé par l'entreprise

Le ratio cours-bénéfice représente le montant que les investisseurs sont disposés à payer par dollar de bénéfice que réalise actuellement l'entreprise. Il se calcule ainsi :

$$\text{Ratio cours-bénéfice} = \frac{\text{Valeur marchande de l'action}}{\text{Bénéfice par action}}$$

Par exemple, si la valeur boursière d'une action est de 40 $ et le bénéfice par action de 4 $, le ratio cours-bénéfice sera alors égal à 10. L'investisseur qui achète une telle action débourse donc 10 $ par dollar de bénéfice.

Dans un contexte réel, la valeur de ce ratio est influencée par une combinaison de plusieurs variables. En fait, toutes choses étant égales par ailleurs, la valeur du ratio cours-bénéfice augmente lorsque :

1. le taux de croissance anticipé des bénéfices anticipés de l'entreprise augmente;

2. le risque de l'action diminue;

3. le rendement des dividendes (c.-à-d. le ratio dividende par action sur valeur marchande de l'action) augmente;

4. les taux d'intérêt diminuent.

Le ratio cours-bénéfice est fréquemment utilisé par les analystes financiers et les investisseurs pour déterminer si le cours de l'action d'une entreprise donnée est trop élevé, trop faible ou raisonnable. Ainsi, lorsque le ratio cours-bénéfice d'une entreprise est nettement supérieur au ratio cours-bénéfice moyen d'entreprises similaires opérant dans le même secteur industriel, cela peut indiquer que les actions de la compagnie concernée sont surévaluées par le marché boursier. Inversement, un ratio cours-bénéfice sensiblement inférieur au ratio moyen d'entreprises semblables appartenant au même secteur industriel peut signifier que les actions de la société en cause sont sous-évaluées par le marché et constituent, par conséquent, une occasion d'achat intéressante. Bien entendu, d'autres variables que le ratio cours-bénéfice, tant quantitatives que qualitatives, doivent être prises en considération pour déterminer si les actions d'une entreprise, à une date donnée, sont surévaluées, correctement évaluées ou sous-évaluées par l'ensemble des investisseurs.

Le ratio valeur marchande de l'action sur valeur comptable de l'action

Ratio valeur marchande sur valeur comptable
Ratio qui met en relation la valeur marchande actuelle des actions ordinaires de l'entreprise et les capitaux investis par ses actionnaires passés et actuels

Ce ratio permet de comparer la valeur marchande de l'action avec sa valeur comptable. Il se mesure ainsi :

$$\text{Ratio valeur marchande sur valeur comptable de l'action} = \frac{\text{Cours boursier de l'action}}{\text{Valeur comptable de l'action}}$$

Avant d'aller plus loin, rappelons que la valeur comptable de l'action se calcule de la façon suivante :

$$\text{Valeur comptable de l'action} = \frac{\text{Avoir des actionnaires ordinaires}}{\text{Nombre d'actions ordinaires en circulation}}$$

Le ratio valeur marchande sur valeur comptable traduit en quelque sorte la perception du marché à l'égard de la capacité des gestionnaires de l'entreprise à créer, par l'entremise de décisions d'investissement et de financement judicieuses, de la valeur pour les actionnaires[8]. Ainsi, un ratio plus élevé que 1 indique que les investisseurs sont optimistes en ce qui a trait à la capacité des dirigeants à générer de la valeur actionnariale. Inversement, un ratio inférieur à 1 signale que le marché est plutôt pessimiste relativement à la performance future de l'entreprise et anticipe une destruction de valeur actionnariale.

À l'instar du ratio cours-bénéfice, la valeur du ratio valeur marchande sur valeur comptable est influencé par une combinaison de variables. Ainsi, la valeur prise par ce dernier ratio est liée positivement à la croissance anticipée de l'entreprise, à la rentabilité de l'avoir des actionnaires et au ratio de distribution des dividendes. Toutefois, il existe une relation inverse entre le rendement exigé par les actionnaires et la valeur du ratio valeur marchande sur valeur comptable.

3.3.2.3 Le système Du Pont

Système Du Pont
Modèle d'analyse qui montre l'influence exercée par la gestion des éléments d'actif et la marge nette sur les ventes sur la rentabilité de l'actif total

Le système Du Pont, développé à l'origine par les gestionnaires de cette compagnie américaine, illustre le fait que la rentabilité de l'actif total d'une entreprise dépend à la fois de la rotation de son actif total (c.-à-d. de la capacité de l'entreprise à utiliser efficacement ses actifs) et de sa marge nette sur les ventes (c.-à-d. de la capacité de l'entreprise à obtenir un profit intéressant sur chaque dollar de ventes). Pour la compagnie Rondeau inc., la rentabilité de l'actif total peut se calculer ainsi pour les années 20X1 et 20X2 :

$$\text{Rentabilité de l'actif total} = \frac{\text{Bénéfice net}}{\text{Actif total}}$$

$$= \left(\frac{\text{Rotation de l'actif total}}{}\right)\left(\frac{\text{Marge nette sur les ventes}}{}\right)$$

$$= \left(\frac{\text{Ventes}}{\text{Actif total}}\right)\left(\frac{\text{Bénéfice net}}{\text{Ventes}}\right)$$

---

[8] Les mesures de création de valeur sont abordées plus en profondeur au chapitre suivant.

$$\text{Pour}\atop\text{20X1:}\begin{cases} 0,82\% = \left(\dfrac{537\ 773}{334\ 700} \right) \left(\dfrac{2\ 731}{537\ 773} \right) \\[2em] 0,82\% = (1,60673)(0,00508) \end{cases}$$

$$\text{Pour}\atop\text{20X2:}\begin{cases} 9,58\% = \left(\dfrac{624\ 443}{321\ 663} \right) \left(\dfrac{30\ 831}{624\ 443} \right) \\[2em] 9,58\% = (1,9413)(0,04937) \end{cases}$$

On constate que l'amélioration de la rentabilité de l'actif total de la compagnie Rondeau inc. de 20X1 à 20X2 découle d'un accroissement substantiel de la rentabilité des ventes et, dans une moindre mesure, d'une utilisation plus intensive de ses éléments d'actif.

L'équation de Du Pont montre qu'une entreprise peut s'y prendre de deux façons pour générer un rendement intéressant sur son actif total : (1) elle peut combiner une rotation élevée des actifs avec une faible marge nette sur les ventes (c'est notamment le cas d'un magasin d'alimentation) ou (2) elle peut combiner une faible rotation des actifs et une marge nette élevée sur les ventes (c'est notamment le cas d'une bijouterie).

Système Du Pont étendu à l'effet de levier
Méthode d'analyse qui fait ressortir l'incidence de la gestion des éléments d'actif, de la marge nette sur les ventes et de l'utilisation de l'effet de levier financier sur la rentabilité de l'avoir des actionnaires

3.3.2.4 Le système Du Pont et l'effet de levier financier

Le système Du Pont étendu à l'effet de levier financier met en évidence le fait que la rentabilité de l'avoir des actionnaires d'une entreprise dépend à la fois de la rotation de son actif total, de la marge nette sur les ventes et de l'utilisation de l'endettement. Dans le cas de l'entreprise Rondeau inc., la rentabilité de l'avoir des actionnaires peut se décomposer ainsi pour les années 20X1 et 20X2 :

$$\begin{aligned} \text{Rentabilité de l'avoir des actionnaires} &= \frac{\text{Bénéfice net}}{\text{Avoir des actionnaires ordinaires}} \\[1.5em] &= \frac{(\text{Rotation de l'actif total})\ (\text{Marge nette sur les ventes})}{1 - \text{Ratio d'endettement}} \\[1.5em] &= \frac{\left(\dfrac{\text{Ventes}}{\text{Actif total}} \right) \left(\dfrac{\text{Bénéfice net}}{\text{Ventes}} \right)}{1 - \dfrac{\text{Passif total}}{\text{Actif total}}} \\[1.5em] &= \left(\frac{\text{Ventes}}{\text{Actif total}} \right) \left(\frac{\text{Bénéfice net}}{\text{Ventes}} \right) \left(\frac{\text{Actif total}}{\text{Avoir des actionnaires ordinaires}} \right) \end{aligned}$$

$$\text{Pour } 20\text{X1}: \begin{cases} 1,59\% = \left(\dfrac{537\ 773}{334\ 700}\right)\left(\dfrac{2\ 731}{537\ 773}\right)\left(\dfrac{334\ 700}{1\ 719 + 40\ 000 + 30\ 400}\right) \\ 1,59\% = (1,60673)(0,00508)(1,94458) \end{cases}$$

$$\text{Pour } 20\text{X2}: \begin{cases} 17,50\% = \left(\dfrac{624\ 443}{321\ 663}\right)\left(\dfrac{30\ 831}{624\ 443}\right)\left(\dfrac{321\ 663}{2\ 341 + 40\ 000 + 133\ 817}\right) \\ 17,50\% = (1,9413)(0,04937)(1,82599) \end{cases}$$

Les résultats précédents révèlent que l'accroissement de la rentabilité des actionnaires de 20X1 à 20X2 est surtout attribuable à une amélioration notable de la marge nette sur les ventes et, dans une moindre mesure, à une utilisation plus efficace des éléments d'actif. De plus, l'écart considérable entre la rentabilité de l'avoir des actionnaires et la rentabilité de l'actif total en 20X2 s'explique par le fait que l'entreprise a bénéficié d'un effet de levier financier favorable pour l'année considérée.

Figure 3.1   **Le système Du Pont étendu à l'effet de levier appliqué à la société Rondeau**

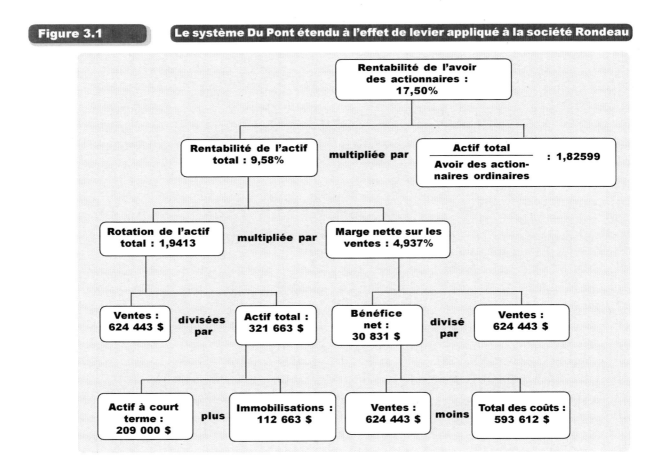

3.3.2.5 Démarche à suivre lors d'une analyse par ratios et résumé des ratios

Même si nous venons de présenter les principaux ratios financiers, nous n'avons pas pour autant réglé la question relative à la séquence à respecter pour le calcul de ces derniers. Il va de soi que la réponse à cette question dépend du type de renseignements que nous désirons obtenir et de ce que l'on cherche à mesurer. Cependant, dans un contexte où l'objectif consiste à évaluer globalement la santé financière d'une entreprise, une démarche similaire à celle présentée au tableau 3.1 peut être utilisée. Cette approche, qui comprend sept étapes, permet d'établir l'ordre chronologique de calcul des ratios en plus d'identifier le fil conducteur existant entre ces derniers.

TABLEAU 3.1

Démarche à suivre lors d'une analyse par ratios

| Étape 1 | Évaluation de la rentabilité de l'avoir des actionnaires |

$$\text{Rentabilité de l'avoir des actionnaires} = \frac{\text{Bénéfice net}}{\text{Avoir des actionnaires ordinaires}} = \begin{array}{cc} 20X2 & 20X1 \\ 17,50\% & 1,59\% \end{array}$$

| Étape 2 | Décomposition de la rentabilité de l'avoir des actionnaires |

$$\text{Rentabilité de l'avoir des actionnaires} = \left(\frac{\text{Ventes}}{\text{Actif total}}\right)\left(\frac{\text{Bénéfice net}}{\text{Ventes}}\right)\left(\frac{\text{Actif total}}{\text{Avoir des actionnaires ordinaires}}\right)$$

Année 20X2 : 17,50% = (1,9413) (0,04937) (1,82599)

Année 20X1 : 1,59% = (1,60673) (0,00508) (1,94458)

| Étape 3 | Analyse de la gestion des éléments d'actif |

$$\text{Rotation des stocks} = \frac{\text{Coût des ventes}}{\text{Stocks}} = \begin{array}{cc} 20X2 & 20X1 \\ 23,74 \text{ fois} & 3,27 \text{ fois} \end{array}$$

$$\text{Délai moyen de recouvrement des comptes clients} = \frac{\text{Comptes clients}}{\text{Ventes annuelles/365}} = 45,49 \text{ jours} \quad 48,67 \text{ jours}$$

$$\text{Rotation des immobilisations} = \frac{\text{Ventes}}{\text{Immobilisations nettes}} = 5,87 \text{ fois} \quad 4,43 \text{ fois}$$

Étape 4	Analyse des marges de rentabilité sur les ventes

			20X2	20X1
Marge brute sur les ventes	$=$	$\dfrac{\text{Ventes - Coût des ventes}}{\text{Ventes}}$ $=$	27,94%	24,41%
Marge nette sur les ventes	$=$	$\dfrac{\text{Bénéfice net}}{\text{Ventes}}$ $=$	4,94%	0,51%

Étape 5	Analyse de la capacité de l'entreprise à rencontrer ses engagements financiers et de son risque financier

			20X2	20X1
Ratio du passif total à l'actif total	$=$	$\dfrac{\text{Passif total}}{\text{Actif total}}$ $=$	45,24%	48,58%
Ratio de couverture des intérêts	$=$	$\dfrac{\text{BAII}}{\text{Intérêts sur la dette}}$ $=$	4,16 fois	1,25 fois

Ratio de couverture des charges financières $=$

$$\dfrac{\text{Bénéfice avants intérêts, loyers et impôts}}{\dfrac{\substack{\text{Intérêts} \\ \text{sur la} \\ \text{dette}} + \text{Loyers} + \substack{\text{Remboursement} \\ \text{du principal} \\ \text{de la dette}} + \substack{\text{Dividendes} \\ \text{privilégiés}}}{1 - T}}$$

Étape 6	Analyse de la liquidité

			20X2	20X1
Ratio du fonds de roulement	$=$	$\dfrac{\text{Actif à court terme}}{\text{Passif à court terme}}$ $=$	2,49 fois	2,90 fois
Ratio de trésorerie	$=$	$\dfrac{\text{Actif à court terme - Stocks - Frais payés d'avance}}{\text{Passif à court terme}}$ $=$	1,05 fois	1,12 fois

Étape 7	Le bénéfice par action et la perception du marché à l'égard des occasions de croissance de l'entreprise

$$\text{Bénéfice par action} = \frac{\text{Bénéfice net}}{\text{Nombre d'actions}} = \begin{array}{cc} \text{20X2} & \text{20X1} \\ 0,30\ \$ & -0,20\ \$ \end{array}$$

$$\text{Ratio cours-bénéfice} = \frac{\text{Valeur marchande de l'action}}{\text{Bénéfice par action}}$$

$$\text{Ratio valeur marchande sur valeur comptable de l'action} = \frac{\text{Valeur marchande de l'action}}{\text{Valeur comptable de l'action}}$$

La première étape consiste à vérifier si l'entreprise est rentable pour ses actionnaires ordinaires. Pour ce faire, il s'agit de diviser le bénéfice net de l'exercice par les capitaux investis et réinvestis par les actionnaires ordinaires. La priorité accordée à cet aspect peut s'expliquer par le fait que l'objectif financier d'une entreprise est de maximiser la richesse[9] de ses propriétaires.

La seconde étape a pour but d'expliquer la provenance du résultat obtenu à l'étape précédente. Pour ce faire, on a recours à l'équation de Du Pont étendue à l'effet de levier financier. Comme nous l'avons mentionné à la section précédente, dans le cas de l'entreprise Rondeau inc., l'accroissement de la rentabilité de l'avoir des actionnaires repose sur une amélioration sensible de la marge nette sur les ventes et, dans une moindre mesure, sur une utilisation plus efficace de ses éléments d'actif. De plus, on notera que la valeur du ratio « Actif sur Avoir des actionnaires ordinaires » a diminué de 20X1 à 20X2. Cela indique une réduction de l'effet de levier financier.

---

[9] Il est à noter que le ratio de rentabilité de l'avoir des actionnaires, qui est calculé à partir des données comptables, ne mesure pas directement l'accroissement de richesse des actionnaires. Le véritable enrichissement annuel des actionnaires se mesure plutôt à partir des données boursières de la façon suivante :

$$\begin{aligned} \text{Rendement des actionnaires} &= \left(\begin{array}{c}\text{Rendement sous forme}\\ \text{de gain en capital}\end{array}\right) + \left(\begin{array}{c}\text{Rendement}\\ \text{en dividendes}\end{array}\right) \\ &= \frac{\left(\begin{array}{cc}\text{Prix de l'action} & \text{Prix de l'action}\\ \text{à la fin de} & - \quad \text{au début de}\\ \text{l'année} & \text{l'année}\end{array}\right) + \left(\begin{array}{c}\text{Dividendes}\\ \text{reçus pendant}\\ \text{l'année}\end{array}\right)}{\text{Prix de l'action au début de l'année}} \end{aligned}$$

Dans bien des cas, le rendement des actionnaires obtenu à partir des données boursières s'écarte sensiblement du taux de rendement de l'avoir des actionnaires calculé à partir des données comptables.

À l'étape précédente, nous avons observé que l'entreprise Rondeau inc. a utilisé plus efficacement ses actifs en 20X2 qu'elle ne l'a fait en 20X1. L'étape 3 nous permettra maintenant d'identifier à quel(s) actif(s) peut être attribuée l'amélioration du ratio de rotation de l'actif total. En comparant les valeurs prises par les différents ratios de gestion de Rondeau inc. pour les années 20X2 et 20X1, on constate que l'amélioration du ratio de rotation de l'actif total découle à la fois d'une meilleure gestion des comptes clients, des stocks et des immobilisations.

À l'étape 2, nous avons indiqué que la marge nette sur les ventes de la compagnie Rondeau inc. s'est améliorée de 20X1 à 20X2. Cette quatrième étape nous permettra d'identifier les causes de cette amélioration. Pour ce faire, il peut être utile de décomposer ainsi la marge nette sur les ventes de Rondeau inc. de la façon suivante :

$$\text{Marge nette} = \left(\frac{\text{Marge}}{\text{brute}} - \frac{\text{Dépenses d'exploitation}}{\text{Ventes}} \right)(1 - T)$$

$$\text{Année 20X2} \begin{cases} 4,94\% = (27,94\% - 20,39\%)\,(1 - 34,66\%) \\ 4,94\% = (7,55\%)\,(1 - 34,66\%) \end{cases}$$

$$\text{Année 20X1} \begin{cases} 0,51\% = (24,41\% - 23,61\%)\,(1 - 36,81\%) \\ 0,51\% = (0,80\%)\,(1 - 36,81\%) \end{cases}$$

Les calculs ci-dessus indiquent que l'augmentation de la marge nette sur les ventes de Rondeau inc. est attribuable à une hausse de la marge brute sur les ventes, à un meilleur contrôle de ses dépenses d'exploitation et à une légère diminution de son taux d'imposition.

La cinquième étape nous permettra de porter un jugement sur le risque financier de l'entreprise et sur sa capacité à faire face à ses engagements financiers. Une comparaison des valeurs prises par les différents ratios d'endettement de la compagnie pour les années 20X1 et 20X2 révèle que le risque financier de cette entreprise a diminué de 20X1 à 20X2 et que son ratio de couverture des intérêts s'est grandement amélioré au cours de la dernière année (la valeur prise par ce ratio était nettement insuffisante en 20X1).

La sixième étape concerne l'analyse de la liquidité de l'entreprise. À cet égard, les deux ratios de liquidité que nous avons calculés montrent que la liquidité de l'entreprise est excellente et ce, même si les valeurs des ratios concernés ont chuté quelque peu de 20X1 à 20X2.

Finalement, la septième étape nous permet en quelque sorte de fermer la boucle en analysant le bénéfice par action, le ratio cours-bénéfice et le ratio valeur marchande sur valeur comptable de l'action. Ces trois ratios, à l'instar de celui que nous avons calculé à l'étape 1, concernent directement les actionnaires ordinaires de l'entreprise. Rappelons que les deux derniers ratios (c.-à-d. le ratio cours-bénéfice et le ratio valeur marchande sur valeur comptable de l'action) nous permettent surtout d'apprécier la perception des investisseurs à l'égard des perspectives de croissance de l'entreprise.

Pour terminer cette section, rappelons qu'il serait souhaitable, dans le but d'affiner notre analyse, que les valeurs des ratios calculés à chacune des sept étapes décrites précédemment soient mises en parallèle avec celles observées pour des entreprises similaires (méthodes comptables, taille et âge) opérant dans le même secteur industriel que Rondeau inc.

3.3.2.6 Limites de l'analyse par ratios

Les ratios financiers peuvent s'avérer très utiles pour analyser les états financiers d'une entreprise et pour détecter certains problèmes potentiels. Toutefois, comme toute technique financière, l'analyse par ratios comporte certaines limites que nous résumons ci-dessous :

1. Pour une entreprise qui exerce ses activités dans plusieurs secteurs industriels à la fois, le choix de normes sectorielles appropriées, dans le but d'effectuer des comparaisons, peut causer à l'analyste certaines difficultés.

2. Des divergences au niveau de la taille, de l'âge, des méthodes comptables et de la date de fin d'exercice financier peuvent compliquer les comparaisons entre les entreprises.

3. La définition de la norme du secteur peut poser certains problèmes particuliers. En effet, l'analyste doit-il utiliser comme norme de comparaison la moyenne arithmétique, la médiane ou le mode du secteur industriel concerné? De plus, il convient de noter, à propos des normes du secteur, que certaines entreprises ne sont pas considérées dans l'établissement de celles-ci et que les moyennes publiées par certaines agences peuvent être considérablement faussées par un petit nombre d'entreprises dont les ratios prennent des valeurs extrêmes.

4. Pour plusieurs ratios, on ne peut affirmer catégoriquement si une valeur élevée est préférable à une faible valeur. Par exemple, un ratio du fonds de roulement élevé peut indiquer que la solvabilité de l'entreprise est bonne - ce qui constitue un point positif - ou encore que cette dernière a investi des sommes trop importantes dans des actifs à court terme (espèces et quasi-espèces, comptes clients et stocks) ayant une faible rentabilité - ce qui constitue un point négatif.

5. Lorsque la valeur prise par un ratio donné s'écarte sensiblement de la norme du secteur, cela ne signifie pas nécessairement que l'entreprise fait face à un problème. Dans un tel cas, l'analyste devra procéder à un examen plus approfondi dans le but d'expliquer les causes de l'écart constaté.

3.3.3 L'analyse de la qualité des bénéfices

L'analyse de la qualité des bénéfices vise à s'assurer que les résultats divulgués par l'entreprise reflètent fidèlement sa performance financière au cours de l'exercice et que ces derniers ne sont pas faussés par l'utilisation de méthodes comptables visant à présenter aux investisseurs et autres utilisateurs des états financiers un portrait embelli de sa rentabilité.

Qualité des bénéfices
Degré de conservatisme des méthodes comptables utilisées par l'entreprise pour déterminer son bénéfice net

Avant d'aller plus loin, il nous semble important de souligner que l'expression « qualité des bénéfices » comporte deux significations différentes. Pour certains, elle réfère à la stabilité et à la prévisibilité des bénéfices alors que pour d'autres elle concerne plutôt le degré de conservatisme des méthodes comptables utlisées par l'entreprise pour déterminer ses ventes et ses résultats. Dans la suite du texte, c'est ce deuxième sens accordé à cette expression qui est retenu.

Parmi les principaux indicateurs auxquels ont recours les analystes pour apprécier la qualité des bénéfices d'une entreprise, mentionnons :

1. **Les méthodes de constatations des produits et des charges.** Lorsque l'entreprise utilise des méthodes de constatation des produits agressives pour en arriver à présenter un résultat net plus élevé, la qualité de ses bénéfices s'en trouve réduite.

2. **La méthode d'évaluation des stocks.** En contexte inflationniste, le recours à la méthode du premier entré, premier sorti (PEPS) pour évaluer les stocks entraîne une surestimation du bénéfice net de l'entreprise.

3. **La méthode d'amortissement des immobilisations corporelles.** Toutes choses étant égales par ailleurs, les entreprises qui amortissent rapidement leurs immobilisations corporelles en utlisant la méthode du solde dégressif à taux constant présentent une qualité supérieure des bénéfices.

4. **L'amortissement des actifs incorporels.** Les entreprises qui amortissent rapidement leurs actifs incorporels à durée de vie limitée présentent habituellement des bénéfices de qualité plus élevée.

5. **La provision pour créances douteuses.** Une provision pour créances douteuses qui s'avère insuffisante, compte tenu du montant des comptes clients et de l'expérience passée en ce qui concerne le recouvrement des créanciers, signale que l'entreprise a tendance à surestimer son bénéfice net.

6. **L'absence de gains extraordinaires.** L'absence de gains extraordinaires à l'état des résultats suggère une meilleure qualité des bénéfices.

7. **Les gains qui n'entraînent pas de rentrée de fonds.** L'absence de gains importants qui ne génèrent aucune rentrée de fonds indique des bénéfices de qualité plus élevée.

8. **Les divergences entre les méthodes comptables de l'entreprise et celles de ses principaux concurrents.** Lorsque l'entreprise a recours à des méthodes comptables qui s'écartent sensiblement de celles utilisées par ses principaux concurrents, il y a lieu de s'interroger sérieusement sur la qualité de ses bénéfices.

9. **La valeur du ratio flux de trésorerie liés aux activités l'exploitation sur bénéfice net.** Ce ratio permet d'apprécier l'importance des liquidités générées par les activités d'exploitation de l'entreprise relativement à son bénéfice net montré à l'état des résultats. Il se calcule ainsi :

$$\text{Ratio de la qualité du bénéfice} = \frac{\text{Flux de trésorerie liés aux activités d'exploitation}}{\text{Bénéfice net}}$$

De façon générale, un ratio comportant une valeur élevée s'avère préférable à un faible ratio. Ainsi, un ratio plus élevé que 1 signale une qualité supérieure des bénéfices. Inversement, un ratio plus bas que 1 suggère que les bénéfices de l'entreprise sont de qualité inférieure.

10. **La source des bénéfices.** Les bénéfices générés par les activités d'exploitation de l'entreprise présentent une qualité supérieure à ceux provenant de la détention ou de la vente de valeurs mobilières.

11. **Les changements du taux d'imposition.** Dans le cas où la croissance des bénéfices de l'entreprise résulte d'une baisse de son taux d'imposition, la qualité de ces derniers est moindre.

12. **Les fluctuations du taux de change.** Comme on le sait, le résultat net d'une entreprise qui effectue des opérations en devises étrangères est notamment tributaire des fluctuations du taux de change. Lorsqu'une portion non négligeable des bénéfices de l'entreprise s'explique par des variations favorables du cours des devises, la qualité de ces derniers s'en trouve réduite.

13. **La charge annuelle de retraite.** Dans le cas où les employés bénéficient d'un régime de retraite à prestations déterminées[10], l'utilisation d'hypothèses actuarielles conservatrices (par exemple, un faible taux de rendement des placements) pour établir la charge de retraite annuelle de l'entreprise signale une qualité supérieure des bénéfices.

14. **La rémunération à base d'options d'achat.** Le recours à des hypothèses conservatrices (par exemple, en attribuant, dans le modèle de valorisation d'options de Black et Scholes[11], une volatilité élevée au cours de l'action) pour estimer la charge attribuable à la rémunération à base d'options d'achat suggère des bénéfices de qualité plus élevée.

15. **Le financement hors bilan.** Dans le cas où l'entreprise utilise abondamment des méthodes de financement hors bilan, la qualité de ses résultats est affectée négativement.

---

[10] Les régimes de retraite mis sur pied par les sociétés en faveur de leurs employés peuvent être à cotisation déterminées ou à prestations déterminées. Dans le premier cas, la charge de retraite d'un exercice donné est connue et correspond à la cotisation annuelle de l'employeur. Cependant, lorsque la compagnie s'engage à verser à ses employés des rentes déterminées à l'avance après leur départ à la retraite (régime à prestations déterminées), le calcul de la charge annuelle de retraite est plus complexe et repose sur plusieurs hypothèses actuarielles (taux de mortalité, salaires futurs des participants au régime, âge de départ à la retraite, rendement des placements de la caisse de retraite, etc.).

[11] Pour une description détaillée du modèle de Black et Scholes, voir l'ouvrage « *Valeurs mobilières et gestion de portefeuille* », 4e édition, publié chez le même éditeur en 2005.

16. Les renseignements contenus dans les états financiers. La direction de l'entreprise, à qui incombe la responsabilité des états financiers, doit veiller à ce que l'information transmise aux investisseurs et analystes par l'entremise des états financiers soit à la fois claire, exacte, exhaustive et compréhensible.

De façon générale, les investisseurs considèrent moins risqués les entreprises présentant une qualité supérieure des bénéfices et accordent à ces dernières un multiple des bénéfices plus élevé que celui octroyé aux sociétés ayant abondamment recours aux méthodes comptables permettant d'accélérer la constatation des produits et de ralentir celle des charges. Le ratio cours-bénéfice plus généreux accordé par le marché aux entreprises utilisant des méthodes comptables conservatrices s'explique également par le fait que les résultats publiés par ces dernières ont tendance à sous-estimer leurs véritables bénéfices.

3.4 Concepts fondamentaux

- Parmi les principales sources de renseignements sur les états financiers des entreprises canadiennes et les ratios, on retrouve SEDAR (système électronique de données d'analyse et de recherche), Dun and Bradstreet et Statistique Canada.

- L'analyse verticale consiste à exprimer les postes du bilan en pourcentage de l'actif total et ceux de l'état des résultats en pourcentage du chiffre d'affaires de l'entreprise. Pour sa part, l'analyse horizontale consiste à observer l'évolution temporelle de certains ratios financiers ou des postes des états financiers afin de déceler les grandes tendances.

- Un ratio est un rapport existant entre deux postes des états financiers qui vise à faire ressortir un aspect particulier de la situation financière de l'entreprise.

- Les principales normes avec lesquelles il est possible de comparer les ratios d'une entreprise sont : (1) l'ensemble des entreprises canadiennes, (2) l'ensemble des sociétés exerçant leurs activités dans le même secteur industriel, (3) les compagnies de taille similaire oeuvrant dans la même industrie et (4) l'entreprise avec elle-même sur un certain nombre d'années.

- Les ratios de liquidité montrent la capacité de l'entreprise à régler ses dettes à court terme. Dans cette catégorie de ratios, on retrouve notamment le ratio du fonds de roulement et le ratio de trésorerie.

- Les ratios d'endettement indiquent la part relative des créanciers et des actionnaires dans le financement de l'entreprise. De plus, ils permettent d'apprécier la capacité de l'entreprise à faire face à ses charges financières fixes. Parmi les ratios classés dans cette catégorie, notons le ratio du passif total à l'actif total, le ratio de couverture des intérêts et le ratio de couverture des charges financières.

- Les ratios de gestion indiquent si l'entreprise utilise efficacement ses principaux éléments d'actif. Le ratio de rotation des stocks, le délai moyen de recouvrement des comptes clients, la rotation des immobilisations et la rotation de l'actif total figurent parmi les principaux ratios appartenant à cette catégorie.

■ Les ratios de rentabilité montrent si les bénéfices dégagés par l'entreprise s'avèrent suffisants, compte tenu de son chiffre d'affaires, de l'importance de ses actifs et des capitaux investis par les actionnaires. La marge brute sur les ventes, la marge nette sur les ventes, la rentabilité de l'actif total, la rentabilité de l'avoir des actionnaires et le bénéfice par action appartiennent à cette catégorie de ratios.

■ Les ratios d'évaluation par le marché permettent d'apprécier la perception des investisseurs à l'égard de la performance de l'entreprise, de son risque et, surtout, de ses occasions de croissance. Les deux ratios les plus connus de cette catégorie sont le ratio cours-bénéfice et le ratio valeur marchande sur valeur comptable de l'action.

■ Le système Du Pont étendu à l'effet de levier permet de faire ressortir la contribution respective de la gestion des éléments d'actif, de la rentabilité des ventes et de l'utilisation du levier financier à la rentabilité de l'avoir des actionnaires.

■ Parmi les principales limites inhérentes à l'analyse par ratios, mentionnons la difficulté de rattacher certaines entreprises à un secteur industriel donné, les divergences en ce qui a trait aux conventions comptables utilisées, à la taille, à l'âge et aux dates de fin d'exercice financier ainsi que les distorsions causées par l'inflation et les problèmes associés à la définition des normes sectorielles.

■ La qualité des bénéfices réfère au degré de conservatisme des méthodes comptables utilisées par l'entreprise pour déterminer son bénéfice net.

■ Le modèle d'Altman et les approches statistiques du même genre combinent l'information contenue dans un ensemble de ratios financiers afin d'en arriver à dégager un indice global utilisé à des fins de prévision de faillite.

3.5 Mots clés

Analyse horizontale
Analyse par ratios
Analyse verticale
Bénéfice par action
Classement chronologique des comptes clients
Délai de rotation des stocks
Délai moyen de recouvrement des comptes clients
Dun and Bradstreet
Effet de levier financier
Marge brute sur les ventes
Marge nette sur les ventes
Modèle d'Altman
Normes de comparaison
Parties prenantes de l'entreprise
Prévision de faillite
Qualité des bénéfices

Ratio cours-bénéfice
Ratio de couverture des charges financières
Ratio de couverture des intérêts
Ratio de rotation de l'actif total
Ratio de rotation des immobilisations
Ratio de rotation des stocks
Ratio de trésorerie
Ratio du fonds de roulement
Ratio du passif total à l'actif total
Ratios de gestion
Ratios de liquidité
Ratios d'endettement
Ratios de rentabilité
Ratios d'évaluation par le marché
Ratio valeur marchande sur valeur comptable de l'action
Rentabilité de l'actif total
Rentabilité de l'avoir des actionnaires
SEDAR
Statistique Canada
Système Du Pont
Valeur comptable de l'action
Valeur marchande de l'action

3.6 Exercices

1. Vrai ou faux.

a) Toutes choses étant égales par ailleurs, une augmentation du délai moyen de recouvrement des comptes clients a pour effet d'accroître la rentabilité de l'actif total.

b) Idéalement, le ratio de rotation des stocks devrait se calculer en divisant le chiffre des ventes par le stock de fin d'exercice.

c) La méthode d'évaluation des stocks utilisée par l'entreprise est un facteur important à considérer lors de l'analyse du ratio de rotation des stocks.

d) Pour toutes les entreprises, le ratio optimal du fonds de roulement se situe autour de 2.

e) Le ratio de trésorerie d'une entreprise est toujours supérieur à son ratio du fonds de roulement.

f) Il est toujours plus avantageux d'avoir un ratio d'endettement élevé.

g) Le choix de la méthode d'amortissement comptable exerce une incidence sur le ratio de rotation des immobilisations.

h) Le ratio de couverture des intérêts donne une meilleure idée que le ratio de couverture des charges financières du risque financier de l'entreprise.

i) Idéalement, dans le calcul du délai moyen de recouvrement des comptes clients, on ne devrait tenir compte que des ventes à crédit effectuées par l'entreprise.

j) Un changement de la politique de crédit est un élément important à considérer lors de l'analyse du délai moyen de recouvrement des comptes clients.

k) Idéalement, le ratio de couverture des intérêts devrait être calculé à partir des flux de trésorerie avant intérêts et impôts générés par les activités d'exploitation de l'entreprise.

l) Idéalement, la rentabilité de l'actif total devrait se mesurer en tenant compte au numérateur du bénéfice net dégagé par l'entreprise et de la charge d'intérêt après impôts.

m) Un ratio de rotation des stocks trop faible par rapport à la moyenne sectorielle peut notamment signifier que l'entreprise possède des stocks désuets.

n) Un ratio de rotation des immobilisations significativement plus élevé que la moyenne sectorielle peut notamment signifier que l'entreprise opère avec de vieux actifs presque complètement amortis.

o) De façon générale, on peut s'attendre à ce que le ratio de rotation de l'actif total soit plus élevé pour une entreprise opérant dans le secteur des produits chimiques que pour une entreprise oeuvrant dans le secteur de l'alimentation.

p) Le ratio du passif total à l'avoir des actionnaires peut excéder 1.

q) Toutes choses étant égales par ailleurs, plus le taux de croissance des bénéfices anticipés de l'entreprise est élevé, plus le ratio cours-bénéfice devrait être bas.

r) La valeur du ratio valeur marchande sur valeur comptable de l'action est lié inversement à la rentabilité de l'avoir des actionnaires.

s) Un ratio valeur marchande sur valeur comptable de l'action nettement supérieur à 1 signale que le marché est optimiste à l'égard des perspectives de croissance de l'entreprise.

t) Selon le système Du Pont, on devrait s'attendre à ce que les entreprises qui vendent des produits périssables aient un ratio de rotation des actifs élevé et une faible marge nette sur les ventes.

u) Le ratio de rentabilité de l'avoir des actionnaires mesure l'augmentation ou la diminution du cours boursier de l'action durant le dernier exercice financier.

v) Toutes choses étant égales par ailleurs, les entreprises qui amortissent rapidement leurs immobilisations corporelles présentent une meilleure qualité des bénéfices.

w) Toutes choses étant égales par ailleurs, un ratio flux de trésorerie liés aux activités d'exploitation sur bénéfice net nettement inférieur à 1 signale une qualité inférieure des bénéfices.

x) Lors de l'analyse d'une demande de prêt, les institutions financières accordent une grande importance au solde des postes « Actif d'impôts futurs » et « Écart d'acquisition ».

y) Le solde du poste « Part des actionnaires sans contrôle » figurant du côté du passif au bilan de l'entreprise représente une dette qui devra être remboursé au cours des prochains exercices financiers.

z) La qualité des bénéfices de l'entreprise n'exerce aucune influence sur la valeur de son ratio cours-bénéfice.

2. On dispose des renseignements suivants concernant la rotation de l'actif total, la marge nette sur les ventes et le ratio d'endettement de quatre entreprises :

Entreprise	Rotation de l'actif total	Marge nette sur les ventes	Ratio d'endettement
A	2 fois	3%	20%
B	0,50 fois	4%	30%
C	3 fois	1,8%	40%
D	1,2 fois	4%	25%

a) Dans quel cas, la rentabilité de l'actif total est-elle la plus élevée?

b) Dans quel cas, la rentabilité de l'avoir des actionnaires est-elle la plus élevée?

3. À partir des renseignements ci-dessous, établissez le bilan et l'état des résultats de la compagnie MMC inc.:

- Actif total : 200 000 $
- Rotation de l'actif total : 3 fois
- Rotation des immobilisations : 4 fois
- Ratio du fonds de roulement : 2 fois
- Ratio du passif total à l'actif total : 50%
- Marge nette sur les ventes : 5%
- Le coût des marchandises vendues représente 75% des ventes
- Capital-actions : 40 000 $

Bilan

Actif à court terme	_____
Immobilisations nettes	_____
Total de l'actif	200 000 $
Passif à court terme	_____
Dette à long terme	_____
Capital-actions	40 000
Bénéfices non répartis	_____
Total du passif et de l'avoir des actionnaires	_____

Etat des résultats

Ventes	_____
Coût des marchandises vendues	_____
Bénéfice brut	_____
Frais de vente et d'administration	_____
Bénéfice avant impôt	_____
Impôts (40%)	_____
Bénéfice net	_____

4. À l'aide des renseignements ci-dessus, établissez le bilan de la compagnie BBX inc.:

- Rotation des stocks : 12 fois
- Ratio du fonds de roulement : 3 fois
- Délai moyen de recouvrement des comptes clients : 20 jours
- Rentabilité de l'actif total : 10%
- Rentabilité de l'avoir des actionnaires : 20%
- Rotation de l'actif total : 2 fois
- Marge nette sur les ventes : 5%
- Ventes (toutes à crédit) : 912 500 $
- Coût des marchandises vendues : 60% des ventes
- Dette à long terme : 40% de l'actif total

Bilan

Espèces et quasi-espèces	_____
Comptes clients	_____
Stocks	_____
Immobilisations nettes	_____
Total de l'actif	_____
Passif à court terme	_____
Dette à long terme	_____
Avoir des actionnaires ordinaires	_____
Total du passif et de l'avoir des actionnaires	_____

5. Indiquez l'impact de chacune des transactions suivantes sur le ratio du fonds de roulement (supposez qu'initialement le ratio excède 1) :

	Augmentation	Diminution	Aucun effet
a) L'entreprise vend une pièce d'équipement à un prix supérieur à sa valeur comptable.	_____	_____	_____
b) L'entreprise déclare et verse un dividende en espèces.	_____	_____	_____
c) Un client de l'entreprise règle sa facture.	_____	_____	_____
d) L'entreprise achète de la marchandise à crédit.	_____	_____	_____
e) L'entreprise augmente le taux d'amortissement de ses immobilisations.	_____	_____	_____
f) L'entreprise augmente ses espèces et quasi-espèces en émettant de nouvelles actions privilégiées.	_____	_____	_____
g) L'entreprise vend au comptant de la marchandise.	_____	_____	_____
h) L'entreprise vend à crédit de la marchandise.	_____	_____	_____

6. Indiquez l'impact de chacun des faits suivants sur le bénéfice par action :

	Surestimation	Sous-estimation	Aucun effet
a) L'entreprise utilise des méthodes de constatation des produits agressives.	_____	_____	_____
b) Contrairement à ses principaux concurrents qui utilisent la méthode du dernier entré, premier sorti (DEPS) pour évaluer leurs stocks, l'entreprise a recours à la méthode du premier entré, premier sorti (PEPS).	_____	_____	_____

	Surestimation	Sous-estimation	Aucun effet
c) Compte tenu de l'expérience passée en matière de recouvrement des créances et du solde des comptes clients, l'entreprise a estimé une provision pour créances douteuses jugée insuffisante.	_____	_____	_____
d) Pour estimer la charge attribuable à la rémunération à base d'options d'achat, l'entreprise insère dans le modèle de valorisation d'options de Black et Scholes une volatilité du prix de l'action beaucoup trop élevée, compte tenu des fluctuations boursières historiques et anticipées du cours de son action.	_____	_____	_____
e) L'actuaire pose des hypothèses trop optimistes - notamment en ce qui a trait aux rendement futurs de la caisse de retraite - pour estimer la charge annuelle liée au régime à prestations déterminées offert par l'entreprise.	_____	_____	_____

7. Les renseignements suivants sont disponibles concernant deux sociétés qui exercent leurs activités dans le même secteur industriel.

Poste \ Société	Alpha	Gamma
1. Comptes clients	La provision pour créances douteuses correspond à 3% du montant des comptes clients.	La provision pour créances douteuses correspond à 1,5% du montant des comptes clients.
2. Immobilisations corporelles	Ces actifs sont amortis en utlisant un taux dégressif annuel de 30%.	Ces actifs sont amortis linéairement sur une période de 8 ans.
3. Stocks	Le coût des stocks est déterminé à l'aide de la méthode du dernier entré, premier sorti (DEPS).	Le coût des stocks est déterminé à l'aide de la méthode du premier entré, premier sorti (PEPS).

Toutes choses étant égales par ailleurs, laquelle de ces deux sociétés présente la meilleure qualité des bénéfices?

8. On dispose des renseignements suivants sur la compagnie Glex inc. :

- Actif à court terme : 200 000 $
- Immobilisations : 300 000 $
- Rotation de l'actif total : 4 fois
- Bénéfice net : 60 000 $
- Ratio du passif total à l'actif total : 20%
- Taux d'impôt : 40%

a) Déterminez la marge nette sur les ventes, la rentabilité de l'actif total et la rentabilité de l'avoir des actionnaires.

b) Toutes choses étant égales par ailleurs, si l'entreprise augmente ses immobilisations de 100 000 $ et accroît sa marge nette sur les ventes à 5%, quel sera le nouveau taux de rendement de l'avoir des actionnaires?

c) Serait-il possible d'obtenir le même effet qu'en (b) sur le taux de rendement de l'avoir des actionnaires en augmentant seulement le ratio d'endettement de l'entreprise? Si oui, de quelle façon faudrait-il s'y prendre?

9. À l'aide des données de l'exercice 12 du chapitre 2, calculez et interprétez le ratio de la qualité du bénéfice de la compagnie Aurka.

10. Le ratio du passif total à l'actif total de la compagnie Delta inc. s'élève à 60%. Pour ce ratio, la moyenne sectorielle se situe à 42%. Le ratio d'endettement de Delta inc. est-il significativement différent de la moyenne du secteur au seuil de 5%. Supposez que le ratio d'endettement pour les entreprises opérant dans le même secteur que Delta inc. est distribué normalement avec une variance de 0,04.

11. Il y a environ 11 ans, la société Irvana inc. a déboursé des sommes substantielles afin d'acquérir de nouvelles immobilisations corporelles et ainsi accroître sa capacité de production. Suite à la charge d'amortissement déduite annuellement à l'état des résultats, on constate que la valeur comptable des immobilisations ne représente plus qu'une faible proportion de leur valeur marchande. Discutez de l'impact de l'utilisation d'immobilisations acquises il y a plusieurs années sur les ratios ou les postes suivants :

a) le solde du poste immobilisations corporelles nettes;

b) les flux de trésorerie liés aux activités d'exploitation;

c) le ratio de rotation de l'actif total;

d) le ratio de couverture des intérêts;

e) la rentabilité de l'avoir des actionnaires;

f) le ratio du passif total à l'actif total.

12. La compagnie Anad inc. envisage d'émettre de nouvelles actions ordinaires afin d'accroître ses espèces et quasi-espèces et de financer ses stocks. Indiquez l'impact immédiat qu'aurait cette transaction sur chacun des ratios suivants :

	Augmentation	Diminution	Aucun effet
a) Le ratio de trésorerie.	_____	_____	_____
b) La rotation de l'actif total.	_____	_____	_____
c) La rentabilité de l'avoir des actionnaires.	_____	_____	_____
d) Le ratio du passif total à l'actif total.	_____	_____	_____

13. Les états financiers les plus récents de la société Dragon inc. révèlent que ses ventes de l'exercice se sont élevées a 100 000 000 $. Toutefois, la firme comptable chargée de la vérification des comptes de Dragon inc. vient de découvrir que ce montant de 100 000 000 $ comprend des ventes de 8 000 000 $ que Dragon inc. n'a jamais réalisées (les comptes clients de la compagnie sont également surévalués d'un montant de 8 000 000 $). Indiquez l'impact de la rectification du montant des ventes et des comptes clients sur les ratios suivants :

	Augmentation	Diminution	Aucun effet
a) Le ratio du fond de roulement.	_____	_____	_____
b) La marge nette sur les ventes.	_____	_____	_____
c) Le ratio du passif total à l'actif total.	_____	_____	_____
d) La rentabilité de l'avoir des actionnaires.	_____	_____	_____

14. La compagnie Secoro inc. se spécialise dans la vente d'équipement et de fournitures de bureau. Son entente avec son institution financière prévoit que cette dernière peut lui avancer des fonds à court terme en autant que son ratio du fonds de roulement soit au moins égal à 1,25 et que son ratio du passif total à l'actif total n'excède pas 0,50. Le bilan actuel de Secoro inc. est présenté à la page suivante :

Bilan au 31/12/20X1

Actif

Espèces et quasi-espèces	60 000 $
Comptes clients	140 000
Stocks	200 000
Immobilisations nettes	600 000
Total de l'actif	1 000 000 $

Passif et avoir des actionnaires

Emprunt bancaire à court terme	75 000 $
Comptes fournisseurs	200 000
Dette à long terme	150 000
Capital-actions	300 000
Bénéfices non répartis	275 000
Total du passif et de l'avoir des actionnaires	1 000 000 $

Déterminez le montant de l'emprunt additionnel à court terme que l'institution financière pourrait consentir à Secoro inc. afin qu'elle puisse accroître ses comptes clients et ses stocks.

15. Les états financiers de la compagnie Plurex inc. pour les années 20X1 et 20X2 sont présentés ci-après :

Bilan (en millers de dollars)

Actif	20X2	20X1
Espèces et quasi-espèces	600 $	630 $
Placements à court terme	930	1 210
Comptes clients	1 210	980
Stocks	1 420	1 440
Frais payés d'avance	250	220
Total de l'actif à court terme	4 410 $	4 480 $
Immobilisations (au coût)	5 200	4 710
Moins : amortissement cumulé	840	750
	4 360	3 960
Total de l'actif	8 770 $	8 440 $

Passif et avoir des actionnaires	20X2	20X1
Comptes fournisseurs	1 850 $	1640 $
Impôts et taxes à payer	300	150
Partie de la dette à long terme échéant à court terme	100	100
Total du passif à court terme	2 250 $	1 890 $
Dette à long terme	1 800	2 100
Impôts futurs	150	130
Capital-actions	2 000	2 000
Bénéfice non répartis	2 570	2 320
Total du passif et de l'avoir des actionnaires	8 770 $	8 440 $

État des résultats
(en millier de dollars)

	20X2	20X1
Ventes	9 800 $	10 970 $
Coût des ventes	7 300	8 070
Frais de vente et d'administration	1 480	1 400
Amortissement	90	80
Bénéfice d'exploitation	930 $	1 420 $
Intérêts sur la dette	240	270
Bénéfices avant impôts et éléments extraordinaires	690 $	1 150 $
Provision pour impôts		
Exigibles	245	405
Futurs	40	60
Bénéfice avant éléments extraordinaires	405 $	685 $
Moins : éléments extraordinaires nets d'impôt	20	—
Bénéfice net	385 $	685 $

Autres informations :

	20X2	20X1
Nombre d'actions ordinaires en circulation	10 000 000	10 000 000
Dividende par action ordinaire	0,135 $	0,135 $
Valeur marchande de l'action à la fin de l'année	5,75 $	5,25 $

a) Calculez, pour les années 20X1 et 20X2, les ratios suivants :

1. le ratio du fonds de roulement

2. le ratio de trésorerie

3. le ratio du passif total à l'actif total

4. le ratio de couverture des intérêts

5. la rotation des stocks

6. le délai moyen de recouvrement des comptes clients

7. la rotation des immobilisations

8. la rotation de l'actif total

9. la marge nette sur les ventes

10. la marge brute sur les ventes

11. la rentabilité de l'actif total

12. la rentabilité de l'avoir des actionnaires

Commentez les résultats obtenus.

b) En utilisant l'équation de Du Pont, expliquez pourquoi la rentabilité de l'actif total s'est détériorée de 20X1 à 20X2.

c) Expliquez pourquoi la rentabilité de l'avoir des actionnaires est substantiellement supérieure à celle de l'actif total.

d) Déterminez le rendement boursier de l'action ordinaire de Plurex inc. pour l'année 20X2.

e) Calculez, pour les années 20X1 et 20X2, le pointage Z de la fonction discriminante de E. Altman. (Le modèle de E. Altman est discuté en annexe à ce chapitre.)

16. Les états financiers de la compagnie Prospère inc. au 31/12/20X1 se présentent ainsi :

Prospère inc.

Bilan au 31/12/20X1

Actif	20X1
Trésorerie et équivalents de trésorerie	17 500 $
Comptes clients	81 000
Stocks	141 000
Frais payés d'avance	8 500
Total de l'actif à court terme	248 000 $
Immobilisations (au coût)	250 000
Moins : amortissement cumulé	52 000
	198 000
Total de l'actif	446 000 $

Passif et avoir des actionnaires

Comptes fournisseurs	96 000 $
Impôts et taxes à payer	22 000
Partie de la dette à long terme échéant à court terme	33 000
Total du passif à court terme	151 000 $
Dette à long terme	150 000
Capital-actions	100 000
Bénéfice non répartis	45 000
Total du passif et de l'avoir des actionnaires	446 000 $

Prospère inc.
État des résultats pour la période se terminant le 31/12/20X1

Ventes	560 000 $
Coût des ventes	430 000
Frais de vente et d'administration	42 000
Amortissement	20 000
Bénéfice d'exploitation	68 000 $
Intérêts sur la dette	21 000
Bénéfice avant impôts	47 000 $
Impôts (40%)	18 800
Bénéfice net	28 200 $

Les ratios moyens du secteur auquel appartient l'entreprise sont les suivants :

Ratio

Ratio du fonds de roulement : 2,4 fois

Ratio de trésorerie : 1,4 fois

Ratio du passif total à l'actif total : 40%

Ratio de couverture des intérêts : 5 fois

Rotation des stocks : 5 fois

Délai moyen de recouvrement des comptes clients : 40 jours

Rotation des immobilisations : 2,5 fois

Rotation de l'actif total : 1,4 fois

Marge nette sur les ventes : 6%

Marge brute sur les ventes : 23%

Rentabilité de l'actif total : 8,4%

Rentabilité de l'avoir des actionnaires : 14%

a) Calculez les différents ratios de la compagnie Prospère inc.

b) Comparez les résultats obtenus en (a) avec les ratios moyens du secteur et indiquez les forces et les faiblesses de la compagnie Prospère inc.

c) Expliquez pourquoi la rentabilité de la valeur nette de Prospère inc. est supérieure à la moyenne du secteur et, qu'en même temps, la rentabilité de l'actif total de cette entreprise est inférieure à la moyenne du secteur.

d) Déterminez les fonds qui seraient générés si le délai moyen de recouvrement des comptes clients de l'entreprise passait à 40 jours (soit la moyenne du secteur) et que son ratio de rotation des stocks passait à 5 fois (soit la moyenne du secteur).

17. Les boutiques Mau inc. se spécialisent dans la vente au détail de vêtements pour hommes. Cette entreprise, qui a été fondée il y a 5 ans par M. Gilles Couturier, a connu au cours des dernières années une forte progression de son chiffre d'affaires. Toutefois, comme l'indiquent ses états financiers présentés ci-dessous, les bénéfices de l'entreprise ont eu tendance à diminuer légèrement au cours des dernières années et ce, malgré la hausse substantielle des ventes. M. Couturier, dont les connaissances en gestion financière sont plutôt limitées, a du mal à s'expliquer pourquoi il en est ainsi.

Boutiques Mau inc.
Bilan

Actif	20X3	20X2	20X1
Espèces et quasi-espèces	91 000 $	78 000 $	85 000 $
Comptes clients	226 000	142 000	95 000
Stocks	682 000	550 000	350 000
Frais payés d'avance	42 000	42 000	42 000
Total de l'actif à court terme	1 041 000 $	812 000 $	572 000 $
Immobilisations (au coût)	500 000	500 000	500 000
Moins : amortissement cumulé	100 000	80 000	60 000
	400 000	420 000	440 000
Total de l'actif	1 441 000 $	1 232 000 $	1 012 000 $

Passif et avoir des actionnaires	20X3	20X2	20X1
Comptes-fournisseurs	309 610 $	258 360 $	180 000 $
Emprunts bancaires à court terme	200 000	150 000	100 000
Total du passif à court terme	509 610 $	408 360 $	280 000 $
Emprunts bancaires à long terme	250 000	220 000	200 000
Capital-actions (100 000 actions)	400 000	400 000	400 000
Bénéfices non répartis	281 390	203 640	132 000
Total du passif et de l'avoir des actionnaires	1 441 000 $	1 232 000 $	1 012 000 $

Boutiques Mau inc.
État des résultats

	20X3	20X2	20X1
Ventes	1 300 000 $	900 000 $	600 000 $
Coût des ventes	780 000	547 000	360 000
Frais de vente et d'administration	286 000	159 000	52 000
Amortissement	20 000	20 000	20 000
Bénéfice d'exploitation	214 000 $	174 000 $	168 000 $
Intérêts sur la dette	72 800	54 600	38 000
Bénéfice avant impôt	141 200 $	119 400 $	130 000 $
Impôt	63 450	47 760	45 500
Bénéfice net	77 750 $	71 640 $	84 500 $

Les ratios moyens des principaux compétiteurs de Boutiques Mau inc. sont présentés ci-dessous (ces ratios sont relativement stables pour les années 20X1 à 20X3) :

Ratio

Ratio du fonds de roulement : 1,8 fois

Ratio de trésorerie : 0,9 fois

Ratio du passif total à l'actif total : 51%

Ratio de couverture des intérêts : 5 fois

Rotation des stocks : 3 fois

Délai moyen de recouvrement des comptes clients: 30 jours

Rotation des immobilisations : 2 fois

Rotation de l'actif total : 1,25 fois

Marge nette sur les ventes : 8%

Marge brute sur les ventes : 33%

Rentabilité de l'actif total : 10%

Rentabilité de l'avoir des actionnaires : 20,41%

a) Faites l'analyse verticale et horizontale de Boutiques Mau inc. pour les années 20X1 à 20X3. Commentez les résultats obtenus.

b) Expliquez à M. Couturier pourquoi les bénéfices de l'entreprise ont eu tendance à diminuer légèrement au cours de la période 20X1 à 20X3 et ce, en dépit de la hausse substantielle du chiffre d'affaires.

c) Calculez les différents ratios de Boutiques Mau inc. pour les années 20X1 à 20X3. Analysez la tendance sur 3 ans.

d) Comparez les ratios de Boutiques Mau inc. avec les ratios moyens de ses principaux compétiteurs. Indiquez les forces et les faiblesses de l'entreprise.

e) Conseillez l'entreprise sur les mesures à prendre pour redresser la situation.

Annexe

La prévision de faillite à l'aide des ratios financiers

Analyse discriminante
Méthode statistique qui vise à expliquer et à prédire l'appartenance des observations à des groupes préidentifiés en ayant recours à des informations contenues dans un ensemble de variables explicatives. Dans le domaine financier, l'analyse discriminante est notamment utilisée pour prédire la faillite et dans la prise de décision concernant l'octroi du crédit.

Dans un article paru en 1968[12], E. Altman a proposé un modèle d'analyse discriminante utilisant les ratios financiers pour prédire les faillites d'entreprises. Ce modèle combine l'information contenue dans plusieurs ratios financiers de façon à en arriver à un indice global (le pointage « Z ») permettant de prédire la faillite. À partir d'un échantillon constitué de 66 entreprises (33 entreprises qui firent faillite durant la période 1946-65 et 33 entreprises semblables aux précédentes en ce qui a trait au secteur industriel et à l'importance des actifs mais qui survécurent), Altman a obtenu la fonction discriminante suivante :

$$Z = 1,2X_1 + 1,4X_2 + 3,3X_3 + 0,6X_4 + 0,999X_5$$

où X_1 : $\dfrac{\text{Fonds de roulement net}}{\text{Actif total}}$

X_2 : $\dfrac{\text{Bénéfices réinvestis}}{\text{Actif total}}$

X_3 : $\dfrac{\text{BAII}}{\text{Actif total}}$

X_4 : $\dfrac{\text{Valeur marchande des actions ordinaires et privilégiées}}{\text{Valeur comptable de la dette}}$

X_5 : $\dfrac{\text{Ventes}}{\text{Actif total}}$

Dans l'échantillon qu'il a utilisé, Altman observa ce qui suit :

1. Un an avant la faillite, les ratios moyens des deux groupes d'entreprises (celles qui ont survécu et celles qui ont failli) étaient les suivants :

Tableau 3.2

Ratios moyens des entreprises qui ont survécu et de celles qui ont failli un an avant la faillite

Ratio	Valeur moyenne du ratio pour les entreprises qui ont survécu (n = 33)	Valeur moyenne du ratio pour les entreprises qui ont failli (n = 33)
X_1	0,414	- 0,061
X_2	0,355	- 0,626
X_3	0,153	- 0,318
X_4	2,477	0,401
X_5	1,900	1,500

Source : Altman (1968), tableau 1.

À partir du tableau précédent, on constate qu'il y a des écarts importants entre les valeurs moyennes des ratios des deux groupes d'entreprises.

---

[12] Altman E.I., « Financial Ratios, Discriminant Analysis and the Prediction of Corporate Bankruptcy », *Journal of Finance*, septembre 1968, pp. 589-609.

② Lorsque Z = 2,675, l'entreprise a une probabilité de 50% de faire faillite et, par conséquent, une probabilité de 50% de survivre.

③ Lorsque Z < 2,675, l'entreprise a une probabilité supérieure à 50% de faire faillite. Plus le pointage « Z » est faible, plus la probabilité de faillite est élevée. Ainsi, une entreprise dont le pointage « Z » est de 0,25 a de très fortes chances de faire faillite.

④ Lorsque Z > 2,675, l'entreprise a une probabilité inférieure à 50% de faire faillite. Plus le pointage « Z » est élevé, plus la probabilité de survivre est élevée. Ainsi, une entreprise dont le pointage « Z » est de 5 a une probabilité négligeable de faire faillite.

⑤ Pour des valeurs de « Z » comprises entre 1,81 et 2,99, le modèle a classifié incorrectement certaines entreprises.

⑥ Le modèle est surtout utile pour effectuer des prévisions à court terme, c'est-à-dire sur un horizon d'un ou deux ans. (Voir le tableau 3 à ce sujet.)

Tableau 3.3

Précision des prévisions du modèle d'Altman

Années antérieures à la faillite	Taille de l'échantillon	Bonnes prévisions	Mauvaises prévisions	Pourcentage d'exactitude
1	n = 33	31	2	95
2	n = 32	23	9	72
3	n = 29	14	15	48
4	n = 28	8	20	29
5	n = 25	9	16	36

Source : Altman (1968), tableau 4.

Exemple 3.1   **Calcul du pointage Z de la fonction discriminante d'Altman**

La compagnie Melchers de Berthierville fit faillite au début de l'année 1976. Les données suivantes sont disponibles concernant cette entreprise :

	1973	1974
Fonds de roulement net	646 413 $	(2 204 199 $)
Actif total	27 090 073	23 728 120
Bénéfices non répartis	1 731 791	180 582
Ventes	10 451 450	8 063 430
Valeur comptable de la dette	18 943 922	17 963 000
BAII	(99 796)	(1 921 000)
Valeur marchande des actions	11 625 300	7 750 200

Calculez pour les années 1973 et 1974 le « Z » de la fonction discriminante d'Altman.

■ **Solution**

Pour 1973, on obtient :

$$Z = (1,2)\left(\frac{646\ 413}{27\ 090\ 073}\right) + (1,4)\left(\frac{1\ 731\ 791}{27\ 090\ 073}\right) + (3,3)\left(\frac{-99\ 796}{27\ 090\ 073}\right)$$
$$+ (0,6)\left(\frac{11\ 625\ 300}{18\ 943\ 922}\right) + (0,999)\left(\frac{10\ 451\ 450}{27\ 090\ 073}\right)$$

$$Z = 0,86$$

Pour 1974, le pointage Z se calcule ainsi :

$$Z = (1,2)\left(\frac{-2\ 204\ 199}{23\ 728\ 120}\right) + (1,4)\left(\frac{180\ 582}{23\ 728\ 120}\right) + (3,3)\left(\frac{-1\ 921\ 000}{23\ 728\ 120}\right)$$
$$+ (0,6)\left(\frac{7\ 750\ 200}{17\ 963\ 000}\right) + (0,999)\left(\frac{8\ 063\ 430}{23\ 728\ 120}\right)$$

$$Z = 0,23$$

On aurait donc pu, à l'aide du modèle de d'Altman, prédire la faillite de Melchers dès 1973.

En guise de conclusion, il nous semble important de mentionner que la fonction discriminante d'Altman n'est applicable que pour des entreprises américaines au cours de la période étudiée (1946-65). Par conséquent, un analyste financier désirant utiliser ce genre d'approche pour estimer la probabilité de faillite d'une entreprise canadienne devrait, en principe, calculer une nouvelle fonction discriminante à partir d'un échantillon constitué d'entreprises canadiennes[13].

---

[13] À partir d'un échantillon composé de 42 entreprises canadiennes, Altman et Lavallée (1980) ont développé un modèle de prévision de faillite semblable à celui d'Altman et applicable à des entreprises canadiennes pour la période 1970-79. Voir à ce sujet: Altman, E. et M. Lavallée, « Un modèle discriminant de prédiction des faillites au Canada », *Finance*, ASAC, 1980, pp. 74-81.

4

Les mesures de création de valeur

Lorsque vous aurez complété l'étude du chapitre 4,

1. vous serez sensibilisé au fait que les ratios traditionnels (bénéfice par action, rendement de l'avoir des actionnaires, rendement de l'actif total, etc.) s'avèrent insuffisants pour apprécier la performance financière de l'entreprise;

2. vous serez familier avec le concept de création de valeur;

3. vous pourrez calculer et interpréter la valeur ajoutée économique (VAE);

4. vous serez apte à mesurer et à interpréter la valeur ajoutée par le marché (VAM);

5. vous connaîtrez les principales limites associées à la VAE;

6. vous pourrez établir un lien direct entre la valeur actuelle nette (VAN) d'un projet d'investissement et la valeur ajoutée par le marché (VAM);

7. vous serez familier avec la notion de flux de trésorerie disponible (FTD);

8. vous serez apte à estimer la valeur globale d'une entreprise en actualisant ses flux de trésorerie disponibles anticipés;

9. vous pourrez démontrer que la valorisation d'une entreprise peut indifféremment s'effectuer par le biais de l'actualisation de ses flux de trésorerie disponibles ou en ajoutant aux capitaux investis initialement par les bailleurs de fonds les VAE prévisionnelles actualisées;

10. vous pourrez calculer et interpréter le coût moyen pondéré du capital après impôt d'une entreprise.

4.1 Introduction

Dans le présent chapitre, nous abordons, dans un premier temps, certains des nouveaux indicateurs (la valeur ajoutée économique (VAE) et la valeur ajoutée par le marché (VAM)) qui servent à évaluer la performance financière de l'entreprise. Ces indicateurs de création de valeur actionnariale connaissent une popularité sans cesse croissante auprès des entreprises et tendent, de plus en plus, à se substituer aux mesures de performance traditionnelles décrites au chapitre précédent (bénéfice par action, taux de rendement des capitaux investis, taux de rendement de l'avoir des actionnaires, etc.) auxquelles on reproche notamment d'être des indicateurs sujets à des manipulations comptables, en plus de s'avérer trompeurs et inefficaces. L'utilisation des indicateurs axés sur la valeur économique pour évaluer la performance des gestionnaires en place et établir leur rémunération variable permet de faire en sorte que les décisions prises par ces derniers s'alignent davantage avec l'objectif de la maximisation de la richesse des actionnaires. Il est bien évident que cette évolution vers des mesures basées sur la création de valeur actionnariale est de nature à redonner confiance aux investisseurs qui, au cours des dernières années, ont très souvent encaissé des pertes boursières colossales pendant que les dirigeants des entreprises dans lesquelles ils avaient placé leurs épargnes s'enrichissaient indûment et que le marché découvrait que la comptabilité créative servait davantage les intérêts à court terme des cadres supérieurs que ceux à long terme des actionnaires.

Comptabilité créative
Utilisation d'un ensemble de méthodes permettant d'embellir la situation financière d'une entreprise

La seconde partie du chapitre est consacrée au calcul des flux de trésorerie disponibles et à l'estimation de la valeur de l'entreprise. Nous montrons que la valorisation de l'entreprise peut s'effectuer par l'actualisation de ses flux de trésorerie disponibles anticipés.

Finalement, à la section 4.4, nous établissons le lien entre les sections 4.2 et 4.3. Dans cette partie du chapitre, nous montrons qu'il est possible de calculer le flux de trésorerie d'une période donnée à partir de la valeur économique ajoutée (VAE) de la même période. De plus, nous démontrons que la valorisation de l'entreprise à partir de l'actualisation des flux de trésorerie disponibles ou à l'aide des fonds investis initialement et de la somme des VAE actualisées sont deux approches parfaitement cohérentes sur le plan de la théorie financière.

4.2 Les mesures alternatives de performance financière : la VAE et la VAM

Bien que les ratios traditionnels (bénéfice par action, rendement de l'actif total, rendement de l'avoir des actionnaires, etc.) s'avèrent très utiles pour apprécier la performance financière de l'entreprise, ils comportent, comme nous l'avons indiqué en introduction à ce chapitre, des lacunes importantes. Les principales critiques adressées aux mesures traditionnelles peuvent se résumer ainsi :

1. Elles sont basées exclusivement sur des données comptables qui sont sujettes à certaines manipulations et ne permettent pas d'établir un lien automatique avec l'objectif financier de l'entreprise qui consiste à maximiser la richesse de ses actionnaires.

2. Elles négligent l'aspect risque dans l'appréciation de la performance financière de l'entreprise.

3. Elles font abstraction de l'ensemble des charges financières - incluant le coût des fonds propres - que doit supporter l'entreprise pour générer des bénéfices.

4.2.1 La valeur ajoutée économique (VAE)

**Site Internet
www.sternsteward.com**

Proposée initialement par le cabinet de consultation newyorkais Stern, Stewart et Cie, la valeur ajoutée économique (en anglais, *Economic Value Added* ou *EVA*) permet de remédier aux principales lacunes des mesures traditionnelles de performance. Cet indicateur, qui est de plus en plus répandu, permet d'apprécier la performance économique des gestionnaires de l'entreprise ou des responsables d'une unité de production. On le retrouve d'ailleurs à la base de nombreux régimes de rémunération variables des cadres supérieurs.

• • • •
Valeur ajoutée économique (VAE)
Différence entre le taux de rendement des capitaux investis et le coût moyen pondéré du capital de l'entreprise multipliée par le montant des capitaux investis

La valeur ajoutée économique représente l'écart entre le bénéfice d'exploitation après impôt de l'entreprise et les charges liées au financement - incluant le coût des fonds propres - qu'elle doit supporter pour générer celui-ci. De façon formelle, la VAE se calcule ainsi :

$$\begin{aligned} \text{VAE} &= \text{BAII}(1-T) - \rho \cdot \text{CI} \\ &= (\text{ROI} - \rho) \cdot \text{CI} \end{aligned} \tag{4.1}$$

où

BAII : Bénéfice avant intérêts et impôts

T : Taux d'imposition de l'entreprise

CI : Capitaux investis dans l'exploitation de l'entreprise. Ces capitaux représentent la somme des immobilisations nettes et des besoins en fonds de roulement. De façon générale, les besoins en fonds de roulement s'évaluent ainsi : Comptes clients + Stocks - Comptes fournisseurs.

ρ : Coût moyen pondéré du capital après impôt de l'entreprise (CMPC)

ROI : Rendement des capitaux investis[1] $\left(\text{ROI} = \dfrac{\text{BAII}(1-T)}{\text{CI}} \right)$.

Lorsque la VAE est positive, cela signifie que la rentabilité des capitaux investis par l'entreprise excède son coût moyen pondéré du capital et que celle-ci est, par conséquent, créatrice de richesse pour ses actionnaires. Inversement, une VAE négative signale que la rentabilité des investissements de l'entreprise s'avère insuffisante pour rémunérer adéquatement ses bailleurs de fonds. Dans ce dernier cas, les décisions prises par les gestionnaires sont destructrices de valeur actionnariale. Le calcul de la VAE est illustré ci-dessous.

Exemple 4.1 | **Calcul de la valeur ajoutée économique**

Les états financiers simplifiés de la compagnie ADX inc. se présentent ainsi :

Bilan au début de l'année XX+1
(en millions de dollars)

Actif

Fonds de roulement net*	100 $
Immobilisations nettes	400
Total	500 $

Passif et avoir des actionnaires

Dette à long terme	150 $
Capital-actions ordinaire	125
Bénéfices non répartis	225
Total	500 $

* Le fonds de roulement net désigne l'excédent de l'actif à court terme sur le passif à court terme.

---

[1] Cette façon de mesurer le rendement des capitaux investis est expliquée à la note 6 au bas de la page 70 du chapitre 3.

État des résultats pour l'année XX+1
(en millions de dollars)

Ventes	500 $
Coût des ventes	250
Frais de vente et d'administration	100
Amortissement	30
Bénéfice d'exploitation	220 $
Intérêts sur la dette	15
Bénéfice avant impôts	205 $
Impôts (40%)	82
Bénéfice net	123 $

Autres renseignements :

- Coût du financement par dette avant impôt : 10%

- Coût du financement par fonds propres : 16%

À l'aides des renseignements précédents, calculez :

a) le coût moyen pondéré du capital après impôt de l'entreprise en utilisant les valeurs comptables des titres ;

b) la valeur économique ajoutée pour l'année XX+1.

■ **Solution**

Coût moyen pondéré du capital (ρ ou CMPC)
Moyenne pondérée des coûts des différentes sources de financement à long terme de l'entreprise

a) Le coût moyen pondéré du capital après impôt[2] (symbolisé par ρ ou CMPC) se calcule de la façon suivante :

$$\rho = \begin{pmatrix} \text{Part du financement} \\ \text{par dette} \end{pmatrix} \begin{pmatrix} \text{Coût de la dette} \\ \text{après impôt} \end{pmatrix} + \begin{pmatrix} \text{Part du financement} \\ \text{par fonds propres} \end{pmatrix} \begin{pmatrix} \text{Coût des fonds} \\ \text{propres} \end{pmatrix}$$

$$\rho = \left(\frac{D}{D+FP} \right) \cdot r \cdot (1-T) + \left(\frac{FP}{D+FP} \right) \cdot k_o$$

$$\rho = w_d \cdot r \cdot (1-T) + w_o \cdot k_o$$

où

D : Dettes

FP : Fonds propres

w_d : Part du financement par dette $(w_d = \frac{D}{D+FP})$

w_o : Part du financement par fonds propres $(w_o = \frac{FP}{FP+D})$

---

[2] La notion de coût moyen pondéré du capital est abordée en annexe au présent chapitre. Pour un traitement détaillé de ce concept, consultez le chapitre 10 du volume *Gestion financière* publié chez le même éditeur.

r : Taux de rendement requis par les créanciers

$r \cdot (1 - T)$: Coût du financement par dette après impôt

k_o : Taux de rendement requis par les actionnaires ou coût des fonds propres de l'entreprise

À l'aide des données disponibles, on trouve :

$$\rho = \left(\frac{150}{150 + 350} \right)(0,10)(1 - 0,40) + \left(\frac{350}{150 + 350} \right)(0,16) = 13\%$$

b) La valeur ajoutée économique pour l'année XX+1 se mesure ainsi :

$$VAE = BAII(1 - T) - \rho \cdot CI$$

En effectuant les substitutions appropriées, on obtient :

$$VAE = 220(1 - 0,40) - (0,13)(500) = 67\$$$

De façon équivalente, on trouve :

$$VAE = (ROI - \rho) \cdot CI$$

$$= \left[\frac{220(1 - 0,40)}{500} - 0,13 \right](500)$$

$$= (0,2640 - 0,13)(500) = 67 \$$$

Ce dernier résultat indique clairement que la compagnie ADX inc. a créé de la richesse pour ses actionnaires au cours de la période concernée, puisque le taux de rendement des capitaux investis (26,40%) a nettement surpassé son coût moyen pondéré du capital après impôt (13%).

Remarque. En pratique, l'estimation de la VAE s'avère un exercice un peu plus complexe que dans l'exemple précédent. En effet, l'analyste doit effectuer plusieurs redressements comptables - plus de 200 selon la firme Stern, Stewart et Cie - et ce, de façon à mieux appréhender la situation économique de l'entreprise. Les redressements nécessaires concernent notamment les frais de recherche et de développement, les contrats de location, les écarts d'acquisition, la part des actionnaires sans contrôle et les impôts sur les bénéfices.

Calcul de la VAE à partir du taux de rendement de l'avoir des action-naires et du coût des fonds propres

Il est également possible d'estimer la valeur économique ajoutée pour un exercice donné à l'aide de l'expression suivante :

$$VAE = (RAA - k_o) \cdot FP \tag{4.2}$$

où

RAA : Taux de rendement de l'avoir des actionnaires

$$\left(RAA = \frac{\text{Bénéfice net}}{\text{Avoir des actionnaires ordinaires}} = \frac{BN}{FP} \right)$$

k_o : Coût du financement par fonds propres

FP : Fonds propres.

Pour obtenir l'expression précédente, on procède ainsi :

$$VAE = BAII(1 - T) - \rho \cdot CI$$

Puisque les capitaux investis correspondent à la somme des dettes à long terme et des fonds propres (c.-à-d. CI = D + FP), on peut écrire :

$$VAE = BAII(1 - T) - \rho \cdot (D + FP)$$

En remplaçant dans l'expression précédente ρ par

$$\left(\frac{D}{D + FP} \right) \cdot r \cdot (1 - T) + \left(\frac{FP}{D + FP} \right) \cdot k_o, \text{ on obtient :}$$

$$\begin{aligned} VAE &= BAII(1 - T) - \left[\left(\frac{D}{D + FP} \right) \cdot r \cdot (1 - T) + \left(\frac{FP}{D + FP} \right) \cdot k_o \right] \cdot (D + FP) \\ &= BAII(1 - T) - r \cdot (1 - T) \cdot D + k_o \cdot FP \\ &= (BAII - r \cdot D)(1 - T) + k_o \cdot FP \\ &= BN - k_o \cdot FP \\ &= (RAA - k_o) \cdot FP \end{aligned} \qquad (4.2)$$

À partir des données de l'exemple (4.1), on trouve :

$$\begin{aligned} VAE &= \left(\frac{123}{350} - 0,16 \right)(350) \\ &= (0,3514 - 0,16)(350) \\ &= 67 \, \$ \end{aligned}$$

De nouveau, on constate que l'entreprise crée de la richesse pour ses actionnaires, puisque le RAA (35,14%) excède le taux de rendement qu'ils exigent (16%), compte tenu de leur attitude à l'égard du risque.

Le VAE et ses limites

Bien que la plupart des analystes reconnaissent un grand mérite aux mesures de performance axées sur la création de valeur, ces dernières ne sont pas à l'abri de certaines critiques. Dans le cas particulier de la VAE, les reproches adressés ont porté notamment sur les problèmes de mesure, les risques inhérents à une gestion à court terme et sur le fait que cet indicateur prend exclusivement en considération les intérêts des actionnaires. De plus, il importe de souligner que les études empiriques[3] qui ont tenté d'établir la supériorité de la VAE sur les mesures comptables traditionnelles (rendement de l'actif total, rendement de l'avoir

---

[3] Voir notamment à ce sujet : Biddle, G. C. et al., « Evidence on EVA », *Journal of Applied Corporate Finance*, vol. 12, Été 1999.

des actionnaires, bénéfice net, etc.) pour expliquer la performance boursière des actions en sont arrivées à des conclusions contrastées.

1. **Les problèmes de mesure.** Il est bien connu que la comptabilité financière est loin de fournir une information optimale en ce qui a trait à la création de valeur. Dans un tel contexte, l'analyste qui se retrouve confronté au calcul de la VAE doit procéder à de nombreux ajustements - parfois complexes et sujets à une certaine dose de subjectivité - du bénéfice d'exploitation et du montant des capitaux investis par les bailleurs de fonds et ce, afin de présenter un portrait plus juste de la réalité économique de l'entreprise. De plus, dans une situation réelle, il s'avère impossible de générer une estimation précise et incontestable du coût moyen pondéré du capital de l'entreprise ou de l'une de ses divisions. Dans la plupart des cas, c'est le coût du financement par fonds propres qui demeure le paramètre le plus difficile à évaluer. L'approximation obtenue à l'aide du modèle d'équilibre des actifs financiers (MEDAF) est pour le moins imprécise et sujette aux fluctuations des conditions qui prévalent sur les marchés financiers.

2. **Les risques associés à une gestion à court terme.** Comme on le sait, la VAE mesure la performance a posteriori de l'entreprise. Dans ce contexte, des VAE substantiellement positives observées au cours des exercices financiers récents ne garantissent aucunement à l'actionnaire que les décisions prises par les gestionnaires permettront de maximiser la valeur de l'action dans une perspective à long terme. De plus, un gestionnaire dont la rémunération variable dépend de la VAE pourrait être tenté de minimiser certains types d'investissement - notamment en recherche et développement et en ressources humaines spécialisées - et ce, afin de maximiser la valeur à court terme de l'indicateur de performance utilisé et ainsi en retirer des avantages monétaires immédiats. Il est bien évident que des décisions de ce genre sont incompatibles avec les intérêts à long terme des actionnaires, puisqu'elles auront un impact néfaste sur le développement futur de l'entreprise.

3. **Un critère axé sur l'actionnaire.** La VAE privilégie l'intérêt exclusif des actionnaires au détriment de ceux des autres parties prenantes (*stakeholders*) de l'entreprise. Les autres parties prenantes (créanciers, clients, employés, fournisseurs, consommateurs, gouvernements, sous-traitants, etc.) intéressées par la gestion de l'entreprise ont, bien entendu, des objectifs spécifiques qui divergent de ceux des actionnaires.

4.2.2 La valeur ajoutée par le marché (VAM)

Valeur ajoutée par le marché (VAM)
Valeur marchande des actions ordinaires et de la dette diminuée de leur valeur comptable

La valeur ajoutée par le marché (en anglais, *Market Value Added* ou MVA) correspond à la richesse créée et accumulée par l'entreprise pour ses actionnaires. Cet indicateur reflète la perception du marché à l'égard des projets d'investissement passés et envisagés par l'entreprise.

La VAM est égale à la somme de la capitalisation boursière (c.-à-d. le nombre d'actions ordinaires en circulation multiplié par son prix en Bourse) et de la valeur marchande de la dette défalquée de la valeur comptable des capitaux investis par les bailleurs de fonds (créanciers et actionnaires). On peut donc écrire :

$$VAM = V_M(D + FP) - V_C(D + FP) \qquad (4.3)$$

Comme, dans bien des cas, la valeur marchande de la dette se rapproche sensiblement de sa valeur aux livres, l'excédent de la capitalisation boursière de l'entreprise sur la valeur comptable de ses fonds propres permet d'obtenir une bonne approximation de la VAM :

$$VAM = V_M(FP) - V_C(FP) \qquad (4.3a)$$

Exemple 4.2 **Calcul de la valeur ajoutée par le marché**

Les renseignements suivants sont disponibles concernant la compagnie BGK inc. :

- Nombre d'actions ordinaires en circulation : 10 000 000
- Valeur marchande d'une action : 30 $
- Capitaux investis par les actionnaires de l'entreprise (incluant les bénéfices non répartis) depuis sa création : 80 000 000 $
- La valeur marchande de la dette est à peu près égale à sa valeur comptable.

Calculez la valeur ajoutée par le marché.

■ Solution

À l'aide de l'expression (4.3a), on trouve :

$$VAM = (10\ 000\ 000)(30) - 80\ 000\ 000 = 220\ 000\ 000\ \$$$

Ce dernier montant représente l'écart entre ce que le marché est présentement disposé à payer pour les actions de la compagnie BGK inc. et les capitaux investis par les actionnaires au fil des années. En visant, par l'intermédiaire de décisions financières judicieuses, à maximiser la différence entre la valeur marchande des actions et leur valeur comptable, les gestionnaires de l'entreprise agissent alors dans l'intérêt des actionnaires.

4.2.3 La VAE et la VAM[4]

Comme nous l'avons indiqué précédemment, la VAE constitue une mesure de la performance financière annuelle de l'entreprise. Pour sa part, la VAM tient compte de toutes les VAE prévues par le marché. Plus précisément, la VAM

---

[4]Une bonne compréhension de cette section et du reste du chapitre nécessite certaines connaissances de base en mathématiques financières. Pour le bénéfice des lecteurs qui ne disposent pas de notre ouvrage intitulé *Gestion financière*, qui traite surtout des décisions financières à long terme auxquelles sont confrontées les entreprises, les concepts fondamentaux des mathématiques financières sont rappelés en annexe à la fin du volume.

représente la valeur actualisée, au coût moyen pondéré du capital après impôt (ρ) de l'entreprise, des VAE espérées dans l'avenir. De façon formelle, on peut écrire :

$$VAM = \sum_{t=1}^{\infty} \frac{VAE}{(1+\rho)^t}$$ (4.4)

Dans ce contexte, il s'ensuit qu'une VAE positive contribue à accroître la richesse des actionnaires. Inversement, une VAE négative exerce un impact défavorable sur la VAM et la richesse des actionnaires.

Quant à la valeur de l'entreprise, elle peut se calculer en ajoutant aux capitaux investis initialement par les créanciers et les actionnaires ($D_o + FP_o$) les VAE actualisées. On obtient alors :

$$\text{Valeur de l'entreprise} = (D_o + FP_o) + \sum_{t=1}^{\infty} \frac{VAE_t}{(1+\rho)^t}$$ (4.5)

Cette dernière formule fait l'objet d'une démonstration formelle dans la dernière section du chapitre.

4.2.4 La VAM et la VAN

Valeur actuelle nette (VAN) d'un projet d'investissement
Valeur actualisée de tous les flux monétaires - positifs ou négatifs - générés par le projet

Il existe un lien très étroit entre la valeur actuelle nette (VAN) d'un projet d'investissement et la valeur ajoutée par le marché (VAM). En effet, la VAN d'un projet d'investissement indique le montant que ce dernier est susceptible d'ajouter (ou de retrancher) à la VAM. Ainsi, en supposant qu'au lieu de verser ses bénéfices de 5 000 000 $ sous forme de dividendes à ses actionnaires, une entreprise décide d'investir les fonds dans un projet d'investissement dont la valeur actualisée des flux monétaires s'élève à 4 000 000 $, il s'ensuivra alors une augmentation de 4 000 000 $ dans sa valeur marchande totale. Toutefois, la richesse des actionnaires ainsi que la VAM diminueront de 1 000 000 $, soit 5 000 000 $ – 4 000 000 $. Cette révision à la baisse de la richesse des actionnaires est attribuable au fait que ces derniers n'ont pas eu la chance d'investir personnellement le montant de 5 000 000 $ dans des projets d'investissement comportant une VAN au moins égale à 5 000 000 $. Compte tenu qu'un montant de 5 000 000 $ s'ajoute aux capitaux investis dans l'entreprise, mais que la valeur marchande de celle-ci n'augmente que de 4 000 000 $, il s'ensuit que la VAM diminue de 1 000 000 $.

4.3 La notion de flux de trésorerie disponible et l'évaluation de l'entreprise

La plupart du temps, l'estimation de la valeur d'une entreprise constitue un exercice très complexe. À cette fin, plusieurs méthodes, basées sur les flux monétaires ou les bénéfices comptables anticipés de l'entreprise, ont été proposées dans la littérature. La majorité d'entre elles ne peuvent être appliquées mécaniquement et exigent de la part de l'analyste une bonne dose de jugement, tant au niveau de la méthode la plus appropriée dans un contexte donné qu'en ce qui a trait à la sélection des hypothèses sur lesquelles les calculs seront fondés.

Dans ce qui suit, nous montrons comment estimer la valeur d'une entreprise en se basant sur la notion de flux de trésorerie disponible (en anglais, *Free Cashflow* ou FCF). Il s'agit de l'approche la plus populaire et celle préconisée par la théorie financière moderne. Bien entendu, en pratique, les analystes ont également recours à bien d'autres méthodes pour en arriver à générer une bonne approximation de la valeur d'une entreprise. Ainsi, il est de pratique courante d'avoir recours à la méthode des comparables. Selon ce genre d'approche, la valeur de l'entreprise correspond à un multiple de l'un de ses chiffres clés, tels que le bénéfice net, le bénéfice avant intérêts et impôts (BAII), le bénéfice avant intérêts, impôts, dépréciation et amortissement (BAIIDA) ou le chiffre des ventes. Le multiple utilisé dans les calculs est habituellement le ratio moyen ou médian observé pour un échantillon d'entreprises comparables à celle que l'on désire évaluer.

En pratique, la valorisation d'une entreprise s'impose dans plusieurs contextes, notamment dans le cas d'une fusion, d'une acquisition ou d'une introduction en Bourse.

4.3.1 Les flux de trésorerie disponibles

Flux de trésorerie disponible
Flux monétaire d'exploitation de la période diminué des investissements en immobilisations et en fonds de roulement

Les flux de trésorerie disponibles mesurent les fonds qui reviennent à ceux qui ont participé au financement des actifs de l'entreprise, c'est-à-dire ses créanciers et ses actionnaires. Ils constituent un excellent indicateur de sa capacité à effectuer les versements d'intérêts prévus, à réduire sa dette, à verser des dividendes aux actionnaires et à procéder à des rachats d'actions.

Pour une période donnée, le flux de trésorerie disponible correspond à la somme du bénéfice d'exploitation après impôt et de l'amortissement diminuée des acquisitions d'immobilisations et de la variation du fonds de roulement net. Algébriquement, le flux de trésorerie disponible de la période t (FTD_t) peut s'exprimer ainsi :

$$FTD_t = BAII_t(1-T) + A_t - I_t \qquad (4.6)$$

où

$BAII_t$: Bénéfice avant intérêts et impôts de la période t

T : Taux d'impôt

A_t : Amortissement de la période t

I_t : Montant des investissements de la période t (immobilisations et fonds de roulement net). Ces investissements s'avèrent nécessaires pour maintenir ou accroître la capacité de production de l'entreprise.

Même s'il n'existe pas de définition précise de cette mesure de rentabilité selon les principes comptables généralement reconnus (PCGR) canadiens, un nombre sans cesse croissant de sociétés fournissent aux utilisateurs des états financiers de l'information relative aux flux de trésorerie lors de la publication de leurs résultats trimestriels et annuels. Par exemple, en mai 2007, la compagnie Bombardier a indiqué que ses flux de trésorerie disponibles ont totalisé 154 millions de dollars américains pour l'exercice clos le 30 avril de la même année.

> **Site Internet**
> **www.bombardier.com**

L'exemple ci-dessous illustre le calcul du flux de trésorerie disponible.

> **Exemple 4.3** **Calcul des flux de trésorerie disponibles**

Pour les quatre prochaines années, les données prévisionnelles suivantes (en millions de dollars) sont disponibles concernant la compagnie BGK inc. :

Années	Bénéfice avant intérêts et impôts	Amortissement	Augmentation du fonds de roulement net	Acquisition d'immobilisations	Dividendes
1	200 $	90 $	10 $	40 $	30 $
2	200	100	15	45	40
3	200	110	20	50	50
4	200	120	25	55	60

Sachant que le taux d'imposition de GBK inc. s'élève à 40%, calculez les flux de trésorerie disponibles pour les quatre prochaines années.

■ **Solution**

Les flux de trésorerie disponibles anticipés se calculent ainsi :

$$FTD_1 = 200(1 - 0,40) + 90 - 10 - 40 = 160 \text{ \$}$$

$$FTD_2 = 200(1 - 0,40) - 100 - 15 - 45 = 160 \text{ \$}$$

$$FTD_3 = 200(1 - 0,40) + 110 - 20 - 50 = 160 \text{ \$}$$

$$FTD_4 = 200(1 - 0,40) + 120 - 25 - 55 = 160 \text{ \$}$$

4.3.2 La valeur de l'entreprise

Selon la théorie financière moderne, la valeur d'une entreprise correspond à la valeur actualisée des flux de trésorerie disponibles qu'elle est susceptible de générer à partir de l'année 1 et ce, jusqu'à l'infini. Le taux d'actualisation utilisé

Modèle de Gordon
Modèle qui suppose un taux de croissance annuel constant du flux de trésorerie et ce, jusqu'à l'infini

dans les calculs reflète la rémunération exigée par les bailleurs de fonds de l'entreprise (créanciers et actionnaires), compte tenu de leur perception du risque. Comme il s'avère pratiquement impossible de prévoir avec un degré de précision raisonnable les flux de trésorerie annuels disponibles jusqu'à l'infini, on limite habituellement la période des prévisions explicites à environ 5 ans et on remplace les FTD subséquents par une valeur résiduelle ou terminale. En supposant un taux de croissance annuel constant des flux de trésorerie disponibles à partir de l'année N + 1, la valeur résiduelle de l'entreprise à la fin de la période N peut se calculer à l'aide de la formule de Gordon :

$$\text{Valeur résiduelle à la fin de la période N} = \frac{FTD_{N+1}}{\rho - g} \qquad (4.7)$$

où

N : Nombre d'années où l'analyste est en mesure d'effectuer des prévisions relativement précises concernant les FTD de l'entreprise ou horizon d'évaluation explicite

g : Taux de croissance annuel anticipé du flux de trésorerie disponible de l'entreprise à partir de l'année N + 1

ρ : Coût moyen pondéré du capital après impôt de l'entreprise

FTD_{N+1} : Flux de trésorerie disponible prévu à la fin de l'année N + 1
($FTD_{N+1} = FTD_N(1 + g)$).

La valeur de l'entreprise, au temps 0, correspond donc à la valeur actualisée des flux de trésorerie disponibles sur la période de prévision explicite (c.-à-d. les N prochains FTD) augmentée de la valeur résiduelle actualisée. On peut donc écrire :

$$\text{Valeur de l'entreprise (au temps 0)} = \sum_{t=1}^{N} \frac{FTD_t}{(1+\rho)^t} + \left(\frac{FTD_{N+1}}{\rho - g}\right)(1+\rho)^{-N} \quad (4.8)$$

L'expression (4.8) permet d'estimer la valeur globale de l'entreprise. De façon à obtenir la valeur des actions ordinaires, il suffit simplement de retrancher au résultat obtenu la valeur marchande des emprunts contractés. Il s'agit donc d'une méthode d'estimation indirecte de la valeur des actions ordinaires de l'entreprise.

Pour illustrer cette formule, nous reprendrons les données précédentes concernant la compagnie GBX inc. et poserons certaines hypothèses additionnelles.

Exemple 4.4 **Estimation de la valeur d'une entreprise à partir des flux de trésorerie disponibles**

Estimez la valeur marchande de la compagnie GBK inc. en tenant compte des flux de trésorerie disponibles prévus pour les quatre prochaines années (ces flux ont été calculés à l'exemple précédent) et en posant les hypothèses suivantes :

1. À partir de l'année 5, les flux de trésorerie disponibles devraient croître au taux annuel de 5% et ce, pour tout l'avenir prévisible.

2. Les obligations de l'entreprise se négocient actuellement au pair et leur taux de coupon annuel s'élève à 8%.

3. La structure de capital de l'entreprise est la suivante :

   - Dettes : 60%

   - Fonds propres : 40%

4. Le coefficient bêta de l'action est de 1,20, le taux d'intérêt sans risque de 6% et le rendement espéré du portefeuille de marché de 12%.

■ **Solution**

Dans un premier temps, on doit estimer le coût moyen pondéré du capital de GBK inc. de la façon habituelle :

$$\begin{aligned}\rho &= w_d \cdot r \cdot (1-T) + w_o \cdot k_o \\ &= (0,60)(0,08)(1-0,40) + (0,40)\big[0,06 + (0,12-0,06)(1,20)\big] \\ &= 8,16\%\end{aligned}$$

Modèle d'équilibre des actifs financiers
Modèle selon lequel le taux de rendement requis sur une action est égal au rendement des bons du Trésor plus une prime de risque proportionnelle au coefficient bêta

Afin d'obtenir une estimation du coût du financement par fonds propres, nous avons eu recours au modèle d'équilibre des actifs financiers (CAPM).

Par la suite, en utilisant l'expression (4.8), on obtient la valeur de l'entreprise :

$$\begin{aligned}\text{Valeur de l'entreprise} &= 160 \cdot A_{\overline{4}|8,16\%} + \left[\frac{160(1+0,05)}{0,0816-0,05}\right](1+0,0816)^{-4} \\ &= 4412,74\$\end{aligned}$$

Ce dernier résultat constitue une estimation de la valeur globale de l'entreprise GBK inc. Pour obtenir la valeur des actions ordinaires, il faudrait retrancher la valeur marchande de la dette.

Il est à noter que l'expression $160 \cdot A_{\overline{4}|8,16\%}$ représente la valeur actualisée, au temps 0, d'une annuité de fin de période de 160 $ comportant au total quatre flux de trésorerie. Pour sa part, le terme $\left[\dfrac{160(1+0,05)}{0,0816-0,05}\right]$ permet de calculer la valeur actualisée, au début de l'année 5, des flux de trésorerie disponibles anticipés à partir de la fin de l'année 5 et ce, jusqu'à l'infini. En multipliant le résultat obtenu par le facteur $(1+0,0816)^{-4}$, on obtient la valeur actualisée de ces flux au temps 0.

4.4 Relation entre la valeur ajoutée économique et le flux de trésorerie disponible

Il est possible d'établir un lien direct entre la valeur ajoutée économique (VAE) pour un exercice donné et le flux de trésorerie disponible (FTD) du même exercice financier. À cette fin, rappelons, en premier lieu, que le FTD de la période t se calcule ainsi :

$$FTD_t = BAII_t(1-T) + A_t - I_t$$

De plus, on sait que la variation des capitaux investis pour la période t ($CI_t - CI_{t-1}$) est égale au montant des investissements réalisés au cours de la période t (I_t) moins l'amortissement réclamé (A_t) pour la même période. On peut donc écrire :

$$CI_t - CI_{t-1} = I_t - A_t$$

et

$$FTD_t = BAII_t(1-T) - (CI_t - CI_{t-1})$$

En réarrangeant les différents termes de l'équation précédente, on obtient :

$$BAII_t(1-T) = FTD_t + (CI_t - CI_{t-1})$$

D'autre part, la VAE de la période t correspond à l'écart entre le rendement de l'actif total et le coût du capital de l'entreprise, multiplié par les capitaux investis en début de période :

$$VAE_t = \left[\frac{BAII_t(1-T)}{CI_{t-1}} - \rho \right] \cdot CI_{t-1}$$
$$= BAII_t(1-T) - \rho \cdot CI_{t-1}$$

En remplaçant dans l'équation précédente $BAII_t(1-T)$ par $FTD_t + (CI_t - CI_{t-1})$, on trouve :

$$VAE_t = FTD_t + (CI_t - CI_{t-1}) - \rho \cdot CI_{t-1}$$

La VAE correspond donc au flux de trésorerie disponible augmenté des investissements réalisés au cours de la période et défalqué de la rémunération exigée par les pourvoyeurs de capitaux sur les fonds investis en début de période.

L'équation ci-dessus peut se reformuler ainsi :

$$FTD_t = VAE_t - CI_t + CI_{t-1} + \rho \cdot CI_{t-1}$$
$$= VAE_t + (1+\rho) \cdot CI_{t-1} - CI_t \tag{4.9}$$

Pour illustrer le calcul du FTD à partir de la VAE, reprenons les données de l'exemple (4.3) concernant la compagnie GBK inc.

Exemple 4.5 | **Calcul du flux de trésorerie disponible à partir de la valeur ajoutée économique**

En supposant que l'actif total au temps 0 (CI_{t-1}) de la compagnie GBK inc. s'élève à 1 000 $, on obtient les résultats suivants pour les deux premières années :

Année 1

Pour la première année, la VAE se calcule ainsi :

$$VAE_1 = \left[\frac{BAII_t(1-T)}{CI_{t-1}} - \rho\right] \cdot CI_{t-1} = \left[\frac{200(1-0,40)}{1000} - 0,0816\right](1000) = 38,40 \ \$$$

Par la suite, à l'aide de l'équation (4.9), on obtient :

$$FTD_1 = 38,40 + (1+0,0816)(1000) - (1000 - 90 + 40 + 10) = 160 \ \$$$

Année 2

Pour la seconde année, on a:

$$VAE_2 = \left[\frac{200(1-0,40)}{1000-40} - 0,0816\right](960) = 41,66 \ \$$$

Le FTD pour l'année 2 vaut donc :

$$FTD_2 = 41,66 + (1+0,0816)(960) - (960 - 110 + 20 + 50) = 160 \ \$$$

Calcul de la valeur de l'entreprise à partir des VAE actualisées

Nous avons indiqué précédemment que la valeur de l'entreprise correspond aux capitaux initialement investis par les créanciers et les actionnaires augmentés de la somme des VAE actualisées. Pour démontrer ce résultat, il s'agit de remplacer les FTD par leur nouvelle formulation dans l'équation (4.9)

$$\text{Valeur de l'entreprise} = \frac{VAE_1 + (1+\rho) \cdot CI_0 - CI_1}{(1+\rho)} + \frac{VAE_2 + (1+\rho) \cdot CI_1 - CI_2}{(1+\rho)^2}$$

$$+ \frac{VAE_3 + (1+\rho) \cdot CI_2 - CI_3}{(1+\rho)^3} + ... +$$

L'expression précédente peut se réécrire ainsi :

$$\text{Valeur de l'entreprise} = \frac{VAE_1}{(1+\rho)} + CI_0 - \frac{CI_1}{(1+\rho)} + \frac{VAE_2}{(1+\rho)^2} + \frac{CI_1}{(1+\rho)} - \frac{CI_2}{(1+\rho)^2}$$

$$+ \frac{VAE_3}{(1+\rho)^3} + \frac{CI_2}{(1+\rho)^2} - \frac{CI_3}{(1+\rho)^3} + ... +$$

En simplifiant, on obtient :

$$\text{Valeur de l'entreprise} = CI_0 + \sum_{t=1}^{\infty} \frac{VAE_t}{(1+\rho)^t} = (D_0 + FP_0) + \sum_{t=1}^{\infty} \frac{VAE_t}{(1+\rho)^t} \quad (4.5)$$

L'équation (4.5) offre l'avantage de bien faire ressortir le fait que des VAE positives augmentent la valeur de l'entreprise alors que des VAE négatives la font diminuer.

4.5 Concepts fondamentaux

- Les états financiers traditionnels ne rendent pas parfaitement compte de la création de valeur actionnariale.

- Contrairement aux indicateur traditionnels de la performance (bénéfice par action, rendement de l'avoir des actionnaires, rendement des capitaux investis, etc.), la valeur ajoutée économique offre notamment l'avantage de mettre en évidence le fait qu'une entreprise crée de la richesse pour ses actionnaires lorsque le rendement des capitaux investis dépasse ce qui lui en coûte pour obtenir du financement de la part de ses créanciers et de ses actionnaires.

- La valeur ajoutée économique (VAE) représente la différence entre le rendement des capitaux investis (ROI) par l'entreprise et son coût moyen pondéré du capital après impôt (ρ) multipliée par les capitaux investis (CI). Alternativement, on peut déterminer la VAE en multipliant l'écart entre le rendement de l'avoir des actionnaires (RAA) et le coût des fonds propres (k_o) par les capitaux investis par les actionnaires (FP).

- Les principaux reproches adressés à la VAE concernant les problèmes de mesure, les risques inhérents à une gestion à court terme et la prise en compte des intérêts exclusifs des actionnaires.

- La valeur ajoutée par le marché (VAM) est mesurée par l'écart entre la valeur marchande totale des titres émis par l'entreprise et leur valeur comptable. Elle traduit la perception des investisseurs à l'égard de la rentabilité de tous les projets d'investissement passés et futurs de l'entreprise. Algébriquement, elle correspond à la somme des VAE actualisées.

- La valeur actuelle nette (VAN) d'un projet d'investissement reflète la variation anticipée dans la valeur ajoutée par le marché (VAM) advenant son acceptation. Il s'ensuit qu'un projet d'investissement comportant une VAN positive augmente la richesse des actionnaires et qu'un projet dont la VAN est négative exerce un impact négatif sur la richesse de ces derniers.

- Le flux de trésorerie disponible représente les fonds que l'entreprise peut répartir à ses pourvoyeurs de capitaux (créanciers et actionnaires). Il correspond à la somme du bénéfice d'exploitation après impôt et de l'amortissement diminuée des investissements en immobilisations et en fonds de roulement de la période.

■ Le coût moyen pondéré du capital après impôt reflète les coûts des capitaux engagés dans l'exploitation de l'entreprise. Il tient compte des conditions actuelles prévalant sur les marchés financiers et du fait que les intérêts constituent une dépense déductible d'impôt.

■ La valeur globale d'une entreprise peut être estimée en actualisant, à son coût moyen pondéré du capital après impôt, ses flux de trésorerie disponibles prévus de l'année 1 et ce, jusqu'à l'infini. Elle est aussi égale à la somme des VAE actualisées et des capitaux investis initialement.

4.6 Mots clés

Actualisation
Bénéfice avant intérêts et impôts (BAII)
Bénéfice avant intérêts, impôts, dépréciation et amortissement (BAIIDA)
Capitaux investis
Comptabilité créative
Coût moyen pondéré du capital après impôt (ρ ou CMPC)
Création de valeur
Flux de trésorerie disponibles (FTD)
Mesures de performance
Modèle d'équilibre des actifs financiers (MEDAF)
Parties prenantes de l'entreprise
Redressements comptables
Rendement de l'avoir des actionnaires (RAA)
Rendement des capitaux investis (ROI)
Richesse des actionnaires
Risque systématique
Valeur ajoutée économique (VAE)
Valeur ajoutée par le marché (VAM)
Valeur de l'entreprise
Valeur marchande des actions

4.7 Sommaire des principales formules

Valeur ajoutée économique (VAE)

À partir du rendement des capitaux investis et du coût moyen pondéré du capital

$$VAE = BAII(1-T) - \rho \cdot CI$$
$$= (ROI - \rho) \cdot CI \qquad (4.1)$$

où BAII : Bénéfice avant intérêts et impôts

T : Taux d'imposition de l'entreprise

CI : Capitaux investis dans l'exploitation de l'entreprise

ρ : Coût moyen pondéré du capital après impôt de l'entreprise (CMPC)

ROI : Rendement des capitaux investis $\left(ROI = \dfrac{BAII(1-T)}{CI} \right)$.

À partir du rendement de l'avoir des actionnaires et du coût des fonds propres

$$VAE = (RAA - k_o) \cdot FP \tag{4.2}$$

où RAA : Taux de rendement de l'avoir des actionnaires

$$\left(RAA = \frac{\text{Bénéfice net}}{\text{Avoir des actionnaires ordinaires}} = \frac{BN}{FP} \right)$$

k_0 : Coût du financement par fonds propres

FP   : Fonds propres.

Valeur ajoutée par le marché (VAM)

Formule exacte

$$VAM = V_M(D + FP) - V_C(D + FP) \tag{4.3}$$

Formule approximative (hypothèse : valeur marchande de la dette = valeur comptable de la dette)

$$VAM = V_M(FP) - V_C(FP) \tag{4.3a}$$

Relation entre la VAE, la VAM et la valeur de l'entreprise

VAE et VAM

$$VAM = \sum_{t=1}^{\infty} \frac{VAE}{(1+\rho)^t} \tag{4.4}$$

VAE et valeur de l'entreprise

$$\text{Valeur de l'entreprise} = (D_o + FP_o) + \sum_{t=1}^{\infty} \frac{VAE_t}{(1+\rho)^t} \tag{4.5}$$

Flux de trésorerie disponible (FTD)

$$FTD_t = BAII_t(1-T) + A_t - I_t \tag{4.6}$$

où $BAII_t$: Bénéfice avant intérêts et impôts de la période t

T   : Taux d'impôt

A_t : Amortissement de la période t

I_t : Montant des investissements de la période t (immobilisations et fonds de roulement net).

Valeur de l'entreprise

$$\text{Valeur de l'entreprise (au temps 0)} = \sum_{t=1}^{N} \frac{FTD_t}{(1+\rho)^t} + \left(\frac{FTD_{N+1}}{\rho - g} \right)(1+\rho)^{-N} \qquad (4.8)$$

où Valeur résiduelle à la fin de la période $N = \dfrac{FTD_{N+1}}{\rho - g}$ $\qquad (4.7)$

Relation entre la VAE et le FTD

$$\begin{aligned} FTD_t &= VAE_t - CI_t + CI_{t-1} + \rho \cdot CI_{t-1} \\ &= VAE_t + (1+\rho) \cdot CI_{t-1} - CI_t \end{aligned} \qquad (4.9)$$

Coût moyen pondéré du capital

$$\rho = \left(\frac{D}{D+FP} \right) \cdot r \cdot (1-T) + \left(\frac{FP}{D+FP} \right) \cdot k_o$$

$$\rho = w_d \cdot r \cdot (1-T) + w_o \cdot k_o \qquad (4.10)$$

où

D : Dettes

FP : Fonds propres

r : Taux de rendement requis par les créanciers

T : Taux d'imposition marginal de l'entreprise

$r \cdot (1-T)$: Coût du financement par dette après impôt

k_o : Taux de rendement requis par les actionnaires ou coût des fonds propres de l'entreprise.

w_d : Part du financement par dette ($w_d = \dfrac{D}{D+FP}$)

w_o : Part du financement par fonds propres ($w_o = \dfrac{FP}{FP+D}$).

Modèle d'équilibre des actifs financiers

$$\begin{aligned} k_0 &= r_s + [E(R_M) - r_s]\beta_i \\ &= r_s + \lambda\beta_i \end{aligned} \qquad (4.11)$$

où

r_s : Taux de rendement actuel des bons du Trésor

$E(R_M)$: Taux de rendement espéré du portefeuille de marché

β_i : Coefficient bêta de l'action ordinaire

λ : Prime par unité de risque.

4.8 Exercices

1. Vrai ou faux.

a) Le taux de rendement de l'avoir des actionnaires est un indicateur qui incorpore l'aspect risque dans l'appréciation de la performance financière de l'entreprise.

b) La maximisation du taux de rendement des fonds propres conduit nécessairement à la maximisation de la richesse des actionnaires.

c) Le calcul du taux de rendement de l'avoir des actionnaires tient compte des exigences de rendement de l'ensemble des bailleurs de fonds de l'entreprise.

d) Une VAE positive indique que la rentabilité des capitaux investis par l'entreprise est inférieure à son coût moyen pondéré du capital après impôt.

e) Toutes choses étant égales par ailleurs, une diminution des taux d'intérêt entraîne une hausse de la VAE.

f) Toutes choses étant égales par ailleurs, une augmentation du coefficient bêta de l'action ordinaire de l'entreprise provoque une chute de la VAE.

g) LA VAE est indépendante des méthodes comptables utilisées par l'entreprise.

h) La VAE permet de tenir compte des intérêts de toutes les parties prenantes de l'entreprise.

i) En minimisant ses besoins de financement en fonds de roulement, l'entreprise accroît la VAE.

j) En désinvestissant dans des activités non essentielles, l'entreprise augmente la VAE.

k) Une VAE positive pour un exercice donné indique nécessairement que l'entreprise va réussir à créer de la richesse pour ses actionnaires dans une perspective à long terme.

l) La valeur ajoutée par le marché (VAM) ne peut jamais être négative.

m) Un projet d'investissement comportant une VAN positive contribue à accroître la VAM.

n) Lorsqu'on se base sur un multiple du BAIIDA pour valoriser une entreprise, le résultat obtenu constitue une bonne estimation de la valeur des actions ordinaires en circulation.

o) Le BAII de l'entreprise est notamment tributaire des choix comptables effectués.

p) Le flux de trésorerie disponible dépend de la structure de capital de l'entreprise.

q) Le flux de trésorerie disponible de l'entreprise pour une période donnée correspond habituellement à son bénéfice net comptable pour la même période.

r) Dans le calcul du flux de trésorerie disponible, on prend en considération les charges financières que doit payer l'entreprise.

s) Toutes choses étant égales par ailleurs, une augmentation du coût moyen pondéré du capital après impôt de l'entreprise entraîne une diminution de sa valeur marchande.

t) L'actualisation des flux de trésorerie disponibles permet d'estimer directement la valeur des actions ordinaires de l'entreprise.

u) La valeur ajoutée par le marché tient compte des dividendes versés aux actionnaires.

2. À partir des données de l'exemple 4.5, calculez la valeur ajoutée économique de la compagnie GBK inc. pour les années 3 et 4.

3. Une analyste réputée a effectué les prévisions suivantes concernant les flux de trésorerie disponibles de l'entreprise HNC inc. pour les années XX +1 à XX+4 :

Années	Flux de trésorerie disponibles
XX+1	400 000 $
XX+2	450 000 $
XX+3	425 000 $
XX+4	475 000 $

À partir de l'année XX+5, elle pense que les flux de trésorerie disponibles de cette entreprise devrait augmenter au taux annuel de 5% et ce, pour tout l'avenir prévisible. Sachant que le coût moyen pondéré du capital après impôt de cette entreprise s'élève à 15%, donnez une estimation de sa valeur globale.

4. Au début de l'année XX+1, le bilan simplifié de la compagnie privée CNI inc. se présente ainsi :

Actif

Fonds de roulement net	500 000 $
Immobilisations nettes	2 500 000
Total de l'actif	3 000 000 $

Passif et avoir des actionnaires ordinaires

Dette à long terme	1 000 000 $
Capital-actions ordinaire	800 000
Bénéfices non répartis	1 200 000
Total du passif et de l'avoir des actionnaires	3 000 000 $

De plus, les données prévisionnelles suivantes sont disponibles pour les trois prochains exercices financiers :

	Années		
	XX+1	**XX+2**	**XX+3**
Bénéfice net	700 000 $	800 000 $	850 000 $
Intérêts sur la dette	70 000	70 000	70 000
Amortissement comptable	70 000	75 000	80 000
Dépenses en immobilisations	90 000	95 000	100 000
Augmentations du fonds de roulement net	30 000	35 000	40 000
Taux d'imposition	40 %	40 %	40 %

Enfin, on estime le coût moyen pondéré du capital après impôt de CNI inc. après impôt est estimé à 10%.

a) Calculez la valeur ajoutée économique prévisionnelle pour les années XX+1, XX+2 et XX+3.

b) Dans le secteur d'activité dans lequel CNI inc. exerce ses activités, la valeur marchande globale des entreprises publiques correspond, en moyenne, à huit fois le BAIIDA prévu pour l'année XX+1. En utilisant la méthode des comparables, donnez une estimation de la valeur globale de CNI inc.

5. Les prévisions suivantes sont disponibles concernant la compagnie aurifère PDG inc. :

Années	Bénéfice avant intérêts et impôts	Augmentation du fonds de roulement net	Acquisition d'immobilisations	Amortissement
1	2 000 000 $	100 000 $	300 000 $	250 000 $
2	2 300 000	125 000	350 000	300 000
3	2 500 000	150 000	400 000	320 000

À partir de l'année 4, le flux de trésorerie disponible à l'année 3 devrait croître au taux annuel de 7% et ce, pour tout l'avenir prévisible.

Autres renseignements :

1. Le taux d'imposition de l'entreprise s'élève à 36%.

2. La structure de capital de l'entreprise est la suivante :

- Dettes : 35%
- Fonds propres : 65%

3. Les obligations de la compagnie se négocient actuellement au pair (soit 1000 $) et leur taux de coupon annuel s'élève à 7%. La dette à court terme est négligeable.

4. La valeur comptable des actifs de l'entreprise est actuellement de 8 000 000 $.

5. Le coefficient bêta de l'action est de 1,15, le taux d'intérêt sans risque de 5% et le rendement espéré du portefeuille de marché de 12%.

6. Il y a actuellement en circulation 1 000 000 d'actions ordinaires ainsi que 2 800 obligations.

a) Calculez les flux de trésorerie disponibles anticipés pour les trois prochaines années.

b) Calculez la valeur ajoutée économique pour l'année 2.

c) Estimez la valeur globale de l'entreprise ainsi que la valeur d'une action ordinaire.

Annexe

Le coût moyen pondéré du capital

Le coût moyen pondéré du capital de l'entreprise (symbolisé par la lettre grecque ρ) reflète le taux de rendement requis (ajusté pour l'impôt et les frais d'émission des titres), en moyenne, par ses pourvoyeurs de capitaux additionnels. Comme l'indique l'expression (4.10), il est égal à la moyenne pondérée des coûts des sources de financement à long terme (dettes et fonds propres) de l'entreprise :

$$\rho = \begin{pmatrix} \text{Part du financement} \\ \text{par dette} \end{pmatrix} \begin{pmatrix} \text{Coût de la dette} \\ \text{après impôt} \end{pmatrix} + \begin{pmatrix} \text{Part du financement} \\ \text{par fonds propres} \end{pmatrix} \begin{pmatrix} \text{Coût des fonds} \\ \text{propres} \end{pmatrix}$$

$$\rho = \left(\frac{D}{D + FP}\right) \cdot r \cdot (1 - T) + \left(\frac{FP}{D + FP}\right) \cdot k_o$$

$$\rho = w_d \cdot r \cdot (1 - T) + w_o \cdot k_o \tag{4.10}$$

où

D	: Dettes
FP	: Fonds propres
w_d	: Part du financement par dette $\left(w_d = \dfrac{D}{D + FP}\right)$
w_o	: Part du financement par fonds propres $\left(w_o = \dfrac{FP}{FP + D}\right)$
r	: Taux de rendement requis par les créanciers
$r \cdot (1 - T)$	: Coût du financement par dette après impôt
k_o	: Taux de rendement requis par les actionnaires ou coût des fonds propres de l'entreprise.

L'expression (4.10) montre que, pour générer une estimation du coût du capital, on doit, dans un premier temps, déterminer l'importance relative à attribuer à chacune des sources de financement à long terme de l'entreprise. Par la suite, des estimations du coût de la dette et du coût des fonds propres s'avèrent nécessaires pour finaliser le calcul.

Calcul des pondérations

Dans le but de déterminer la part du financement par dette et la part des fonds propres dans la structure de capital de l'entreprise, la plupart des théoriciens recommandent de recourir aux valeurs marchandes des titres émis par l'entreprise plutôt que d'utiliser les valeurs comptables. Toutefois, il arrive fréquemment, en pratique, que des valeurs marchandes fiables ne soient pas disponibles (entreprises non listées en Bourse, titres faisant l'objet d'un nombre restreint d'opérations boursières, etc.). Dans ce genre de situation, on devra utiliser comme mesures approximatives les valeurs comptables des titres. En outre, les valeurs boursières des titres s'avèrent nettement plus fluides que les valeurs comptables, ce qui peut en rendre l'utilisation difficile.

Coût de la dette

Le coût du financement par dette reflète le taux de rendement actuellement exigé par les créanciers de l'entreprise pour lui avancer des fonds additionnels. Ce taux de rendement est fonction des conditions qui prévalent actuellement sur le marché des titres à revenu fixe et de la probabilité que l'entreprise ne soit pas en mesure d'honorer ses engagements relativement aux paiements des intérêts et au remboursement du principal de la dette (risque de défaillance). De plus, compte tenu que les intérêts constituent une dépense déductible d'impôt, le coût de la dette après impôt correspond au rendement exigé par les créanciers multiplié par le facteur (1 − taux d'impôt de l'entreprise).

Coût des fonds propres

Le coût du financement par fonds propres correspond au taux de rendement exigé par les actionnaires de l'entreprise, compte tenu du degré de risque systématique ou non réductible auquel ils sont confrontés. Selon le modèle d'équilibre des actifs financiers (MEDAF), le coût des fonds propres peut se calculer ainsi :

$$
\begin{aligned}
k_0 &= r_s + [E(R_M) - r_s]\beta_i \\
&= r_s + \lambda\beta_i
\end{aligned}
\tag{4.11}
$$

où

r_s : Taux de rendement actuel des bons du Trésor

$E(R_M)$: Taux de rendement espéré du portefeuille de marché. (Au Canada, on utilise habituellement l'indice composé S & P/TSX comme approximation du portefeuille de marché.)

β_i : Coefficient bêta de l'action ordinaire. Ce coefficient, dont la valeur[5] est généralement obtenue en effectuant une régression linéaire simple entre les rendements du titre et ceux de l'indice boursier, est en fait un indice de risque systématique ou non réductible de l'action. Pour la plupart des titres, sa valeur est habituellement comprise entre 0,50 et 2. Plus ce coefficient est élevé, plus l'action concernée comporte un risque systématique ou non réductible substantiel. Dans le cas du portefeuille de marché, le coefficient bêta est égal à l'unité. Ainsi, un titre dont le coefficient bêta vaut 1,50 comporte un risque systématique plus élevé que la moyenne alors qu'une action dont le coefficient bêta s'élève à 0,70 affiche une volatilité moindre que celle de l'indice de référence servant à mesurer sa valeur.

λ : Prime par unité de risque. Cette prime peut être évaluée à partir des écarts observés historiquement entre les rendements de l'indice composé S & P/TSX et ceux des bons du Trésor. Le résultat obtenue oscille généralement autour de 5%.

---

[5] Le coefficient bêta d'une compagnie privée peut être estimé en calculant la moyenne arithmétique ou la médiane des coefficients bêta d'un échantillon d'entreprises comparables dont les titres sont négociés publiquement.

Exemple 4.6 | **Calcul du coût moyen pondéré du capital**

Les renseignements suivants sont disponibles concernant la compagnie AGC inc. :

- Part du financement par dette dans la structure de capital de l'entreprise : 45%

- Part du financement par fonds propres dans la structure de capital de l'entreprise : 55%

- Taux de rendement exigé par les créanciers : 8%

- Taux de rendement actuel des bons du Trésor : 4,50%

- Coefficient bêta de l'action ordinaire de la compagnie AGC inc. : 1,40

- Prime par unité de risque observée historiquement : 5%

- Taux d'imposition de la compagnie AGC inc. : 40%

Donnez une estimation du coût moyen pondéré du capital après impôt de la compagnie AGC inc.

■ Solution

Dans un premier temps, on détermine le coût du financement par fonds propres à l'aide du modèle d'équilibre des actifs financiers :

$$k_o = 0,045 + (0,05)(1,40) = 11,50\%$$

Par la suite, en ayant recours à l'expression (4.10), on obtient une estimation du coût moyen pondéré du capital après impôt de la compagnie AGC inc. :

$$\rho = (0,45)(0,08)(1 - 0,40) + (0,55)(0,1150) = 8,49\%$$

5

L'analyse du point mort et l'effet de levier

Sommaire

5

Objectifs pédagogiques

Lorsque vous aurez complété l'étude du chapitre 5,

1. vous serez en mesure de distinguer entre les coûts fixes et les coûts variables d'une entreprise;

2. vous pourrez calculer et interpréter le point mort général, le point mort en fonction du montant des ventes et le point mort d'encaisse;

3. vous serez apte à effectuer une analyse du point mort en contexte de risque;

4. vous connaîtrez l'utilité ainsi que les limites de l'analyse du point mort;

5. vous serez en mesure de calculer et d'interpréter le coefficient de levier d'exploitation, le coefficient de levier financier et le coefficient de levier total;

6. vous saurez que le coefficient de levier d'exploitation est attribuable à la présence des frais fixes d'exploitation alors que le coefficient de levier financier découle de la présence des charges fixes financières;

7. vous connaîtrez les propriétés du coefficient de levier d'exploitation, du coefficient de levier financier et du coefficient de levier total.

5.1 Introduction

Dans le but de générer des revenus, une entreprise doit nécessairement encourir des coûts (salaires, matières premières, amortissement, assurances, intérêts, taxes, etc.). Certains coûts sont fixes alors que d'autres varient directement avec les ventes ou le niveau de production. La présence de charges fixes dans l'entreprise va donner lieu à un effet de levier, c'est-à-dire que le taux de variation des bénéfices sera plus important que le taux de variation du volume des ventes. Ainsi, dans le cas d'une entreprise devant supporter des frais fixes d'exploitation et/ou financiers, on peut s'attendre à ce qu'une augmentation (diminution) de x% dans le volume des ventes entraîne une augmentation (diminution) du bénéfice excédant x%.

Effet de levier
La variation (en pourcentage) des bénéfices excède la fluctuation (en pourcentage) du volume des ventes

On distingue trois types de levier, soit le levier d'exploitation, le levier financier et l'effet global de ces deux leviers sur l'entreprise que l'on désigne comme étant le levier combiné ou total. Le levier d'exploitation découle de l'utilisation de méthodes de production qui nécessitent des déboursés fixes alors que le levier financier est attribuable à l'utilisation de modes de financement qui exigent des sorties de fonds fixes, comme les obligations et les actions privilégiées. Plus loin dans ce chapitre, nous montrons comment mesurer, interpréter et appliquer ces trois types de levier. Toutefois, il convient auparavant de décrire les différents types de coûts d'une entreprise et d'aborder la technique de l'analyse du point mort.

5.2 Les différents types de coûts

Les coûts totaux d'une entreprise peuvent être subdivisés en coûts fixes et en coûts variables[1].

Les coûts fixes

Coûts fixes
Coûts qui ne varient pas avec les ventes ou le niveau de production au cours d'une période de temps spécifique

Les coûts fixes sont ceux qui sont indépendants des ventes ou du niveau de production au cours d'une période de temps spécifique. L'amortissement, les frais de location, les intérêts sur la dette, les assurances, les salaires de certains cadres, les frais d'administration, les taxes foncières, licences et permis sont quelques exemples de coûts fixes.

Il est à noter que le coût fixe unitaire est en relation inverse avec le nombre d'unités produites au cours d'une période donnée.

Les coûts variables

Coûts variables
Coûts qui changent avec les ventes ou le niveau de production

Les coûts variables sont ceux qui dépendent des ventes ou du niveau de production. Dans cette catégorie, on retrouve notamment les frais de main-d'oeuvre directe, les matières premières, les commissions sur les ventes et les coûts énergétiques liés aux équipements de production.

Il est à noter que, si l'on suppose une fonction de coût linéaire, le coût variable unitaire sera alors constant.

La figure 5.1 permet de visualiser le comportement des coûts fixes, des coûts variables et des coûts totaux en fonction du nombre d'unités produites.

Figure 5.1
Relation entre les différents coûts et le nombre d'unités produites

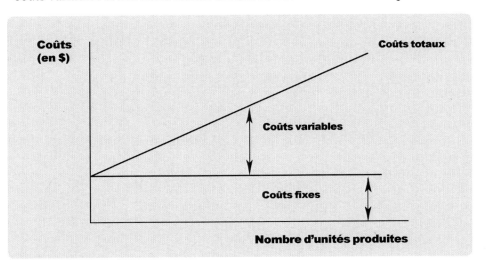

---

[1] Certains coûts sont en partie fixes et en partie variables. On les appelle les coûts semi-fixes ou semi-variables. Un exemple serait le cas d'un gérant des ventes d'un magasin au détail dont le salaire total annuel est établi comme suit: salaire de base annuel de 10 000 $ + 2% du montant des ventes du magasin excédant 500 000 $.

5.3 L'analyse du point mort

5.3.1 Le point mort général

L'analyse du point mort étudie la relation existant entre les frais fixes, les frais variables, les ventes et les résultats de l'entreprise. Ce genre d'analyse peut notamment être utile à l'administrateur lors du lancement d'un nouveau produit (fixation du prix de vente) et dans le choix d'une technologie de production (l'entreprise devrait-elle opter pour une technologie de production nécessitant des frais variables élevés et peu de frais fixes ou vice-versa?).

Point mort
Volume des ventes pour lequel l'entreprise couvre l'ensemble des charges (fixes et variables) qu'elle doit supporter

On peut définir le point mort ou seuil de rentabilité comme étant le niveau de production pour lequel l'entreprise ne réalise ni profit ni perte. Autrement dit, c'est le niveau de production pour lequel les revenus totaux égalent les coûts totaux (c.-à-d. les coûts fixes plus les coûts variables).

Calcul algébrique du point mort

Définissons les symboles suivants :

X : Volume en unités. On suppose habituellement dans ce genre d'analyse que le nombre d'unités produites correspond au nombre d'unités vendues.

F : Coûts fixes totaux[2].

v : Coût variable unitaire. Le coût variable unitaire est supposé constant sans égard au volume.

p : Prix de vente unitaire. À l'instar du coût variable unitaire, le prix de vente unitaire est supposé constant peu importe le volume.

Comme au point mort les revenus totaux égalent les coûts totaux, on peut écrire :

$$\text{Revenus totaux} = \text{Coûts totaux}$$
$$X \cdot p = X \cdot v + F \tag{5.1}$$

En isolant X dans l'expression précédente, on obtient :

$$X = \frac{F}{p - v} \tag{5.2}$$

Cette dernière expression indique que le seuil de rentabilité est lié directement à l'importance des frais fixes totaux (c.-à-d. les frais fixes d'exploitation et les frais fixes financiers) et, de façon inverse, à la marge de contribution unitaire (c.-à-d. à l'écart entre le prix de vente unitaire et le coût variable unitaire). Cela

---

[2] Dans une perspective à long terme, tous les coûts de l'entreprise sont évidemment variables.

signifie qu'une entreprise peut abaisser son point mort en diminuant ses frais fixes totaux, en augmentant son prix de vente unitaire ou en réduisant son coût variable unitaire.

Exemple 5.1 **Calcul du point mort général**

On dispose des données financières suivantes concernant l'entreprise MBK inc :

MBK inc.
État des résultats pour l'année se terminant le 31 décembre XX+1

Ventes : 5 000 unités à 500 $/unité		2 500 000 $
Moins :		
Frais d'exploitation		
Frais variables		
Matières premières (100 $/unité)	500 000 $	
Main-d'oeuvre directe (125 $/unité)	625 000	
Frais généraux de production et de vente (25 $/unité)	125 000	1 250 000
Frais fixes		
Salaire des cadres	100 000 $	
Assurances	25 000	
Amortissement	250 000	
Taxes foncières et autres	25 000	
Chauffage, électricité et entretien	50 000	450 000
Bénéfice avant intérêts et impôts (BAII)		800 000 $
Moins : intérêts sur la dette		550 000
Bénéfice avant impôts		250 000 $
Moins : impôt (40%)		100 000
Bénéfice net		150 000 $
Bénéfice par action (500 000 actions)		0,30 $

a) À partir des renseignements ci-dessus, calculez le point mort général de l'entreprise MBK inc.

b) Quel serait l'impact sur le point mort de l'entreprise d'une diminution des frais fixes de 250 000 $? D'une augmentation de 150 $ du prix de vente unitaire jumelée à une hausse de 50 $ du coût variable unitaire?

■ **Solution**

a) À partir des données figurant à l'état des résultats, on trouve que le coût variable unitaire est de 250 $ (100 $ + 125 $ + 25 $), que les frais fixes totaux s'élèvent à 1 000 000 $ (450 000 $ + 550 000 $) et que le prix de vente unitaire est de 500 $. Par conséquent, à l'aide de l'expression (5.2), le point mort général de l'entreprise MBK inc. se calcule ainsi :

$$X = \frac{1\,000\,000}{500 - 250} = 4\,000 \text{ unités}$$

Comme la figure 5.2 permet de le visualiser, lorsque ses ventes excèdent 4 000 unités, l'entreprise MBK inc. réalise des profits. À l'inverse, lorsque ses ventes sont inférieures à 4 000 unités, l'entreprise est déficitaire. Finalement, pour un volume des ventes de 4 000 unités, l'entreprise ne réalise ni gain ni perte.

Figure 5.2

Point mort de l'entreprise MBK inc.

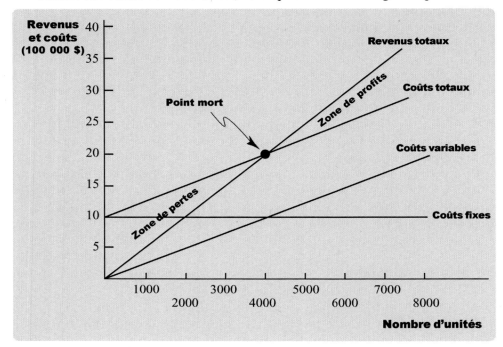

b) Si les frais fixes passent de 1 000 000 $ à 750 000 $, le nouveau point mort sera alors égal à :

$$X = \frac{750\,000}{500 - 250} = 3\,000 \text{ unités}$$

On constate qu'une diminution des frais fixes occasionne une baisse du niveau du point mort.

Si le prix de vente unitaire augmente de 150 $ et que simultanément le coût variable unitaire augmente de 50 $, le nouveau point mort vaudra :

$$X = \frac{1\,000\,000}{650 - 300} = 2\,587 \text{ unités}$$

On observe, qu'une augmentation de la marge de contribution unitaire (c.-à-d. l'écart entre le prix de vente unitaire et le coût variable unitaire), a pour effet d'abaisser le niveau du point mort.

5.3.2 Le point mort en fonction des ventes

Dans certaines situations, particulièrement pour une entreprise qui vend plusieurs produits à différents prix, il est plus utile de calculer le point mort en fonction du montant des ventes, plutôt qu'en fonction du nombre d'unités vendues comme nous l'avons fait à la section précédente. Les seules informations requises pour effectuer le calcul sont alors les coûts fixes, les coûts variables et les ventes de l'entreprise.

Reprenons l'exemple précédent et calculons le montant des ventes qui permettra à l'entreprise de couvrir la totalité de ses frais (fixes et variables). Pour ce faire, on peut procéder ainsi :

1. Au point mort, on a :

$$S^* = F + V \qquad (5.3)$$

où S* : Montant des ventes au point mort

  V : Coûts variables

  F   : Frais fixes

2. Étant donné que le prix de vente et le coût variable à l'unité sont par hypothèse constants, il en découle que le rapport entre les coûts variables (V) et les ventes (S) sera lui aussi constant. Dans ces conditions, l'expression (5.3) peut se reformuler ainsi :

$$S^* = F + \left(\frac{V}{S}\right) S^*$$

En isolant S* dans l'expression précédente, on obtient alors :

$$S^* = \frac{F}{1 - \dfrac{V}{S}} \qquad (5.4)$$

Dans le cas de l'entreprise MBK (voir les données de l'exemple précédent), on a les valeurs suivantes :

F = 1 000 000 $ S = 2 500 000 $

V = 1 250 000 $ V/S = 0,50

Par conséquent, le point mort en fonction du montant des ventes peut se calculer ainsi :

$$S^* = \frac{1\,000\,000}{1 - 0,50} = 2\,000\,000\ \$$$

Afin d'atteindre son seuil de rentabilité, le montant total des ventes de l'entreprise MBK doit donc être de 2 000 000 $, soit 4 000 unités × 500 $/unité.

5.3.3 L'analyse du point mort dans le cas non linéaire

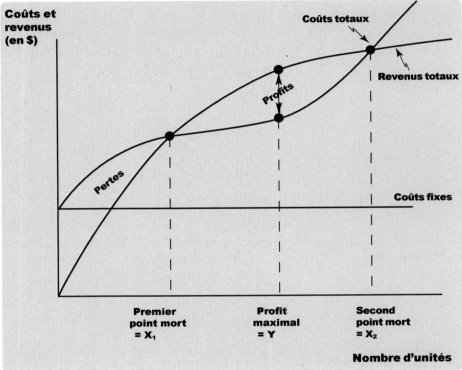

Point mort non linéaire
Point mort calculé en supposant que les ventes et les coûts variables ne sont pas proportionnels au niveau d'activité

Dans bien des cas, il est raisonnable de croire qu'une diminution du prix de vente provoquera une augmentation du volume des ventes. De plus, il est probable que le coût variable moyen à l'unité diminue à partir d'un certain niveau de production, puis se met à augmenter. Dans ces conditions, le graphique du point mort pourrait ressembler à la figure 5.3.

Figure 5.3

Point mort non linéaire

Coûts et revenus (en $)

Coûts totaux

Revenus totaux

Profits

Pertes

Coûts fixes

Premier point mort = X₁

Profit maximal = Y

Second point mort = X₂

Nombre d'unités

Selon ce modèle non linéaire, il existe deux points morts (X_1 et X_2). L'entreprise réalise des profits si la quantité vendue se situe quelque part entre ces deux points; autrement, elle est déficitaire.

La pente de la courbe des coûts totaux correspond au coût marginal (CM) et celle des revenus totaux mesure le revenu marginal (RM). Comme l'enseigne la microéconomie, lorsque les deux pentes sont identiques (c.-à-d. lorsque RM = CM), les profits de l'entreprise sont à leur maximum. Dans ce cas, l'écart entre les deux courbes est maximal. Pour optimiser ses profits, l'entreprise doit donc vendre Y unités.

5.3.4 Le point mort d'encaisse

Point mort d'encaisse
Niveau des ventes en dollars ou en unités qui permet à l'entreprise de couvrir l'ensemble de ses sorties de fonds

Le calcul du point mort général permet de connaître le nombre d'unités que doit vendre l'entreprise afin d'être en mesure de couvrir tous ses coûts. Il serait maintenant intéressant de calculer le nombre d'unités que cette dernière doit vendre afin de pouvoir rencontrer ses obligations nécessitant des déboursés.

Pour ce faire, il nous faudra alors ignorer les dépenses apparaissant à l'état des résultats qui ne requièrent pas de sorties d'argent. La principale dépense de cette nature est habituellement l'amortissement.

Si l'on revient à l'exemple de la compagnie MBK inc., on constate que la dépense d'amortissement s'élève à 250 000 $, ce qui implique que les coûts fixes nécessitant des déboursés sont de 750 000 $. En posant l'hypothèse que les recettes correspondent aux ventes, le point mort d'encaisse (X_e) de cette entreprise peut alors se calculer ainsi :

$$X_e = \frac{750\,000}{500 - 250} = 3\,000 \text{ unités}$$

Il est à noter que le point mort d'encaisse d'une entreprise se situe toujours à un niveau inférieur (ou égal) à son seuil de rentabilité, puisque ses coûts fixes totaux sont toujours supérieurs (ou égaux) à ses coûts fixes entraînant des sorties de fonds. Dans notre exemple, le point mort d'encaisse de l'entreprise MBK se situe à 3 000 unités, alors que son seuil de rentabilité est de 4 000 unités (voir la figure 5.4).

Figure 5.4

Point mort d'encaisse de l'entreprise BMK

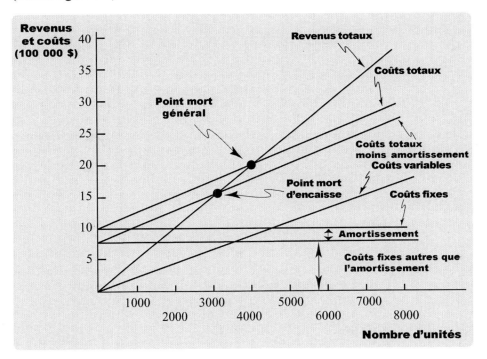

5.3.5 Les limites de l'analyse du point mort

L'analyse du point mort peut sembler a priori fort simple et fournir des résultats très précis. Toutefois, l'application de cette technique dans un contexte réel soulève d'importantes difficultés qui sont brièvement abordées ci-après :

1. Une première difficulté concerne la classification des coûts fixes et variables. En pratique, comme plusieurs coûts sont en partie fixes et en partie variables, la catégorisation n'est pas toujours facile.

2. Nous avons supposé (sauf à la section 5.3.3) que le prix et le coût variable à l'unité sont constants et ce, peu importe le volume (modèle linéaire). Or, dans bien des cas, cette hypothèse n'est pas conforme à la réalité et l'on doit alors utiliser un modèle non linéaire de façon à rendre l'analyse plus représentative de la réalité économique.

3. Un problème peut également survenir si l'entreprise vend plusieurs produits. Dans ce cas, l'analyse du point mort ne peut être faite à moins que le mixte des produits ne change pas. Si le mixte change, il devient nécessaire de préparer une analyse séparée pour chacun des produits et l'on devra alors ventiler les frais qui sont communs, ce qui peut poser certaines difficultés.

4. Les données nécessaires à l'analyse du point mort sont habituellement obtenues à partir des observations historiques. Cependant, particulièrement pour des entreprises en forte croissance, les données historiques peuvent être plus ou moins pertinentes.

5. L'analyse traditionnelle du point mort ne prend aucunement en considération le caractère aléatoire des variables, telles que le volume des ventes, le prix de vente, le coût variable unitaire et les coûts fixes. La prise en compte du risque dans l'analyse du point mort est abordée brièvement en annexe à ce chapitre.

En conclusion, on peut affirmer que le point mort est tout de même un outil financier utile s'il est bien employé. Il constitue en quelque sorte une première approche pour estimer le prix de vente ou le volume des ventes requis.

5.4 L'effet de levier

La notion de levier n'est pas exclusive au domaine financier. En effet, cette notion est d'usage courant dans de nombreuses disciplines, notamment en physique et en économique. Par exemple, en physique, un levier constitue un point d'appui à partir duquel il est possible de déplacer une masse substantielle en n'ayant recours qu'à une force modeste. En finance, on parlera d'effet de levier lorsqu'une entreprise a recours à des méthodes de production ou utilise des modes de financement qui nécessitent des déboursés fixes. Le point d'appui sera alors les frais fixes et la présence de ces derniers influencera à la fois la rentabilité et le risque de l'entreprise.

Comme nous l'avons mentionné en introduction à ce chapitre, il existe trois types de levier, soit le levier d'exploitation, le levier financier et le levier total. Ci-après, nous discutons successivement de ces trois types de levier.

5.4.1 Le levier d'exploitation

Levier d'exploitation
Indique le degré d'amplification du bénéfice d'exploitation suite à une variation du volume des ventes

L'effet de levier d'exploitation, que l'on appelle également levier de premier niveau, est attribuable à la présence des frais fixes d'exploitation. Plus les charges fixes d'exploitation d'une entreprise sont importantes relativement à ses frais variables, plus l'effet de levier d'exploitation sera prononcé. Cet effet de levier se mesure à l'aide d'un coefficient appelé le coefficient de levier d'exploitation. Le coefficient de levier d'exploitation (CLE), à un niveau donné du volume des ventes, indique le changement en pourcentage du bénéfice avant intérêts et impôts (bénéfice d'exploitation) qui résulterait d'un changement donné en pourcentage dans le volume des ventes. On peut calculer ce coefficient à l'aide de l'expression suivante :

Calcul du CLE

$$\begin{aligned}
\text{CLE} &= \frac{\text{Variation du bénéfice avant intérêts et impôts (en pourcentage)}}{\text{Variation du nombre d'unités vendues (en pourcentage)}} \\
\text{(à un niveau donné du volume des ventes)} & \\
&= \frac{\Delta\text{BAII} / \text{BAII}}{\Delta X / X} \\
&= \left(\frac{\Delta\text{BAII}}{\Delta X}\right)\left(\frac{X}{\text{BAII}}\right) \quad\quad (5.5)
\end{aligned}$$

Dans le but d'accélérer les calculs, on peut également utiliser l'expression (5.5a) pour déterminer le CLE[3] :

$$\text{CLE}_{\text{(à un niveau donné du volume des ventes)}} = \frac{X(p-v)}{X(p-v) - F_e} \quad\quad (5.5a)$$

où X : Volume des ventes en unités

  p : Prix de vente unitaire

  v : Coût variable unitaire

  F_e : Frais fixes d'exploitation

---

[3] Pour obtenir l'équation (5.5a), à partir de l'expression (5.5), on procède de la façon suivante :
  i) À l'aide des symboles définis ci-dessus, le bénéfice avant intérêts et impôts (BAII) s'exprime ainsi : $\text{BAII} = X(p - v) - F_e$.
  ii) Étant donné que les frais fixes sont, par définition, constants, une variation du volume des ventes de ΔX unités entraînera une variation du BAII de $\Delta X(p - v)\$$.
  iii) Par conséquent :

$$\frac{\Delta\text{BAII}}{\Delta X} = \Delta X\frac{(p-v)}{\Delta X} \text{ et}$$

$$\text{CLE} = \left(\frac{\Delta\text{BAII}}{\Delta X}\right)\left(\frac{X}{\text{BAII}}\right) = (p-v)\left(\frac{X}{X(p-v) - F_e}\right) = \frac{X(p-v)}{X(p-v) - F_e}.$$

Le coefficient de levier d'exploitation exerce un impact direct sur le risque d'exploitation (c.-à-d. sur la variabilité du BAII) d'une entreprise. Toutes choses étant égales par ailleurs, on peut affirmer que, plus le coefficient de levier d'exploitation d'une entreprise est élevé, plus son risque d'exploitation est considéré comme important. Toutefois, le coefficient de levier d'exploitation n'est pas le seul facteur qui influe sur le risque d'exploitation. En effet, la variabilité de la demande, la stabilité du prix de vente unitaire, les fluctuations des coûts de la main-d'oeuvre et des matières premières, la marge de manoeuvre dont dispose l'entreprise pour ajuster son prix de vente suite à une modification du coût des intrants, la taille de l'entreprise et la part de marché qu'elle détient sont autant de facteurs à considérer dans l'appréciation du risque d'exploitation. Dans ces conditions, il est possible que le coefficient de levier d'exploitation d'une entreprise prenne une valeur élevée et, qu'en même temps, cette dernière, à cause notamment de la stabilité relative de son chiffre d'affaires, présente un faible risque d'exploitation. Une entreprise de services publics, comme les entreprises Bell Canada, en est un exemple.

Exemple 5.2 | **Calcul et interprétation du coefficient de levier d'exploitation**

À l'aide des données relatives à l'entreprise MBK inc. (voir l'exemple 5.1 apparaissant dans la section sur l'analyse du point mort), déterminez :

a) le coefficient de levier d'exploitation de l'entreprise MBK inc. à un niveau des ventes de 5 000 unités;

b) la variation, en pourcentage, du BAII qui résulterait d'une augmentation du volume des ventes de 25% par rapport au niveau actuel;

c) la variation, en pourcentage, du BAII qui résulterait d'une diminution du volume des ventes de 25% par rapport au niveau actuel.

■ **Solution**

a) Ici, on a :

X : 5 000 unités

p : 500 $

v : 250 $

et

F_e : 450 000 $

En utlisant l'expression (5.5a), on obtient :

$$\text{CLE (à 5000 unités)} = \frac{5000(500-250)}{5000(500-250)-450000} = 1,5625$$

Ce résultat signifie qu'une variation de 1% du volume des ventes entraînerait une variation du BAII de 1,5625%.

b) La variation, en pourcentage, du BAII peut se calculer ainsi :

ΔBAII (en %) = ΔX (en %) · CLE (à 5 000 unités) = (25%) (1,5625) = 39,0625%.

Dans le cas de la compagnie MBK inc., on peut donc conclure qu'un accroissement des ventes de 25% ou de 1 250 unités (la quantité vendue passe de 5 000 à 6 250 unités) se traduira par une hausse du BAII de 39,0625% (ce dernier verra sa valeur progresser de 312 500 $, soit 1 112 500 $ − 800 000 $). On peut aisément vérifier ce résultat en effectuant les calculs détaillés suivants :

	Nombre d'unités vendues (X)	
	5 000	6 250
Ventes (X · p)	2 500 000 $	3 125 000 $
Frais variables (X · v)	1 250 000	1 562 500
Frais fixes d'exploitation (F_e)	450 000	450 000
Bénéfice avant intérêts et impôts (BAII)	800 000 $	1 112 500 $

d'où : $\Delta\text{BAII (en \%)} = \dfrac{1\,112\,500 - 800\,000}{800\,000} = 39,0625\%$

c) La variation, en pourcentage, du BAII serait alors :

$$\begin{aligned}
\Delta\text{BAII (en \%)} &= \text{X (en \%)} \cdot \text{CLE (à 5 000 unités)} \\
&= (-25\%)(1,5625) \\
&= -39,0625\%, \text{ soit une diminution de } 39,0625\%.
\end{aligned}$$

L'exemple précédent permet de constater que le levier d'exploitation agit dans les deux sens. En effet, lorsque l'entreprise utilise l'effet de levier d'exploitation, une hausse du volume des ventes entraîne une augmentation plus que proportionnelle du BAII, tandis qu'une baisse du volume des ventes se traduit par une diminution plus que proportionnelle du BAII.

Propriétés du coefficient de levier d'exploitation

Dans le but d'en faciliter l'interprétation, il est sans doute utile d'énoncer certaines propriétés du coefficient de levier d'exploitation.

1. Lorsque les frais fixes d'exploitation sont nuls, le coefficient de levier d'exploitation vaut 1. Dans ce cas, une variation de 1% du volume des ventes provoquera une variation de 1% du BAII.

2. Le coefficient de levier d'exploitation, au niveau des ventes pour lequel le bénéfice avant intérêts et impôts est nul (c.-à-d. lorsque $X = \dfrac{F_e}{p-v}$) prend une valeur indéterminée. Le CLE, lorsque calculé à un niveau des ventes voisin de $\dfrac{F_e}{p-v}$, sera donc très élevé (en valeur absolue).

3. Lorsque le volume des ventes excède $\dfrac{F_e}{p-v}$, le coefficient de levier d'exploitation prend une valeur positive. Dans ce cas, le volume des ventes et le BAII évoluent dans la même direction.

4. Pour des volumes de ventes supérieurs à $\dfrac{F_e}{p-v}$, le coefficient de levier d'exploitation diminue - à un taux décroissant - au fur et à mesure qu'augmente le volume des ventes et tend asymptotiquement vers 1. Pour illustrer, calculons le coefficient de levier d'exploitation de l'entreprise MBK inc. pour différents volumes de ventes :

$$\text{CLE (à 2 000 unités)} = \frac{2\,000(500-250)}{2\,000(500-250)-450\,000} = 10$$

$$\text{CLE (à 4 000 unités)} = \frac{4\,000(500-250)}{4\,000(500-250)-450\,000} = 1,82$$

$$\text{CLE (à 10 000 unités)} = \frac{10\,000(500-250)}{10\,000(500-250)-450\,000} = 1,22$$

$$\text{CLE (à 25 000 unités)} = \frac{25\,000(500-250)}{25\,000(500-250)-450\,000} = 1,08$$

$$\text{CLE (à 100 000 unités)} = \frac{100\,000(500-250)}{100\,000(500-250)-450\,000} = 1,02$$

5.4.2 Le levier financier

L'effet de levier financier, aussi appelé le levier de second niveau, est attribuable à la présence de charges financières fixes (intérêts sur la dette, dividendes versés aux actionnaires privilégiés) qui doivent être payées et ce, peu importe le bénéfice avant intérêts et impôts de l'entreprise. Comme nous en discutons dans notre autre ouvrage traitant des décisions financières à long terme, l'existence des charges de cette nature a pour effet d'accroître à la fois le rendement espéré et le risque du capital-actions ordinaire.

Levier financier
Indique le degré d'amplification du bénéfice par action (BPA) suite à une fluctuation du bénéfice d'exploitation

On mesure l'effet de levier financier à l'aide d'un coefficient, appelé le coefficient de levier financier. Le coefficient de levier financier (CLF), à un niveau donné du BAII, indique le changement en pourcentage du bénéfice par action (BPA) qui résulterait d'un changement donné en pourcentage dans le niveau du BAII.

Calcul du CLF

$$\begin{aligned}
\underset{\text{(à un niveau donné du BAII)}}{\text{CLF}} &= \frac{\text{Variation du BPA (en \%)}}{\text{Variation du BAII (en \%)}} \\[2mm]
&= \frac{\Delta \text{BPA} / \text{BPA}}{\Delta \text{BAII} / \text{BAII}} \\[2mm]
&= \left(\frac{\Delta \text{BPA}}{\Delta \text{BAII}} \right) \left(\frac{\text{BAII}}{\text{BPA}} \right)
\end{aligned} \qquad (5.6)$$

Une formule plus rapide que l'expression (5.6) pouvant servir au calcul du coefficient de levier financier est la suivante[4] :

$$\underset{\substack{\text{(à un niveau donné} \\ \text{du BAII)}}}{\text{CLF}} = \frac{X(p-v) - F_e}{X(p-v) - F_e - \text{INT} - \text{DP}\left[1/(1-T) \right]} \qquad (5.6a)$$

où X : Volume en unités

 p : Prix de vente unitaire

 v : Coût variable unitaire

 F_e : Frais fixes d'exploitation

 INT : Intérêts sur la dette

 DP : Dividendes versés aux actionnaires privilégiés

 T : Taux d'impôt de l'entreprise.

---

[4] L'équation (5.6a) est obtenue à partir de l'expression (5.6) en procédant de la façon suivante :

i) Le bénéfice par action ordinaire (BPA) se calcule ainsi :

$$\text{BPA} = \frac{(\text{BAII} - \text{INT})(1-T) - \text{DP}}{N} \quad \text{où } N : \text{Nombre d'actions ordinaires en circulation}$$

ii) Étant donné que les intérêts sur la dette et les dividendes privilégiés sont fixes, une variation du BAII de ΔBAII \$ entraînera une variation du BPA de $\dfrac{\Delta \text{BAII}(1-T)\,\$}{N}$.

iii) Par conséquent :

$$\frac{\Delta \text{BPA}}{\Delta \text{BAII}} = \frac{\dfrac{\Delta \text{BAII}(1-T)}{N}}{\Delta \text{BAII}} = \frac{(1-T)}{N}$$

et

$$\text{CLF} = \left(\frac{\Delta \text{BPA}}{\Delta \text{BAII}} \right) \left(\frac{\text{BAII}}{\text{BPA}} \right) = \frac{(1-T)}{N} \left[\frac{\text{BAII}}{\dfrac{(\text{BAII} - \text{INT})(1-T) - \text{DP}}{N}} \right] = \frac{(1-T)(\text{BAII})}{(\text{BAII} - \text{INT})(1-T) - \text{DP}}$$

$$= \frac{\text{BAII}}{(\text{BAII} - \text{INT}) - \text{DP}\left[1/(1-T) \right]} = \frac{X(p-v) - F_e}{X(p-v) - F_e - \text{INT} - \text{DP}\left[1/(1-T) \right]}.$$

| **Exemple 5.3** | **Calcul et interprétation du coefficient de levier financier** |

À l'aide des données relatives à l'entreprise MBK inc. (voir l'exemple 5.1), déterminez :

a) le coefficient de levier financier de l'entreprise MBK inc. pour un BAII de 800 000 $ et un volume des ventes de 5 000 unités;

b) la variation, en pourcentage, du BPA qui résulterait d'une augmentation du BAII de 25% par rapport au niveau actuel;

c) la variation, en pourcentage, du BPA qui résulterait d'une diminution du BAII de 25% par rapport au niveau actuel.

■ **Solution**

a) Ici, on a :

$\quad$ X : $\quad$ 5 000 unités

$\quad$ p : $\quad$ 500 $

$\quad$ v : $\quad$ 250 $

$\quad$ F_e : $\quad$ 450 000 $

$\quad$ INT : 550 000 $

$\quad$ et

$\quad$ DP : 0 (puisque l'entreprise n'a pas d'actions privilégiées en circulation)

$\quad$ À l'aide de l'expression (5.6a), on obtient :

$$\begin{aligned}\text{CLF} \\ \text{(pour un BAII de 800 000 \$)} \end{aligned} = \frac{5\,000(500-250)-450\,000}{5\,000(500-250)-450\,000-550\,000-0}$$

$$=3,2$$

Ce résultat indique qu'une variation de 1% du BAII entraînerait une variation du BPA de 3,2%.

b) La variation, en pourcentage, du BPA se calcule ainsi :

$$\Delta\text{BPA (en \%)} = \Delta\text{BAII (en \%)} \cdot \text{CLF (pour un BAII de 800 000 \$)}$$

$$= (25\%)(3,2)$$

$$= 80\%$$

Dans le cas de l'entreprise MBK inc., une hausse du BAII de 25% (le BAII passe de 800 000 $ à 1 000 000 $) entraîne donc un accroissement du BPA de 80% (cet indicateur de rentabilité verra sa valeur augmenter de 0,24 $, soit 0,54 $ - 0,30 $). Il est aisé de vérifier ce résultat en effectuant les calculs détaillés présentés à la page suivante :

BAII	800 000 $	1 000 000 $
Intérêts sur la dette	550 000	550 000
Bénéfice avant impôts	250 000 $	450 000 $
Impôt (40%)	100 000	180 000
Bénéfice après impôts	150 000 $	270 000 $
Nombre d'actions ordinaires en circulation	500 000	500 000
Bénéfice par action	0,30 $	0,54 $

$$\text{d'où: } \Delta\text{BPA (en \%)} = \frac{0,54 - 0,30}{0,30} = 80\%$$

c) La variation, en pourcentage, du BPA se calcule de la façon suivante :

$$\Delta\text{BPA (en \%)} = \Delta\text{BAII (en \%)} \cdot \text{CLF (pour un BAII de 800 000 \$)}$$
$$= (-25\%)\,(3,2)$$
$$= -80\%, \text{ soit une diminution de 80\%.}$$

L'exemple précédent permet de constater que, lorsqu'une entreprise a recours à des modes de financement qui nécessitent des déboursés fixes, les fluctuations de son BAII entraînent un effet amplifié sur son BPA.

Propriétés du coefficient de levier financier

Comme nous l'avons fait pour le coefficient de levier d'exploitation, il est sans doute utile d'énoncer certaines propriétés du coefficient de levier financier.

1. Lorsque les frais fixes financiers sont nuls, le coefficient de levier financier vaut 1. Dans ce cas, une variation de 1% du BAII se traduira par une variation de 1% du BPA.

2. Le coefficient de levier financier, au niveau du BAII pour lequel le bénéfice par action est nul (c.-à-d. lorsque $BAII = INT + DP[1/(1-T)]$), prend une valeur indéterminée. Le CLF, lorsque calculé à un niveau du BAII voisin de $INT + DP[1/(1-T)]$, sera donc très élevé (en valeur absolue).

3. Lorsque le BAII excède $INT + DP[1/(1-T)]$, le coefficient de levier financier prend une valeur positive. Dans ce cas, le BAII et le BPA varient dans la même direction.

4. Pour des valeurs du BAII supérieures à $INT + DP[1/(1-T)]$, le coefficient de levier financier diminue - à un taux décroissant - au fur et à mesure qu'augmente le BAII et tend asymptotiquement vers 1.

5.4.3 Le levier total

Il est possible de combiner les effets de levier d'exploitation et financier. On obtient alors l'effet de levier total ou combiné. Cet effet de levier, qui tient compte à la fois des charges fixes d'exploitation et financières de l'entreprise, se mesure à l'aide du coefficient de levier total (CLT). Le coefficient de levier total, à un niveau donné du volume des ventes, indique le changement en pourcentage du bénéfice par action (BPA) qui résulterait d'un changement donné en pourcentage dans le volume des ventes. Ce coefficient se calcule ainsi :

Calcul du CLT

$$
\begin{aligned}
\text{CLT} \atop {\text{(à un niveau donné} \atop \text{du volume des ventes)}} &= \frac{\Delta BPA / BPA}{\Delta X / X} \\
&= \left(\frac{\Delta BPA}{\Delta X}\right)\left(\frac{X}{\Delta BPA}\right) \quad (5.7)
\end{aligned}
$$

Une méthode plus directe pour déterminer le coefficient de levier total consiste à utiliser l'expression (5.7a)[5] :

$$
{\text{CLT} \atop {\text{(à un niveau donné du} \atop \text{volume des ventes}}} = \frac{X(p-v)}{X(p-v) - F_e - INT - DP\big[1/(1-T)\big]} \quad (5.7a)
$$

---

[5] Pour obtenir l'équation (5.7a), à partir de l'expression (5.7b), on procède ainsi :

i) Le bénéfice par action ordinaire (BPA) en fonction du volume des ventes (X) s'exprime ainsi :

$$ BPA = \frac{[X(p-v) - F_e - INT](1-T) - DP}{N} $$

ii) Étant donné que les frais fixes d'exploitation (F_e), les intérêts sur la dette (INT) et les dividendes privilégiés (DP) sont fixes, une variation du volume des ventes de ΔX unités entraînera une variation du BPA de $\dfrac{\Delta X(p-v)(1-T)\$}{N}$.

iii) Par conséquent :

$$ \frac{\Delta BPA}{\Delta X} = \frac{\Delta X(p-v)(1-T)}{\Delta X \cdot N} = \frac{(p-v)(1-T)}{N} $$

et

$$
\begin{aligned}
CLT &= \left(\frac{\Delta BPA}{\Delta X}\right)\left(\frac{X}{BPA}\right) \\
&= \left[\frac{(p-v)(1-T)}{N}\right]\left[\frac{X}{\dfrac{[X(p-v) - F_e - INT](1-T) - DP}{N}}\right] \\
&= \frac{X(p-v)(1-T)}{[X(p-v) - F_e - INT](1-T) - DP} = \frac{X(p-v)}{X(p-v) - F_e - INT - DP\big[1/(1-T)\big]}.
\end{aligned}
$$

Il nous semble utile de mentionner que le coefficient de levier total peut également se calculer en multipliant le coefficient de levier d'exploitation (CLE) par le coefficient de levier financier (CLF), soit :

$$CLT = (CLE)(CLF) \tag{5.7b}$$

Comme on peut le constater à partir de l'équation (5.7b), il existe un nombre illimité de combinaisons du CLE et du CLF permettant à une entreprise d'obtenir le CLT désiré. Par exemple, une entreprise désirant obtenir un CLT de 3 peut notamment avoir recours à l'une ou l'autre des combinaisons suivantes :

CLE: 3	et	CLF: 1
CLE: 1,732	et	CLF: 1,732
CLE: 1,2	et	CLF: 2,5
CLE: 1	et	CLF: 3
	etc.	

Exemple 5.4 — **Calcul et interprétation du coefficient de levier total**

À l'aide des données relatives à l'entreprise MBK inc. (voir l'exemple 5.1 au début du chapitre), déterminez :

a) le coefficient de levier total de l'entreprise MBK inc. au niveau des ventes de 5 000 unités;

b) la variation, en pourcentage, du BPA qui résulterait d'une augmentation du volume des ventes de 25% par rapport au niveau actuel;

c) la variation, en pourcentage, du BPA qui résulterait d'une diminution du volume des ventes de 10% par rapport au niveau actuel.

■ **Solution**

a) En posant $X = 5\,000$, $p = 500$ \$, $v = 250$ \$, $F_e = 450\,000$ \$,

INT = 550 000 \$ et DP = 0 dans l'équation (5.7a), on trouve :

$$\begin{array}{c}
CLT \\
\text{(à un niveau des ventes} \\
\text{de 5 000 unités)}
\end{array} = \frac{5000(500-250)}{5000(500-250)-450000-550000-0}$$

$$= 5$$

Le calcul du CLT peut également s'effectuer à partir de l'expression (5.7b). Puisque CLE = 1,5625 et CLF = 3,2, on obtient :

$$CLT = (1,5625)(3,2) = 5$$

Ce résultat indique qu'une légère variation du volume des ventes engendrera une fluctuation importante du bénéfice par action. Plus précisément, le résultat obtenu peut s'interpréter ainsi: une variation de 1% du volume des ventes entraînera une variation de 5% du bénéfice par action.

b) L'augmentation, en pourcentage, du BPA peut se calculer ainsi :

$$\Delta BPA \text{ (en \%)} = \Delta X \text{ (en \%)} \cdot CLT \text{ (à 5 000 unités)}$$
$$= (25\%)(5)$$
$$= 125\%$$

Une fluctuation à la hausse des ventes de MBK inc de 25% (celles-ci passent de 5 000 à 6 250 unités) entraînera donc un accroissement de son BPA de 125% (cette statistique verra sa valeur augmenter de 0,375 $, soit 0,675 $ − 0,30 $). On peut vérifier ce résultat en effectuant les calculs détaillés suivants :

	Nombre d'unités vendues (X)	
	5 000	**6 250**
Ventes	2 500 000 $	3 125 000 $
Frais variables	1 250 000	1 562 500
Frais fixes d'exploitation	450 000	450 000
Bénéfice avant intérêts et impôts	800 000 $	1 112 500 $
Intérêt sur la dette	550 000	550 000
Bénéfice avant impôts	250 000 $	562 000 $
Impôt (40%)	100 000	225 000
Bénéfice après impôts	150 000 $	337 500 $
Dividendes privilégiés	0	0
Bénéfice disponible pour les actionnaires ordinaires	150 000 $	337 500 $
Nombre d'actions ordinaires en circulation	500 000	500 000
Bénéfice par action	0,30 $	0,675 $

d'où : $\Delta BPA \text{ (en \%)} = \dfrac{0,675 - 0,30}{0,30} = 125\%$

c) La variation, en pourcentage, du BPA serait de -50%, soit -10% × 5.

Propriétés du coefficient de levier total

Le coefficient de levier total possède des propriétés semblables aux coefficients de levier d'exploitation et financier. Ces propriétés peuvent se résumer ainsi :

1. Lorsque les frais fixes totaux sont nuls, le coefficient de levier total vaut 1. Dans ces conditions, une variation de 1% du volume des ventes se traduira par une variation de 1% du BPA.

2. Le coefficient de levier total, à un niveau des ventes correspondant au point mort général (c.-à-d. lorsque $X = \dfrac{F_e + INT + DP\left[(1/(1-T)\right]}{p - v}$), prend une

2. valeur indéterminée. Le CLT, lorsque calculé à un niveau des ventes voisin du point mort général, sera donc très élevé (en valeur absolue).

3. Lorsque le volume des ventes excède le point mort général, le coefficient de levier total prend une valeur positive. Dans ce cas, le volume des ventes et le BPA varient dans la même direction.

4. Pour des volumes de ventes supérieurs au point mort général, le coefficient de levier total diminue - à un taux décroissant - au fur et à mesure qu'augmente le volume des ventes et tend asymptotiquement vers 1. La figure 5.5 illustre le comportement du coefficient de levier total de l'entreprise MBK inc. en fonction de l'évolution du volume des ventes.

Figure 5.5

Coefficient de levier total de l'entreprise MBK en fonction de l'évolution des ventes

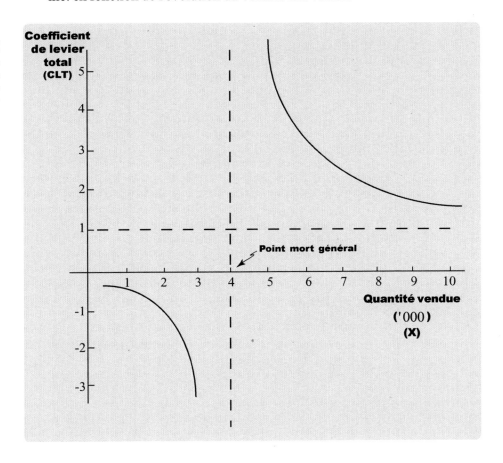

Les données suivantes ont servi à tracer le figure 5.5.

X	CLT	X	CLT
1 000	-0,33	5 000	5
2 000	-1	7 000	2,33
3 000	-3	10 000	1,67
4 000	±∞	20 000	1,25

5.5 Concepts fondamentaux

- Les coûts totaux d'une entreprise correpondent à la somme de ses coûts fixes et de ses coûts variables. Les coûts fixes sont ceux qui ne changent pas en fonction des ventes ou du niveau de production au cours d'une certaine période de temps. Inversement, les coûts variables sont ceux qui fluctuent avec les ventes.

- Le point mort général est la quantité minimale que doit vendre l'entreprise afin qu'elle puisse au moins couvrir la totalité de ses charges fixes et variables. C'est aussi le niveau des ventes pour lequel l'entreprise ne réalise ni gain ni perte.

- Un point mort élevé signale la présence de coûts fixes substantiels relativement aux coûts totaux de l'entreprise.

- Le point mort en fonction du montant des ventes est le chiffre d'affaires que doit atteindre l'entreprise afin de couvrir l'ensemble de ses charges.

- Le point mort d'encaisse est le niveau des ventes pour lequel l'entreprise couvre ses dépenses entraînant des sorties de fonds.

- On distingue trois types de levier, soit le levier d'exploitation, le levier financier et le levier total ou combiné. Il s'avère très important pour le gestionnnaire financier de bien maîtriser la notion d'effet de levier car elle permet d'expliquer pourquoi les bénéfices de l'entreprise croissent ou régressent plus rapidement que ses ventes.

- Le levier d'exploitation est attribuable à la présence des charges fixes d'exploitation. En ce qui a trait au levier financier, il découle de l'utilisation de modes de financement (obligations et actions privilégiées) nécessitant des déboursés périodiques fixes de la part de l'entreprise.

- Le coefficient de levier d'exploitation mesure la variation en pourcentage du bénéfice d'exploitation de l'entreprise attribuable à un changement donné en pourcentage du volume des ventes. Plus le coefficient de levier d'exploitation est élevé, plus le bénéfice avant intérêts et impôts de l'entreprise est sensible aux fluctuations de son chiffre d'affaires.

- Plus les coûts fixes d'exploitation d'une entreprise sont substantiels relativement à ses coûts variables, plus son point mort général, son coefficient de levier d'exploitation et son risque d'exploitation sont élevés.

- Le coefficient de levier financier indique la variation en pourcentage du bénéfice par action de l'entreprise découlant d'un changement donné en pourcentage du bénéfice d'exploitation. Un coefficient de levier financier élevé signale que le bénéfice net est très sensible aux fluctuations du bénéfice d'exploitation.

■ Le coefficient de levier total ou combiné permet de quantifier le changement en pourcentage du bénéfice par action de l'entreprise attribuable à une variation donnée en pourcentage du volume des ventes. Plus le coefficient de levier total prend une valeur élevée, plus le bénéfice net de l'entreprise est influencé par les fluctuations du volume des ventes.

■ Les coefficients de levier d'exploitation et de levier financier ne sont pas additifs, mais plutôt multiplicateurs.

5.6 Mots clés

Coefficient de levier d'exploitation
Coefficient de levier financier
Coefficient de levier total
Coûts fixes
Coûts totaux
Coûts variables
Effet de levier
Levier combiné ou total
Levier d'exploitation
Levier financier
Point mort d'encaisse
Point mort en fonction du montant des ventes
Point mort général
Point mort non linéaire

5.7 Sommaire des principales formules

Analyse du point mort

Pont mort général

$$X = \frac{F}{p - v} \tag{5.2}$$

où   X : Volume des ventes en unités
     F : Coûts fixes totaux
     p : Prix de vente unitaire
     v : Coût variable unitaire.

Pont mort en fonction du montant des ventes

$$S^* = \frac{F}{1 - \dfrac{V}{S}} \tag{5.4}$$

où   S* : Montant des ventes au point mort
     F : Frais fixes
     V : Coûts variables
     S : Ventes
     V/S: Rapport entre les coûts variables et les ventes.

Effet de levier

Levier d'exploitation

$$\begin{array}{c} \text{CLE} \\ \text{(à un niveau donné} \\ \text{du volume des ventes)} \end{array} = \frac{X(p-v)}{X(p-v)-F_e} \qquad (5.5a)$$

où CLE : Coefficient de levier d'exploiatation
X   : Volume des ventes en unités
F_e : Frais fixes d'exploitation.

Levier financier

$$\begin{array}{c} \text{CLF} \\ \text{(à un niveau donné} \\ \text{du BAII)} \end{array} = \frac{X(p-v)-F_e}{X(p-v)-F_e-\text{INT}-\text{DP}\left[(1/(1-T)\right]} \qquad (5.6a)$$

où CLF : Coefficient de levier financier
INT : Intérêts sur la dette
DP   : Dividendes versés aux actionnaires privilégiés
T   : Taux d'imposition de l'entreprise.

Levier total

$$\begin{array}{c} \text{CLT} \\ \text{(à un niveau donné} \\ \text{du volume des ventes)} \end{array} = \frac{X(p-v)}{X(p-v)-F_e-\text{INT}-\text{DP}\left[(1/(1-T)\right]} \qquad \begin{array}{c} (5.7a) \\ \text{et} \\ (5.7b) \end{array}$$

où CLT : Coefficient de levier total.

5.8 Exercices

1. Vrai ou faux.

a) Toutes choses étant égales par ailleurs, une hausse du prix de vente unitaire de 1,25 $ associée à une augmentation du coût variable unitaire de 1,25 $ n'a aucun impact sur le point mort général.

b) Une entreprise dont le coefficient de levier d'exploitation est élevé présente nécessairement un risque d'exploitation élevé.

c) En général, le coefficient de levier total correspond à la somme du coefficient de levier d'exploitation et du coefficient de levier financier.

d) Si les frais fixes d'exploitation d'une entreprise sont nuls, on peut conclure que son coefficient de levier d'exploitation est égal à zéro.

e) Si une hausse de 8% du bénéfice avant intérêts et impôts provoque une augmentation du bénéfice net de 32%, on peut alors conclure que le coefficient de levier d'exploitation est de 4.

f) Le point mort général est le niveau des ventes pour lequel les revenus totaux de l'entreprise correspondent à ses coûts variables totaux.

g) Lorsque le volume des ventes excède le point mort général, une augmentation du volume des ventes a pour effet de diminuer le coefficient de levier total.

h) Si une augmentation du volume des ventes de 500 unités (les ventes passent de 1 000 à 1 500 unités) se traduit par une hausse du bénéfice avant intérêts et impôts de 100%, on peut conclure que le coefficient de levier d'exploitation, à un niveau des ventes de 1 500 unités, est de 2.

i) Le calcul du point mort d'encaisse prend en considération tous les coûts de l'entreprise.

j) Toutes choses étant égales par ailleurs, une hausse du taux d'imposition de l'entreprise a pour effet d'augmenter son coefficient de levier d'exploitation.

k) Toutes choses étant égales par ailleurs, une hausse du coût variable unitaire n'a aucun impact sur le point mort général de l'entreprise.

l) L'analyse du point mort suppose notamment que le prix de vente et le coût variable unitaire sont constants.

m) Le risque d'exploitation d'une entreprise dépend de son ratio d'endettement.

n) Dans le but de maximiser la richesse de ses actionnaires, une entreprise devrait nécessairement avoir recours à des méthodes de production et à des modes de financement lui permettant de maximiser son coefficient de levier total.

2. Toutes choses étant égales par ailleurs, une augmentation du coût variable unitaire a pour effet...
   a) de hausser les impôts à payer;
   b) d'augmenter la marge de contribution;
   c) d'augmenter le bénéfice avant intérêt et impôt;
   d) d'augmenter le coefficient de levier d'exploitation;
   e) de diminuer le coefficient de levier d'exploitation.

3. Le point mort d'encaisse se situe à un niveau _____ au point mort général.

   a) inférieur
   b) inférieur ou égal
   c) supérieur
   d) supérieur ou égal

4. Dans une entreprise, le coefficient de levier total est de 6. On peut donc conclure que :

a) une augmentation du volume des ventes de 10% se traduira par une hausse du BAII de 60% si les frais fixes financiers de l'entreprise sont nuls;

b) une augmentation du volume des ventes de 10% se traduira par une augmentation du bénéfice par action de 60%;

c) une augmentation du BAII de 10% se traduira par une augmentation du bénéfice par action de 60% si les frais fixes d'exploitation de l'entreprise sont nuls;

d) une diminution du volume des ventes de 10% se traduira par une diminution du bénéfice par action de 60%;

e) tous les énoncés précédents sont vrais.

5. La compagnie Mado inc. produit et vend un seul produit à un niveau supérieur à son point mort général. Toutes choses étant égales par ailleurs, son coefficient de levier d'exploitation va diminuer si :

a) le prix de vente unitaire diminue;

b) le coût variable unitaire augmente;

c) les intérêts payés augmentent;

d) les intérêts payés diminuent;

e) la quantité vendue augmente.

6. L'entreprise Mira inc. se spécialise dans la production d'un seul produit qu'elle vend 3 $ l'unité. Ses coûts fixes annuels d'exploitation s'élèvent à 150 000 $ (incluant 25 000 $ d'amortissement) et son coût variable unitaire se situe à 1,50 $. Les intérêts versés annuellement aux obligataires sont de 30 000 $. Le taux d'impôt de l'entreprise est de 40%.

a) Quel est le point mort général de l'entreprise?

b) Quel est le point mort d'encaisse de l'entreprise?

c) Quel est le coefficient de levier d'exploitation de l'entreprise à un niveau des ventes de 125 000 unités?

d) Quel est le coefficient de levier d'exploitation de l'entreprise à un niveau des ventes de 100 000 unités?

e) Quel est le coefficient de levier financier de l'entreprise pour un BAII de 37 500 $?

f) Quel est le coefficient de levier total de l'entreprise à un niveau des ventes de 100 000 unités?

7. La compagnie Simex inc. a des coûts fixes totaux de 200 000 $, un coût variable unitaire de 7,25 $ et un prix de vente unitaire de 32 $.

a) Quel est le point mort général de l'entreprise en unités vendues? En dollars de ventes?

b) Représentez sur un même graphique les revenus totaux, les coûts fixes, les coûts variables et les coûts totaux de l'entreprise en fonction du nombre d'unités vendues. Identifiez sur ce graphique le point mort général.

c) Si la marge de contribution unitaire augmente de 15%, quel sera alors le point mort général de l'entreprise en unités vendues?

8. La compagnie Quantek inc. ne fabrique qu'un seul produit, le produit Z. Selon les analystes de la compagnie, la quantité vendue (X) est reliée au prix de vente unitaire (p) de la façon suivante :

$$X = 3\ 000 - 60\ p, \quad p \leq 50$$

Le coût variable unitaire est de 10 $ et les coûts fixes totaux sont de 20 000 $.

a) Déterminez les points morts de l'entreprise en unités vendues.

b) Combien d'unités Quantek inc. doit-elle vendre dans le but de maximiser ses profits? Quel est le profit (avant impôt) de l'entreprise correspondant à ce volume des ventes?

9. On dispose des renseignements suivants concernant l'entreprise ASA inc.:

- Prix de vente unitaire : 10 $
- Coût variable unitaire : 6 $
- Frais fixes d'exploitation : 100 000 $
- Frais fixes financiers : 0

a) Déterminez le point mort général de l'entreprise en unités.

b) Calculez le coefficient de levier d'exploitation pour les volumes de ventes suivants: 0, 10 000, 20 000, 25 000, 30 000, 40 000 et 50 000 unités.

c) À l'aide des résultats obtenus en (b), représentez graphiquement le coefficient de levier d'exploitation (axe des Y) en fonction du volume des ventes (axe des X).

10. Les états financiers simplifiés de la compagnie ADX inc. se présentent ainsi :

Bilan au début de l'année XX + 1
(en millions de dollars)

Ventes	1 000 000 $
Coûts variables (30%)	300 000
Coûts fixes d'exploitation	400 000
Bénéfice avant intérêts et impôts	300 000 $
Intérêt (1 000 000 $ × 10%)	100 000
Bénéfice avant impôts	200 000 $
Impôt (50%)	100 000
Bénéfice net	100 000 $
Bénéfice par action (100 000 actions)	1 $

a) Calculez et interprétez le coefficient de levier d'exploitation, le coefficient de levier financier et le coefficient de levier total au niveau actuel des ventes de la compagnie.

b) Quelle devra être, en pourcentage et en dollars, l'augmentation des ventes de la compagnie afin que le bénéfice par action ordinaire s'élève à 1,80 $ l'an prochain?

11. Voici un ensemble de données concernant la compagnie Boileau inc. :

- Bénéfice net (après impôt) : 90 000 $
- Taux d'imposition : 50%
- Actifs totaux: 1 800 000 $
- $\dfrac{\text{Dette totale}}{\text{Avoir des actionnaires ordinaires}} = 50\%$
- Dette à long terme : 500 000 $ (taux d'intérêt annuel : 8%)
- La compagnie ne vend qu'un seul produit au prix unitaire de 4 $.
- Nombre d'unités vendues annuellement : 100 000 $
- Le coût variable unitaire est constant.
- Frais fixes d'exploitation annuels : 70 000 $

a) Déterminez le point mort général en unités vendues.

b) Déterminez et interprétez le coefficient de levier d'exploitation, le coefficient de levier financier et le coefficient de levier total à un niveau de 100 000 unités vendues.

12. La compagnie Kassé inc. a besoin d'un financement additionnel de 500 000 $ Actuellement, l'entreprise a en circulation des obligations d'une valeur nominale totale de 1 000 000 $ (taux de coupon annuel : 9%) et 500 000 actions ordinaires. Elle considère les deux possibilités de financement suivantes :

- une émission de 5000 actions privilégiées. Le dividende par action versé annuellement aux investisseurs serait de 11 $;
- une émission d'obligations au taux de coupon annuel de 12%.

Le bénéfice avant intérêts et impôts de l'entreprise est de 400 000 $ et son taux d'imposition de 40%.

Déterminez le coefficient de levier financier de l'entreprise pour chacune des deux possibilités de financement décrites ci-dessus.

13. On dispose des renseignements suivants relativement aux compagnies A, B et C :

	A	B	C
Prix de vente unitaire	20 $	20 $	20 $
Coût variable unitaire	8 $	10 $	12 $
Frais fixes d'exploitation (à l'exclusion de l'amortissement)	150 000 $	75 000 $	20 000 $
Amortissement	40 000 $	25 000 $	6 000 $

Les trois entreprises vendent le même bien et n'ont pas recours à l'endettement. La compagnie A est fortement automatisée, la compagnie B est moyennement automatisée et la compagnie C est peu automatisée.

a) Quel est le point mort général en unités de chacune de ces entreprises?

b) Quel est le point mort d'encaisse de chacune de ces entreprises?

c) Quel est le coefficient de levier d'exploitation de chacune de ces entreprises à un niveau de ventes de 40 000 unités?

d) Laquelle de ces trois compagnies vous apparaît la plus risquée? La moins risquée?

14. La compagnie DPC inc. vend un seul produit au prix unitaire de 15 $. Son coût variable unitaire est de 9 $ et ses frais fixes totaux s'élèvent à 120 000 $ (incluant 10 000 $ d'amortissement). L'entreprise envisage la possibilité d'acquérir une nouvelle machine, ce qui aurait pour effet de diminuer son coût variable unitaire à 7 $ et d'augmenter ses frais fixes. Déterminez la hausse des frais fixes pour laquelle le point mort général de l'entreprise ne serait pas affecté par l'achat de la nouvelle machine.

Annexe

L'analyse du point mort en contexte de risque[6]

L'analyse traditionnelle du point mort ne prend aucunement en considération le risque, ce qui peut, dans certaines circonstances, en limiter grandement l'utilité. Dans le but d'éliminer cette lacune et, par conséquent, d'améliorer la prise de décision, nous supposons ci-dessous que le volume des ventes (X) est une variable aléatoire assujettie à la loi normale, dont la moyenne est E(X) et l'écart-type $\sigma(X)$. La figure 5.6 illustre cette situation.

Figure 5.6

La courbe normale

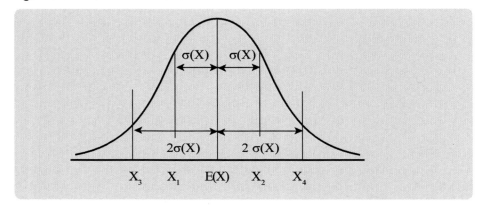

La distribution précédente est symétrique par rapport à E(X) et la surface totale sous la courbe vaut 1. De plus, dans une telle distribution, il y a notamment environ 68% de chances que le volume des ventes se situe entre X_1 et X_2, soit dans l'intervalle $[E(X) - \sigma(X), E(X) + \sigma(X)]$, et une probabilité d'environ 95% que le volume des ventes soit compris entre X_3 et X_4, soit dans l'intervalle $[E(X) - 2\sigma(X), E(X) + 2\sigma(X)]$. Ces probabilités s'obtiennent directement de la table de la loi normale centrée réduite (table 5) qui se trouve à la fin du volume. Enfin, notons que, tout dépendant de la valeur de $\sigma(X)$, la distribution peut être plus ou moins étalée que celle représentée ci-dessus.

Pour appliquer ces concepts à l'analyse du point mort, considérons l'exemple suivant.

Exemple 5.2 | **Analyse du point mort en contexte de risque**

La compagnie MST inc. envisage de lancer un nouveau produit sur le marché. Le prix de vente de ce produit serait de 1 500 $ et le coût variable unitaire de 800 $. De plus, les frais fixes totaux de l'entreprise augmenteraient de 700 000 $. Toutes ces valeurs sont connues avec certitude. Enfin, on pense que la quantité vendue est assujettie à une loi normale dont l'espérance mathématique est de 1 200 unités et l'écart-type de 300 unités.

[6] Notre discussion s'inspire de Jaedicke, R.K. et A.A. Robichek, « Cost-Volume-Profit Analysis Under Conditions of Uncertainty », *The Accounting Review*, Octobre 1964.

a) Calculez le point mort en unités vendues.

b) Calculez la probabilité que le volume des ventes excède le point mort.

■ **Solution**

a) Le point mort se calcule ainsi :

$$X = \frac{F}{p - v}$$

$$X = \frac{700\,000}{1500 - 800} = 1000 \text{ unités}$$

b) La probabilité que le volume des ventes excède le point mort se calcule à l'aide de la table de la loi normale centrée réduite qui se trouve à la fin du volume. On obtient alors :

P [Volume des ventes > 1000 unités]

$$= \quad P\,[X > 1000 \text{ unités}]$$

$$= \quad P\!\left[Z > \frac{X - E(X)}{\sigma(X)}\right]$$

$$= \quad P\!\left[Z > \frac{1000 - 1200}{300}\right]$$

$$= \quad P\,[Z > -0{,}67]$$

$$= \quad P\,[-0{,}67 < Z < 0] + 0{,}50$$

$$= \quad 0{,}7486$$

Il y a donc environ 3 chances sur 4 que le produit soit rentable. À la lumière de ce renseignement additionnel, il reviendra au gestionnaire de décider si le risque associé au nouveau produit est acceptable.

L'administrateur peut également être intéressé à connaître la probabilité que le bénéfice soit supérieur ou inférieur à un montant donné. Dans ce but, déterminons, en premier lieu, le bénéfice espéré avant impôts [E(B)] et l'écart-type du bénéfice avant impôts [σ(B)]. Le bénéfice espéré avant impôts est :

$$\begin{aligned}
E(B) \quad &= \quad E[X(p - v) - F] \\
&= \quad (p - v)\,E(X) - F \\
&= \quad (1\,500 - 800)(1\,200) - 700\,000 \\
&= \quad 140\,000\ \$
\end{aligned}$$

D'autre part, l'écart-type du bénéfice avant impôts peut se calculer de la façon suivante :

$$\sigma^2(B) = \sigma^2\,[X(p - v) - F]$$

$$= (p - v)^2\ \sigma^2(X)$$

et $\quad \sigma(B) \quad = (p - v)\sigma(X)$

$\qquad\qquad = (1\,500 - 800)(300)$

$\qquad\qquad = 210\,000\ \$$

À partir des données précédentes, on peut notamment calculer, à l'aide de la table de la loi normale centrée réduite, la probabilité que le bénéfice avant impôts soit compris entre 0 et 400 000 \$. On obtient alors :

$$P(0 \leq B \leq 400\,000) = P\left[\frac{0 - 140\,000}{210\,000} \leq Z \leq \frac{400\,000 - 140\,000}{210\,000}\right]$$

$$= P\left[-0,67 \leq Z \leq 1,24\right]$$

$$= P\left[-0,67 \leq Z \leq 0\right] + P\left[0 \leq Z \leq 1,24\right]$$

$$= 0,6411$$

Exercice

La compagnie MMK inc. considère la possibilité de lancer un nouveau produit sur le marché. Les prévisions suivantes sont disponibles :

	Espérance mathématique	Écart-type
Quantité vendue	20 000	2 800
Prix de vente	50 \$	0
Coût variable unitaire	30 \$	0
Augmentation des coûts fixes de l'entreprise	300 000 \$	0

a) Quel est le point mort en unités vendues?

b) Quelle est la probabilité que le volume des ventes excède le point mort?

c) Quelle est la probabilité que le bénéfice avant impôts relatif à ce nouveau produit soit compris entre 50 000 \$ et 100 000 \$?

6

La prévision financière

Sommaire

6

Lorsque vous aurez complété l'étude du chapitre 6,

1. vous pourrez établir un budget de caisse et serez apte à estimer les besoins de financement à court terme de l'entreprise;

2. vous serez capable d'établir des états financiers prévisionnels (bilan et état des résultats) à l'aide de la méthode du pourcentage des ventes et de la méthode détaillée;

3. vous serez apte à estimer les besoins de financement externes de l'entreprise à l'aide de la méthode du pourcentage des ventes;

4. vous connaîtrez les limites de la méthode du pourcentage des ventes;

5. vous serez en mesure d'estimer le taux de croissance soutenable d'une entreprise;

6. vous saurez que les entreprises moyennement ou peu rentables ne pourront croître rapidement à moins d'être en mesure d'augmenter leur ratio d'endettement ou d'émettre de nouvelles actions ordinaires;

7. vous pourrez prévoir les valeurs numériques que prendront certains postes du bilan et de l'état des résultats à l'aide de la méthode de la régression linéaire simple.

6.1 Introduction

Ce chapitre est consacré à l'établissement des prévisions financières. Il s'agit là d'une des responsabilités qui incombe au gestionnaire financier. En effet, c'est à ce dernier que revient la tâche d'estimer les besoins de fonds requis par l'entreprise au cours des prochaines années, le moment où ces fonds seront nécessaires et de déterminer l'impact que pourraient avoir certaines décisions d'investissement et/ou de financement sur la position financière et les bénéfices futurs de l'entreprise.

Le présent chapitre se divise en deux parties. Dans un premier temps, nous montrons comment établir un budget de caisse. Le budget de caisse ou de trésorerie est surtout utilisé pour des prévisions axées sur le court terme. Il permet au gestionnaire financier d'estimer les besoins de financement à court terme auxquels fera face l'entreprise, compte tenu de ses entrées et sorties de fonds prévues au cours des prochains mois.

En second lieu, nous discutons de différentes méthodes permettant d'établir des états financiers prévisionnels (état des résultats et bilan). Ces états financiers ont pour objectif de projeter une image de l'entreprise pour les exercices financiers à venir. L'état prévisionnel des résultats permet à l'administrateur d'obtenir une estimation du bénéfice net annuel prévu pour les prochains exercices financiers alors que le bilan prévisionnel lui indique le solde prévu de chacun des postes de l'actif et du passif à la fin des prochains exercices financiers.

6.2 Le budget de caisse

Budget de caisse
Outil de gestion visant à prévoir les entrées et les sorties d'argent de l'entreprise au cours des prochains mois

Le budget de caisse est une prévision des entrées et des sorties de fonds de l'entreprise au cours d'une période donnée. Ce budget constitue le principal instrument de travail du gestionnaire financier au niveau de la gestion de l'encaisse. Il permet à ce dernier d'identifier les périodes où l'entreprise aura des excédents de trésorerie et celles où elle devra recourir à du financement externe et, par conséquent, de mieux planifier le financement à court terme. De plus, les flux monétaires prévisionnels apparaissant au budget de caisse constituent des points de repère avec lesquels le gestionnaire pourra comparer les résultats réels et prendre, s'il y a lieu, les mesures correctives appropriées.

La période couverte par le budget de caisse est susceptible de varier en fonction de la nature des activités de l'entreprise. Cependant, pour un bon nombre d'entreprises, la période budgétaire est d'une année et cette dernière est généralement subdivisée en intervalles plus courts d'un mois.

La préparation d'un budget de caisse sur une base mensuelle s'effectue en quatre étapes: (1) la prévision des ventes, (2) l'estimation des entrées de fonds, (3) l'estimation des sorties de fonds et (4) le calcul du solde d'encaisse en fin de mois et la détermination des besoins de financement totaux requis et du surplus d'encaisse.

1. **La prévision des ventes.** Il s'agit, sans aucun doute, de l'étape la plus difficile et la plus importante dans la préparation d'un budget de caisse. Très souvent, c'est au département de marketing que revient la tâche de prévoir les ventes pour les mois à venir. Les prévisions effectuées tiendront notamment compte des facteurs suivants :

- les ventes passées;
- les dépenses de publicité et de promotion;
- l'équipe de vendeurs en place;
- la concurrence;
- la capacité de production;
- les politiques en matière de fixation des prix;
- les études de marché;
- les fluctuations saisonnières;
- les conditions d'ensemble de l'économie et de l'industrie dans laquelle opère l'entreprise;
- le cycle de vie des produits vendus.

À partir des ventes anticipées, le gestionnaire financier est alors en mesure d'estimer les entrées et sorties de fonds mensuelles prévues et de déterminer, s'il y a lieu, les besoins de financement requis et le moment où les fonds seront nécessaires.

2. **L'estimation des entrées de fonds.** Dans l'estimation des entrées de fonds, on doit notamment tenir compte des éléments suivants :

- les ventes au comptant;
- le règlement des ventes effectuées à crédit;
- les intérêts, les dividendes et les loyers perçus;
- le produit de la vente de valeurs mobilières ou d'immobilisations;
- les recouvrements d'impôt;
- le produit d'une nouvelle émission d'actions ou de titres d'emprunt;
- les subventions gouvernementales.

3. **L'estimation des sorties de fonds.** Dans l'estimation des sorties de fonds, on doit notamment tenir compte des éléments suivants :

- les achats payés comptant;
- le paiement des achats effectués à crédit;
- les salaires payés;
- les loyers payés;
- les impôts payés;
- les versements au fonds d'amortissement et les intérêts payés;
- les dividendes versés;
- les rachats d'actions;
- les paiements effectués dans le but d'acquérir des immobilisations;
- le chauffage, l'électricité, les assurances, etc...

4. **Le calcul du solde d'encaisse en fin de mois et la détermination des besoins de financement totaux requis ou du surplus d'encaisse.** Le solde d'encaisse en fin de mois s'obtient en ajoutant au solde d'encaisse en début de mois le flux monétaire net du mois (c.-à-d. la différence entre les entrées de fonds et les sorties de fonds du mois). Par la suite, en soustrayant du solde d'encaisse en fin de mois l'encaisse minimal requis, on obtient les besoins de financement totaux requis ou le surplus d'encaisse. Lorsque le solde d'encaisse en fin de mois excède l'encaisse minimal requis, l'entreprise dispose d'un surplus d'encaisse. Inversement, lorsque le solde d'encaisse en fin de mois est inférieur à l'encaisse minimal requis, l'entreprise doit recourir au financement externe.

Le tableau 6.1 montre la structure générale d'un budget de caisse.

Exemple 6.1 **Établissement d'un budget de caisse**

La compagnie Domégo inc. veut établir un budget de caisse pour les trois derniers mois de l'année. Les renseignements suivants sont disponibles :

- Les ventes totales en août et en septembre se sont élevées respectivement à 175 000 $ et à 160 000 $. Pour les trois derniers mois de l'année, le directeur de marketing prévoit les ventes mensuelles suivantes :

Tableau 6.1

Structure générale d'un budget de caisse mensuel

	Janv.	Fév.	Mars	...	Nov.	Déc.
Entrées de fonds totales	-	-	-	...	-	-
Moins: sortie de fonds totales	-	-	-	...	-	-
Flux monétaire net du mois	-	-	-	...	-	-
Plus: solde d'encaisse au début du mois	-	-	-	...	-	-
Solde d'encaisse à la fin du mois	-	-	-	...	-	-
Moins: solde d'encaisse mimimum requis	-	-	-	...	-	-
Financemen total requis (total des emprunts en cours) ou surplus d'encaisse	-	-	-	...	-	-

Exemple 6.1

(suite)

Établissement d'un budget de caisse

Octobre :   180 000 $

Novembre :   170 000 $

Décembre :   225 000 $

- En se basant sur l'expérience passée, on sait que 25% des ventes sont payées comptant, 40% sont payées un mois après la vente et 30% sont payées deux mois après la vente. Les mauvaises créances s'élèvent habituellement à 5% des ventes.

- Les achats mensuels de la compagnie représentent 60% de ses ventes totales du mois; 15% sont payés comptant et 85% dans le mois suivant celui où la marchandise est achetée.

- En octobre, la compagnie vendra des obligations qu'elle détient, ce qui rapportera 40 000 $.

- La compagnie anticipe recevoir un dividende de 15 000 $ de l'une de ses filiales en novembre.

- Le loyer mensuel, payable au début de chaque mois, s'élève à 8000 $.

- Un dividende en espèces de 10 000 $ sera versé aux actionnaires en décembre.

- L'entreprise devra payer des impôts de 9000 $ en décembre.

- Les salaires mensuels à payer s'élèvent à 55 000 $.

- Les intérêts à payer sur la dette s'élèveront à 15 000 $ en décembre. Un versement de 30 000 $ au fonds d'amortissement est également prévu en décembre.

- Les autres sorties de fonds s'élèvent à 10 000 $ par mois.

- L'amortissement comptable est de 20 000 $ par mois. Il est calculé selon la méthode linéaire.

- Le 1er octobre l'encaisse est de 32 000 $. L'entreprise désire maintenir un solde d'encaisse minimum de 25 000 $.

À partir des suppositions précédentes, établissez le budget de caisse de l'entreprise Domégo inc. pour les trois derniers mois de l'année.

■ **Solution**

Dans un premier temps, déterminons les entrées de fonds prévues pour chacun des trois derniers mois de l'année.

Entrées de fonds prévues pour le dernier trimestre de l'année

	Août	Sept.	Oct.	Nov.	Déc.
Ventes au comptant (25%)	43 750 $	40 000 $	45 000 $	42 500 $	56 250 $
Recouvrement des comptes clients :					
liés aux ventes effectuées il y a un mois (40%)		70 000	64 000	72 000	68 000
liés aux ventes effectuées il y a deux mois (30%)			52 500	48 000	54 000
Autres entrées de fonds:					
Ventes d'obligations			40 000		
Dividendes				15 000	
Total des entrées de fonds			201 500 $	177 500 $	178 250 $

En second lieu, déterminons les sorties de fonds prévues pour chacun des trois derniers mois de l'année.

Sorties de fonds prévues pour le dernier trimestre de l'année

	Août	Sept.	Oct.	Nov.	Déc.
Achats du mois = 60% × ventes du mois	105 000 $	96 000 $	108 000 $	102 000 $	135 000 $
Achats au comptant (15%)	15 750	14 400	16 200	15 300	20 250
Déboursés liés aux achats du mois précédent (85%)		89 250	81 600	91 800	86 700
Loyers	8 000	8 000	8 000	8 000	8 000
Dividende en espèces					10 000
Impôt					9 000
Salaires	55 000	55 000	55 000	55 000	55 000
Intérêts sur la dette					15 000
Versement au fonds d'amortissement					30 000
Autres sorties de fonds	10 000	10 000	10 000	10 000	10 000
Total des sorties de fonds			170 800 $	180 100 $	243 950 $

Remarque. Nous n'avons pas tenu compte de l'amortissement dans les calculs étant donné que cette dépense n'entraîne aucune sortie de fonds.

À partir des entrées et des sorties de fonds totales pour chacun des mois, on est maintenant en mesure d'établir le budget de caisse de l'entreprise Domégo inc.

Budget de caisse de l'entreprise Domégo inc. pour le dernier trimestre de l'année

	Oct.	Nov.	Déc.
Entrées de fonds totales	201 500 $	177 500 $	178 250 $
Moins: sorties de fonds totales	170 800	180 100	243 950
Flux monétaire net du mois	30 700 $	-2 600 $	-65 700 $
Plus: solde d'encaisse au début du mois	32 000	62 700	60 100
Solde d'encaisse à la fin du mois	62 700 $	60 100 $	-5 600 $
Moins: solde d'encaisse minimum requis	25 000	25 000	25 000
Financement total requis	-	-	30 600 $
Surplus d'encaisse	37 700 $	35 100 $	-

Le budget de caisse ci-dessus nous indique que l'entreprise Domégo inc. peut s'attendre à réaliser un surplus d'encaisse de 37 700 $ en octobre et de 35 100 $ en novembre. Ces fonds excédentaires pourront être investis dans des titres à court terme, ce qui générera des revenus de placement. En décembre, selon les prévisions, l'entreprise devrait enregistrer un déficit de caisse. Il lui faudra alors contracter un emprunt de 30 600 $ - probablement un emprunt bancaire à court terme - si elle veut maintenir un solde d'encaisse minimal de 25 000 $.

6.3 Les états financiers prévisionnels

États financiers prévisionnels
États financiers visant à prévoir les résultats de l'entreprise ainsi que sa situation financière selon un ensemble d'hypothèses réalistes

Dans cette section, nous discutons de différentes méthodes (méthode du pourcentage des ventes, régression linéaire et méthode détaillée) permettant d'établir des états financiers prévisionnels. Ces derniers sont utiles pour prévoir la performance financière de l'entreprise et estimer ses besoins de fonds requis selon différents scénarios. De plus, ils peuvent être utilisés comme normes avec lesquelles les résultats réels de l'entreprise pourront être comparés. Enfin, ils sont généralement exigés par les banques et autres institutions prêteuses lors de la prise de décision concernant le maintien ou l'octroi d'un prêt à l'entreprise.

Avant d'aborder les différentes méthodes nous permettant d'établir des états financiers prévisionnels, il est sans doute utile de résumer schématiquement (voir la figure 6.1 de la page 171) les grandes étapes du processus de prévision financière. Comme l'indique la figure 6.1, la première étape consiste à établir une prévision des ventes pour la période à venir. Par la suite, on est en mesure de prévoir les recettes, les achats et les déboursés de la prochaine période. À partir de ces prévisions et en tenant compte du solde d'encaisse en début de période, un budget de caisse sera alors dressé et servira lors de la préparation de l'état prévisionnel des résultats et du bilan prévisionnel. Il est à noter que pour dresser un état prévisionnel des résultats on devra recourir, en plus des informations contenues au budget de caisse, aux prévisions concernant le coût des marchandises vendues et la dépense d'amortissement pour la période à venir. Finalement, pour établir le bilan prévisionnel, nous utiliserons à la fois les données provenant du budget de caisse, de l'état prévisionnel des résultats et du bilan actuel de l'entreprise.

6.3.1 La méthode du pourcentage des ventes

Méthode du pourcentage des ventes
Outil de prévision financière basé sur les relations observées par le passé entre les ventes et les différents postes des états financiers

Selon cette méthode de prévision, on a recours aux relations historiques existant entre les ventes et les différents postes du bilan et de l'état des résultats pour établir les états financiers prévisionnels et déterminer les besoins de financement requis de l'entreprise. Par exemple, si les données historiques montrent que le coût des marchandises vendues correspond à 60% des ventes et que les ventes prévues pour l'année à venir s'élèvent à 2 000 000 $, le coût des marchandises vendues prévu pour la prochaine année sera alors égal à 1 200 000 $, soit 60% $\times$ 2 000 000 $. Il est important de souligner que cette approche relativement simple ne prend aucunement en considération les autres informations disponibles au moment présent et qui pourraient indiquer un changement dans la relation observée par le passé entre les ventes et un poste donné de l'état des résultats ou du bilan.

Pour illustrer en détail cette méthode, nous aurons recours aux états financiers de la compagnie Expertise inc. pour l'année se terminant le 31 décembre XX+0.

Expertise inc.
État des résultats
pour l'année se terminant le 31 décembre XX+0

Ventes		
Produit A 2000 unités à 50$	100 000 $	
Produit B 5000 unités à 60$	300 000	
Total des ventes		400 000 $
Coût des produits vendus		270 000
Bénéfice brut		130 000 $
Frais d'exploitation		40 000
Bénéfice d'exploitation		90 000 $
Intérêts sur la dette		12 000
Bénéfice avant impôts		78 000 $
Impôt (40%)		31 200
Bénéfice net		46 800 $

Figure 6.1

Processus de prévision financière

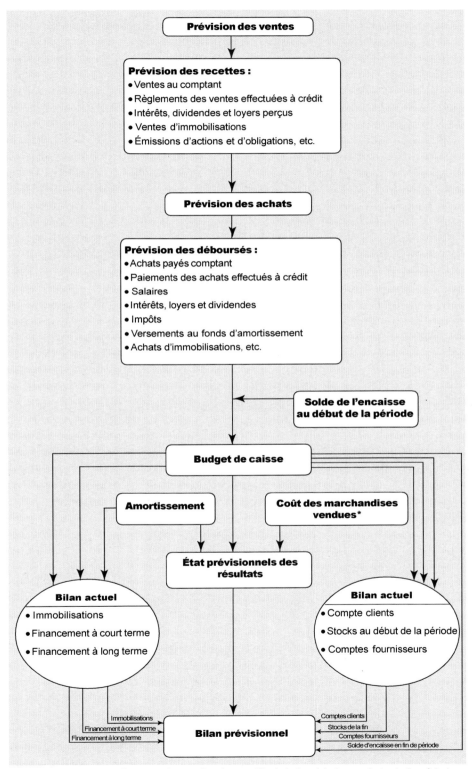

*Coûts des marchandises vendues = Stocks au début de la période + achats de la période - stocks à la fin de la période

Expertise Inc.
Bilan au 31/12/XX+0

Actif		Passif et avoir des actionnaires	
Encaisse	50 000 $	Comptes fournisseurs	65 000 $
Comptes clients	70 000	Salaires et impôts à payer	22 000
Stocks	55 000		
Total de l'actif à court terme	175 000 $	Total du passif à court terme	87 000 $
		Dette à long terme	90 000
Immobilisations nettes	210 000	Capital-actions ordinaire	150 000
		Bénéfices non répartis	58 000
Total de l'actif	385 000 $	Total du passif et de l'avoir des actionnaires	385 000 $

Les ventes prévues pour la prochaine année (XX+1) sont les suivantes :

Produit A : 2 500 unités à 56 $/unité:	140 000 $	
Produit B : 6 000 unités à 70 $/unité:	420 000	
Ventes totales prévues :	560 000 $	

À partir des renseignements précédents, on est en mesure d'établir l'état prévisionnel des résultats de l'entreprise Expertise inc. pour l'année XX+1 en ayant recours à la méthode du pourcentage des ventes.

Établissement de l'état prévisionnel des résultats selon la méthode du pourcentage des ventes

Si l'on veut utiliser la méthode du pourcentage des ventes, on doit, dans un premier temps, identifier les dépenses qui sont les plus susceptibles de varier en fonction du niveau des ventes. Les dépenses qui varient généralement en fonction du volume des ventes sont les suivantes :

- le coût des produits vendus

- les frais d'exploitation

En supposant que l'année XX+0 caractérise bien la relation historique existant entre les ventes et les dépenses énumérées ci-dessus, on peut obtenir une estimation du coût des produits vendus et des frais d'exploitation pour l'année XX+1 en procédant ainsi :

$$\text{Estimation du coût des produits vendus pour l'année XX+1} = \left(\frac{\text{Coût des produits vendus de l'année XX+0}}{\text{Ventes de l'année XX+0}}\right)\left(\text{Ventes prévues pour l'année XX+1}\right)$$

$$= \left(\frac{270\ 000}{400\ 000}\right)(560\ 000)$$

$$= 378\ 000\ \$$$

$$\begin{array}{l} \text{Estimation des frais} \\ \text{d'exploitation pour} \\ \text{l'année XX+1} \end{array} = \left(\dfrac{\begin{array}{c}\text{Frais d'exploitation} \\ \text{de l'année XX}+0\end{array}}{\text{Ventes de l'année XX}+0} \right)\left(\begin{array}{c}\text{Ventes prévues} \\ \text{pour l'année XX}+1\end{array} \right)$$

$$= \left(\dfrac{40\ 000}{400\ 000} \right)(560\ 000)$$

$$= 56\ 000\ \$$$

Si les intérêts pour l'année XX+1 demeurent à 12 000 $, on obtiendra alors l'état prévisionnel des résultats suivant pour l'année XX+1 :

Expertise inc.
État prévisionnel des résultats
pour l'année se terminant le 31 décembre XX+0

Ventes	560 000 $
Coût des produits vendus	378 000
Bénéfice brut	182 000 $
Frais d'exploitation	56 000
Bénéfice d'exploitation	126 000 $
Intérêts sur la dette	12 000
Bénéfice avant impôts	114 000 $
Impôt (40%)	45 600
Bénéfice net	68 400 $

Critique de l'approche utilisée

Malgré le fait que, de façon générale, on retrouve dans la structure des coûts d'une entreprise des coûts fixes et variables, nous avons supposé que tous les coûts inclus dans le coût des produits vendus et les frais d'exploitation étaient variables. Cette hypothèse simplificatrice a eu pour effet de sous-estimer le bénéfice net prévu pour l'année XX+1, puisque nous n'avons pas tenu compte de l'effet de levier que procurent les charges fixes d'exploitation. La ventilation des coûts en coûts fixes et variables aurait permis d'améliorer la précision de la méthode utilisée pour établir l'état prévisionnel des résultats. Cependant, les données disponibles ne permettaient pas d'effectuer ce genre de raffinement dans le cas présent.

Estimation du financement externe requis selon la méthode du pourcentage des ventes

La méthode du pourcentage des ventes peut également être utilisée pour estimer les besoins de financement externes correspondant à un chiffre d'affaires donné. Pour utiliser cette méthode, on doit, dans un premier temps, identifier les postes du bilan les plus susceptibles de varier en fonction du volume des ventes. Intuitivement, dans le cas de l'entreprise Expertise inc., ces postes sont les suivants :

- Encaisse
- Comptes clients
- Stocks
- Immobilisations

- Comptes fournisseurs
- Salaires et impôts à payer

Par la suite, il s'agit d'exprimer en pourcentage des ventes chacun des postes du bilan que nous avons identifié comme étant dépendant du volume des ventes. On obtient alors les résultats suivants :

Expertise inc.

Bilan au 31/12/XX+0

exprimé en pourcentage des ventes de XX+0

Actif		Passif et avoir des actionnaires	
Encaisse	12,50%	Comptes fournisseurs	16,25%
Comptes clients	17,50%	Salaires et impôt à payer	5,50%
Stocks	13,75%	Dette à long terme	S/O
Immobilisations nettes	52,50%	Capital-actions ordinaire	S/O
		Bénéfices non répartis	S/O
Total	96,25%	Total	21,75%

Le bilan ci-dessus indique que, pour chaque dollar supplémentaire de vente, l'actif total de l'entreprise devra croître de 0,9625 $ et que son passif à court terme augmentera automatiquement de 0,2175 $. L'entreprise devra donc financer 0,745 $ pour chaque hausse de 1 $ de son chiffre d'affaires. Le financement requis pourra provenir de sources internes[1] (bénéfices de l'entreprise qui ne sont pas distribués en dividendes) et/ou externes (emprunt bancaire et/ou financement par actions).

Ainsi, dans le cas où les ventes de l'entreprise Expertise inc. passent de 400 000 $ à 560 000 $ (c.-à-d. une augmentation de 160 000 $), le financement requis pour l'ensemble des postes de l'actif sera de 154 000 $, soit 160 000 $ × 96,25%. Si l'on suppose que l'entreprise verse en dividendes à ses actionnaires 40% de ses bénéfices, le financement requis proviendra alors partiellement des postes suivants :

		Calculs
Comptes fournisseurs	26 000 $	160 000 × 16,25%
Salaires et impôts à payer	8 800	160 000 × 5,5%
Bénéfices réinvestis de l'année XX+1	41 040	68 400 - (40%)(68 400)
Total	75 840 $	

Le financement externe requis sera donc de 78 160 $ (c.-à-d. 154 000 $ — 75 840 $).

Il est possible d'estimer plus rapidement le financement externe nécessaire en utilisant l'équation (6.1) de la page suivante :

---

[1] Lorsque l'on utilise la méthode du pourcentage des ventes pour estimer les besoins de financement requis, on n'inclut pas l'amortissement de l'exercice dans les sources de fonds internes de l'entreprise car cette méthode suppose que les fonds en provenance de l'amortissement servent à acquérir des immobilisations.

$$FER_1 = \left[\left(\frac{A_0}{V_0}\right)(V_1 - V_0)\right] - \left[\left(\frac{P_0}{V_0}\right)(V_1 - V_0)\right] - \left[\left(\frac{BN_1}{V_1}\right)V_1(1 - d_1)\right] \quad (6.1)$$

Augmentation prévue de l'actif   **Augmentation automatique du passif à court terme**   **Bénéfices réinvestis du prochain exercice**

où

FER_1 : Financement externe requis pour le prochain exercice financier.

A_0 / V_0 : L'actif qui augmente automatiquement avec les ventes, exprimé en pourcentage des ventes.

V_1 : Ventes prévues pour le prochain exercice financier.

V_0 : Ventes du dernier exercice financier.

P_0 / V_0 : Le passif qui augmente automatiquement avec les ventes, exprimé en pourcentage des ventes.

BN_1 / V_1 : Marge bénéficiaire nette prévue (après impôt) pour le prochain exercice financier.

d_1 : Pourcentage du bénéfice net du prochain exercice financier qui sera distribué en dividendes. Il est à noter que $1 - d_1$ correspond au pourcentage du bénéfice net du prochain exercice financier qui sera réinvesti par l'entreprise.

Dans le cas de l'entreprise Expertise inc., on obtient, en se basant sur les derniers états financiers et sur les ventes et dividendes prévus pour la prochaine année, les valeurs numériques suivantes :

$$\frac{A_0}{V_0} = \frac{385\,000}{400\,000} = 0,9625$$

$$V_1 = 560\,000\,\$$$

$$V_0 = 400\,000\,\$$$

$$\frac{P_0}{V_0} = \frac{87\,000}{400\,000} = 0,2175$$

$$\frac{BN_1}{V_1} = \frac{68\,400}{560\,000} = 0,122143$$

$$d_1 = 0,40$$

Le financement externe requis pour la prochaine année sera alors égal à :

$$FER_1 = (0,9625)(560\,000 - 400\,000) - (0,2175)(560\,000 - 400\,000)$$
$$- (0,122143)(560\,000)(1 - 0,40)$$

$$FER_1 = 78\,160\,\$$$

Ce résultat est évidemment identique à celui que nous avons trouvé précédemment.

L'expression (6.1) peut également s'avérer utile pour déterminer l'impact d'un changement dans la valeur numérique d'une ou de plusieurs des variables financières sur le financement externe requis. Par exemple, si la marge bénéficiaire nette après impôt pour la prochaine année $\left(\dfrac{BN_1}{V_1}\right)$ se situe à 8%, au lieu de 12,2143%, le financement externe requis sera alors de 92 320 $. D'autre part, si le pourcentage du bénéfice net distribué en dividendes (d_1) passe à 20%, les besoins de financement externes seront de 64 480 $, au lieu de 78 160 $.

Finalement, il nous apparaît pertinent d'identifier le niveau des ventes de l'entreprise Expertise inc. pour l'année XX+1 à partir duquel cette dernière devra recourir à du financement externe. En posant $FER_1 = 0$ dans l'équation (6.1), on obtient alors ce qui suit :

$$0 = (0{,}9625)(V_1 - 400\,000) - (0{,}2175)(V_1 - 400\,000) - (0{,}122143)\,V_1(1 - 0{,}40).$$

En réarrangeant les différents termes, on trouve :

$$0 = 0{,}6717142\,V_1 - 298\,000$$

d'où : $V_1 = 443\,641$ \$.

L'entreprise devra donc recourir à des sources de financement externes si ses ventes pour la prochaine année excèdent 443 641 $. De façon générale, on peut affirmer qu'une faible croissance des ventes peut être autofinancée alors qu'une hausse importante des ventes nécessite l'intervention des bailleurs de fonds externes. La figure 6.2 montre le financement externe requis par l'entreprise Expertise inc. pour l'année XX+1 en fonction du niveau des ventes.

Figure 6.2

Estimation du financement externe requis par l'entreprise Expertise inc. pour l'année XX+1 en fonction du niveau des ventes

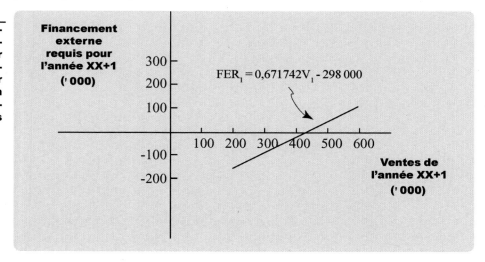

Financement externe requis pour l'année XX+1 (FER$_1$)	Ventes de l'année XX+1 (V$_1$)
-163 657 $	200 000 $
-96 486	300 000
0	443 641
37 857	500 000
78 160	560 000
105 029	600 000

Remarque. Lorsque la variable FER$_1$ prend une valeur négative, cela indique, qu'à ce niveau des ventes, l'entreprise disposera d'un surplus de fonds.

Taux de croissance soutenable

Taux ce croissance soutenable
Taux de croissance maximal de l'actif de l'entreprise en supposant qu'elle maintiendra constant son ratio d'endettement, sa politique de dividende, sa rentabilité et le nombre d'actions émises

Dans l'exemple précédent, nous avons vu que l'entreprise Expertise inc. prévoyait une croissance de son chiffre d'affaires de l'ordre de 40%, soit

$\dfrac{560\,000\,\$ - 400\,000\,\$}{400\,000\,\$}$. Pratiquement, est-ce que l'entreprise peut envisager

une telle croissance sans avoir à émettre de nouvelles actions ordinaires? Dans le cas présent, la réponse à cette question est négative. En effet, en admettant que le ratio d'endettement actuel de l'entreprise se situe à un niveau optimal et que celle-ci ne désire pas le dépasser, le taux de croissance soutenable peut se calculer à l'aide de l'expression suivante :

$$g_s = \frac{BN_1(1-d_1)}{FP_0} \tag{6.2}$$

où

g_s : Taux de croissance soutenable

BN_1 : Bénéfice net prévu pour le prochain exercice financier

d_1 : Pourcentage du bénéfice net du prochain exercice financier qui sera versé en dividendes

FP_0 : Fonds propres de l'entreprise au début de l'exercice financier.

En effectuant les substitutions appropriées, on trouve :

$$g_s = \frac{68400(1-0,40)}{150000+58000} = 19,73078\%$$

Ce résultat signifie que, si l'avoir des actionnaires augmente de seulement 19,73078%, l'actif de l'entreprise ne peut augmenter que de 19,73078% en admettant que le ratio d'endettement demeure à son niveau actuel, soit

$\dfrac{87\,000\,\$ - 90\,000\,\$}{385\,000\,\$} = 45,97\%$. Avec un tel taux de croissance et un ratio d'en-

dettement maintenu à 45,97%, le bilan de l'entreprise Expertise inc. se présente alors comme suit :

Expertise inc.
Bilan prévisionnel au 31/12/XX+1
(en supposant un taux de croissance des ventes de 19,73078%)

Actif		Passif et avoir des actionnaires	
Actif total	460 963,50 $	Passif à court terme	104 165,80 $
(385 000 × 1,1973078)		(87 000 × 1,1973078)	
		Dette à long terme	107 757,70
		(90 000 × 1,1973078)	
		Capital-actions ordinaire	150 000,00
		Bénéfices non répartis	99 040,00
		(58 000 + 41 040)	
			460 963,50 $

On notera que les bénéfices réinvestis de l'année étant de 41 040 $, l'entreprise ne peut emprunter à long terme qu'un montant additionnel de 17 757,70 $ si elle veut maintenir à son niveau initial son ratio d'endettement.

Pour conclure cette sous-section, on peut dire que les entreprises très rentables sont en mesure de supporter une croissance rapide de leurs ventes alors que celles qui sont marginalement rentables ne peuvent croître à un rythme élevé à moins d'émettre de nouvelles actions ordinaires, de réduire les dividendes versés aux actionnaires ou d'augmenter leur ratio d'endettement.

Établissement du bilan prévisionnel selon la méthode du pourcentage des ventes

Pour établir le bilan prévisionnel de l'entreprise Expertise inc. au 31/12/XX+1, on doit, dans un premier temps, identifier les postes du bilan qui varient en fonction du volume des ventes et exprimer chacun de ces postes en pourcentage des ventes de l'année XX+0. Dans la section portant sur l'estimation du financement externe requis, nous avons établi les pourcentages suivants :

- Encaisse : 12,5%
- Comptes clients : 17,5%
- Stocks : 13,75%
- Immobilisations nettes : 52,5%
- Comptes fournisseurs : 16,25%

- Salaires et impôts à payer: 5,5%
- Les postes suivants ne varient pas en fonction du volume des ventes: la dette à long terme, le capital-actions ordinaire et les bénéfices non répartis.

Par la suite, il s'agit de multiplier chacun des pourcentages obtenus précédemment par le chiffre d'affaires prévu pour l'année XX+1. On obtient alors les prévisions suivantes :

- Encaisse: 12,5% × 560 000 $ =   70 000 $
- Comptes clients: 17,5% × 560 000 $ =   98 000 $
- Stocks: 13,75% × 560 000 $ =   77 000 $
- Immobilisations nettes: 52,5% × 560 000 $ =   294 000 $
- Comptes fournisseurs: 16,25% × 560 000 $ =   91 000 $
- Salaires et impôts à payer: 5,5% × 560 000 $ = 30 800 $

Troisièmement, on détermine le montant figurant au poste « Bénéfices non répartis » à la fin de l'année XX+1 en effectuant le calcul suivant :

Solde des bénéfices non répartis à la fin de l'année XX+0	58 000 $
Plus: bénéfices prévus pour l'année XX+1	68 400
Moins: dividendes prévus pour l'année XX+1	27 360
(40% × 68 400 $ = 27 360 $)	99 040 $

Quatrièmement, on doit estimer les besoins de fonds externes de l'entreprise pour l'année XX+1. À ce sujet, nous avons déjà établi, à partir de l'équation (6.1), que l'entreprise devra recourir à du financement externe pour un montant de 78 160 $. Pour que le bilan soit en équilibre, nous aurons recours à un poste de passif intitulé « Financement externe requis ». En pratique, le financement externe nécessaire pourra provenir soit d'un emprunt (à court ou à long terme) et/ou d'une nouvelle émission d'actions (ordinaires ou privilégiées).

Cinquièmement, étant donné que nous utilisons le poste « Financement externe requis » pour équilibrer le bilan, les valeurs numériques qui figureront aux postes « Dette à long terme » et « Capital-actions ordinaire » le 31/12/XX+1 seront celles du 31/12/XX+0.

Suite à la discussion qui précède, on peut aisément dresser le bilan prévisionnel de la page suivante pour l'entreprise Expertise inc. au 31/12/XX+1.

Il est important de mentionner, qu'avec un taux de croissance des ventes de 40%, l'entreprise devra effectuer une nouvelle émission d'actions ordinaires si elle désire maintenir son ratio d'endettement à son niveau initial. En effet, comme nous l'avons indiqué précédemment, l'entreprise ne peut supporter une croissance supérieure à 19,73078% à moins d'accroître son ratio d'endettement, de procéder à une nouvelle émission d'actions ordinaires ou de réduire la part des profits versés en dividendes aux actionnaires.

Expertise inc.

Bilan prévisionnel au 31/12/XX+1

Actif		Passif	
Encaisse	70 000 $	Comptes fournisseurs	91 000 $
Comptes clients	98 000	Salaires et impôts à payer	30 800
Stocks	77 000	Dette à long terme	90 000
Immobilisations nettes	294 000 $	Capital-actions ordinaire	150 000
		Bénéfices non répartis	99 040
		Financement externe requis	78 160 $
Total	539 000 $		539 000 $

Principale lacune de la méthode du pourcentage des ventes

La méthode du pourcentage des ventes peut être très utile pour effectuer des prévisions à court terme. Toutefois, lorsque l'on utilise cette approche, il faut bien se rendre compte que celle-ci est basée sur des hypothèses simplificatrices qui ne sont pas toujours conformes à la réalité. Ainsi, la méthode du pourcentage des ventes suppose qu'il existe une relation linéaire passant par l'origine des axes et stable dans le temps entre les différentes variables financiè-res et les ventes. Cela implique, par exemple, que si le ratio $\dfrac{\text{Stocks}}{\text{Ventes}}$ s'élève à 0,50 et que les ventes augmentent de 2 000 000 $, les stocks devraient, selon cette méthode de prévision, croître de 1 000 000 $ (c.-à-d. 0,50 × 2 000 000 $). Cependant, dans bien des cas, il est probable que la hausse des stocks ne serait pas aussi importante. En effet, comme le suggère la formule de la quantité économique de commande (voir le chapitre 10 à ce sujet), le niveau des stocks devrait être proportionnel à la racine carré des ventes, plutôt qu'être relié linéai-rement aux ventes. Dans un tel contexte, l'utilisation de la méthode du pourcen-tage des ventes a pour conséquence de surestimer les stocks requis.

6.3.2 La méthode de la régression linéaire simple

Régression linéaire simple
Technique statistique visant à modéliser la relation entre une variable dépendante (par exemple, les stocks) et une variable explicative ou indépendante (par exemple, les ventes)

Une autre approche possible pour prévoir les valeurs numériques que prendront certains postes du bilan et de l'état des résultats consiste à avoir re-cours à un modèle de régression linéaire. Pour illustrer cette approche, nous utiliserons les données du tableau 6.2 concernant les ventes et les stocks de la compagnie MAG inc. au cours des dix dernières années :

Tableau 6.2

Stocks et ventes de l'entreprise MAG inc. au cours des dix dernières années

Années	Stocks (y_i) ('000 $)	Ventes (x_i) ('000 $)	$\dfrac{\text{Stocks}}{\text{Ventes}} = \dfrac{y_i}{x_i}$
XX + 1	4,03	45,60	0,088
XX + 2	4,61	49,62	0,093
XX + 3	5,06	57,28	0,088
XX + 4	5,07	64,77	0,078
XX + 5	6,65	84,80	0,078
XX + 6	10,87	179,24	0,061
XX + 7	11,65	175,24	0,066
XX + 8	12,78	201,81	0,063
XX + 9	14,38	217,52	0,066
XX + 10	12,16	241,06	0,050

La figure 6.3 représente les dix couples d'observations (x_i, y_i) du tableau précédent et la droite de régression que l'on peut obtenir à partir de ces valeurs historiques.

Figure 6.3

Régression linéaire simple entre les ventes et les stocks de la compagnie Mag inc.

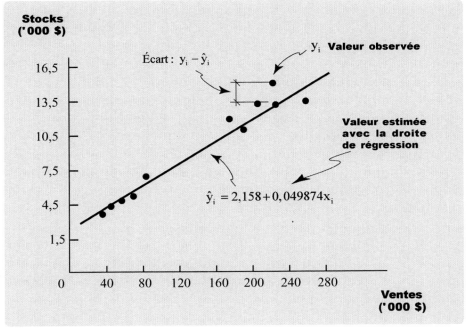

La droite de régression, qui est de la forme $\hat{y}_i = b_0 + b_1 x_i$, est celle qui s'ajuste le mieux au nuage de points. Les valeurs de b_0 (l'ordonnée à l'origine) et de b_1 (la pente de la droite) sont calculées à l'aide de la méthode d'ajustement dite des moindres carrés. Cette méthode consiste à déterminer l'équation de la droite pour laquelle la somme des carrés des écarts verticaux des points observés y_i à la droite [c'est-à-dire $\sum (y_i - \hat{y}_i)^2$] est minimale. En ayant recours au calcul différentiel, on peut montrer que les valeurs de b_0 et de b_1 qui satisfont ce dernier

Méthode des moindres carrés
Méthode statistique qui permet d'obtenir une équation de régression qui assure que la somme des carrés des écarts verticaux des points observés à la droite obtenue est minimale

critère se calculent au moyen des expressions suivantes :

$$b_1 = \frac{n\sum x_i y_i - (\sum x_i)(\sum y_i)}{n\sum x_i^2 - (\sum x_i)^2}$$

et

$$b_0 = \overline{y} - b_1\overline{x}$$

où

$$\overline{y} = \frac{\sum y_i}{n} \quad \text{et} \quad \overline{x} = \frac{\sum x_i}{n}.$$

À partir des données du tableau 6.2, on obtient :

$$n = 10$$

$$\sum x_i y_i = 14\,222,9$$

$$\sum x_i = 1\,316,94$$

$$\sum y_i = 87,26$$

$$\sum x_i^2 = 228\,196,9$$

$$\overline{y} = 8,726$$

$$\overline{x} = 131,69$$

Par conséquent :

$$b_1 = \frac{(10)(14\,222,9) - (1316,94)(87,26)}{(10)(228196,9) - (1316,94)^2} = 0,049874$$

et

$$b_0 = 8,726 - (0,049874)(131,69) = 2,158.$$

La meilleure droite d'ajustement est donc :

$$\hat{y}_i = 2,158 + 0,049874 x_i.$$

En utilisant cette dernière équation dans le but de prévoir les stocks du prochain exercice pour un chiffre d'affaires anticipé de 230 000 $, on obtient alors :

$$\hat{y}_i = 2,158 + (0,049874)(230) = 13,62902\,\$$$

Étant donné que les valeurs utilisées pour déterminer la droite de régression sont exprimées en milliers de dollars, on doit multiplier le résultat obtenu par 1 000, ce qui donne :

$$\text{Stocks prévus pour un chiffre d'affaires de 230 000 \$} = (13,62902)(1\,000) = 13\,629,02\,\$$$

Remarques. 1. Dans un contexte pratique, il faudrait, avant d'utiliser la droite de régression à des fins de prévision, s'assurer de la validité du modèle au moyen des tests statistiques usuels[2].

2. Dans plusieurs cas, afin d'améliorer la qualité des prévisions, il peut être préférable d'avoir recours à un modèle de régression comportant plusieurs variables explicatives (modèle de régression linéaire multiple) ou à un modèle de régression non linéaire.

Utilisation de la calculatrice financière

Bien entendu, il est également possible d'obtenir l'équation de la droite de régression à l'aide de la calculatrice SHARP EL-738. À cette fin, on procède comme suit :

Calculatrice SHARP EL-738	
	Affichage et commentaires
Appuyez sur (MODE)	NORMAL　　　　STAT 0　　　　　　　　1 SD　　LINE　QUAD 0　　　1　　　2
Choisissez STAT en appuyant sur (1)	
Choisissez LINE en appuyant sur (1)	STAT 1
Entrez les données de la façon suivante :	
45.6 (x,y) 4.03 (ENT)	DATA SET = 1
99.62 (x,y) 4.61 (ENT)	DATA SET = 2
57.28 (x,y) 5.06 (ENT)	DATA SET = 3
64.77 (x,y) 5.07 (ENT)	DATA SET = 4
84.80 (x,y) 6.65 (ENT)	DATA SET = 5
179.24 (x,y) 10.87 (ENT)	DATA SET = 6
175.24 (x,y) 11.65 (ENT)	DATA SET = 7
201.81 (x,y) 12.78 (ENT)	DATA SET = 8
217.52 (x,y) 14.38 (ENT)	DATA SET = 9
241.06 (x,y) 12.16 (ENT)	DATA SET = 10
Appuyez sur (RCL) (a)	2.1579 (Cette valeur représente l'ordonnée à l'origine de la droite de régression.)
Appuyez sur (RCL) (b)	0.049874 (Cette valeur est la pente de la droite de régression.)

L'équation de la droite de régression est donc :

$$\hat{y}_i = 2,1579 + 0,049874 x_i$$

---

[2] Au sujet des tests statistiques appropriés, consultez notamment: Baillargeon, G., « Méthodes statistiques avec applications en gestion, production, marketing, relations industrielles et sciences comptables, 3e éd »., Les éditions SMG, 2005.

Comparaison entre la méthode de régression linéaire simple et la méthode du pourcentage des ventes

Dans la plupart des situations, la droite de régression linéaire est beaucoup plus représentative de la réalité que la droite émanant de la méthode du pourcentage des ventes. Pour s'en convaincre, représentons sur un même graphique la droite de régression linéaire, la droite résultant de la méthode du pourcentage des ventes et les différentes observations historiques relatives aux stocks et aux ventes de l'entreprise MAG inc.

Figure 6.4

Comparaison des droites obtenues selon la méthode de régression linéaire et la méthode du pourcentage des ventes

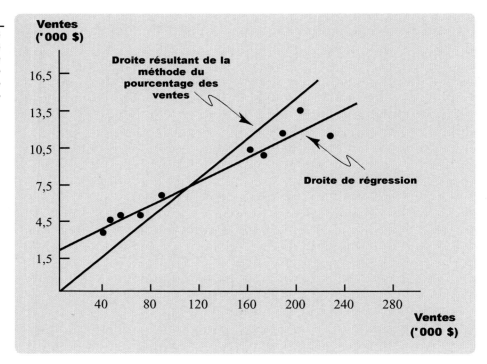

Remarques. 1. Nous avons déterminé la pente de la droite résultant de la méthode du pourcentage des ventes en effectuant la moyenne arithmétique des valeurs successives du ratio $\dfrac{\text{Stocks}}{\text{Ventes}}$, c'est-à-dire :

$$\begin{array}{l}\text{Pente de la droite résultant de la}\\\text{méthode du pourcentage des ventes}\end{array} = \frac{\sum y_i / x_i}{10} = 0,0731$$

De plus, dans le cas de la méthode du pourcentage des ventes, la droite doit nécessairement croiser l'origine des axes.

2. Les différents points représentent les résultats réels obtenus pour chacune des années.

Comme la figure 6.4 permet de le visualiser, les différents points sont dans l'ensemble beaucoup plus près de la droite de régression que de celle résultant de la méthode du pourcentage des ventes.

6.3.3 Le processus détaillé de prévision financière

. . .
Processus détaillé de prévision financière
Prévision des valeurs que sont susceptibles de prendre dans l'avenir les différents postes des états financiers de l'entreprise en tenant compte du cycle comptable et de certains facteurs externes (taux d'impôt, taux d'intérêt, etc.)

Jusqu'à maintenant, nous avons utilisé des méthodes simplifiées de prévision qui supposent qu'il existe une relation linéaire stable dans le temps entre certaines variables financières et le chiffre d'affaires de l'entreprise. Bien qu'intéressantes, ces dernières comportent certaines faiblesses évidentes. Premièrement, elles ne peuvent être utilisées pour établir les états financiers relatifs à un nouveau produit. Deuxièmement, dans la plupart des cas, les états financiers prévisionnels dressés en ayant recours à ces méthodes ne sont pas suffisamment précis pour une institution financière lors de l'analyse d'une demande de prêt. Dans ces conditions, il convient de discuter d'une méthode plus rigoureuse de prévision qui respecte intégralement le cycle comptable de l'entreprise. Afin d'illustrer l'approche détaillée d'établissement des états financiers prévisionnels, nous utiliserons les données ci-dessous concernant l'entreprise Prévisionnex inc.

Exemple 6.2

Établissement des états financiers prévisionnels à l'aide de l'approche détaillée

À titre de directeur financier de la compagnie Prévisionnex inc., vous devez préparer l'état prévisionnel des résultats et le bilan prévisionnel de la compagnie au 31/12/XX+2. Dans ce but, vous avez obtenu les renseignements suivants :

1.

Prévisionnex inc.
Bilan au 31/12/XX+1

Actif à court terme		Passif à court terme	
Encaisse	83 000 $	Comptes fournisseurs	63 000 $
Comptes clients	110 000	Impôt à payer	25 827
Stocks	84 000	Tranche de la dette à long terme échéant au cours	
Total de l'actif à court terme	277 000 $	du prochain exercice	43 745
Immobilisations nettes	490 000	Total du passif à court terme	132 572 $
		Dette à long terme	167 428
		Capital-actions ordinaire	250 000
		Bénéfices non répartis	217 000
		Total du passif et de l'avoir	
Total de l'actif	767 000 $	des actionnaires	767 000 $

2. La compagnie ne vend qu'un seul produit au prix unitaire de 5 $. Les ventes effectuées au cours des mois de novembre et de décembre XX+1 ont été de 20 000 unités par mois. Au cours des mois qui viennent, on prévoit les ventes suivantes :

Janvier XX+2	: 28 000 unités
Février XX+2	: 25 000
Mars XX+2	: 25 000
Avril XX+2	: 25 000
Mai XX+2	: 30 000
Juin XX+2	: 35 000
Juillet XX+2	: 25 000
Août XX+2	: 20 000
Septembre XX+2	: 20 000
Octobre XX+2	: 20 000
Novembre XX+2	: 30 000
Décembre XX+2	: 30 000
Janvier XX+3	: 30 000

L'expérience passée révèle que 25% des ventes sont payées comptant; 40% sont payées un mois après la vente et 35% deux mois après la vente. Les mauvaises créances sont négligeables.

3. Les comptes clients au 31/12/XX+1 sont attribuables à des ventes effectuées en novembre et décembre XX+1.

4. À chaque mois, Prévisionnex inc. achète du manufacturier la marchandise qu'elle prévoit vendre le mois suivant aux consommateurs. Par exemple, la compagnie achète en janvier la marchandise qu'elle anticipe vendre en février. Le coût d'acquisition unitaire est de 3 $. 25% des achats sont payés comptant et 75% dans le mois suivant celui où la marchandise est achetée.

5. Les comptes fournisseurs au 31/12/XX+1 sont attribuables à des achats de marchandises effectués en décembre XX+1.

6. Les frais de vente et d'administration variables correspondent à 6% des ventes. L'entreprise doit également encourir des frais fixes mensuels de vente et d'administration (incluant 3000 $ d'amortissement) de 18 000 $. La totalité des frais de vente et d'administration sont payés dans le mois où la vente a lieu. Il est à noter que les intérêts sur la dette à long terme n'ont pas été considérés dans l'estimation des frais de vente et d'administration.

7. En XX+2, l'entreprise envisage de distribuer vers la fin de chaque trimestre un dividende par action de 0,125 $ à ses actionnaires ordinaires.

8. Au cours de la prochaine année, l'entreprise prévoit verser à l'impôt 30 000 $ à la fin de chaque trimestre.

9. Le taux d'imposition prévu pour la prochaine année est de 40%.

10. L'entreprise ne prévoit pas acquérir de nouvelles immobilisations au cours de la prochaine année. De plus, elle ne pense pas émettre de nouvelles actions ordinaires ou emprunter à long terme.

11. Le montant apparaissant sous la rubrique « dette à long terme » est un prêt à terme contracté auprès d'une importante institution financière dans les premiers jours de l'année XX+1. Cet emprunt, effectué au taux annuel fixe

de 12% capitalisé mensuellement, est remboursable par une série de 60 versements de fin de mois (incluant capital et intérêts) de 5 561 $.

12. Il y a présentement 2 500 000 actions ordinaires en circulation.

À partir des renseignements précédents, préparez :

a) l'état prévisionnel des résultats pour l'exercice se terminant le 31/12/XX+2;

b) le bilan prévisionnel au 31/12/XX+2.

■ **Solution**

a) L'état prévisionnel des résultats a pour but de prévoir quel sera le bénéfice par action de l'entreprise au cours du prochain exercice financier si les hypothèses posées se réalisent. Pour établir cet état prévisionnel, on doit nécessairement, dans un premier temps, estimer les ventes totales de l'entreprise au cours de la prochaine année.

1. Les ventes

$$\begin{pmatrix} \text{Ventes prévues} \\ \text{pour l'année XX+2} \end{pmatrix} = \begin{pmatrix} \text{Ventes prévues} \\ \text{pour l'année XX+2} \end{pmatrix} \begin{pmatrix} \text{Prix de vente} \\ \text{unitaire} \\ \text{prévu en XX+2} \end{pmatrix}$$

$$= (313\ 000)(5)$$

$$= 1\ 565\ 000\ \$$$

2. Le coût des marchandises vendues

$$\begin{pmatrix} \text{Coût des marchandises} \\ \text{vendues} \\ \text{pour l'année XX+2} \end{pmatrix} = \begin{pmatrix} \text{Ventes prévues} \\ \text{en unités pour} \\ \text{l'année XX+2} \end{pmatrix} \begin{pmatrix} \text{Prix d'achat unitaire} \\ \text{prévu} \end{pmatrix}$$

$$= (313\ 000)(3)$$

$$= 939\ 000\ \$$$

3. Les frais de vente et d'administration

$$\begin{pmatrix} \text{Frais de vente et} \\ \text{d'administration} \\ \text{totaux} \\ \text{pour l'année XX+2} \end{pmatrix} = \begin{pmatrix} \text{Frais de vente et} \\ \text{d'administration} \\ \text{fixes} \end{pmatrix} + \begin{pmatrix} \text{Frais de vente et} \\ \text{d'administration} \\ \text{variables} \end{pmatrix}$$

$$= (12)(18\ 000) + (0,06)(1\ 565\ 000)$$

$$= 309\ 900\ \$$$

4. Les intérêts sur la dette à long terme

$$\begin{pmatrix} \text{Intérêts pour} \\ \text{l'année XX+2} \end{pmatrix} = 12 \begin{pmatrix} \text{Montant du} \\ \text{versement} \\ \text{mensuel} \end{pmatrix} - \begin{pmatrix} \text{Remboursement} \\ \text{du principal de la} \\ \text{dette en XX+2} \end{pmatrix}$$

$$= (12)(5\ 561) - 43\ 745$$

$$= 22\ 987\ \$$$

À partir des calculs précédents, on peut dresser l'état prévisionnel des résultats suivant :

Prévisionnex inc.
Etat prévisionnel des résultats
pour l'année se terminant le 31/12/XX+2

Ventes	1 565 000 $
Coût des marchandises vendues	939 000
Bénéfice brut	626 000 $
Frais de vente et d'administration	309 900
Bénéfice d'exploitation	316 100 $
Intérêts sur la dette	22 987
Bénéfice avant impôts	293 113 $
Impôt (40%)	117 245
Bénéfice net	175 868 $
Bénéfice par action (250 000 actions)	0,70 $

b) Le bilan prévisionnel indique les soldes prévus des différents postes de l'actif, du passif et de l'avoir des actionnaires à la fin du prochain exercice financier si les hypothèses posées se réalisent.

1. Les comptes clients

$$\text{Comptes clients au } 31/12/XX+2 = (35\%)\begin{pmatrix} \text{Ventes prévues} \\ \text{en novembre} \\ XX+2 \end{pmatrix} + (75\%)\begin{pmatrix} \text{Ventes prévues} \\ \text{en décembre} \\ XX+2 \end{pmatrix}$$

$$= (35\%)(30\ 000)(5) + (75\%)(30\ 000)(5)$$

$$= 165\ 000 \ \$$$

2. Les stocks

$$\text{Stocks au } 31/12/XX+2 = \text{Achats de décembre } XX+2$$

$$= (30\ 000)(3)$$

$$= 90\ 000 \ \$$$

3. Les immobilisations nettes

$$\text{Immobilisations nettes au } 31/12/XX+2 = \begin{pmatrix} \text{Immobilisations} \\ \text{nettes} \\ \text{au } 31/12/XX+1 \end{pmatrix} - \begin{pmatrix} \text{Amortissement} \\ \text{pour l'année} \\ XX+2 \end{pmatrix}$$

$$= 490\ 000 - (12)(3\ 000)$$

$$= 454\ 000 \ \$$$

4. Les comptes fournisseurs

$$\text{Comptes fournisseurs au } 31/12/XX+2 = (75\%)(\text{Achats de décembre } XX+2)$$

$$= (75\%)(30\ 000)(3)$$

$$= 67\ 500 \ \$$$

5. L'impôt à payer

$$\begin{pmatrix} \text{Impôt à payer} \\ \text{au } 31/12/XX+2 \end{pmatrix} = \begin{pmatrix} \text{Impôt à payer} \\ \text{au } 31/12/XX+1 \end{pmatrix} + \begin{pmatrix} \text{Impôt de l'année } XX+2 \\ \text{(voir l'état prévisionnel} \\ \text{des résultats)} \end{pmatrix}$$

$$- \text{(Versements d'impôt effectués en } XX+2)$$

$$= 25\ 827 + 117\ 245 - (4)(30\ 000)$$

$$= 23\ 072\ \$$$

6. La tranche de la dette à long terme échéant au cours du prochain exercice[3]

$$\begin{pmatrix} \text{Tranche de la dette} \\ \text{à long terme} \\ \text{échéant en } XX+3 \end{pmatrix} = \begin{pmatrix} \text{Solde de la dette} \\ \text{au } 31/12/XX+2 \end{pmatrix} - \begin{pmatrix} \text{Solde de la dette} \\ \text{au } 31/12/XX+3 \end{pmatrix}$$

$$= \left(5\ 561\ A_{\overline{36}|1\%} \right) - \left(5\ 561\ A_{\overline{24}|1\%} \right)$$

$$= 167\ 428 - 118\ 134$$

$$= 49\ 294\ \$$$

7. La dette à long terme

$$\begin{pmatrix} \text{Dette à long terme} \\ \text{au } 31/12/XX+2 \end{pmatrix} = \begin{pmatrix} \text{Principal de la dette à rembourser} \\ \text{en } XX+4 \text{ et } XX+5 \end{pmatrix}$$

$$= \text{Solde de la dette au } 31/12/XX+3$$

$$= 5\ 561\ A_{\overline{24}|1\%}$$

$$= 118\ 134\ \$$$

8. Le capital-actions ordinaire

Aucun changement par rapport au solde au 31/12/XX+1.

9. Les bénéfices non répartis

$$\begin{pmatrix} \text{Bénéfices} \\ \text{non répartis} \\ \text{au } 31/12/XX+2 \end{pmatrix} = \begin{pmatrix} \text{Bénéfices} \\ \text{non répartis} \\ \text{au } 31/12/XX+1 \end{pmatrix} + \begin{pmatrix} \text{Bénéfice net} \\ \text{de l'année} \\ XX+2 \end{pmatrix} - \begin{pmatrix} \text{Dividendes} \\ \text{versés en} \\ XX+2 \end{pmatrix}$$

$$= 217\ 000 + 175\ 868 - (4)(0,125)(25\ 000)$$

$$= 267\ 868\ \$$$

10. L'encaisse

Le solde prévu de l'encaisse au 31/12/XX+2 peut se calculer rapidement de la façon suivante :

---

[3] Le calcul de la tranche de la dette à long terme échéant en XX+3 nécessite certaines connaissances de base en mathématiques financières qui sont rappelées en annexe à la fin de l'ouvrage.

$$\begin{array}{l} \text{Encaisse au} \\ \text{au } 31/12/XX{+}2 \end{array} = \left(\begin{array}{c} \text{Total des soldes} \\ \text{des différents postes} \\ \text{du passif et de l'avoir} \\ \text{des actionnaires} \\ \text{au } 31/12/XX{+}2 \end{array} \right) - \left(\begin{array}{c} \text{Total des soldes} \\ \text{des différents postes} \\ \text{de l'actif à l'exception} \\ \text{de l'encaisse} \\ \text{au } 31/12/XX{+}2 \end{array} \right)$$

$$= (67\,500 + 23\,072 + 49\,294 + 118\,134 + 250\,000$$
$$+ 267\,868) - (165\,000 + 90\,000 + 454\,000)$$
$$= 775\,868 - 709\,000$$
$$= 66\,868\ \$$$

L'encaisse au 31/12/XX+2 peut également se calculer ainsi :

$$\begin{array}{l} \text{Encaisse au} \\ \text{au } 31/12/XX{+}2 \end{array} = \left(\begin{array}{c} \text{Encaisse au} \\ 31/12/XX{+}1 \end{array} \right) + \left(\begin{array}{c} \text{Recettes totales} \\ \text{pour l'année} \\ XX{+}2 \end{array} \right) - \left(\begin{array}{c} \text{Déboursés totaux} \\ \text{pour l'année} \\ XX{+}2 \end{array} \right)$$

Calcul des recettes totales pour l'année XX+2

Recouvrement des comptes clients :

liés aux ventes effectuées en nov. XX+1 : 35% × 20 000 × 5	35 000 $
liés aux ventes effectuées en déc. XX+1 : 75% × 20 000 × 5	75 000
liés aux ventes effectuées de janvier XX+2 à oct. XX+2 :	
100% × 253 000 × 5	1 265 000
liés aux ventes effectuées en nov. XX+2 : 65% × 30 000 × 5	97 500
liés aux ventes effectuées en déc. XX+2 : 25% × 30 000 × 5	37 500
Total	1 510 000 $

Calcul des déboursés totaux pour l'année XX+2

Déboursés liés aux achats de déc. XX+1 : 75% × 28 000 × 3	63 000 $
Déboursés liés aux achats de janv. XX+2 à nov. XX+2 :	
100% × 285 000 × 3	855 000
Déboursés liés aux achats de déc. XX+2 : 25% × 30 000 × 3	22 500
Frais de vente et d'administration :	
(6% × 1 565 000) + (15 000 × 12)	273 900
Dividendes versés : 4 × 0,125 × 250 000	125 000
Impôt payé : 30 000 × 4	120 000
Versements périodiques effectués pour rembourser le	
prêt à terme : 12 × 5561	66 732
Total	1 526 132 $

Par conséquent :

$$\begin{array}{ll} \text{Encaisse au } 31/12/XX{+}2 & = 83\,000 + 1\,510\,000 - 1\,526\,132 \\ & = 66\,868\ \$ \end{array}$$

À partir des calculs précédents, on peut dresser le bilan prévisionnel suivant :

Prévisionnex inc.
Bilan prévisionnel au 31/12/XX+2

Actif à court terme		Passif à court terme	
Encaisse	66 868 $	Comptes fournisseurs	67 500 $
Comptes clients	165 000	Impôt à payer	23 072
Stocks	90 000	Tranche de la dette à long	
Total de l'actif à court		terme échéant au cours	
terme	321 868 $	du prochain exercice	49 294
Immobilisations nettes	454 000	Total du passif à court terme	139 866 $
		Dette à long terme	118 134
		Capital-actions ordinaire	250 000
		Bénéfices non répartis	267 868
		Total du passif et de l'avoir	
Total de l'actif	775 868 $	des actionnaires	775 868 $

6.4 Concepts fondamentaux

- Pour établir un budget de caisse et des états financiers prévisionnels, la prévision cruciale à effectuer concerne le montant des ventes.

- Le budget de caisse vise à prévoir les entrées et les sorties de fonds de l'entreprise au cours des prochains mois. Cet outil de gestion permet d'estimer les besoins de financement à court terme de l'entreprise ainsi que leur échéancier.

- Le bilan prévisionnel a pour objectif de prévoir la situation financière future de l'entreprise. Pour sa part, l'état prévisionnel des résultats tente d'anticiper les bénéfices que l'entreprise est susceptible de dégager au cours des prochains exercices financiers.

- La méthode du pourcentage des ventes est utilisée pour dresser des états financiers prévisionnels et estimer les besoins de financement futurs de l'entreprise. Elle est basée sur l'idée que les relations observées par le passé entre le chiffre d'affaires de l'entreprise et les différents postes des états financiers sont stables temporellement.

- La régression linéaire simple est une autre méthode à envisager dans le but de prévoir les valeurs futures de certains postes des états financiers. Essentiellement, cette technique consiste, dans un premier temps, à déterminer l'équation de la droite qui s'ajuste le mieux aux observations historiques disponibles (à cette fin, on utilise généralement la méthode des moindres carrés) et, par la suite, à inférer la valeur éventuelle de la variable dépendante à partir de la valeur anticipée de la variable explicative.

- De façon générale, la méthode de la régression linéaire s'avère plus précise que celle du pourcentage des ventes.

■ Le processus détaillé de prévision financière consiste à établir des états financiers prévisionnels en respectant le cycle comptable de l'entreprise et en tenant compte des facteurs externes, tels que les taux d'intérêt et le taux d'imposition.

6.5 Mots clés

Bilan prévisionnel
Budget de caisse
Entrée de fonds
États financiers prévisionnels
État prévisionnel des résultats
Financement externe requis
Méthode des moindres carrés
Méthode du pourcentage des ventes
Processus détaillé de prévision financière
Régression linéaire simple
Sortie de fonds
Surplus d'encaisse
Taux de croissance soutenable

6.6 Sommaire des principales formules

Calcul du financement externe nécessaire selon la méthode du pourcentage des ventes

$$\text{FER}_1 = \left[\left(\frac{A_0}{V_0}\right)(V_1 - V_0)\right] - \left[\left(\frac{P_0}{V_0}\right)(V_1 - V_0)\right] - \left[\left(\frac{BN_1}{V_1}\right)V_1(1 - d_1)\right] \quad (6.1)$$

où FER_1 : Financement externe requis pour le prochain exercice financier

A_0/V_0 : L'actif qui augmente automatiquement avec les ventes, exprimé en pourcentage des ventes

V_1 : Ventes prévues pour le prochain exercice financier

V_0 : Ventes du dernier exercice financier

P_0/V_0 : Le passif qui augmente automatiquement avec les ventes, exprimé en pourcentage des ventes

BN_1/V_1 : Marge bénéficiaire nette prévue (après impôt) pour le prochain exercice financier

d_1 : Pourcentage du bénéfice net du prochain exercice financier qui sera distribué en dividendes.

> ### Taux de croissance soutenable

$$g_s = \frac{BN_1(1-d_1)}{FP_0} \tag{6.2}$$

où g_s : Taux de croissance soutenable

BN_1 : Bénéfice net prévu pour le prochain exercice financier

d_1 : Pourcentage du bénéfice net du prochain exercice financier qui sera distribué en dividendes

FP_0 : Fonds propres de l'entreprise au début de l'exercice financier.

6.7 Exercices

1. La compagnie Leclerc inc. veut établir un budget de caisse pour les mois de mai, juin et juillet. Les renseignements suivants sont disponibles :

1. Les ventes totales en mars et en avril se sont élevées respectivement à 200 000 $ et à 250 000 $. Pour les trois prochains mois, les ventes prévues sont les suivantes :

    Mai : 260 000 $

    Juin : 280 000 $

    Juillet : 290 000 $

2. En se basant sur l'expérience passée, on sait que 30% des ventes sont payées comptant, 45% sont payées un mois après la vente et 25% sont payées deux mois après la vente. Les mauvaises créances sont négligeables.

3. Les revenus d'intérêt sont d'environ 1 500 $ par mois.

4. Pour les trois prochains mois, les achats prévus sont les suivants :

    Mai : 130 000 $

    Juin : 140 000 $

    Juillet : 145 000 $

5. Le loyer mensuel est de 15 000 $.

6. Les salaires du mois s'élèvent à 20% des ventes du mois précédent.

7. En juin, l'entreprise versera un dividende semestriel de 40 000 $.

8. À la fin de chaque mois, l'entreprise doit effectuer un versement de 8 000 $ (comprenant capital et intérêts) dans le but de rembourser un emprunt.

9. L'entreprise devra verser un montant de 62 000 $ à l'impôt en juin.

10. Les autres sorties de fonds s'élèveront à 14 000 $ par mois.

11. On prévoit acquérir de l'équipement coûtant 35 000 $ en juillet. Cet équipement sera payé un mois plus tard.

12. L'amortissement mensuel s'élève à 4 500 $.

13. Le 1er mai, l'encaisse est de 28 000 $. L'entreprise désire maintenir un solde d'encaisse minimum de 25 000 $.

À partir des suppositions précédentes, établissez le budget de caisse de la compagnie Leclerc inc. pour les mois de mai, juin et juillet.

2. À titre de directeur des finances de la compagnie Mika inc., on vous demande de préparer le budget de caisse de cette entreprise pour les mois de septembre à décembre inclusivement. À cette fin, vous avez recueilli les renseignements suivants :

1. Les ventes réalisées et prévues sont les suivantes :

Juillet	: 400 000 $	} Ventes réalisées
Août	: 450 000 $	
Septembre	: 425 000 $	
Octobre	: 450 000 $	
Novembre	: 500 000 $	} Ventes prévues
Décembre	: 600 000 $	
Janvier	: 650 000 $	

2. 25% des ventes sont effectuées au comptant. Parmi les ventes à crédit, 60% sont payées dans le mois qui suit la vente, 35% dans le second mois suivant la vente et 5% constituent des mauvaises créances.

3. La marge bénéficiaire brute de l'entreprise est de 30%.

4. À chaque mois, l'entreprise achète du manufacturier la marchandise qu'elle prévoit vendre le mois suivant aux consommateurs. Par exemple, l'entreprise achète en octobre la marchandise qu'elle anticipe vendre en novembre. Les achats sont réglés comptant.

5. À la fin de décembre, l'entreprise devra payer les intérêts semestriels sur un emprunt obligataire de 1 000 000 $. Cet emprunt a été effectué il y a deux ans au taux de coupon annuel de 10%. Actuellement, un emprunt de ce genre pourrait être effectué au taux de coupon annuel de 12%.

6. Le loyer mensuel s'élève à 10 000 $.

7. Les salaires et appointements pour un mois donné correspondent à 6% des ventes effectuées au cours du mois précédent, plus un montant fixe de 32 000 $.

8. En novembre, l'entreprise devra verser 25 000 $ à l'impôt.

9. Les autres sorties de fonds s'élèvent à 18 000 $ par mois.

10. En décembre, l'entreprise prévoit vendre de l'équipement pour une somme de 8 000 $. La valeur comptable de cet équipement sera de 6 000 $ en décembre.

11. L'amortissement mensuel est de 15 000 $.

12. Le 1er septembre, l'encaisse est de 35 000 $. L'entreprise désire maintenir un solde d'encaisse minimum de 30 000 $.

a) Préparez le budget de caisse de l'entreprise pour les mois de septembre à décembre inclusivement.

b) Quelle est la marge de crédit bancaire que devrait demander l'entreprise dans le but de combler ses besoins de fonds à court terme entre septembre et décembre?

3. Pour l'année XX+0, les ventes de la compagnie Prétex inc. ont été de 1 000 000 $. Compte tenu des renseignements ci-dessous, préparez le bilan prévisionnel de cette entreprise au 31/12/XX+1 et équilibrez-le à l'aide du poste « Financement externe requis ».

1. Les postes qui varient en fonction des ventes sont l'encaisse (5% des ventes), les comptes clients (10% des ventes), les stocks (15% des ventes), les immobilisations nettes (20% des ventes), les comptes fournisseurs (12% des ventes), les autres dettes à court terme (5% des ventes) et le bénéfice net après impôt (6% des ventes).

2. L'entreprise ne prévoit pas émettre de nouvelles actions en XX+1.

3. Les dividendes versés représentent 40% du bénéfice net après impôt.

4. Les ventes prévues pour l'année XX+1 sont de 1 200 000 $.

5. Le bilan au 31/12/XX+0 se présente ainsi :

Prétex Ltée
Bilan au 31/12/XX+0

Actif à court terme		Passif à court terme	
Encaisse	50 000 $	Comptes fournisseurs	120 000 $
Comptes clients	100 000	Autres dettes à court terme	50 000
Stocks	150 000		
Total de l'actif à court terme	300 000 $	Total du passif à court terme	170 000 $
Immobilisations nettes	200 000	Dette à long terme	100 000
		Capital-actions ordinaire	100 000
		Bénéfices non répartis	130 000
		Total du passif et de l'avoir	
Total de l'actif	500 000 $	des actionnaires	500 000 $

4. Vous disposez des renseignements suivants concernant l'entreprise Bogest inc. :

1. $\dfrac{\text{Actif}}{\text{Ventes}} = 1,8$

2. $\dfrac{\text{Passif}}{\text{Ventes}} = 0,5$

3. $\dfrac{\text{Bénéfice net}}{\text{Ventes}} = 8\%$

4. Pourcentage des bénéfices versés en dividendes = 40%

5. Ventes de l'année XX+0 = 700 000 $

6. Pour les 5 prochaines années, on anticipe que le taux de croissance annuel des ventes sera de l'ordre de 9%.

En supposant que tous les postes d'actif et de passif augmentent automatiquement avec les ventes, déterminez :

a) les besoins de financement de sources externes de l'entreprise en XX+1;

b) le taux de croissance maximal des ventes que pourra supporter l'entreprise en XX+4 sans avoir à faire appel à des sources de financement externes.

5. Les derniers états financiers de la compagnie SSK inc. se présentent ainsi (ces états sont représentatifs de la moyenne observée au cours des 5 dernières années) :

État des résultats

Ventes	500 000 $
Coût des marchandises vendues	300 000
Autres dépenses	100 000
Bénéfice avant impôts	100 000 $
Impôt (40%)	40 000
Bénéfice net	60 000 $
Dividendes versés	20 000 $

Bilan

Actif		Passif et avoir des actionnaires	
Encaisse	15 000 $	Comptes fournisseurs	20 000 $
Comptes clients	30 000	Autres dettes à court terme	25 000
Stocks	40 000	Total du passif à court terme	45 000 $
Total de l'actif à court terme	85 000 $	Dette à long terme	100 000
Immobilisations nettes	215 000	Capital-actions ordinaire	50 000
Total de l'actif	300 000 $	Bénéfices non répartis	105 000
		Total du passif et de l'avoir des actionnaires	300 000 $

Pour la prochaine année, la compagnie prévoit un taux de croissance des ventes de l'ordre de 35%. Les postes de l'actif, du passif à court terme, le coût des marchandises vendues et les autres dépenses augmentent automatiquement avec les ventes. De plus, les dividendes versés représentent un tiers des profits. Déterminez :

a) les besoins de financement externes de la compagnie pour la prochaine année;

b) le taux de croissance maximal de l'actif que peut envisager l'entreprise sans avoir à émettre de nouvelles actions ordinaires, tout en maintenant à son niveau actuel son ratio d'endettement et en ne modifiant pas sa politique de dividende.

6. Vous êtes nouvellement engagé à la compagnie Paibien inc. comme responsable du département de crédit. Votre patron vous demande de lui préparer une estimation des comptes clients que l'entreprise est susceptible d'avoir à son bilan à la fin de l'année XX+9. Pour vous aider, on vous transmet les données historiques suivantes :

Années	Ventes ('000 $)	Comptes clients à la fin de l'année ('000 $)
XX+1	1559	250
XX+2	1565	253
XX+3	1663	318
XX+4	2046	347
XX+5	2150	399
XX+6	2203	451
XX+7	2296	521
XX+8	2410	538

Le directeur du marketing pense que les ventes s'élèveront à 2 500 000 $ en XX+9.

a) Quelle est l'équation de la droite de régression linéaire qui s'ajuste le mieux aux observations historiques disponibles?

b) À partir du modèle de régression linéaire établi en (a), donnez une estimation des comptes clients à la fin de XX+9.

c) En ayant recours à la méthode du pourcentage des ventes, donnez une estimation des comptes clients à la fin de XX+9.

7. Établissez les états financiers prévisionnels (état des résultats et bilan) de la compagnie Prévisionnex inc. (voir l'exemple apparaissant à la section 6.3.3) au 31/12/XX+3 en tenant compte des renseignements supplémentaires suivants :

1. Le prix de vente unitaire pour XX+3 sera de 6 $. Les ventes mensuelles prévues sont les suivantes :

Janvier XX+3	30 000 unités
Février XX+3	30 000
Mars XX+3	35 000
Avril XX+3	40 000
Mai XX+3	40 000
Juin XX+3	40 000
Juillet XX+3	50 000
Août XX+3	40 000
Septembre XX+3	40 000
Octobre XX+3	50 000
Novembre XX+3	50 000
Décembre XX+3	50 000
Janvier XX+4	55 000

2. La marchandise sera achetée du manufacturier au prix unitaire de 3,60 $ en XX+3.

3. La méthode d'évaluation des stocks utilisée est celle du premier entré, premier sorti (PEPS).

4. En XX+3, l'entreprise envisage distribuer vers la fin de chaque trimestre un dividende par action de 0,20 $ à ses actionnaires ordinaires.

5. En XX+3, l'entreprise prévoit verser à l'impôt 80 000 $ à la fin de chaque trimestre.

6. En XX+3, l'entreprise ne prévoit pas acquérir de nouvelles immobilisations. De plus, elle ne pense pas émettre de nouvelles actions ordinaires ou emprunter à long terme.

8. À partir des renseignements ci-dessous, établissez l'état prévisionnel des résultats et le bilan prévisionnel de la compagnie Mitek inc. au 30/06/XX+1.

1.

Mitek inc.
Bilan au 31/12/XX+0

Actif		Passif et avoir des actionnaires	
Encaisse	126 500 $	Comptes fournisseurs	48 750 $
Comptes clients	178 000	Impôts à payer	41 000
Stocks	162 500	Obligations à payer	500 000
Immobilisations nettes	1 100 000	Capital-actions ordinaire	600 000
		Bénéfices non répartis	377 250
		Total du passif et de	
Total de l'actif	1 567 000 $	l'avoir des actionnaires	1 567 000 $

2. Les ventes prévues au cours des prochains mois sont les suivantes :

Janvier XX+1 :	250 000 $
Février XX+1 :	300 000 $
Mars XX+1 :	450 000 $
Avril XX+1 :	400 000 $
Mai XX+1 :	350 000 $
Juin XX+1 :	400 000 $
Juillet XX+1 :	450 000 $

3. 60% des ventes sont payées comptant, 30% sont payées un mois après la vente et 10% deux mois après la vente. Les mauvaises créances sont négligeables.

4. Le coût des marchandises vendues correspond à 65% des ventes.

5. À chaque mois, l'entreprise achète du manufacturier la marchandise qu'elle prévoit vendre le mois suivant aux consommateurs. 70% des achats sont réglés comptant et le reste au cours du mois suivant.

6. Les frais de vente et d'administration correspondent à 10% des ventes. Ces frais sont payés dans le mois où la vente a lieu. Il est à noter que ces frais ne tiennent pas compte de l'amortissement et des charges d'intérêt.

7. L'emprunt obligataire a été effectué il y a 5 ans au taux de coupon annuel de 12%. Les intérêts sur cet emprunt sont payés à la fin de juin et à la fin de décembre. La totalité de la dette est remboursable dans 15 ans.

8. Au début de janvier XX+1, l'entreprise prévoit acquérir de l'équipement coûtant 50 000 $. Cet équipement sera payé comptant.

9. L'amortissement mensuel prévu est de 10 000 $. Dans l'estimation de l'amortissement, on a tenu compte de l'achat d'équipement que prévoit effectuer l'entreprise en janvier XX+1.

10. L'entreprise versera à l'impôt 70 000 $ à la fin de mars et 90 000 $ à la fin de juin. Son taux d'imposition est de 40%.

11. Les dividendes semestriels prévus pour la prochaine année sont de 100 000 $. Ils seront versés en juin et en décembre.

9. À partir des renseignements ci-dessous, dressez les états financiers prévisionnels (état des résultats et bilan) de l'entreprise Beaulieu inc. au 31/12/XX+1 :

1. L'entreprise Beaulieu fabrique deux produits, M et N, et utilise à cette fin deux types de matières premières, X et Y, ainsi que de la main-d'oeuvre directe dans les proportions suivantes :

	Produit M	**Produit N**
Matières premières (en unités)		
X	4	2
Y	1	6
Main-d'oeuvre directe (en heures)	3	2

2. À la fin de l'année XX+1, l'entreprise désire maintenir, pour chacun de ses deux produits, un stock de produits finis représentant 10% des ventes de l'année XX+1. De plus, elle désire maintenir un stock de matières premières de 3500 unités pour X et de 5000 unités pour Y.

3. Les frais généraux de fabrication pour l'année XX+1 sont estimés à 82 000 $ (incluant 18 000 $ d'amortissement).

4. Les ventes prévues pour l'année XX+1 sont les suivantes:

   Produit M : 5000 unités à 50 $/unité   =   250 000 $

   Produit N : 8000 unités à 40 $/unité   =   320 000

   Total   570 000 $

5. Les frais généraux de fabrication sont répartis sur la base du coût total de la main-d'oeuvre directe par produit pour l'exercice.

6. Les frais de vente et d'administration pour l'année XX+1 sont estimés à 65 000 $.

7. Le prix des matières premières en XX+1 sera le même qu'en XX+0.

8. Le coût de la main-d'oeuvre directe est de 5 $ l'heure.

9. La méthode d'évaluation des stocks utilisée est celle du premier entré, premier sorti (PEPS).

10. La production et les ventes se répartissent de façon continue dans l'année.

11. Le taux d'imposition de l'entreprise est de 40%.

12. L'entreprise procédera en XX+1 à l'achat d'un nouvel équipement au coût de 40 000 $. Le financement de cet équipement se fera à même l'encaisse de l'entreprise. Il est à noter que la dépense d'amortissement liée à cet actif est incluse dans les frais généraux de fabrication.

13. L'entreprise a comme politique de maintenir une encaisse minimale de 20 000 $ en fin d'année.

14. Les comptes clients au 31/12/XX+1 représenteront 10% des ventes totales de l'année XX+1.

15. Les impôts à payer qui figureront au bilan au 31/12/ XX+1 sont ceux calculés dans l'état prévisionnel des résultats pour l'année XX+1.

16. Les comptes fournisseurs au 31/12/ XX+1 devraient représenter 10% des ventes de l'année XX+1.

17. Les autres exigibilités seront nulles au 31/12/ XX+1.

18. Les intérêts sur la dette à long terme s'élèveront à 4 000 $ en XX+1.

19. L'entreprise prévoit verser 50 000 $ en dividendes à ses actionnaires en XX+1.

20. Les soldes des postes « dette à long terme » et « capital-actions ordinaire » au 31/12/ XX+1 seront les mêmes qu'au 31/12/XX+0.

21. Si l'entreprise a besoin de financement externe, ce financement sera obtenu par le biais d'une marge de crédit bancaire.

22. Les stocks au 31/12/XX+0 sont les suivants :

Matières premières	Unités	Dollars
X	3 000	6 000
Y	4 500	6 750
Produits finis	Unités	Dollars
M	400	12 800
N	700	19 600

23. Le bilan de l'entreprise au 31/12/XX+0 se présente ainsi :

Actif		Passif et avoir des actionnaires	
Encaisse	30 000 $	Comptes fournisseurs	32 000 $
Comptes clients	38 000	Impôt à payer	12 700
Stocks de matières pre-		Autres exigibilités	14 200
mières et de produits finis	45 150	Dette à long terme	40 000
Immobilisations nettes	175 000	Capital-actions ordinaire	100 000
		Bénéfices non répartis	89 250
		Total du passif et de	
Total de l'actif	288 150 $	l'avoir des actionnaires	288 150 $

Partie III : La gestion de l'actif et du passif à court terme

7

La gestion du fonds de roulement

Sommaire

7

Objectifs pédagogiques

Lorsque vous aurez complété l'étude du chapitre 7,

1. vous serez en quoi consiste le fonds de roulement et le fonds de roulement net d'une entreprise;

2. vous serez en mesure de calculer le fonds de roulement net d'une entreprise;

3. vous comprendrez le cycle du fonds de roulement;

4. vous serez capable d'identifier les transactions qui ont une incidence sur le fonds de roulement net d'une entreprise;

5. vous serez sensibilisé à l'importance d'une bonne gestion du fonds de roulement;

6. vous connaîtrez les principaux facteurs exerçant une incidence sur l'importance des sommes investies dans le fonds de roulement;

7. vous saurez que l'objectif de la gestion du fonds de roulement est de contribuer à la maximisation de la richesse des actionnaires;

8. vous comprendrez l'impact de la politique relative au fonds de roulement sur le risque et la rentabilité de l'entreprise;

9. vous connaîtrez les avantages et les inconvénients des diverses approches possibles - approche conservatrice, approche typique et approche audacieuse - en ce qui a trait au financement des actifs;

10. vous comprendrez le principe de la synchronisation des échéances;

11. vous serez en mesure d'estimer les besoins de financement en fonds de roulement d'une entreprise;

12. vous pourrez reconnaître les signes annonciateurs d'une détérioration de la liquidité d'une entreprise et saurez comment le gestionnaire peut s'y prendre pour solutionner ce type de problème.

7.1 Introduction

D'un point de vue comptable, on distingue, au bilan d'une entreprise, deux catégories d'actif, soit les disponibilités ou les actifs à court terme et les immobilisations ou les actifs à long terme. Les disponibilités sont des actifs qui seront normalement transformés en liquidités au cours de l'année qui vient, tandis que les actifs immobilisés revêtent plutôt un caractère permanent en ce sens où ils ne pourront être convertis en espèces qu'à très long terme. Du côté du passif, on peut répartir les sources de financement en exigibilités et en capital permanent (dettes à long terme et capital-actions). Les exigibilités constituent pour l'entreprise des dettes à court terme qui seront généralement remboursées au cours de la prochaine année alors que le remboursement des dettes à long terme s'effectuera sur plusieurs années.

On peut définir le fonds de roulement net comme étant la différence entre les disponibilités et les exigibilités. Les disponibilités comprennent habituellement les espèces et quasi-espèces, les placements à court terme, les comptes clients, les stocks et les frais payés d'avance. Du côté des exigibilités, on retrouve généralement les comptes fournisseurs, les impôts à payer, les billets à payer à court terme et la tranche de la dette à long terme échéant d'ici un an. Quant au fonds de roulement de l'entreprise, il représente l'ensemble des disponibilités de cette dernière. Finalement, la gestion du fonds de roulement concerne tous les aspects liés à l'administration des disponibilités et des exigibilités.

Le présent chapitre traite de certains principes généraux liés à la gestion du fonds de roulement. Dans les trois chapitres qui suivent, nous abordons la gestion de chacun des postes composant l'actif à court terme de l'entreprise, soit les espèces et quasi-espèces, les placements à court terme, les comptes clients et les stocks. Le chapitre 11 est, quant à lui, consacré aux différentes sources de financement à court terme accessibles à l'entreprise.

7.2 Le calcul du fonds de roulement net

Fonds de roulement
Le total de l'actif à court terme

Fonds de roulement net
La différence entre l'actif à court terme et le passif à court terme

Comme nous l'avons mentionné en introduction au présent chapitre, le fonds de roulement net de l'entreprise représente la différence entre son actif à court terme (c.-à-d. ses disponibilités) et son passif à court terme (c.-à-d. ses exigibilités). Il s'agit d'une mesure de la liquidité de l'entreprise. Algébriquement, le fonds de roulement net se calcule ainsi :

$$FRN = ACT - PCT \qquad (7.1)$$

où

FRN : Fonds de roulemnt net

ACT : Actif à court terme ou disponibilités

PCT : Passif à court terme ou exigibilités.

La figure 7.1 illustre la notion de fonds de roulement net.

Figure 7.1

Le fonds de roulement net

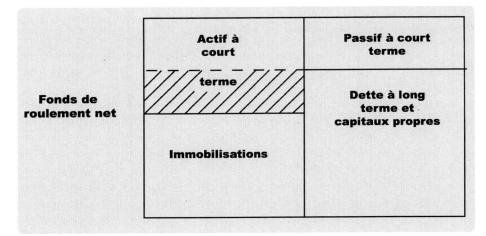

Alternativement, le fonds de roulement net peut être défini comme étant l'excédent des dettes à long terme et des capitaux propres sur les actifs immobilisés :

$$\text{FRN} = \text{DLT} + \text{CP} - \text{IMM} \tag{7.2}$$

où   DLT : Dette à long terme

CP : Capitaux propres

IMM : Immobilisations.

Le fonds de roulement net représente donc le montant des actifs à court terme qui sont financés par des fonds à long terme (dette à long terme et capitaux propres).

Remarque. L'expression (7.2) s'obtient à partir de l'équation comptable fondamentale. Selon cette équation, on a :

Actif total = Passif total + Capitaux propres

En développant, on obtient :

$$\text{Actif à court terme} + \text{Immobilisations} = \text{Passif à court terme} + \text{Dette à long terme} + \text{Capitaux propres}$$

En réarrangeant, on trouve :

$$\text{Actif à court terme} - \text{Passif à court terme} = \text{Dette à long terme} + \text{Capitaux propres} - \text{Immobilisations}$$

Puisque :

Fonds de roulement net = Actif à court terme - Passif à court terme

on peut écrire :

$$\text{Fonds de roulement net} = \text{Dette à long terme} + \text{Capitaux propres} - \text{Immobilisations}$$

ou

$$\text{FRN} = \text{DLT} + \text{CP} - \text{IMM}$$

Exemple 7.1   **Calculs du fonds de roulement, du fonds de roulement net et du ratio du fonds de roulement**

Le bilan de la compagnie TGX inc. au 31/12/XX+1 se présente ainsi :

Actif		Passif et avoir des actionnaires	
Espèces et quasi-espèces	40 000 $	Comptes fournisseurs	190 000 $
Placements à court terme	60 000	Impôts à payer	40 000
Comptes clients	100 000	Tranche de la dette à long	
Stocks	150 000	terme échéant au cours du	
Immobilisations nettes	450 000	prochain exercice	100 000
Total	800 000 $	Dette à long terme	180 000
		Capital-actions	120 000
		Bénéfices non répartis	170 000
		Total	800 000 $

À partir des données précédentes, calculez :

a) le fonds de roulement;

b) le fonds de roulement net;

c) le ratio du fonds de roulement.

■ **Solution**

a) Le fonds de roulement de l'entreprise comprend l'ensemble de ses éléments d'actif à court terme :

ACT = 40 000 + 60 000 + 100 000 + 150 000 = 350 000$

b) Le fonds de roulement net peut se calculer à l'aide de l'expression (7.1) ou de l'équation (7.2). Ici, on a :

ACT	=	350 000 $
PCT	=	190 000 + 40 000 + 100 000 = 330 000 $
DLT	=	180 000 $
CP	=	120 000 + 170 000 = 290 000 $
IMM	=	450 000 $

Par conséquent, à partir de l'expression (7.1), on obtient :

FRN = 350 000 - 330 000 = 20 000 $

Si on utilise plutôt l'équation (7.2), on trouve :

FRN = 180 000 + 120 000 + 170 000 - 450 000 = 20 000 $

c) Comme nous l'avons mentionné au chapitre 3, le ratio du fonds de roulement se calcule ainsi :

$$\text{Ratio du fonds de roulement} = \frac{\text{Actif à court terme}}{\text{Passif à court terme}}$$

$$= \frac{350\,000}{330\,000}$$

$$= 1,06$$

Ce résultat indique que l'entreprise pourrait réaliser ses actifs à court terme à 94,34% (c.-à-d. 1/1,06) de leur valeur comptable et être en mesure de rembourser intégralement ses créanciers à court terme.

Il est à noter qu'il existe un lien direct entre le ratio du fonds de roulement et le fonds de roulement net. En effet, lorsque l'actif à court terme excède le passif à court terme, le fonds de roulement net est positif et le ratio du fonds de roulement est supérieur à 1. Inversement, lorsque l'actif à court terme est inférieur au passif à court terme, le fonds de roulement net est négatif et le ratio du fonds de roulement est plus petit que 1. Finalement, dans le cas où l'actif à court terme correspond au passif à court terme, le fonds de roulement net est nul et le ratio du fonds de roulement est égal à 1.

7.3 Le cycle d'exploitation et les variations du fonds de roulement net

. . .
Cycle d'exploitation
Nombre de jours qui s'écoule entre la date où l'entreprise achète de la marchandise et celle où elle recouvre les sommes d'argent provenant des ventes effectuées à ses clients

Comme l'illustre la figure 7.2, le cycle d'exploitation démarre lorsque l'entreprise achète de la marchandise. Il en résulte alors une augmentation des stocks et une diminution de l'encaisse (si la marchandise est payée comptant) ou une augmentation des comptes fournisseurs (si la marchandise est achetée à crédit). Cette transaction est sans effet sur le fonds de roulement net de l'entreprise. Par la suite, le paiement effectué au fournisseur entraîne une diminution de l'encaisse et du solde des comptes fournisseurs d'un montant équivalent, ce qui signifie que le fonds de roulement net demeure inchangé. La revente de la marchandise provoque une baisse des stocks et une augmentation des comptes clients (dans le cas d'une vente à crédit) ou une hausse de l'encaisse (dans le cas d'une vente au comptant). Comme la revente de la marchandise s'effectue à un prix supérieur au coût d'acquisition, cette transaction occasionne une augmentation du fonds de roulement net. Finalement, lorsque les clients de l'entreprise acquittent leurs factures, il s'ensuit une diminution des comptes clients et une augmentation de l'encaisse. Cette dernière transaction n'exerce cependant aucune influence sur le fonds de roulement net de l'entreprise.

Il est à noter que les transactions liées au cycle d'exploitation de l'entreprise ne sont pas les seules qui influencent les variations du fonds de roulement net. Ainsi, dans le cas où l'entreprise vend des actifs immobilisés ou émet des obligations, il en résulte une augmentation de son fonds de roulement net. D'autre part, si elle rembourse une partie de sa dette à long terme en liquidant son portefeuille de titres à court terme, elle verra son fonds de roulement net diminuer.

Figure 7.2

Le cycle d'exploitation de l'entreprise

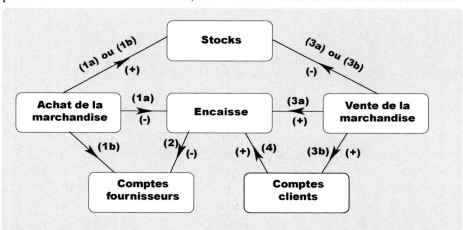

Notes explicatives :

(1a) : Achat de la marchandise au comptant

(1b) : Achat de la marchandise à crédit

(2) : Paiement du fournisseur

(3a) : Vente de la marchandise au comptant

(3b) : Vente de la marchandise à crédit

(4) : Recouvrement du produit de la vente

Le signe + indique une augmentation du solde du poste en cause alors que le signe - signale une diminution.

7.4 L'importance de la gestion du fonds de roulement

Plusieurs facteurs font en sorte que la gestion du fonds de roulement constitue un sujet de première importance en finance corporative. Parmi ceux-ci, notons :

1. Les statistiques révèlent que l'actif à court terme constitue environ 46% de l'actif total des entreprises non financières alors que le passif à court terme permet de financer environ 42% de l'actif total de ces dernières. De plus, dans les secteurs industriels où les comptes clients et les stocks sont élevés, l'actif à court terme peut représenter plus de 60% de l'actif total de l'entreprise. Compte tenu de l'importance des sommes investies dans les actifs à court terme, une bonne gestion de ces derniers nous apparaît essentielle.

2. Les soldes observés et optimaux des différents postes de l'actif et du passif à court terme fluctuent constamment à travers le temps. Dans ces conditions, il n'est guère étonnant de constater, qu'en pratique, le gestionnaire financier doive consacrer une grande part de son temps à l'administration des postes qui composent le fonds de roulement net de l'entreprise. Dans les entreprises, les décisions financières touchant le fonds de roulement sont prises quotidiennement alors que des décisions concernant l'actif immobilisé et le financement à long terme sont plutôt sporadiques.

3. Dans le cas des petites et moyennes entreprises (PME), la gestion du fonds de roulement est particulièrement importante. En effet, même si ces derniè-res peuvent minimiser leurs investissements en immobilisations en ayant recours à la location, elles ne peuvent éviter d'investir dans l'encaisse, les comptes clients et les stocks. Cette situation s'explique en bonne partie par la relation directe qui existe entre la croissance des ventes et celle des diffé-rents postes de l'actif à court terme et du passif à court terme. Par exemple, si le délai moyen de recouvrement des comptes clients est de 45 jours et que les ventes à crédit augmentent de 2 000 $ par jour, il s'ensuivra une augmen-tation des comptes clients de 90 000 $. L'augmentation des ventes provo-quera également une hausse des stocks et des comptes fournisseurs.

Un autre facteur qui exerce des répercussions sur la gestion du fonds de roulement des PME est que ces entreprises ont un accès plutôt limité aux sources de financement à long terme (obligations et capital-actions). Elles doivent donc recourir fréquemment aux modes de financement à court terme, ce qui a pour effet d'accroître leurs exigibilités et ainsi réduire leur fonds de roulement net.

4. Une mauvaise gestion du fonds de roulement peut faire perdre des ventes à l'entreprise et ainsi exercer un impact négatif sur ses bénéfices. De plus, une gestion inadéquate du fonds de roulement peut entraîner la faillite de l'entreprise si cette dernière n'est pas en mesure de payer ses dettes lors-que celles-ci arriveront à échéance.

7.5 Facteurs déterminant l'importance des sommes investies dans le fonds de roulement

Plusieurs facteurs exercent une influence sur l'importance des actifs à court terme - espèces et quasi-espèces, placements à court terme, comptes clients et stocks - détenus par une entreprise. Parmi ceux-ci, mentionnons :

1. **La nature des activités de l'entreprise.** Très souvent, le secteur industriel dans lequel opère l'entreprise exerce une influence sensible sur les sommes investies dans les actifs à court terme. Ainsi, l'actif à court terme des entreprises de services publics représente habituellement une faible proportion de leur actif total. Par contre, dans le cas des commerces de détail qui détiennent des stocks importants, l'actif à court terme peut représenter plus de 60% de leur actif total.

2. **La taille de l'entreprise.** Les statistiques révèlent que le ratio actif à court terme sur actif total est habituellement beaucoup plus élevé pour les petites entreprises qu'il ne l'est pour les grandes sociétés.

3. **La croissance du chiffre d'affaires.** L'actif à court terme - particulièrement les comptes clients et les stocks - de l'entreprise épouse habituellement la progression de son chiffre d'affaires. Il en va de même pour son passif à court terme, car le montant des achats est en étroite corrélation avec le montant des ventes.

4. **La stabilité des ventes.** Toutes choses étant égales par ailleurs, plus il s'avère aisé de prévoir les ventes de l'entreprise, moins elle détiendra d'actifs à court terme. Inversement, une entreprise dont les ventes sont sujettes à de fortes fluctuations devra investir davantage dans les stocks et détiendra, par conséquent, un actif à court terme plus important.

5. **L'équilibre recherché par les gestionnaires entre le risque et le rendement.** Cette question fait l'objet de la section 7.7.

7.6 La gestion du fonds de roulement et la relation risque-rendement

En théorie, la politique optimale de gestion du fonds de roulement est celle qui maximise la richesse des actionnaires de l'entreprise. Toutefois, dans un contexte pratique, la politique optimale reste très difficile à identifier, puisque le gestionnaire est amené à prendre simultanément en considération un grand nombre de variables à la fois internes et externes à l'entreprise. Comme c'est le cas pour la plupart des décisions financières, la détermination d'un niveau adéquat de disponibilités et d'exigibilités dans un contexte pratique exigera du gestionnaire que ce dernier effectue une analyse risque-rendement en tenant compte des constatations suivantes :

1. De façon générale, on peut affirmer que le risque d'insolvabilité technique de l'entreprise est lié inversement à l'importance de son fonds de roulement net. En effet, si l'on maintient constant le volume et les coûts de production, ainsi que le prix et le volume des ventes, la probabilité d'insolvabilité technique diminue avec la hausse du fonds de roulement net.

2. À l'instar des actifs immobilisés, les disponibilités ou les actifs à court terme contribuent à générer des revenus pour l'entreprise. Il est cependant beaucoup plus difficile de quantifier la contribution des disponibilités aux revenus de l'entreprise que d'évaluer celle des actifs immobilisés. De plus, compte tenu du fait que les actifs à court terme sont, de façon générale, moins risqués que les immobilisations, on peut s'attendre, selon la relation risque-rendement, à ce que le rendement obtenu sur ces actifs soit moindre que celui généré par les immobilisations. L'entreprise devra donc faire un choix entre réduire son risque ou augmenter sa rentabilité espérée. Ainsi, dans le cas où la priorité est de réduire le risque inhérent à l'insolvabilité technique, les dirigeants choisiront d'investir davantage dans les actifs à court terme et moins dans les immobilisations. Cette stratégie aura cependant pour effet de réduire la rentabilité espérée de l'actif total de l'entreprise. Par contre, si l'objectif consiste à maximiser la rentabilité espérée, on investira beaucoup en actifs immobilisés et peu en disponibilités, ce qui aura pour effet d'accroître le risque que prend l'entreprise de ne pas être en mesure de rencontrer ses obligations à court terme.

3. En ce qui a trait au financement de l'entreprise, on peut affirmer que, de façon générale, le recours aux exigibilités s'avère moins onéreux que l'utilisation des instruments de financement à long terme. Les deux raisons suivantes expliquent pourquoi il en est ainsi : (1) plusieurs dettes à court terme - les comptes fournisseurs, les salaires à payer, etc. - n'entraînent aucun coût direct et (2) la plupart du temps, on observe, sur les marchés financiers, une relation positive entre le rendement exigé par le prêteur et l'échéance de l'emprunt. Ainsi, dans la mesure où le coût du financement à court terme est inférieur à celui du financement à long terme, l'entreprise aura avantage à se financer par de la dette à court terme si elle désire maximiser sa rentabilité espérée. Toutefois, soulignons que lorsque l'entreprise a recours à la dette à court terme pour financer ses actifs, plutôt que d'utiliser la dette à long terme ou les fonds propres, il en résulte un accroissement de son degré de risque et ce, pour les deux raisons suivantes : (1) dans le cas d'un emprunt à long terme, le taux d'intérêt est constant d'une année à l'autre alors que dans le cas d'un emprunt à court terme le taux d'intérêt peut fluctuer considérablement d'une période à l'autre et (2) il existe toujours un risque que l'entreprise ne puisse renouveler son emprunt à court terme lorsque celui-ci viendra à échéance.

L'exemple numérique présenté ci-dessous permettra de mieux saisir l'impact que peut avoir la politique relative au fonds de roulement sur le risque et la rentabilité de l'entreprise.

Exemple 7.2

Impact du choix d'une politique relative au fonds de roulement sur le risque et la rentabilité de l'entreprise

Le bilan simplifié de l'entreprise Triaxe inc. au 31/12/XX+1 se présente ainsi :

Triaxe inc.
Bilan au 31/12/XX+1

Actif		**Passif**	
Disponibilités	3 800 $	Exigibilités	2 300 $
Immobilisations	6 200	Dette à long terme	3 400
		Avoir des actionnaires ordinaires	4 300
Total	10 000 $	Total	10 000 $

Autres informations :

On suppose que l'entreprise obtient les rendements suivants sur ses actifs :

- Rendement moyen sur les disponibilités : 3%, soit 114 $ (3% × 3 800 $)
- Rendement moyen sur les immobilisations : 12%, soit 744 $ (12% × 6 200 $)
- Rendement moyen sur l'actif total : 8,58%, soit 858 $
- Fonds de roulement net : 3 800 $ - 2 300 $ = 1 500 $

On suppose que les coûts de financement sont les suivants :

- Coût de financement moyen sur les exigibilités : 4%, soit 92 $ (4% × 2 300 $)
- Coût de financement moyen sur la dette à long terme et sur l'avoir des actionnaires ordinaires : 9%, soit 693 $ (9% × 7 700 $)
- Coût de financement moyen de l'entreprise : 7,85%, soit 785 $

Scénario 1 : On augmente les immobilisations de 500 $ et on diminue d'autant les disponibilités.

On aura alors :

$$\begin{aligned}\text{Rendement moyen sur l'actif total} &= (0,03 \times 3\ 300) + (0,12 \times 6\ 700) \\ &= 903\ \$ \text{ ou } 9,03\%\end{aligned}$$

Fonds de roulement net = 3 300 $ − 2 300 $ = 1 000 $

Conclusion

En diminuant les disponibilités au profit des immobilisations, cela contribue à augmenter la rentabilité de l'entreprise, à réduire son fonds de roulement net et à accroître le risque d'insolvabilité technique.

Scénario 2 : On augmente de 500 $ les exigibilités et on diminue d'autant la dette à long terme.

On aura alors :

$$\begin{aligned}\text{Coût de financement moyen de l'entreprise} &= (0,04 \times 2\ 800) + (0,09 \times 7\ 200) \\ &= 760\ \$ \text{ ou } 7,60\%\end{aligned}$$

Fonds de roulement net = 3 800 $ − 2 800 $ = 1 000 $

Conclusion

En augmentant les exigibilités au détriment de la dette à long terme, cela contribue à diminuer le coût de financement moyen de l'entreprise et, par conséquent, à accroître sa rentabilité. Par contre, ce scénario entraîne une diminution du fonds de roulement net et il en résulte alors une hausse du risque.

7.7 Relation entre l'actif à court terme et le volume des ventes

Comme nous l'avons mentionné précédemment, le niveau de l'actif à court terme d'une entreprise est lié directement à son chiffre d'affaires. De plus, notons que l'importance de l'actif à court terme, pour un volume donné des ventes, dépend également de l'équilibre recherché par les gestionnaires entre le risque et la rentabilité espérée. En effet, tout dépendant de leur attitude à l'égard du risque, les gestionnaires opteront soit pour une politique audacieuse en matière de gestion du fonds de roulement, soit pour une politique conservatrice ou encore pour une politique se situant quelque part entre ces deux extrêmes, appelée politique intermédiaire. La figure 7.3 illustre l'importance de l'actif à court terme en fonction des ventes selon chacune de ces trois politiques.

Figure 7.3

Relation entre l'actif à court terme et les ventes

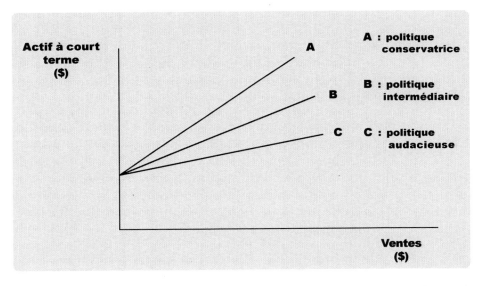

Politique conservatrice en matière de gestion du fonds de roulement

La droite « A » représente une approche conservatrice en matière de gestion du fonds de roulement. Cette dernière privilégie un investissement élevé en actifs à court terme afin d'éviter tout problème de liquidité et ainsi réduire le risque d'insolvabilité. Les espèces et quasi-espèces, les comptes clients et les stocks seront alors maintenus à des niveaux élevés. Cette politique procure à l'entreprise une excellente marge de manoeuvre, mais cette sécurité accrue se traduit habituellement par une faible rentabilité de l'actif total. Toutefois, il nous semble pertinent de mentionner que l'approche conservatrice en matière de gestion du fonds de roulement - qui se concrétise notamment par une politique de crédit plutôt souple et le maintien de stocks élevés - peut exercer un impact bénéfique sur le chiffre d'affaires, ce qui compense, du moins partiellement, pour la faible rentabilité des actifs à court terme.

Politique audacieuse en matière de gestion du fonds de roulement

La droite « C » représente une approche beaucoup plus audacieuse en matière de gestion du fonds de roulement, en ce sens où l'on cherche à minimiser les montants investis dans les actifs à court terme de façon à augmenter la rentabilité globale de l'entreprise. Le fait de maintenir au minimum les espèces et quasi-espèces, les comptes clients et les stocks est cependant susceptible d'occasionner certains problèmes aux administrateurs. En effet, des liquidités trop faibles peuvent, par exemple, faire en sorte que l'entreprise ne sera pas en mesure de payer certains de ses fournisseurs et que, par conséquent, elle éprouvera à l'avenir certaines difficultés à s'approvisionner. De même, des comptes clients peu élevés suggèrent que l'entreprise a adopté une politique de crédit trop restrictive, ce qui peut entraîner la perte de certains clients. Enfin, des stocks de matières premières trop faibles sont susceptibles de provoquer une interruption de la production et se traduire par des pertes importantes au niveau des ventes. Ces effets négatifs viennent à l'encontre de l'objectif même de cette politique qui est de maximiser la rentabilité espérée. En effet, une politique audacieuse de gestion du fonds de roulement est susceptible de faire perdre des ventes à l'entreprise, ce qui aura pour effet de contrebalancer, du moins partiellement, les économies associées au maintien d'un faible niveau d'actifs à court terme.

Politique intermédiaire en matière de gestion du fonds de roulement

Cette politique représente en quelque sorte un compromis entre les deux politiques extrêmes discutées précédemment. Pour l'entreprise, cette politique est moins risquée que la politique audacieuse. D'autre part, elle permet d'obtenir un rendement sur les actifs plus élevé que celui associé à la politique conservatrice, mais moins élevé que celui lié à l'adoption d'une politique audacieuse. Pour la majorité des entreprises, la politique dite intermédiaire permet d'obtenir un juste équilibre entre le risque et le rendement espéré et constitue en quelque sorte un optimum à viser.

7.8 Le financement de l'actif à court terme

· · ·
Actifs à court terme permanents
Seuil minimal d'actifs à court terme à maintenir et ce, indépendamment du niveau des ventes

· · ·
Actifs à court terme temporaires
Accroissement de l'actif à court terme découlant des fluctuations saisonnières des ventes

Comme nous l'avons déjà mentionné, les actifs à court terme de l'entreprise croissent avec l'augmentation du volume des ventes. Cela signifie qu'une croissance continue des ventes va générer une augmentation permanente des actifs à court terme. À ce phénomène s'ajoutent les fluctuations saisonnières des ventes qui, à leur tour, provoquent des variations cycliques au niveau des actifs à court terme requis. Dans ces conditions, l'entreprise devra, en plus de financer ses immobilisations, trouver du financement pour ses actifs permanents à court terme et pour ses actifs temporaires ou saisonniers à court terme.

Pour satisfaire ses besoins de financement permanents et temporaires, l'entreprise optera pour une politique de financement qui sera fonction de l'attitude de ses gestionnaires à l'égard du risque. Dans ce contexte, nous présentons, ci-dessous, trois approches en matière de financement qui pourraient être utilisées par une entreprise.

Approche typique

La première approche (voir la figure 7.4) indique que l'entreprise a recours à la dette à court terme pour financer ses actifs à court terme temporaires et utilise des sources à long terme (dette à long terme et fonds propres) pour financer ses actifs permanents (c.-à-d. ses immobilisations et ses actifs à court terme permanents). Cette approche permet de faire coïncider l'échéance des emprunts avec la période pendant laquelle l'entreprise a besoin des fonds. Une telle synchronisation des échéances procure à l'entreprise deux avantages. Premièrement, elle lui évite d'avoir à payer des intérêts lorsqu'elle n'a plus besoin des fonds. Ainsi, si l'entreprise a besoin de capitaux pendant une période de quelques mois et qu'elle se finance par l'entremise d'une émission d'obligations échéant dans 10 ans, elle devra payer des intérêts pendant 10 ans alors que les fonds ne seront utilisés que pendant quelques mois. Dans un tel cas, le financement à long terme s'avère inapproprié et occasionnerait une baisse de la rentabilité de l'entreprise. Deuxièmement, le respect du principe de la correspondance des échéances permet à l'entreprise de s'assurer qu'elle disposera des fonds nécessaires lorsqu'elle devra rembourser les emprunts contractés. Ainsi, si l'entreprise finance l'achat d'immobilisations ayant une durée de vie de 10 ans par un emprunt remboursable dans un an, elle devra dans un an renouveler son emprunt, puisque les fonds générés au cours de l'année par les actifs acquis en début d'année seront fort probablement très inférieurs à la somme totale à rembourser. Dans ce cas, il existe un risque que le prêteur ne veuille pas renouveler l'emprunt (si, par exemple, la situation financière de l'entreprise s'est détériorée significativement au cours de l'année) ou encore que l'emprunt puisse être renouvelé mais à un taux d'intérêt excédant celui de l'emprunt original.

· · ·

Approche typique
Les actifs permanents sont financés par des sources à long terme

· · ·

Principe de la synchronisation des échéances
Principe selon lequel l'entreprise fait concorder l'échéance de ses dettes avec la période de temps pendant laquelle elle envisage utiliser les fonds

Figure 7.4

Politique typique de financement

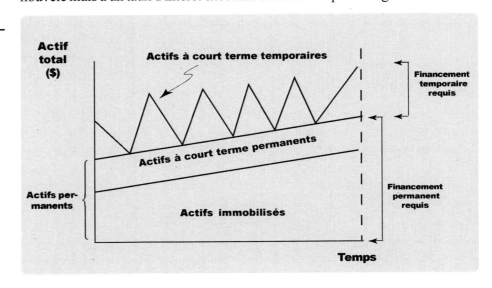

Approche conservatrice

La deuxième approche (voir la figure 7.5) constitue une politique de financement plus conservatrice. En effet, selon cette approche, l'entreprise finance par de la dette à long terme une partie de ses actifs à court terme temporaires. Dans ce cas, il faut s'attendre à ce que l'entreprise possède, durant certaines périodes, des surplus de liquidités qui pourront être investis dans des titres à court terme. Toutefois, comme le rendement des titres à court terme est généralement inférieur au coût des sources de financement à long terme, il en résulte que le choix d'une politique de financement conservatrice exerce un impact négatif sur la rentabilité de l'entreprise

> **· · ·**
> **Approche conservatrice**
> Les actifs à court terme sont partiellement financés par de la dette à long terme

Figure 7.5

Politique conservatrice de financement

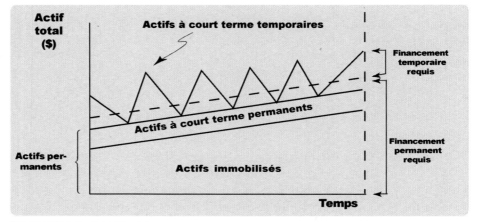

Approche audacieuse

La dernière approche, de type plus audacieuse, propose de financer (partie A sur la figure 7.6) une portion des actifs à court terme permanents par de la dette à court terme. Cette politique est de nature à réduire le fonds de roulement net de l'entreprise, car la dette à court terme s'en trouve alors accrue. De plus, elle a pour conséquence d'accroître le risque de l'entreprise, car il se peut que ses bailleurs de fonds ne veuillent pas renouveler ses emprunts à court terme ou encore que le coût du crédit ait augmenté substantiellement. Finalement, le choix d'une politique audacieuse permet d'accroître la rentabilité de l'entreprise, puisque le taux d'intérêt exigé sur un emprunt à court terme est, la plupart du temps, inférieur à celui demandé sur un emprunt à moyen ou à long terme.

> **· · ·**
> **Politique audacieuse**
> Les actifs à court terme permanents sont partiellement financés par de la dette à court terme

Figure 7.6

Politique audacieuse de financement

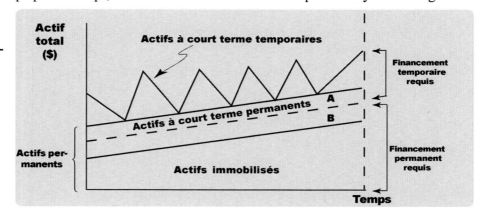

En guise de conclusion, on peut affirmer que la première approche est celle qui reflète le mieux l'attitude des bailleurs de fonds et, en particulier, celle des institutions bancaires qui refusent généralement de financer à long terme des actifs à court terme et vice versa. D'un point de vue théorique, la première approche s'avère également pertinente et fait habituellement l'objet d'un consensus auprès des théoriciens de la finance.

7.9 L'estimation des besoins de financement en fonds de roulement

De façon générale, lorsque le chiffre d'affaires de l'entreprise s'accroît, il en résulte une augmentation de ses comptes clients et de ses stocks. En ce qui concerne le passif à court terme, ses comptes fournisseurs devraient également augmenter suite à une hausse du volume des achats attribuable à une progression des ventes. Toutefois, étant donné qu'un accroissement du chiffre d'affaires provoque une augmentation de l'actif à court terme qui excède la hausse des comptes fournisseurs, il s'ensuit que l'entreprise devra financer par des sources internes (bénéfices non distribués en dividendes) et/ou externes (emprunt bancaire et/ou émission d'actions) la hausse de son fonds de roulement net découlant d'une progression de ses ventes.

Dans le but de déterminer les besoins de financement additionnels en fonds de roulement de l'entreprise, il existe plusieurs approches possibles. Ci-dessous, nous présentons une méthode qui offre l'avantage d'être relativement simple et qui est largement utilisée en pratique par un bon nombre d'institutions financières. Selon cette méthode, les besoins de financement additionnels en fonds de roulement de l'entreprise, suite à une hausse de son chiffre d'affaires, peuvent se calculer ainsi :

$$BFFR = BFCC + BFST - FCF \qquad (7.3)$$

où   BFFR : Besoins de financement additionnels en fonds de roulement

BFCC : Besoins de financement relatifs aux comptes clients

BFST : Besoins de financement relatifs aux stocks

FCF : Financement provenant des comptes fournisseurs.

Chacune des variables précédentes peut se calculer de la façon suivante.

Calcul des besoins de financement relatifs aux comptes clients (BFCC)

Ce montant est déterminé par les ventes additionnelles quotidiennes à crédit de l'entreprise et par le délai qu'elle accorde à ses clients pour régler leurs factures. On peut également déterminer, à partir du délai trouvé, le taux de rotation des comptes clients et, par la suite, calculer les besoins de financement liés aux comptes clients.

Calcul des besoins de financement relatifs aux stocks (BFST)

Le financement requis pour les stocks est fonction des achats additionnels quotidiens de l'entreprise et de son ratio de rotation des stocks.

Calcul du financement provenant des comptes fournisseurs (FCF)

Le financement provenant des comptes fournisseurs dépend des achats additionnels quotidiens de l'entreprise et du délai qu'elle prend en moyenne pour payer ses fournisseurs.

Exemple 7.3 — **Estimation des besoins de financement additionnels en fonds de roulement**

Les informations suivantes sont disponibles concernant l'entreprise Vertex inc. :

- Ventes de l'année XX+0 (toutes à crédit) : 16 600 000 $
- Ventes prévues pour l'année XX+1 (toutes à crédit) : 20 000 000 $
- Achats de l'année XX+0 (tous à crédit) : 11 200 000 $
- Achats prévus pour l'année XX+1 (tous à crédit) : 13 500 000 $
- Délai moyen de recouvrement des comptes clients : 35 jours
- Rotation des comptes clients : 10,42857 fois
- Délai moyen de paiement des comptes fournisseurs : 40 jours
- Rotation des stocks : 7,2 fois

À partir des informations précédentes, estimez les besoins de financement additionnels en fonds de roulement de Vertex inc. pour l'année XX+1.

■ Solution

Les besoins de financement relatifs aux comptes clients se calculent comme suit :

$$
BFCC = \left(\begin{array}{l}\text{Augmentation} \\ \text{des ventes quotidiennes} \\ \text{à crédit}\end{array}\right)\left(\begin{array}{l}\text{Délai moyen de} \\ \text{recouvrement des} \\ \text{comptes clients}\end{array}\right)
$$

$$
= \left(\begin{array}{l}\text{Augmentation} \\ \text{des ventes quotidiennes} \\ \text{à crédit}\end{array}\right)\left(\dfrac{\text{Comptes clients}}{\text{Ventes annuelles à crédit}\,/\,365}\right)
$$

$$
= \left(\dfrac{20\,000\,000 - 16\,600\,000}{365}\right)(35)
$$

$$
= 326\,027\ \$
$$

On pourrait également procéder de la façon suivante :

$$
BFCC = \left(\begin{array}{l}\text{Augmentation} \\ \text{des ventes quotidiennes} \\ \text{à crédit}\end{array}\right)\left(\dfrac{365}{\text{Rotation des comptes clients}}\right)
$$

$$
= \left(\dfrac{20\,000\,000 - 16\,600\,000}{365}\right)\left(\dfrac{365}{10,42857}\right)
$$

$$
= 326\,027\ \$
$$

Les besoins de financement relatifs aux stocks s'évaluent ainsi :

$$BFST = \left(\begin{matrix}\text{Augmentation}\\\text{des achats quotidiens}\end{matrix}\right)\left(\frac{365}{\text{Rotation des stocks}}\right)$$

$$= \left(\frac{13\ 500\ 000 - 11\ 200\ 000}{365}\right)\left(\frac{365}{7,2}\right)$$

$$= 319\ 444\ \$$$

Le financement provenant des comptes fournisseurs est égal à :

$$FCF = \left(\begin{matrix}\text{Augmentation}\\\text{des achats quotidiens}\end{matrix}\right)\left(\begin{matrix}\text{Délai moyen de paiement}\\\text{des comptes fournisseurs}\end{matrix}\right)$$

$$= \left(\frac{13\ 500\ 000 - 11\ 200\ 000}{365}\right)(40)$$

$$= 252\ 055\ \$$$

Par conséquent, les besoins de financement additionnels en fonds de roulement s'élèvent à :

$$BFFR = 326\ 027 + 319\ 444 - 252\ 055$$

$$= 393\ 416\ \$$$

Cette approche simpliste nous permet de constater que les besoins de financement additionnels en fonds de roulement de l'entreprise sont relativement importants. De façon à diminuer ces derniers, l'entreprise pourrait soit accroître son taux de rotation des stocks, soit réduire son délai moyen de recouvrement des comptes clients ou encore augmenter son délai moyen de paiement des comptes fournisseurs.

7.10 Comment détecter et traiter les problèmes de liquidités

Un gestionnaire compétent doit être en mesure de détecter rapidement et traiter adéquatement les problèmes de liquidités qui peuvent surgir. Certains signes annonciateurs d'une détérioration de la liquidité de l'entreprise sont mentionnés ci-dessous :

1. les ratios du fonds de roulement et de trésorerie sont inférieurs à la moyenne de l'industrie;

2. une diminution du fonds de roulement net;

3. le solde des comptes fournisseurs est constamment à la hausse;

4. le solde bancaire est constamment débiteur;

5. les paiements à effectuer pour rembourser les emprunts sont en retard;

6. une augmentation du solde des comptes clients et du délai moyen de recouvrement des comptes clients;

7. une augmentation des stocks et une diminution du ratio de rotation des stocks;

8. une diminution des rentrées de fonds périodiques;

9. une hausse des coûts de production que l'entreprise s'avère incapable de faire absorber par ses clients;

10. une augmentation du ratio d'endettement.

Tout dépendant de la source du problème, de sa gravité et de sa durée anticipée, le gestionnaire peut tenter de le solutionner en adoptant l'une ou plusieurs des mesures énumérées ci-après :

1. adopter une politique de crédit plus restrictive et réduire le solde des comptes clients;

2. exercer un contrôle plus serré sur les stocks et tenter d'en réduire l'importance;

3. vendre des placements à court terme ou d'autres actifs;

4. retarder, si possible, le paiement de certaines factures;

5. contracter un emprunt à court ou à long terme;

6. émettre des actions privilégiées ou ordinaires;

7. exercer un contrôle plus serré sur certaines dépenses de l'entreprise;

8. réduire le budget des investissements;

9. réduire ou éliminer les versements de dividendes en espèces.

Si les mesures précédentes s'avèrent insuffisantes, des solutions plus drastiques devront alors être envisagées, car des problèmes chroniques de liquidités peuvent mettre en péril la survie de l'entreprise.

7.11 Concepts fondamentaux

- Le fonds de roulement de l'entreprise correspond au total de son actif à court terme. Pour sa part, le fonds de roulement net représente l'écart entre le total de l'actif à court terme et le total du passif à court terme. Il s'agit d'une mesure de la liquidité de l'entreprise.

- La gestion du fonds de roulement vise à déterminer le niveau optimal du fonds de roulement net de l'entreprise ainsi que la composition de son actif et de son passif à court terme.

- Le cycle d'exploitation est le nombre de jours qui s'écoule entre la date d'achat de la marchandise destinée à la revente et celle où l'entreprise recouvre les sommes d'argent provenant des ventes effectuées à ses clients. Plus ce cycle est long, plus les besoins de financement en fonds de roulement de l'entreprise s'avèrent substantiels.

■ Compte tenu notamment des sommes importantes investies dans le fonds de roulement, le gestionnaire financier doit consacrer une large part de son temps à s'occuper des problèmes se rattachant aux actifs et passifs à court terme de l'entreprise.

■ L'importance des sommes investies dans l'actif à court terme dépend notamment des facteurs suivants : (1) la nature des activités et la taille de l'entreprise, (2) la croissance du chiffre d'affaires, (3) la stabilité des ventes et (4) l'équilibre recherché entre le risque et la rentabilité.

■ Une augmentation du fonds de roulement net diminue à la fois la rentabilité espérée et le risque de l'entreprise. Inversement, une diminution du fonds de roulement net accroît simultanément la rentabilité espérée et le risque de l'entreprise. Les deux raisons suivantes expliquent cette réalité financière : (1) la rentabilité des actifs à court terme est habituellement moindre que celle des immobilisations et (2) la dette à court terme est généralement moins onéreuse que celle à long terme.

■ La politique conservatrice en matière de gestion du fonds de roulement privilégie des investissements élevés en actifs à court terme alors que la politique audacieuse cherche, au contraire, à réduire au minimum les montants investis dans les actifs à court terme. Entre ces deux extrêmes, il existe une politique dite intermédiaire qui constitue un genre de compromis.

■ Lors de l'élaboration de sa stratégie optimale de financement, l'entreprise a avantage à prendre en considération le principe de la synchronisation des échéances. Selon ce principe, les actifs à court terme permanents et les immobilisations devraient être financés par des sources à long terme alors que la dette à court terme devrait servir à financer les actifs à court terme temporaires ou saisonniers.

■ Les besoins de financement additionnels en fonds de roulement de l'entreprise correspondent à la somme des besoins de financement relatifs aux comptes clients plus les besoins de financements relatifs aux stocks défalquée du financement provenant des comptes fournisseurs.

■ Afin d'éviter que l'enreprise se retrouve dans une situation financière précaires, le gestionnaire a tout avantage à détecter rapidement les problèmes de liquidités qui peuvent surgir et à y apporter les mesures correctives appropriées.

7.12 Mots clés

Actifs à court terme
Actifs à court terme permanents
Actifs à court terme temporaires
Actifs immobilisés
Besoins de financement en fonds de roulement
Cycle d'exploitation

Évaluation des besoins de financement en fonds de roulement
Financement du fonds de roulement - approche audacieuse
Financement du fonds de roulement - approche conservatrice
Financement du fonds de roulement - approche typique
Fonds de roulement
Fonds de roulement net
Gestion du fonds de roulement - politique audacieuse
Gestion du fonds de roulement - politique conservatrice
Gestion du fonds de roulement - politique intermédiaire
Passifs à court terme
Principe de la synchronisation des échéances
Problèmes de liquidités
Relation risque-rendement

7.13 Exercices

1. Vrai ou faux.

a) Le gestionnaire financier passe la majeure partie de son temps à l'élaboration du budget des investissements à long terme.

b) Le fonds de roulement net correspond à la différence entre l'actif à court terme et le passif à court terme.

c) Le paiement des comptes fournisseurs a pour conséquence de diminuer le fonds de roulement net.

d) De façon générale, l'actif à court terme constitue environ 5% de l'actif total d'une entreprise.

e) L'achat de matières premières a pour effet de diminuer le fonds de roulement net.

f) La vente d'un bâtiment a pour effet d'accroître le fonds de roulement net.

g) Une politique conservatrice en matière de gestion du fonds de roulement se caractérise par un ratio élevé du fonds de roulement.

h) Le recours aux sources de financement à court terme, plutôt qu'à la dette à long terme ou aux fonds propres, a pour conséquence d'accroître le risque de l'entreprise.

i) De façon générale, les sources de financement à court terme sont plus onéreuses que celles à long terme.

j) De façon générale, le taux de rendement des actifs à court terme excède celui des immobilisations.

k) Toutes choses étant égales par ailleurs, plus ses ventes sont volatiles, plus l'entreprise devrait maintenir un fonds de roulement net élevé.

l) Toutes choses étant égales par ailleurs, plus ses gestionnaires ont de l'aversion à l'égard du risque, plus l'entreprise devrait maintenir un fonds de roulement net élevé.

m) Généralement, lorsque ses ventes augmentent, les besoins de fonds de roulement de l'entreprise diminuent.

n) Selon l'approche typique en matière de gestion du fonds de roulement, les actifs immobilisés sont financés par de la dette à court terme.

o) Lorsque le fonds de roulement net est négatif, cela indique que des immobilisations sont financées par de la dette à court terme.

p) Dans le calcul du fonds de roulement net, on doit considérer le montant des impôts futurs à long terme.

q) De façon générale, une augmentation des ventes entraîne une diminution des comptes fournisseurs.

2. Le ratio du fonds de roulement de l'entreprise Sécor inc. est de 2,4. Son passif à court terme s'élève à 600 000 $. Déterminez :

a) le fonds de roulement de cette entreprise;

b) le fonds de roulement net de cette entreprise.

3. Le bilan simplifié de l'entreprise UXOR au 31/12/XX+0 est le suivant :

UXOR inc.
Bilan au 31/12/XX+0

Actif		Passif	
Disponibilités	10 000 $	Exigibilités	8 000 $
Immobilisations	20 000	Capitaux permanents	22 000
Total	30 000 $		30 000 $

Autres informations :

- Taux de rendement des disponibilités : 5%
- Taux de rendement des immobilisations : 14%
- Coût de la dette à court terme : 8%
- Coût des capitaux permanents : 12%

a) Quel est actuellement le taux de rendement moyen sur l'actif total de l'entreprise?

b) Si l'on diminue les immobilisations de 3 000 $ et que l'on augmente d'autant les disponibilités, quel sera alors le taux de rendement moyen sur l'actif total de l'entreprise?

c) Quel est actuellement le coût de financement moyen de l'entreprise?

d) Si l'on diminue les exigibilités de 3 000 $ et que l'on augmente d'autant le capital permanent, quel sera alors le coût de financement moyen de l'entreprise? Quel serait l'impact d'une telle transaction sur le risque financier de l'entreprise?

4. Deux femmes d'affaires envisagent de lancer une nouvelle entreprise. Selon les estimations, le démarrage de cette entreprise nécessitera des investissements de 700 000 $ en immobilisations et de 300 000 $ en disponibilités. Les trois stratégies de financement envisagées sont les suivantes :

	Stratégie A	**Stratégie B**	**Stratégie C**
Dette à court terme (à 10%)	400 000 $	250 000 $	100 000 $
Dette à long terme (à 14%)	100 000 $	250 000 $	400 000 $
Capital-actions ordinaire	500 000 $	500 000 $	500 000 $

Le BAII annuel devrait s'élever à 140 000 $. Le taux d'impôt prévu est de 36%.

a) En utilisant les montants du début de l'année, calculez pour chacune des stratégies de financement :

i) le fonds de roulement net;

ii) le ratio de fonds de roulement;

iii) le rendement espéré sur la mise de fonds des actionnaires;

iv) le ratio d'endettement;

v) le ratio de couverture des intérêts.

b) Laquelle des stratégies de financement envisagées vous apparaît la plus risquée? La moins risquée?

5. À partir des renseignements ci-dessous, estimez les besoins de financement additionnels en fonds de roulement de l'entreprise Micromix inc. pour l'année XX+1.

- Ventes de l'année XX+0 (toutes à crédit) :   3 000 000 $
- Ventes prévues pour l'année XX+1 (toutes à crédit) :   3 400 000 $
- Achats de l'année XX+0 (tous à crédit) :   2 400 000 $
- Achats prévus pour l'année XX+1 (tous à crédit) :   2 720 000 $
- Stocks au début de l'année XX+0 :   300 000 $
- Stocks à la fin de l'année XX+0 :   325 000 $
- Comptes clients au début de l'année XX+0 :   200 000 $
- Comptes clients à la fin de l'année XX+0 :   225 000 $
- L'entreprise prend, en moyenne, 30 jours pour payer ses fournisseurs.

Note : Dans le but de déterminer le délai moyen de recouvrement des comptes clients, utilisez la valeur moyenne des comptes clients pour l'année XX+0. Dans le cas du ratio de rotation des stocks, utilisez la valeur moyenne des stocks pour l'année XX+0 et le coût des ventes de la même année.

6. Les renseignements suivants sont disponibles concernant la compagnie SXV inc. :

- Actifs immobilisés :   30 000 000 $
- Actifs à court terme permanents :   12 000 000 $
- Dette à long terme :   27 000 000 $
- Avoir des actionnaires ordinaires: 15 000 000 $
  (ce montant est considéré comme fixe)
- Prévisions relatives aux actifs à court terme temporaires pour chaque trimestre des années XX+1 et XX+2 :

1er trimestre (XX+1) :	5 000 000 $
2e trimestre (XX+1) :	11 000 000 $
3e trimestre (XX+1) :	14 000 000 $
4e trimestre (XX+1) :	8 000 000 $
1er trimestre (XX+2) :	11 000 000 $
2e trimestre (XX+2) :	5 000 000 $
3e trimestre (XX+2) :	14 000 000 $
4e trimestre (XX+2) :	8 000 000 $

- Taux d'intérêt sur la dette à court terme : 8%
- Taux d'intérêt sur la dette à long terme : 12%
- L'entreprise émet des titres d'emprunt à court terme pour financer ses actifs à court terme temporaires.

  a) Quel est le montant total des intérêts que l'entreprise peut s'attendre à payer au cours des deux prochaines années?

  b) Si l'entreprise optait pour une politique de financement plus audacieuse en réduisant sa dette à long terme à 20 000 000 $, quel montant de dette à court terme serait alors nécessaire pour chaque trimestre des deux prochaines années?

  c) Quel est le montant total des intérêts que l'entreprise pourrait épargner en optant pour la stratégie de financement plus audacieuse décrite en (b)?

7. Les renseignements suivants sont disponibles concernant la compagnie Labrie inc. :

- Actifs à court terme permanents : 300 000 $
- Actifs immobilisés : 700 000 $
- Avoir des actionnaires ordinaires : 500 000 $
- Ventes prévues pour l'année XX+1 : 2 000 000 $
- Coût des marchandises vendues : 60% des ventes
- Frais de vente et d'administration : 400 000 $
- Taux d'impôt : 40%
- Taux d'intérêt sur les emprunts à court terme : 8%
- Taux d'intérêt sur les emprunts à long terme : 11%
- Prévisions relatives aux actifs à court terme temporaires pour chaque trimestre de l'année XX+1:

1er trimestre :	175 000 $
2e trimestre :	300 000 $
3e trimestre :	250 000 $
4e trimestre :	100 000 $

- En ce qui a trait à son financement par dette, l'entreprise considère les trois politiques suivantes :
  - politique conservatrice: 600 000 $ de dette à long terme et le reste sous forme de dette à court terme.
  - politique intermédiaire: 500 000 $ de dette à long terme et le reste sous forme de dette à court terme.
  - politique audacieuse: 200 000 $ de dette à long terme et le reste sous forme de dette à court terme.

a) Établissez le bilan prévisionnel de la compagnie Labrie inc. à la fin de l'année XX+1 selon chacune des trois politiques de financement considérées.

b) Calculez le montant total des intérêts à payer pour l'année XX+1 selon chacune des trois politiques de financement considérées.

c) Établissez l'état prévisionnel des résultats de la compagnie Labrie inc. à la fin de l'année XX+1 selon chacune des trois politiques de financement considérées.

d) Vos calculs devraient démontrer que si l'entreprise adopte la politique audacieuse, elle maximisera alors sa rentabilité. Pourquoi cette politique est-elle la plus rentable? Pourquoi est-elle aussi la plus risquée?

8

La gestion de l'encaisse et des titres négociables

Sommaire

8

Objectifs pédagogiques

Lorsque vous aurez complété l'étude du chapitre 8,

1. vous connaîtrez les différents motifs de détention d'une encaisse;

2. vous serez en mesure d'identifier les principales transactions financières ayant un impact sur l'encaisse de l'entreprise;

3. vous saurez ce que représente le cycle de l'encaisse et comprendrez son incidence sur les besoins de financement de sources externes de l'entreprise;

4. vous serez capable de faire la distinction entre le cycle de l'encaisse et le cycle d'exploitation de l'entreprise;

5. vous comprendrez le concept de fonds en transit;

6. vous connaîtrez les différents moyens dont dispose l'entreprise pour accélérer les entrées de fonds, ralentir les sorties de fonds et assurer une gestion optimale de sa trésorerie;

7. vous serez familier avec les différents modèles mathématiques (modèle de Baumol, modèle de Miller et Orr et modèle de Stone) qui sont utilisés pour gérer l'encaisse et serez sensibilisé aux limites de ces derniers;

8. vous serez familier avec les principaux titres du marché monétaire dans lesquels l'entreprise peut investir ses surplus d'encaisse temporaires;

9. vous connaîtrez les critères de sélection des placements à court terme.

8.1 Introduction

Dans ce chapitre, nous discutons de la gestion de l'encaisse et des titres négociables. L'encaisse d'une entreprise comprend l'argent en espèces et les dépôts à demande. Ces dépôts constituent, en général, la majeure partie de l'encaisse. Quant aux titres négociables, ils représentent des placements à court terme effectués à partir des surplus d'encaisse temporaires dont dispose l'entreprise.

Le solde d'encaisse détenu peut varier considérablement d'une entreprise à l'autre en fonction des conditions spécifiques dans lesquelles elle opère et du degré d'aversion à l'égard du risque de ses gestionnaires. Ci-dessous, nous discutons de certains facteurs qui déterminent le solde d'encaisse d'une entreprise à un moment donné dans le temps.

8.2 Motifs de détention d'une encaisse

Plusieurs raisons peuvent inciter une entreprise à maintenir un niveau d'encaisse approprié. Parmi celles-ci, notons :

1. **Les besoins reliés aux transactions.** Le principal motif pour l'entreprise de maintenir un niveau d'encaisse raisonnable est relié aux transactions habituelles (paiement d'une facture, d'un dividende, des salaires, des impôts, etc.) qu'elle doit effectuer. De plus, il est important pour l'entreprise de disposer des liquidités nécessaires afin d'être en mesure de bénéficier des escomptes consentis par ses fournisseurs.

2. **Le motif de précaution.** Pour faire face à certains imprévus, comme une baisse soudaine des ventes, une augmentation non prévue des coûts de production ou des difficultés à recouvrer certains comptes clients importants, l'entreprise a avantage à maintenir un niveau d'encaisse comportant une certaine marge de manoeuvre. En général, plus les entrées et sorties de fonds de l'entreprise sont difficiles à prévoir, plus ses besoins d'encaisse à des fins de précaution seront élevés. Toutefois, lorsque l'entreprise peut emprunter rapidement, ses besoins d'encaisse pour le motif de précaution s'en trouvent alors réduits.

3. **Le motif de spéculation.** Afin d'être en mesure de profiter de certaines offres d'achat alléchantes ou d'une hausse des taux d'intérêt, il peut être avantageux pour l'entreprise de détenir une encaisse supérieure au minimum requis pour ses opérations normales. Toutefois, de nos jours, peu d'entreprises détiennent une encaisse importante pour le seul motif de spéculation. En effet, les entreprises ont plutôt recours à leur capacité d'emprunt ou à leur portefeuille de titres à court terme pour profiter des occasions intéressantes lorsque celles-ci se présentent.

4. **Le maintien d'un solde compensateur.** En contrepartie des services qu'elle rend à l'entreprise (compensation des chèques, divers conseils, service de cases postales, renseignements portant sur le crédit, etc.), la banque exige de cette dernière qu'elle maintienne un certain solde - appelé solde compensateur - sans quoi elle se verra imposer des frais pour les services qui lui sont offerts par l'institution bancaire.

Dans l'établissement de son solde d'encaisse optimal, l'entreprise doit tenir compte de ses besoins reliés aux quatre motifs mentionnés ci-dessus. Toutefois, de façon générale, le montant total d'encaisse requis par une entreprise ne correspond pas à la somme de ses besoins d'encaisse à des fins de transaction, de précaution, de spéculation et de maintien d'un solde compensateur. Cela s'explique par le fait que le même argent peut servir à plusieurs fins.

Notons également que, plus le solde d'encaisse de l'entreprise est élevé, plus cette dernière est en mesure de satisfaire aisément ses différents besoins et plus ses risques d'insolvabilité sont faibles. Toutefois, étant donné que l'encaisse est un actif qui génère peu de revenus, le maintien d'un solde d'encaisse trop élevé risque d'affecter négativement la rentabilité de l'entreprise et le prix de ses actions. Dans ces conditions, l'entreprise doit tenter, en ce qui a trait à la gestion de son encaisse, de concilier les objectifs contradictoires que sont la minimisation des risques d'insolvabilité et la maximisation de la rentabilité espérée.

8.3 L'encaisse vue comme un réservoir

On peut considérer l'encaisse d'une entreprise comme étant un réservoir dont le niveau fluctue constamment. Comme l'illustre la figure 8.1, les entrées de fonds (ventes au comptant, perception des comptes clients, émissions de titres, etc.) ont pour effet d'augmenter le niveau du réservoir alors que les sorties de fonds (paiements des fournisseurs, versements des dividendes et des intérêts, rachats d'actions, etc.) ont l'effet opposé. Pour éviter que le réservoir ne devienne vide et que l'entreprise ne devienne insolvable, le gestionnaire doit tenter de prévoir le plus précisément possible l'importance et le moment où auront lieu les encaissements et les décaissements. Dans un contexte pratique, cela représente une tâche plutôt ardue, car certaines entrées et sorties de fonds sont imprévisibles (un client important de l'entreprise peut, par exemple, se voir dans l'obligation de retarder le paiement de sa facture).

Figure 8.1

Les mouvements d'encaisse ou de trésorerie d'une entreprise

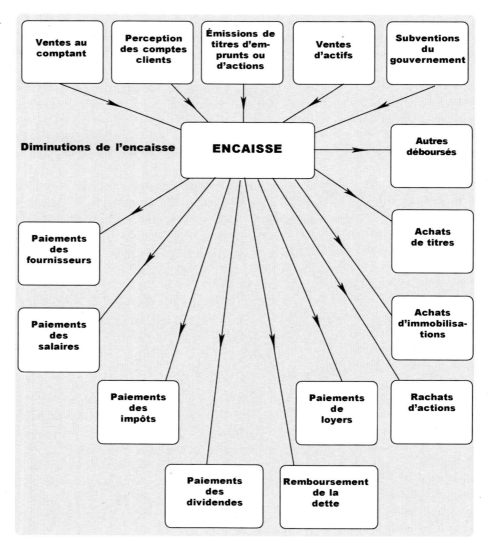

8.4 Le cycle de l'encaisse

Cycle de l'encaisse
Nombre de jours qui s'écoule entre la date où l'entreprise paie ses comptes fournisseurs et celle où elle recouvre les sommes d'argent relatives aux ventes effectuées à ses clients

Le cycle de l'encaisse ou le cycle de trésorerie est la période de temps qui s'écoule entre le moment où l'entreprise règle ses fournisseurs et le moment où elle perçoit les sommes d'argent relatives aux ventes effectuées à ses clients. Afin d'illustrer cette notion et de la mettre en parallèle avec celle du cycle d'exploitation abordée au chapitre précédent, considérons l'exemple suivant.

Exemple 8.1 | **Calcul du cycle d'exploitation et du cycle de l'encaisse**

L'entreprise Valmont inc. achète toutes ses matières premières à crédit et paie, en moyenne, ses comptes fournisseurs 35 jours plus tard. Sa politique de crédit est d'accorder à ses clients un délai de 75 jours pour acquitter leurs comptes. Selon les statistiques disponibles, le délai moyen de recouvrement des comptes clients s'élève à 70 jours et il s'écoule, en moyenne, 85 jours entre la date où l'entreprise achète ses matières premières et celle où les produits finis sont vendus aux clients.

La figure 8.2 permet de visualiser le cycle d'exploitation de la compagnie Valmont inc. ainsi que son cycle de l'encaisse.

Figure 8.2
Le cycle d'exploitation et le cycle de l'encaisse de la compagnie Valmont

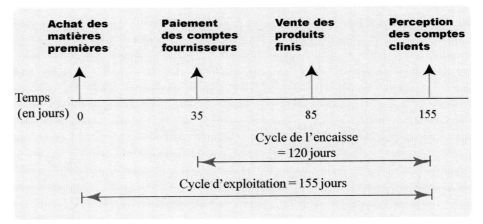

La figure précédente indique qu'une période comportant au total 155 jours s'écoule entre la date d'achat des matières premières et celle où l'entreprise Valmont inc. perçoit les sommes d'argent relatives aux ventes effectuées à ses clients. Comme nous l'avons indiqué au chapitre précédent, ce nombre de jours représente la durée du cycle d'exploitation de la compagnie.

Quant au cycle de l'encaisse, il est égal à 120 jours (soit 50 jours + 70 jours), puisque l'entreprise vend, en moyenne, ses produits finis 50 jours après avoir réglés ses fournisseurs et que son délai moyen de recouvrement des comptes clients s'élève à 70 jours. On peut également aboutir au même résultat en procédant ainsi :

$$\text{Cycle de l'encaisse} = \left(\begin{array}{c} \text{Cycle d'exploitation} \\ \text{(en jours)} \end{array} \right) - \left(\begin{array}{c} \text{Nombre de jours} \\ \text{s'écoulant entre l'achat} \\ \text{des matières premières} \\ \text{et le paiment des} \\ \text{comptes fournisseurs} \end{array} \right)$$

$$= \left(\begin{array}{c} \text{Nombre de jours s'écoulant} \\ \text{entre l'achat des} \\ \text{matières premières} \\ \text{et la vente des produits finis} \end{array} \right) + \left(\begin{array}{c} \text{Nombre de jours} \\ \text{s'écoulant entre la vente} \\ \text{des produits finis} \\ \text{et la perception des comptes clients} \end{array} \right)$$

$$- \left(\begin{array}{c} \text{Nombre de jours s'écoulant} \\ \text{entre l'achat des} \\ \text{matières premières} \\ \text{et le paiement des comptes fournisseurs} \end{array} \right)$$

$$120 = 85 + 70 - 35$$

La durée du cycle de l'encaisse influe sensiblement sur le niveau des différents postes d'actif à court terme (encaisse, comptes clients et stocks) apparaissant au bilan de l'entreprise et, par conséquent, sur les besoins de financement de sources externes de cette dernière. En effet, plus la durée de son cycle de l'encaisse est longue, plus l'entreprise devra financer un actif à court terme important. Dans la mesure du possible, l'entreprise devrait donc chercher à minimiser la durée de son cycle de l'encaisse de façon à limiter ses besoins de financement de sources externes - ce qui entraînent des charges d'intérêt - et, par conséquent, maximiser sa rentabilité. Afin de minimiser la durée de son cycle de l'encaisse, l'entreprise peut soit retarder le paiement de ses comptes fournisseurs, soit réduire son cycle de production ou encore accélérer le recouvrement de ses comptes clients.

8.5 La gestion efficace de la trésorerie

Dans cette section, nous abordons des méthodes auxquelles peut avoir recours l'entreprise pour accélérer les encaissements et ralentir les décaissements. Toutefois, il convient, dans un premier temps, de définir la notion de fonds en transit.

La notion de fonds en transit

Généralement, le solde d'encaisse figurant aux registres comptables de l'entreprise ne correspond pas au solde du compte de banque de cette dernière. La différence entre les deux montants représente les fonds en transit.

Fonds en transit
Écart entre le solde du compte bancaire de l'entreprise et le solde d'encaisse selon ses livres comptables

Lorsque l'entreprise émet un chèque pour régler un de ses fournisseurs, il en résulte alors une augmentation des fonds en transit. En effet, au moment de l'émission du chèque, le solde d'encaisse apparaissant aux livres comptables de l'entreprise est immédiatement rajusté à la baisse, tandis que le solde bancaire de cette dernière ne le sera que quelques jours plus tard lorsque son fournisseur encaissera le chèque. Le solde d'encaisse figurant aux registres comptables de l'entreprise sera donc inférieur au solde bancaire de cette dernière d'un montant équivalent à la valeur de ses chèques en circulation. Toutefois, en ce qui a trait aux rentrées de fonds, le solde d'encaisse selon les livres comptables de l'entreprise sera identique au solde de son compte bancaire étant donné, qu'au Canada, l'entreprise peut disposer des fonds provenant des chèques de ses clients aussitôt qu'elle les dépose. Les entreprises canadiennes n'ont donc pas, comme c'est le cas dans plusieurs pays, à supporter un délai de compensation des chèques de quelques jours.

Exemple 8.2   **Calcul des fonds en transit et des revenus d'intérêt qu'ils génèrent**

Le solde du compte de banque de la compagnie KSW inc. est actuellement de 2 000 000 \$. L'entreprise achète de l'un de ses fournisseurs des matières premières pour un montant de 2 000 000 \$. Elle règle son fournisseur en émettant un chèque d'un montant de 2 000 000 \$. Dans ces conditions, les fonds en transit sont de 2 000 000 \$, comme l'indique le calcul ci-dessous :

Situation initiale
(avant l'achat des matières premières) : $\text{Fonds en transit} = \left(\begin{array}{c} \text{Solde} \\ \text{d'encaisse} \\ \text{à la banque} \end{array} \right) - \left(\begin{array}{c} \text{Solde d'encaisse} \\ \text{d'après les livres} \\ \text{de l'entreprise} \end{array} \right)$

$$= 2\ 000\ 000 \quad - \quad 2\ 000\ 000$$

$$= \quad 0 \ \$$$

L'entreprise émet un chèque de 2 000 000 \$: $\text{Fonds en transit} = \left(\begin{array}{c} \text{Solde} \\ \text{d'encaisse} \\ \text{à la banque} \end{array} \right) - \left(\begin{array}{c} \text{Solde d'encaisse} \\ \text{d'après les livres} \\ \text{de l'entreprise} \end{array} \right)$

$$= 2\ 000\ 000 \quad - \quad 0$$

$$= 2\ 000\ 000 \ \$$$

Tant que son fournisseur n'encaissera pas son chèque, KSW inc. disposera d'un solde d'encaisse à la banque de 2 000 000 \$. Dans le but de maximiser sa rentabilité, l'entreprise peut investir ce montant dans des titres à court terme pour quelques jours. Ainsi, si l'on suppose que le chèque de KSW inc. demeurera en circulation pendant 5 jours et que les fonds peuvent être placés au taux d'intérêt annuel de 6%, l'investissement d'une somme de 2 000 000 \$ pendant 5 jours permettra de générer des revenus d'intérêt de 1 643,84 \$. Ce montant se calcule comme suit :

$$\begin{array}{l} \text{Revenus} \\ \text{d'intérêt} \end{array} = \left(\begin{array}{c} \text{Montant} \\ \text{du chèque} \end{array} \right) \left(\begin{array}{c} \text{Taux d'intérêt} \\ \text{annuel} \end{array} \right) \left(\dfrac{\begin{array}{c} \text{Nombre de jours} \\ \text{où le chèque est} \\ \text{en circulation} \end{array}}{365} \right)$$

$$= (2\ 000\ 000)(0,06)\left(\dfrac{5}{365} \right)$$

$$= 1643,84 \ \$$$

Comme le suggère le calcul précédent, l'entreprise a avantage, dans le but de maximiser sa rentabilité et réduire ses besoins d'encaisse, à retarder au maximum ses sorties de fonds. Une autre stratégie possible, qui produit les mêmes effets, consiste pour l'entreprise à accélérer les entrées de fonds : Ci-dessous, nous discutons de quelques moyens permettant à l'entreprise d'accélérer les encaissements ou de retarder les décaissements. Nous en profitons également pour faire ressortir les avantages associés à l'utilisation d'un système de centralisation des fonds lorsque l'entreprise opère plusieurs succursales en différents endroits.

Accélérer les encaissements

De façon à accélérer les entrées de fonds, l'entreprise peut notamment avoir recours aux méthodes suivantes : (1) utiliser un système de boîtes postales, (2) demander à ses clients de régler directement leurs factures à la succursale locale de leur institution financière ou par le biais d'Internet, (3) obtenir la permission de ses clients afin d'effectuer des retraits préautorisés dans leur compte bancaire à des dates précises et (4) inciter ses clients à utiliser le paiement direct.

1. **Le système des cases postales.** Le système des cases postales, qui est offert par les institutions bancaires, permet de réduire le délai postal de transmission des paiements ainsi que celui existant entre la réception des paiements et leur dépôt en banque. Ce système fonctionne de la façon suivante. Tout d'abord, l'entreprise loue une case postale dans chacune des régions où elle fait affaire et invite ses clients à faire parvenir leurs paiements à la case postale de leur région. Par la suite, les employés de la succursale bancaire locale accèdent - à chaque jour ou même plusieurs fois par jour - à la case postale afin d'y recueillir les remises des clients. Les chèques recueillis sont alors immédiatement déposés au compte de banque de l'entreprise. Bien entendu, l'entreprise doit payer à l'institution bancaire des frais pour ce service. Par conséquent, avant de recourir à ce système, elle devra comparer les coûts impliqués et les revenus d'intérêt gagnés attribuables à une augmentation du solde bancaire.

Exemple 8.3 | **Analyse de la rentabilité d'un système de perception par case postale**

La compagnie Simtex inc. effectue des ventes aussi bien au Québec qu'en Ontario. Dans le but d'accélérer le recouvrement de certains comptes clients, la directrice des finances de cette entreprise envisage la possibilité de louer une case postale à Toronto. Selon les prévisions, la case postale traiterait, en moyenne, 40 chèques par jour dont la valeur totale s'élève à 20 000 $. Les frais bancaires variables associés à ce service sont de 0,45 $ par chèque. De plus, il y a des frais fixes mensuels de 60 $. Le recours à une case postale permettrait à l'entreprise de disposer des fonds deux jours plus tôt. L'entreprise peut investir ses fonds au taux d'intérêt annuel de 12%. La compagnie devrait-elle louer une case postale à Toronto?

■ **Solution**

Les revenus annuels d'intérêt découlant de l'utilisation d'une case postale se calculent ainsi :

$$\begin{matrix} \text{Revenus} \\ \text{annuels} \\ \text{d'intérêt} \end{matrix} = \begin{pmatrix} \text{Valeur des chèques} \\ \text{traités annuellement} \end{pmatrix} \begin{pmatrix} \text{Taux d'intérêt} \\ \text{annuel} \end{pmatrix} \begin{pmatrix} \dfrac{\begin{matrix}\text{Réduction du délai} \\ \text{de perception des} \\ \text{comptes (en jours)}\end{matrix}}{365} \end{pmatrix}$$

$$= (2\ 000\ 000)(365)(0,12)\left(\frac{2}{365}\right)$$

$$= 4\ 800\ \$$$

Les coûts annuels attribuables à l'utilisation d'une case postale s'obtiennent ainsi :

$$\begin{aligned} \text{Coûts annuels} \quad &= \quad \text{Coûts fixes} + \text{Coûts variables} \\ &= \quad (12)(60) + (40)(365)(0,45) \\ &= \quad 7\ 290\ \$ \end{aligned}$$

Étant donné que les revenus annuels d'intérêt prévus sont inférieurs aux coûts anticipés, il n'est pas avantageux pour l'entreprise de louer une case postale à Toronto.

2. **Le paiement en succursale bancaire, au guichet automatique et sur Internet.** Une autre méthode permettant à l'entreprise de percevoir plus rapidement les sommes qui lui sont dues est d'inviter ses clients à payer directement leurs factures à la succursale locale d'une banque ou d'une caisse populaire au lieu de faire parvenir leurs paiements au siège social de la société. Ce mode de paiement est très utilisé par les entreprises de services publics (téléphone, câblodistribution, électricité, etc.). Il comporte comme principaux avantages d'éliminer les délais postaux et de réduire les délais de manipulation et d'encaissement des chèques des clients. L'entreprise utilisatrice de ce service doit payer certains frais à l'institution financière.

De nos jours, un nombre sans cesse croissant d'entreprises invitent leurs clients à régler directement leurs factures sur Internet.

3. **Les retraits préautorisés.** Selon ce système de paiement, le client de l'entreprise autorise sa banque à débiter périodiquement - par exemple à chaque mois - son compte d'un montant généralement fixe. Cette méthode de paiement est surtout utilisée lorsque l'entreprise a de nombreux clients qui doivent effectuer une série de versements périodiques uniformes (remboursement d'un prêt auto ou d'un prêt étudiant, paiement des primes d'assurance, etc.). Elle évite au client d'avoir à préparer et à poster périodiquement des chèques.

Du côté de l'entreprise, ce système lui permet de réduire les délais d'encaissement, de diminuer les risques de mauvaises créances et d'économiser les frais de facturation.

4. **Le paiement direct.** Dans le but d'accélérer ses entrées de fonds, l'entreprise peut également offrir à ses clients la possibilité de régler leur achats par paiement direct (carte de débit). Ce mode de paiement implique un prélèvement direct dans le compte du détenteur de la carte au moment de la transaction.

Étant donné que l'utilisation de la carte de débit entraîne une diminution d'argent liquide détenue par l'entreprise au point de vente, il en résulte une réduction du risque de vol. De plus, le paiement direct offre comme avantage d'éliminer les problèmes occasionnés par les chèques sans provision.

La centralisation des fonds

Système de centralisation des fonds
Système permettant de regrouper à la fin de chaque jour ouvrable les soldes d'encaisse de l'entreprise dans les différentes succursales de sa banque et à les transférer dans son compte central

Les méthodes discutées précédemment s'avèrent très utiles à l'entreprise pour recouvrer le plus rapidement possible dans les succursales locales de sa banque les paiements effectués par ses clients. Toutefois, de façon à optimiser la gestion de sa trésorerie, l'entreprise a avantage à utiliser un système de centralisation des fonds qui est offert par les banques à charte canadiennes. Ce genre de système permet de transférer électroniquement sur une base quotidienne dans le compte central de l'entreprise les dépôts effectués par ses clients dans les différentes succursales de sa banque ainsi que les fonds déposés dans les succursales d'autres banques. Une fois connu le solde du compte centralisateur de l'entreprise, il peut notamment servir à réduire sa marge de crédit ou, s'il y a un excédent, à effectuer des placements à court terme aux meilleures conditions possibles.

Ralentir les décaissements

Évidemment, la façon la plus simple pour l'entreprise de profiter des fonds quelques jours de plus consiste à payer ses factures après les délais consentis par ses fournisseurs. En général, cette pratique s'avère peu recommandable, car elle risque d'affecter négativement les relations entre l'entreprise et ses fournisseurs ainsi que la cote de crédit de cette dernière.

Une autre stratégie possible consiste à payer les factures au moyen de traites bancaires plutôt qu'en utilisant des chèques. Par opposition à un chèque, qui est payable à demande, la banque doit transmettre la traite à l'entreprise émettrice qui doit en approuver le paiement. Une fois qu'elle en a approuvé le paiement, l'entreprise doit alors déposer à la banque les fonds nécessaires pour effectuer le paiement. Compte tenu que ce processus prend un certain temps, l'entreprise peut disposer des fonds quelques jours de plus.

8.6 La gestion de l'encaisse à l'aide de modèles mathématiques

Plusieurs modèles mathématiques ont été développés dans le but de déterminer le solde d'encaisse optimal à maintenir. Trois des modèles les plus connus sont présentés ci-après.

8.6.1 Le modèle de Baumol

Modèle de Baumol
Modèle mathématique permettant de déterminer le montant à verser périodiquement à l'encaisse de façon à minimiser les coûts associés à la gestion de cet actif

Le modèle de Baumol[1], initialement conçu pour la gestion des stocks, fut par la suite adapté à la gestion de l'encaisse. Ce modèle repose sur l'hypothèse que l'entreprise verse suivant une fréquence régulière une certaine somme d'argent dans son encaisse afin de faire face à ses engagements financiers au cours d'une période donnée. Les montants d'argent versés proviennent de la vente de placements ou d'un emprunt. Comme les fonds maintenus dans l'encaisse ne portent pas intérêt, cela implique que la détention d'encaisse a pour l'entreprise un coût de renonciation correspondant au rendement qu'elle pourrait obtenir sur des placements à court terme. Enfin, l'achat ou la vente de placements entraîne des frais directs de transaction ainsi que des frais de gestion attribuables au temps que les employés de l'entreprise doivent consacrer pour effectuer ces placements. On supposera que ces frais sont fixes (c.-à-d. les mêmes pour chaque transaction).

Graphiquement, le modèle de Baumol se présente ainsi :

Figure 8.3

Évolution du solde d'encaisse selon le modèle de Beaumol

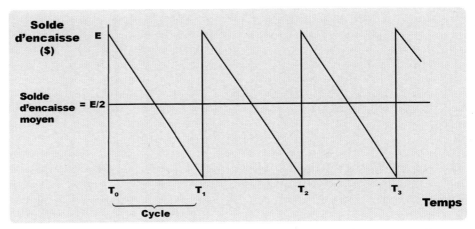

La figure 8.3 indique que l'entreprise devra injecter dans son encaisse un montant E au début du cycle et que ce dernier sera dépensé à un rythme constant jusqu'à épuisement. Par la suite, d'autres versements seront effectués aux temps T_1, T_2, T_3, etc. Les montants injectés dans l'encaisse proviendront de la vente de placements à court terme ou seront empruntés.

Dérivation du modèle

L'objectif du modèle de Baumol consiste à déterminer le montant optimal E à verser à l'encaisse pour minimiser le coût total relié à l'encaisse C.

Le coût total relié à l'encaisse peut se calculer de la façon suivante :

$$\text{Coût total relié à l'encaisse} = \left(\begin{array}{c} \text{Coût des transactions effectuées} \end{array} \right) + \left(\begin{array}{c} \text{Coût de renonciation relié à l'encaisse moyen détenu} \end{array} \right)$$

---

[1] Baumol, W.J., « The Transactions Demand for Cash: An Inventory Theoretic Approach », *Quarterly Journal of Economics*, Novembre 1952, pp. 545-556.

$$C = \left(\frac{D}{E}\right)(F) + \left(\frac{E}{2}\right)(i) \tag{8.1}$$

où   F : Frais de transaction et de gestion attribuables à la vente de placements ou à un emprunt.

       D : Montant des déboursés effectués par l'entreprise pendant toute la période (habituellement une année).

       E : Montant à verser dans l'encaisse au début de chaque cycle (c.-à-d. à T_0, T_1, T_2, T_3, etc.).

$\dfrac{D}{E}$: Nombre de transactions ou de versements à effectuer par période.

       i : Taux d'intérêt que l'entreprise peut obtenir sur ses placements à court terme. Ce taux reflète le coût de renonciation lié au maintien de l'encaisse.

$\dfrac{E}{2}$: Solde d'encaisse moyen.

De façon à minimiser C, on doit dériver l'équation (8.2) par rapport à E et égaler cette dérivée à 0. On obtient alors :

$$\frac{dC}{dE} = \frac{-DF}{E^2} + \frac{i}{2} = 0$$

$$\frac{DF}{E^2} = \frac{i}{2}$$

$$2\,DF = iE^2$$

$$E = \sqrt{\frac{2DE}{i}} \tag{8.2}$$

Cette dernière expression nous indique que le montant optimal à verser dans l'encaisse augmente avec les frais de transaction (F) et le montant des déboursés effectués pendant toute la période (D), mais est lié inversement au niveau des taux d'intérêt (i).

Exemple 8.4   **Calcul du montant périodique à verser à l'encaisse et des coûts associés à sa gestion à l'aide du modèle de Baumol**

L'entreprise Bofixe inc. débourse annuellement 800 000 $ pour rencontrer ses différents engagements financiers. L'entreprise place généralement ses liquidités dans des bons du Trésor canadiens et obtient un rendement moyen de 9%. Le contrôleur de l'entreprise estime qu'il en coûte environ 250 $ à chaque fois qu'une transaction est effectuée relativement à l'achat ou à la vente de bons du Trésor. Les déboursés de l'entreprise s'effectuent à un rythme relativement régulier au cours de l'année.

a) Calculez le montant optimal de bons du Trésor que l'entreprise doit vendre à intervalles réguliers afin de minimiser le coût total relatif à l'encaisse.

b) Quel sera le nombre de ventes de titres au cours de l'année?

c) Quel sera le solde d'encaisse moyen?

d) Quel est le coût total relatif à l'encaisse associé à la stratégie optimale?

■ **Solution**

a) Ici, on a :

D = 800 000 $

F = 250 $

et

i = 9%

Par conséquent :

$$E = \sqrt{\frac{(2)(800\,000)(250)}{0,09}} = 66\,667\,\$$$

L'entreprise devra ajouter périodiquement à son encaisse un montant de 66 667 $.

b) Le nombre de ventes de titres au cours de l'année se calcule ainsi :

$$\frac{D}{E} = \frac{800\,000}{66\,667} = 12$$

c) Le solde d'encaisse moyen vaut :

$$\frac{E}{2} = \frac{66\,667}{2} = 33\,334\,\$$$

d) Le coût total relatif à l'encaisse se calcule à l'aide de l'expression (8.1) :

$$C = \left(\frac{800\,000}{66\,667}\right)(250) + \left(\frac{66\,667}{2}\right)(0,09)$$

$$C = 6\,000\,\$$$

Vérification des résultats

Si le contrôleur de l'entreprise décidait de fixer à 10 ou 15 le nombre de ventes de titres au cours de l'année, on aurait alors les résultats suivants :

	Nombre de ventes de titres	Montant optimal de titres à vendre	Coût total relatif à l'encaisse
	10	800 000 $	6100 $
Stratégie optimale	12	66 667 $	6000 $
	15	53 333 $	6150 $

Limites du modèle

Le modèle de Baumol est fondé sur des hypothèses qui ne constituent pas une description exacte de la réalité. En effet, il suppose notamment que nous sommes dans un univers certain où les entrées et sorties de fonds sont régulières tout au long de la période. Cependant, en dépit de ses hypothèses restrictives, le modèle peut servir de point de départ pour établir le solde d'encaisse optimal pour les besoins de transactions.

8.6.2 Le modèle de Miller et Orr

Modèle de Miller et Orr
Modèle mathématique permettant de déterminer le niveau cible d'encaisse ainsi que sa valeur limite supérieure de façon à minimiser les coûts associés à la gestion de cet actif

Pour Miller et Orr[2], les mouvements d'encaisse de l'entreprise sont beaucoup plus complexes que ceux illustrés à la figure 8.3. Selon ces derniers, les mouvements d'encaisse sont plutôt stochastiques et leur comportement aléatoire peut s'apparenter à une suite d'essais indépendants de Bernoulli. La figure 8.4 représente le comportement temporel du solde d'encaisse selon le modèle de Miller et Orr.

Figure 8.4

Évolution du solde d'encaisse selon le modèle de Miller et Orr

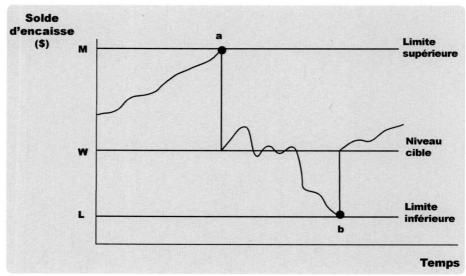

La figure précédente indique que le solde d'encaisse varie aléatoirement entre la limite inférieure L et la limite supérieure M. De plus, sur cette figure, W représente le solde d'encaisse cible. Tant que le solde d'encaisse demeure inférieur à M, mais supérieur à L, aucune transaction n'a lieu. Lorsque l'encaisse atteint le niveau M (point a sur la figure 8.4), l'entreprise achète M - W dollars de titres à court terme dans le but de ramener le solde d'encaisse à son niveau cible W. Inversement, lorsque le solde d'encaisse devient égal à L (point b sur la figure 7.4), l'entreprise vend W - L dollars de titres afin de rétablir le solde d'encaisse à son niveau cible W. Dans ce modèle, la limite inférieure L est fixée par les dirigeants de l'entreprise; elle dépend de la probabilité d'une insuffisance

[2] Miller, M.H. et D. Orr, « A Model of the Demand for Money by Firms », *Quarterly Journal of Economics*, Août 1966, pp. 413-435.

de fonds que l'entreprise est prête à tolérer.

L'objectif du modèle de Miller et Orr consiste alors à minimiser le coût relatif à la gestion de l'encaisse en déterminant les valeurs optimales de M et W. Dans ce but, les chercheurs concernés supposent que les entrées et sorties de fonds sont stochastiques et que, pour une journée donnée, l'encaisse peut augmenter ou diminuer avec une probabilité égale. Après quelques manipulations mathématiques, que nous passerons sous silence, ils aboutissent aux résultats suivants :

$$W = \sqrt[3]{\frac{3F\sigma^2 (\Delta E)}{4i}} + L \qquad (8.3)$$

$$M = 3W - 2L \qquad (8.4)$$

$$\text{Solde d'encaisse moyen} = \frac{4W - L}{3} \qquad (8.5)$$

où   W : Niveau cible de l'encaisse.

F : Frais de transaction et de gestion attribuables à l'achat ou à la vente de titres à court terme. Comme dans le modèle de Baumol, ces frais sont supposés fixes par transaction.

$\sigma^2 (\Delta E)$: Variance des fluctuations journalières du solde d'encaisse.

i :   Taux d'intérêt quotidien que l'entreprise peut obtenir sur ses placements à court terme.

L : Limite inférieure de l'encaisse.

M : Limite supérieure de l'encaisse.

L'expression (8.3) indique que le niveau cible d'encaisse augmente avec les frais de transaction, mais est lié inversement au niveau des taux d'intérêt. Ces conclusions sont identiques à celles que l'on peut tirer à partir du modèle de Baumol. De plus, le modèle de Miller et Orr montre que le niveau cible d'encaisse et le solde d'encaisse moyen sont liés positivement à la variance des fluctuations journalières du solde d'encaisse. Cela signifie que, plus les flux monétaires d'une entreprise sont difficiles à prévoir, plus cette dernière devrait maintenir un solde d'encaisse moyen élevé.

Exemple 8.5 | **Détermination du niveau cible d'encaisse, de sa valeur limite supérieure et de sa valeur moyenne à l'aide du modèle de Miller et Orr**

On vous fournit les renseignements suivants concernant l'entreprise Cétol inc. :

- Coût fixe d'un achat ou d'une vente de titres : 320 $.
- Taux d'intérêt effectif annuel que l'entreprise peut obtenir sur ses placements à court terme : 8,50%.
- Écart-type des fluctuations journalières de l'encaisse : 2 000 $.
- Limite inférieure de l'encaisse : 3 000 $.

À partir de ces renseignements, déterminez :

a) le niveau cible de l'encaisse;

b) la limite supérieure de l'encaisse;

c) le solde d'encaisse moyen.

■ **Solution**

a) Ici, on a :

F : 320 $

$\sigma^2 (\Delta E)$: $(2\,000)^2 = 4\,000\,000$

i : Taux d'intérêt quotidien $= (1 + 0,085)^{1/365} - 1 = 2,23531\%$
équivalent à un taux
effectif annuel de 8,50%

Par conséquent :

$$W = \sqrt[3]{\frac{(3)(320)(4\,000\,000)}{(4)(0,000223531)}} + 3\,000$$

$$W = 19\,255\,\$$$

b) La limite supérieure se calcule ainsi :

M = (3) (19 255) - (2) (3 000)

M = 51 765$

Les résultats indiquent que lorsque le solde d'encaisse sera de 3 000 $, l'entreprise vendra des titres d'une valeur de 16 255 $ (c.-à-d. 19 255 $ - 3 000 $). Inversement, lorsque le solde d'encaisse atteindra 51 765 $, l'entreprise achètera des titres d'une valeur de 32 510 $ (c.-à-d. 51 765 $ - 19 255 $). En agissant ainsi, elle minimisera ses coûts relatifs à la gestion de l'encaisse.

c) Le solde d'encaisse moyen est égal à :

$$\text{Solde d'encaisse moyen} = \frac{(4)(19\,255) - 3\,000}{3} = 24\,673\,\$.$$

Limites du modèle

Le modèle de Miller et Orr, contrairement à celui de Baumol, suppose que les flux monétaires de l'entreprise sont totalement imprévisibles. Pour bien des entreprises, cette hypothèse n'est évidemment pas conforme à la réalité. Dans ce contexte, le gestionnaire ne doit pas appliquer aveuglément ce modèle mathématique car ce dernier pourrait, dans certaines circonstances, l'induire en erreur.

8.6.3 Le modèle de Stone

Modèle de Stone
Modèle mathématique de gestion de l'encaisse similaire à celui de Miller et Orr, mais qui est basé sur l'idée que les mouvements de trésorerie sont partiellement connus et partiellement aléatoires, plutôt que totalement imprévisibles comme le supposent Miller et Orr

Figure 8.5

Évolution du solde d'encaisse selon le modèle de Stone

Contrairement aux modèles de Baumol et de Miller et Orr, celui de Stone[3] ne repose pas sur un ensemble d'hypothèses spécifiques, mais est plutôt basé sur le jugement et l'expérience passée des gestionnaires en place. En fait, tout ce que le modèle suppose, c'est que l'entreprise est en mesure de transformer ses placements à court terme en espèces instantanément. Par ailleurs, il n'indique pas comment l'entreprise devrait s'y prendre pour déterminer les limites inférieures et supérieures[4] du solde d'encaisse. La figure 8.5 permet de visualiser ce modèle.

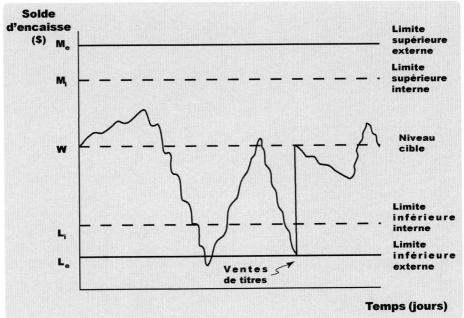

Tout comme le modèle de Miller et Orr, celui de Stone utilise une limite inférieure et une limite supérieure d'encaisse. Toutefois, l'atteinte de la limite inférieure externe (L_e) ou de la limite supérieure externe (M_e) ne déclenche pas automatiquement l'achat ou la vente de titres. En effet, lorsque l'entreprise atteint la limite inférieure externe (L_e) ou la limite supérieure externe (M_e), le gestionnaire procède à l'examen des flux monétaires prévus au cours des prochains jours (par exemple, au cours des trois prochains jours) afin de déterminer si ces derniers permettront, selon le cas, au solde d'encaisse d'atteindre la limite inférieure interne (L_i) ou de devenir inférieur à la limite supérieure interne (M_i). Si tel est le cas, il n'effectuera alors aucune transaction. Dans la situation inverse, il devra procéder à l'achat ou à la vente de titres afin de ramener le solde d'encaisse au niveau cible (W). Pour illustrer le fonctionnement de ce modèle, considérons l'exemple suivant.

---

[3] Stone, B.K., « The Use of Forecasts and Smoothing in Control-Limit Models for Cash Management », *Financial Management*, printemps 1972, pp. 72-84.

[4] Pour déterminer la limite supérieure, rien n'empêche le gestionnaire d'avoir recours au modèle de Miller et Orr.

Exemple 8.6 | **Fonctionnement du modèle de Stone**

Les flux monétaires nets prévus et le solde d'encaisse anticipé de la compagnie Atlas inc. au cours des douze prochains jours sont les suivants :

Jour	Flux monétaires nets	Solde d'encaisse
0		+ 50 000 $
1	+ 30 000 $	+ 80 000
2	- 25 000	+ 55 000
3	- 40 000	+ 15 000
4	- 5 000	+ 10 000
5	+ 15 000	+ 25 000
6	+ 20 000	+ 45 000
7	+ 10 000	+ 55 000
8	- 40 000	+ 15 000
9	- 5 000	+ 10 000
10	+ 10 000	+ 20 000
11	0	+ 20 000
12	+ 10 000	+ 30 000

Le solde initial d'encaisse est de 50 000 $, la limite inférieure externe de 20 000 $ et la limite inférieure interne de 30 000 $. Comme l'illustre la figure 8.6, le solde d'encaisse deviendra inférieure à L_e le jour 3 (50 000 $ + 30 000 $ - 25 000 $ - 40 000 $ = 15 000 $). À ce moment, le gestionnaire examinera les flux monétaires nets prévus au cours des trois prochains jours - c'est la période qu'il a retenu, compte tenu de son jugement et de l'expérience passée - pour déterminer si ces derniers permettront au solde d'encaisse d'atteindre la limite inférieure interne (30 000 $). Comme les flux monétaires prévus de l'entreprise pour les jours 4, 5 et 6 permettront d'atteindre un solde d'encaisse de 45 000 $ (soit 15 000 $ - 5000 $ + 15 000 $ + 20 000 $), il ne procédera alors à aucune vente de titres le jour 3. Cependant, le jour 8 il liquidera des titres pour un montant de 35 000 $ (soit 50 000 $ - 15 000 $), car les flux monétaires prévus pour les jours 9, 10 et 11 ne permettront pas au solde d'encaisse de remonter au moins à 30 000 $.

Conclusion

En guise de conclusion à cette section, il nous semble important de souligner que les modèles mathématiques applicables à la gestion de l'encaisse doivent être perçus comme des outils aidant le gestionnaire à prendre de meilleures décisions et non comme des substituts au jugement de ce dernier.

Figure 8.6

Évolution du solde d'encaisse de la compagnie Atlas

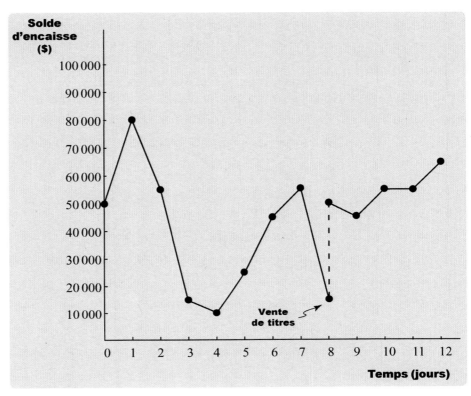

8.7 Les titres négociables

Dans le but de maximiser sa rentabilité, l'entreprise investit souvent ses surplus d'encaisse dans des titres à court terme. Dans cette catégorie de titres, on retrouve notamment les bons du Trésor, les dépôts à terme, les papiers commerciaux et les acceptations bancaires. Ces différents instruments du marché monétaire sont décrits brièvement ci-après.

Les bons du Trésor

Bon du Trésor
Titre à court terme émis à escompte par le gouvernement canadien

Les bons du Trésor sont des titres à court terme échéant dans trois, six ou douze mois et qui sont vendus par adjudication à toutes les semaines. Ils sont toujours émis à escompte et remboursés à leur valeur nominale au moment de l'échéance. La différence entre la valeur nominale et le prix d'émission (ou le prix d'achat sur le marché secondaire) constitue le rendement de l'investisseur. Il n'y a donc pas de taux d'intérêt comme tel sur ce genre de titre. D'un point de vue fiscal, la différence entre la valeur nominale et le prix payé est traité comme un revenu d'intérêt et non comme un gain en capital.

Le taux de rendement annuel d'un bon du Trésor canadien peut se calculer comme suit :

$$\text{Taux de rendement nominal annuel} = \left(\frac{\text{Valeur nominale} - \text{Prix payé}}{\text{Prix payé}}\right)\left(\frac{365}{\text{Échéance en jours}}\right) \quad (8.6)$$

Pour illustrer, considérons l'exemple suivant.

Exemple 8.7   **Calcul du taux de rendement d'un bon du Trésor**

Un bon du Trésor d'une valeur nominale de 10 000 $, échéant dans 91 jours, se vend 9 875 $ sur le marché secondaire.

a) Quel est son taux de rendement nominal annuel?

b) Quel est son taux de rendement effectif annuel?

■ **Solution**

a) À partir de l'expression (8.6), on obtient :

$$\text{Taux de rendement nominal annuel} = \left(\frac{10\ 000 - 9\ 875}{9\ 875}\right)\left(\frac{365}{91}\right) = 5,08\%$$

b) Le taux de rendement effectif annuel du titre se calcule ainsi :

$$\text{Taux de rendement périodique (pour 91 jours)} = \left(\frac{10\ 000 - 9\ 875}{9\ 875}\right) = 1,27\%$$

d'où: taux de rendement effectif annuel $= (1 + 0,0127)^{365/91} - 1 = 5,19\%$

Remarques. 1. Dans la presse financière, le taux de rendement annoncé d'un bon du Trésor est un taux nominal, soit le taux calculé à l'aide de l'expression (8.6). On appelle également ce taux le rendement obligataire équivalent.

2. Sur le marché américain, le taux de rendement est calculé en divisant l'escompte par la valeur nominale du bon du Trésor (méthode de l'escompte). De plus, le calcul suppose que l'année financière comporte 360 jours, plutôt que 365 à l'instar de l'année civile. La formule utilisée est la suivante :

$$\text{Taux de rendement annuel} = \left(\frac{\text{Valeur nominale} - \text{Prix payé}}{\text{Valeur nominale}}\right)\left(\frac{360}{\text{Échéance en jours}}\right) \qquad (8.6a)$$

Les rendements des bons du Trésor américains ne sont donc pas directement comparables à ceux des bons du Trésor canadiens, car la méthode de calcul utilisée est différente.

Les dépôts à terme

Dépôt à terme
Titre à revenu fixe émis par une banque ou une autre institution financière qui génère des revenus d'intérêt périodiques et dont l'échéance maximale n'excède pas cinq ans

Les dépôts à terme sont des prêts qu'effectuent les investisseurs aux banques et aux autres institutions financières. Ces dépôts portent sur une période qui peut varier entre 30 jours et 5 ans. Au moment de l'échéance, l'institution financière rembourse à l'investisseur le montant du dépôt ainsi que les intérêts gagnés. Le taux d'intérêt offert sur un dépôt à terme excède celui des comptes de banque et dépend notamment de la durée du placement. Habituellement, plus les fonds sont placés pour une longue période, plus le taux d'intérêt offert est élevé. Notons finalement que lorsque l'investisseur retire ses fonds avant la date d'échéance prévue, il doit, dans la plupart des cas, payer une certaine pénalité qui a pour effet de diminuer le taux de rendement fixé au départ.

Les papiers commerciaux

Papier commercial
Titre à court terme, non garanti, généralement émis à escompte par les grandes sociétés ayant une excellente cote de crédit

Le papier commercial est un billet à court terme non garanti émis par de grandes sociétés ayant une excellente cote de crédit. Comme un bon du Trésor, il est habituellement émis à escompte, c'est-à-dire à un prix inférieur à sa valeur nominale. Toutefois, pour de courtes échéances, il est possible qu'il soit négocié sous forme d'un billet portant intérêt.

Les acceptations bancaires

Acceptation bancaire
Billet à court terme émis par une entreprise et garanti par une banque

Une acceptation bancaire est un titre de dette à court terme émis par une entreprise et endossé par une banque. La banque s'engage alors à verser le montant indiqué lorsque l'acceptation sera présentée à l'échéance. Les acceptations bancaires sont discutées plus en détail au chapitre 11.

Le tableau 8.1 résume les caractéristiques des principaux types de placements disponibles sur le marché monétaire.

Tableau 8.1

Caractéristiques des principaux titres à court terme

Titre	Échéances disponibles	Investissement minimal habituellement requis	Rendement	Liquidité
Bons du Trésor	3 mois à 1 an	5 000 $	Émis à escompte	Excellente
Dépôts à terme	30 jours à 5 ans	1 000 $	Intérêts payables à l'échéance	Possibilité de remboursement avant l'échéance en payant une pénalité
Papier commercial	1 mois à un an	100 000 $	Généralement vendu à escompte	Très bonne
Acceptations bancaires	1 mois à 1 an	100 000 $	Émis à escompte	Très bonne
Parts de fonds d'investissement du marché monétaire	Les parts peuvent être revendues à n'importe quel moment.	500 $	Calculé à chaque mois	Parts sont rachetées par le fonds

Critères de sélection des titres négociables

Avant d'investir dans des titres à court terme, l'entreprise doit s'assurer que les revenus qu'elle peut tirer de tels placements excèdent les frais de transaction et de gestion qu'elle doit supporter. De plus, lors de la sélection des titres négociables, l'entreprise doit prendre en considération les quatre critères suivants: (1) le risque de défaut de paiement, (2) l'échéance, (3) la liquidité et (4) le rendement.

1. **Le risque de défaut de paiement**

Comme les fonds investis dans des titres négociables constituent des sommes dont l'entreprise aura besoin dans un avenir rapproché pour faire face à certains besoins spécifiques, il est hautement souhaitable que les surplus d'encaisse temporaires disponibles soient investis dans des titres comportant un risque minimal de défaut de paiement. Toutefois, il convient de souligner que les titres comportant les risques de défaut de paiement les plus faibles sont généralement ceux qui offrent les taux de rendement les moins élevés. Par exemple, les bons du Trésor émis par le gouvernement fédéral comportent, à toutes fins utiles, un risque de défaut de paiement qui est nul mais, en contrepartie, procurent aux investisseurs un taux de rendement inférieur à celui des titres comportant un certain degré de risque comme, par exemple, les papiers commerciaux émis par certaines compagnies.

2. **L'échéance**

Dans la sélection des titres négociables, le gestionnaire financier doit considérer le fait que les titres à long terme d'un même émetteur sont plus risqués que ceux échéant à court terme mais que, selon la relation risque-rendement prévalant sur les marchés financiers, ils procurent généralement à l'investisseur un taux de rendement plus élevé. De plus, la date d'échéance des titres achetés devrait normalement coïncider avec la période pendant laquelle les surplus d'encaisse temporaires sont disponibles.

3. **La liquidité**

Un titre est dit liquide s'il peut être vendu rapidement à un prix voisin de sa valeur au marché. Les bons du Trésor du gouvernement fédéral sont des titres possédant cette caractéristique. De façon générale, le gestionnaire financier doit éviter d'investir les surplus d'encaisse temporaires dans des titres qui pourraient s'avérer difficiles à vendre le moment venu.

4. **Le rendement**

Avant d'investir les excédents d'encaisse temporaires dont dispose l'entreprise, le gestionnaire financier doit comparer les taux de rendement offerts sur différents titres à court terme. Toutes choses étant égales par ailleurs (risque, liquidité, etc.), il devrait opter pour les titres offrant les taux de rendement espérés les plus élevés.

8.8 Concepts fondamentaux

■ Les raisons suivantes incitent l'entreprise à maintenir un niveau approprié d'encaisse :

1. effectuer des transactions courantes (motif de transaction);

2. faire face à des situations imprévues (motif de précaution);

3. profiter d'un mouvement à la hausse des taux d'intérêt ou d'une offre d'achat alléchante (motif de spéculation);

4. satisfaire les exigences de son institution financière concernant le maintien d'un solde compensateur.

■ De façon à gérer efficacement son encaisse, l'entreprise doit établir un budget de caisse (voir le chapitre 6 à ce sujet) indiquant les entrées et les sorties de fonds anticipées au cours de l'horizon de planification concerné.

■ Parmi les principales transactions entraînant une augmentation de l'encaisse, notons les ventes effectuées au comptant, la perception des comptes clients, les émissions de titres, la vente de certains actifs et les subventions gouvernementales. Inversement, les paiements effectués aux fournisseurs, les versements de dividendes, d'intérêts et de loyers, les achats de titres et d'immobilisations, les règlements des impôts, les paiements de salaires, les remboursements de dettes et les rachats d'actions provoquent une diminution du solde de l'encaisse.

■ Le cycle de l'encaisse est le nombre de jours qui s'écoule entre la date où l'entreprise règle ses comptes fournisseurs et celle où elle perçoit les sommes d'argent relatives aux ventes effectuées à ses clients. En tentant de minimiser la durée de ce cycle, l'entreprise réduit ses besoins de financement de sources externes et, par conséquent, accroît sa rentabilité.

■ Les fonds en transit représentent la différence entre le solde du compte bancaire de l'entreprise et le solde d'encaisse indiqué dans ses livres comptables. De nos jours, l'utilisation sans cesse grandissante des méthodes de transfert électronique des fonds est de nature à réduire substantiellement l'importance des techniques de gestion des fonds en transit.

■ Pour accélérer le recouvrement des recettes, les méthodes suivantes sont notamment à la disposition de l'entreprise : (1) avoir recours au système des boîtes postales proposé par les institutions financière, (2) demander à ses clients de payer directement leurs factures à la succursale locale de leur institution financière ou par le biais d'Internet, (3) obtenir de ses clients la permission de débiter périodiquement leur compte bancaire et (4) inciter leurs clients à utiliser le paiement direct.

■ La centralisation des fonds permet de regrouper quotidiennement les soldes d'encaisse de l'entreprise dans les différentes succursales de sa banque et à la transférer dans son compte central. Ce genre de système permet d'assurer une meilleure gestion des liquidités de l'entreprise.

■ De façon à ralentir ses décaissements, l'entreprise a avantage à régler ses fournisseurs à la date d'échéance (lorsque ces derniers n'accordent pas d'escompte de caisse), à payer ses factures par traites bancaires plutôt qu'en utilisant des chèques et à régler certains comptes en ayant recours à une carte de crédit.

- Les modèles mathématiques proposés par Baumol, Miller et Orr ainsi que Stone peuvent s'avérer des outils très utiles pour le gestionnaire afin d'établir le niveau optimal d'encaisse à maintenir.

- Le modèle de Baumol constitue une extension à la gestion de l'encaisse du modèle de quantité économique de commande développé pour la gestion des stocks. Il permet au gestionnaire de déterminer le montant périodique à verser dans l'encaisse, de façon à minimiser les coûts associés à la gestion de cet actif. Quant au modèle de Miller et Orr, il permet au gestionnaire d'établir le niveau cible d'encaisse ainsi que sa limite supérieure et ce, de façon à minimiser les coûts associés à sa gestion. Les deux modèles précédents font ressortir le fait que le montant cible d'encaisse augmente avec les frais de transaction, mais est lié inversement avec le niveau des taux d'intérêt. Enfin, le modèle de Stone repose sur l'idée que les mouvements de trésorerie sont partiellement aléatoires et partiellement connus.

- Les liquidités excédentaires de l'entreprise sont habituellement placées dans des titres à court terme, tels que les bons du Trésor, les dépôts à terme, les papiers commerciaux et les acceptations bancaires. Les critères de sélection de ces placements comprennent le risque de défaut de paiement, l'échéance, la liquidité et le rendement.

8.9 Mots clés

Acceptations bancaires
Bons du Trésor
Cartes de débit
Centralisation des fonds
Certificats de dépôt
Cycle de l'encaisse
Cycle d'exploitation
Fonds en transit
Modèle de Baumol
Modèle de Miller et Orr
Modèle de Stone
Motif de précaution
Motif de spéculation
Motif de transaction
Paiements directs
Retraits préautorisées
Solde compensateur
Solde d'encaisse
Système des boîtes postales
Traites bancaires
Transferts électroniques

8.10 Sommaire des principales formules

Modèle de Baumol

Coût total relié à l'encaisse (C)

$$C = \left(\frac{D}{E}\right)(F) + \left(\frac{E}{2}\right)(i)$$ (8.1)

où

D : Montant des déboursés effectués par l'entreprise pendant toute la période

E : Montant à verser dans l'encaisse au début de chaque cycle

F : Frais de transaction et de gestion attribuables à la vente de placements ou à un emprunt

$\dfrac{D}{E}$: Nombre de transactions ou de versements à effectuer par période

i : Taux d'intérêt que l'entreprise peut obtenir sur ses placements à court terme

$\dfrac{E}{2}$: Solde d'encaisse moyen.

Montant optimal à verser dans l'encaisse (E)

$$E = \sqrt{\frac{2DF}{i}}$$ (8.2)

Modèle de Miller et Orr

Niveau cible de l'encaisse (W)

$$W = \sqrt{\frac{3F\sigma^2(\Delta E)}{4i}} + L$$ (8.3)

où

F : Frais de transaction et de gestion attribuables à l'achat ou à la vente de titres à court terme

$\sigma^2(\Delta E)$: Variance des fluctuations journalières du solde d'encaisse

i : Taux d'intérêt quotidien que l'entreprise peut obtenir sur ses placements à court terme

L : Limite inférieure de l'encaisse

Limite supérieure de l'encaisse (M)

$$M = 3W - 2L$$ (8.4)

> ### Modèle de Miller et Orr (suite)

Solde d'encaisse moyen

$$\text{Solde d'encaisse moyen} = \frac{4W - L}{3}$$ (8.5)

> ### Taux de rendement annuel d'un bon du Trésor canadien

$$\begin{array}{l}\text{Taux de rendement} \\ \text{nominal annuel}\end{array} = \left(\frac{\text{Valeur nominale} - \text{Prix payé}}{\text{Prix payé}}\right)\left(\frac{365}{\text{Échéance en jours}}\right)$$ (8.6)

8.11 Exercices

1. Vrai ou faux.

a) Le solde d'encaisse optimal à maintenir est le même pour toutes les entreprises.

b) De façon à maximiser sa rentabilité, l'entreprise doit maintenir le solde d'encaisse le plus élevé possible.

c) Le cycle de l'encaisse est la période de temps qui s'écoule entre le moment où l'entreprise achète ses matières premières et celui où elle perçoit les sommes d'argent relatives aux ventes effectuées.

d) Une réduction du cycle de l'encaisse entraîne une baisse du niveau de l'encaisse dont aura besoin l'entreprise.

e) Une réduction du délai moyen de recouvrement des comptes clients entraîne une hausse du niveau de l'encaisse dont aura besoin l'entreprise.

f) Le modèle de Baumol suppose que les mouvements d'encaisse sont stochastiques.

g) Lorsque les taux d'intérêt sont élevés, l'entreprise aurait avantage à maintenir un solde d'encaisse relativement élevé.

h) Le modèle de Miller et Orr indique que le niveau cible d'encaisse est lié inversement avec la variance des fluctuations journalières du solde d'encaisse.

i) Si les frais de transaction et de gestion relatifs à l'achat et à la vente de placements à court terme augmentent, il s'ensuivra une hausse du solde d'encaisse optimal.

j) Les bons du Trésor du gouvernement fédéral sont des titres très risqués.

k) En général, le gestionnaire financier doit investir les surplus d'encaisse temporaires de l'entreprise dans des titres comportant un risque élevé de défaut de paiement.

l) La bourse de croissance TSX est l'endroit idéal pour investir les surplus d'encaisse temporaires de l'entreprise.

m) De façon générale, une augmentation du taux d'inflation devrait entraîner une hausse du solde d'encaisse optimal.

2. Indiquez quel est l'impact immédiat de chacune des transactions suivantes sur l'encaisse de l'entreprise.

	Augmentation	**Diminution**	**Aucun impact**
a) L'entreprise paie un dividende en espèces à ses actionnaires.	_____	_____	_____
b) L'entreprise émet de nouvelles actions ordinaires.	_____	_____	_____
c) L'entreprise paie les intérêts sur la dette à long terme.	_____	_____	_____
d) L'entreprise augmente le poste amortissement cumulé.	_____	_____	_____
e) L'entreprise achète de la marchandise à crédit.	_____	_____	_____
f) L'entreprise achète des bons du Trésor.	_____	_____	_____
g) L'entreprise distribue un dividende en actions à ses actionnaires.	_____	_____	_____
h) L'entreprise paie ses impôts de l'année dernière.	_____	_____	_____
i) Un client de l'entreprise règle sa facture.	_____	_____	_____
j) L'entreprise vend de la marchandise à crédit.	_____	_____	_____
k) L'entreprise contracte un emprunt bancaire à court terme.	_____	_____	_____

l) L'entreprise vend une pièce d'équipement à un prix inférieur à sa valeur aux livres.

_____ _____ _____

m) L'entreprise paie son loyer mensuel.

_____ _____ _____

n) L'entreprise achète une pièce d'équipement qu'elle finance par un billet à court terme.

_____ _____ _____

o) L'entreprise augmente le poste « passif d'impôts futurs ».

_____ _____ _____

p) L'entreprise accroît sa provision pour mauvaises créances.

_____ _____ _____

q) L'entreprise émet un billet à un an pour régler un de ses fournisseurs.

_____ _____ _____

r) L'entreprise prête de l'argent à l'un de ses cadres.

_____ _____ _____

s) L'entreprise déclare un dividende en faveur de ses actions ordinaires.

_____ _____ _____

t) L'entreprise vend ses placements à long terme.

_____ _____ _____

3. La compagnie MST inc. envisage la possibilité de louer une case postale à Vancouver. Selon les prévisions, la case postale traiterait, en moyenne, 250 chèques par semaine dont la valeur totale s'élève à 80 000 $. Les frais bancaires variables associés à l'utilisation d'une case postale sont de 0,50 $ par chèque. De plus, il y a des frais fixes annuels de 500 $. Le recours à une case postale permettrait à l'entreprise de disposer des fonds quatre jours plus tôt. L'entreprise peut investir ses fonds au taux d'intérêt annuel de 10%.

a) La compagnie devrait-elle louer une case postale à Vancouver?

b) À partir de quel taux d'intérêt annuel la location d'une case postale devient-elle intéressante?

4. Le 1er décembre, la compagnie Paibien inc. reçoit une facture de 300 000 $. Cette facture doit être payée au plus tard le 20 décembre. Les fonds nécessaires pour acquitter la facture sont actuellement placés dans des titres à court terme offrant un taux de rendement annuel de 12%. Quelle somme la compagnie peut-elle épargner en payant la facture le 20 décembre au lieu du 1er décembre?

5. La compagnie AJB inc. envisage de louer une case postale à Winnipeg. Les ventes à crédit effectuées dans cette région s'élèvent annuellement à 10 000 000 $. Ces ventes se font à un rythme relativement uniforme tout au long de l'année. Le recours à une case postale permettrait à l'entreprise de disposer des fonds quatre jours plus tôt. Les frais bancaires totaux associés à la case postale sont de 15 000 $ annuellement. L'entreprise peut investir ses fonds au taux d'intérêt annuel de 10%.

a) L'entreprise devrait-elle utiliser une case postale?

b) Quel montant maximal AJB inc. devrait-elle payer pour l'utilisation d'une case postale?

6. Dans le but d'accélérer le recouvrement de ses recettes, une importante compagnie de Québec envisage de louer une case postale à Toronto. Les frais bancaires annuels fixes reliés à un tel service sont de 20 000 $. De plus, les frais variables sont de 0,45 $ par chèque. Le recours à une case postale permettrait à l'entreprise de disposer des fonds deux jours plus tôt. Dans cette région, la valeur moyenne d'un chèque émis par un client s'élève à 5 000 $. Combien de chèques l'entreprise doit-elle recevoir en moyenne chaque jour afin que la location d'une case postale s'avère une décision judicieuse? Supposez que l'entreprise peut investir ses fonds au taux d'intérêt annuel de 12%.

7. Les déboursés prévus de la compagnie Mica inc. sont de 100 000 $ par mois pour la prochaine année. Ces déboursés se font à un rythme régulier tout au long de l'année. L'entreprise peut placer ses liquidités dans des bons du Trésor qui rapportent annuellement 12%. Chaque fois qu'une transaction est effectuée relativement à l'achat ou à la vente de bons du Trésor, il en coûte 125 $ à l'entreprise.

a) Déterminez le montant optimal de bons du Trésor que l'entreprise doit vendre à intervalles réguliers de façon à minimiser le coût total relatif à l'encaisse.

b) Quel sera le nombre de ventes de titres au cours de l'année?

c) Quel sera le solde d'encaisse moyen?

d) Quel est le coût total relatif à l'encaisse associé à la stratégie optimale?

e) Représentez graphiquement l'évolution du solde d'encaisse en fonction du temps selon le modèle de Baumol.

8. Les informations suivantes sont disponibles relativement à l'entreprise Amex inc. :

- Écart-type des fluctuations journalières de l'encaisse : 3 000 $
- Frais de transaction et de gestion occasionnés par chaque achat ou vente de titres à court terme : 225 $
- Taux d'intérêt quotidien sur les placements à court terme :   0,0329%
- Limite inférieure de l'encaisse : 2 000 $

   a) Dans le modèle de Miller et Orr, quelles sont les variables qui déterminent le niveau cible d'encaisse?

   b) Déterminez le niveau cible d'encaisse de l'entreprise Amex inc. à l'aide du modèle de Miller et Orr.

   c) Calculez la limite supérieure de l'encaisse. Que devrait faire l'entreprise lorsque le solde d'encaisse atteindra cette limite supérieure?

   d) Déterminez le solde d'encaisse moyen.

9. Les renseignements suivants sont disponibles concernant la compagnie Kolai inc. :

Jours	Flux monétaires nets prévus
1	+ 60 000 $
2	+ 10 000
3	0
4	+ 10 000
5	+ 5 000
6	0
7	- 20 000
8	- 50 000
9	+ 30 000
10	- 40 000
11	0
12	+ 5 000
13	+ 3 000
14	+ 4 000

- Solde initial d'encaisse :   50 000 $
- Niveau cible d'encaisse :   60 000 $
- Limite inférieure interne :   25 000 $
- Limite inférieure externe :   10 000 $
- Limite supérieure interne :   90 000 $
- Limite supérieure externe :   100 000 $

Lorsque l'entreprise atteint la limite inférieure externe ou la limite supérieure externe, la directrice des finances procède à l'examen des flux monétaires prévus au cours des trois prochains jours afin de déterminer si ces derniers permettront, selon le cas, au solde d'encaisse d'atteindre la limite inférieure interne ou de devenir inférieur à la limite supérieure interne. Si tel est le cas, elle n'effectue aucune transaction. Dans la situation inverse, elle procède à l'achat ou à la vente de titres afin de ramener le solde d'encaisse à son niveau cible.

Compte tenu des informations disponibles, déterminez à quels moments elle devra acheter ou vendre des titres ainsi que les montants impliqués.

10. Quel est le taux de rendement effectif annuel d'un bon du Trésor d'une valeur nominale de 10 000 $ échéant dans 8 semaines si :

a) la valeur au marché du titre est de 9 750 $;

b) la valeur au marché du titre est de 9 825 $.

11. Lequel des deux bons du Trésor suivants procure à l'investisseur le taux de rendement effectif annuel le plus élevé (supposez que, dans les deux cas, la valeur nominale du titre s'élève à 10 000 $) :

a) un bon du Trésor échéant dans 60 jours et qui se négocie à 9 902 $;

b) un bon du Trésor échéant dans 132 jours et qui se négocie à 9 798 $.

9

La gestion des comptes clients

Lorsque vous aurez complété l'étude du chapitre 9,

1. vous serez en mesure d'énumérer les facteurs déterminant le solde des comptes clients;

2. vous serez sensibilisé aux différents coûts reliés à l'octroi du crédit;

3. vous connaîtrez les diverses composantes de la politique de crédit et leur impact prévu sur les ventes, le délai moyen de recouvrement des comptes clients et les mauvaises créances;

4. vous serez apte à effectuer une analyse quantitative visant à déterminer s'il est avantageux pour l'entreprise de modifier l'une ou l'autre des composantes de sa politique de crédit;

5. vous connaîtrez les principales sources d'information auxquelles peut avoir accès l'entreprise afin de décider si elle acceptera d'octroyer du crédit à un client potentiel;

6. vous saurez qu'une méthode statistique, connue sous le nom d'analyse discriminante, peut être utilisée pour répartir les clients de l'entreprise en différentes catégories de risque;

7. vous serez en mesure d'énumérer les moyens dont dispose l'entreprise pour recouvrer les créances non acquittées après la date d'échéance;

8. vous pourrez énumérer les avantages et les inconvénients des cartes de crédit du point de vue du commerçant;

9. vous connaîtrez les outils dont dispose le gestionnaire pour contrôler l'investissement dans les comptes clients;

10. vous saurez que l'analyse des habitudes de paiement est un outil plus fiable que le délai moyen de recouvrement des comptes clients pour contrôler les comptes clients et ce, particulièrement dans le cas des entreprises dont les ventes sont saisonnières;

11. vous serez sensibilisé aux avantages associés à l'assurance comptes clients.

9.1 Introduction

Idéalement, la plupart des entreprises voudraient vendre leurs marchandises au comptant et ainsi encaisser immédiatement le produit de la vente. Toutefois, dans le but d'accroître leurs ventes et leurs profits, elles acceptent généralement de vendre à crédit leurs produits. Lorsque ce genre de transaction a lieu, il en résulte une augmentation du solde des comptes clients dans les livres du vendeur[1] . Plus tard, lorsque le client règle sa facture, il s'ensuit une diminution des comptes clients et une hausse de l'encaisse. Si le client n'est pas en mesure de payer sa dette le moment venu, cela entraîne une perte relative à une mauvaise créance.

---

[1] Lorsque la vente de marchandises s'effectue à crédit, cela entraîne une augmentation du solde des comptes fournisseurs dans les livres de l'acheteur.

Pour la plupart des entreprises, les sommes investies dans les comptes clients sont importantes. En effet, avec les stocks, les comptes clients constituent environ le quart de l'actif total des entreprises. Dans ces conditions, il est essentiel de bien gérer cet élément d'actif et d'établir une politique de crédit qui permet de maximiser la valeur de l'entreprise.

9.2 Facteurs déterminant le solde des comptes clients

Comme l'illustre la figure 9.1, le solde des comptes clients d'une entreprise dépend du niveau de ses ventes, de la part de celles-ci qui sont effectuées à crédit et du délai moyen de recouvrement des comptes clients. À leur tour, les ventes de l'entreprise sont fonction de plusieurs variables dont le prix de vente, les efforts de marketing consentis, la qualité du produit vendu, la conjoncture économique et de la politique de crédit qu'elle s'est donnée.

Quant à sa politique de crédit, elle est notamment influencée par les caractéristiques du produit vendu et surtout par la politique de crédit de ses principaux concurrents. Finalement, on observe, sur cette figure, que le délai moyen de recouvrement des comptes clients dépend de la politique de crédit de l'entreprise et des conditions économiques qui prévalent (par exemple, en période de récession, certains clients de l'entreprise peuvent être portés à retarder leurs paiements).

Figure 9.1

Facteurs détermi-nant le montant in-vesti dans les comptes clients

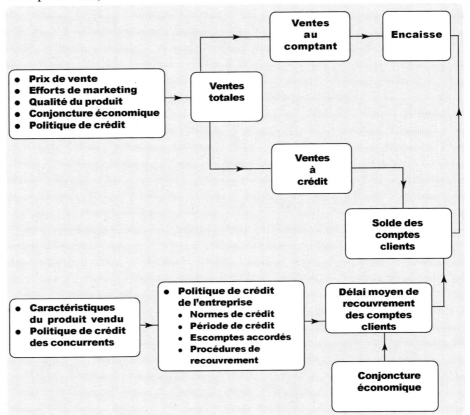

> **Exemple 9.1**   **Impact du délai moyen de recouvrement des comptes clients et des ventes quotidiennes à crédit sur le solde des comptes clients**

Les ventes quotidiennes à crédit de l'entreprise IMC inc. s'élèvent actuellement à 10 000 $. Le délai moyen de recouvrement des comptes clients est de 30 jours.

a) Déterminez le solde moyen des comptes clients.

b) En supposant que le délai moyen de recouvrement des comptes clients passe de 30 à 45 jours, quel sera alors le solde moyen des comptes clients?

c) Refaites (a) en supposant que les ventes quotidiennes à crédit de l'entreprise s'élèvent à 20 000 $.

■ **Solution**

a) Le solde moyen des comptes clients se calcule ainsi :

$$\text{Solde moyen des comptes clients} = \left(\begin{array}{c} \text{Ventes} \\ \text{quotidiennes à} \\ \text{crédit} \end{array} \right) \left(\begin{array}{c} \text{Délai moyen de recou-} \\ \text{vrement des comptes} \\ \text{clients en jours} \end{array} \right)$$

$$= (10\ 000)\ (30)$$
$$= 300\ 000\ \$$$

b) Le nouveau solde moyen des comptes clients sera alors de :

$$\text{Solde moyen des comptes clients} = (10\ 000)\ (45)$$
$$= 450\ 000\ \$$$

On constate qu'une augmentation du délai moyen de recouvrement des comptes clients de 50% $\left(\text{soit} \dfrac{45-30}{30} \right)$ a pour effet d'accroître le solde moyen des comptes clients de 50%.

c) Dans ce cas, le solde moyen des comptes clients s'élèvera à :

$$\text{Solde moyen des comptes clients} = (20\ 000)\ (35)$$
$$= 600\ 000\ \$$$

On observe qu'une hausse des ventes quotidiennes à crédit de 100% $\left(\text{soit} \dfrac{20000-10000}{10000} \right)$ a pour conséquence d'accroître le solde moyen des comptes clients de 100%.

9.3 Les coûts reliés à l'octroi de crédit

Pour l'entreprise, investir dans les comptes clients comporte à la fois des avantages et des coûts. En effet, lorsque l'entreprise accorde du crédit, il en résulte habituellement une augmentation de son chiffre d'affaires. Toutefois, en contrepartie, il y a différents coûts qui croissent avec l'importance des comptes clients. Ces coûts sont les suivants :

1. Les coûts de financement. L'entreprise doit financer ses comptes clients par des fonds propres ou en empruntant. Dans les analyses de la section suivante, nous supposons que le coût de renonciation des fonds investis dans les comptes clients correspond au coût du capital de l'entreprise.

2. Les mauvaises créances. Plus la politique de crédit de l'entreprise est souple, plus elle aura de clients qui ne seront pas en mesure de régler leurs factures le moment venu. Inversement, une politique de crédit plus restrictive entraînera une baisse des mauvaises créances, mais aura pour conséquence de faire perdre des ventes à l'entreprise.

3. Les frais d'administration et de recouvrement. Ces dépenses sont celles qu'effectue le département de crédit pour gérer et recouvrer les comptes clients (évaluation des demandes de crédit, relevés de comptes, appels téléphoniques, avis de rappel, visites chez le débiteur, recours à une agence de recouvrement ou à un avocat, etc.).

Avant d'accorder du crédit, l'entreprise doit s'assurer que les bénéfices additionnels qui en résultent excèdent les différents coûts que nous venons de mentionner.

9.4 La politique de crédit

Politique de crédit
Ensemble des règles dont s'est dotée l'entreprise pour déterminer à quels clients elle accordera du crédit et leur limite individuelle maximale, le montant total du crédit qu'elle pourra consentir à l'ensemble de ses clients, le délai accordé au débiteur pour régler sa facture, les rabais ou escomptes consentis, les procédures de recouvrement et les pénalités imposées en cas de paiement en retard

L'entreprise qui désire vendre à crédit doit nécessairement avoir une politique de crédit qui tient compte des variables suivantes: (1) les normes de crédit, (2) la période de crédit, (3) les escomptes accordés et (4) les procédures de recouvrement. Ces différentes variables exercent une incidence sur le solde des comptes clients de l'entreprise, son chiffre d'affaires, sa profitabilité et son risque. Par exemple, si l'on allonge la période de crédit, il s'ensuivra probablement une hausse du chiffre d'affaires. Toutefois, un tel changement aura vraisemblablement pour effet d'accroître le solde des comptes clients.

Les différentes variables dont le gestionnaire doit tenir compte dans l'établissement d'une politique de crédit sont discutées à tour de rôle dans les sous-sections suivantes.

9.4.1 Les normes de crédit

. . .
Normes de crédit
Critère utilisés par l'entreprise pour déterminer à quels clients elle consentira du crédit et leur limite autorisée

Les normes de crédit sont les critères utilisés par l'entreprise pour déterminer à quels clients elle accordera du crédit. De façon générale, un assouplissement des normes de crédit a pour effet d'accroître les ventes de l'entreprise et le solde de ses comptes clients. Il en résulte alors une hausse des coûts associés à la gestion du crédit. À l'inverse, des normes de crédit plus restrictives entraînent habituellement une diminution du chiffre d'affaires de l'entreprise et des coûts liés à la gestion des comptes clients. Dans ces conditions, avant de modifier les normes de crédit en vigueur dans l'entreprise, le gestionnaire doit s'assurer que les changements envisagés généreront des revenus additionnels qui dépasseront les coûts marginaux impliqués. Pour illustrer le genre d'analyse à effectuer, considérons l'exemple ci-dessous.

Exemple 9.2 | **Impact d'une modification des normes de crédit sur la rentabilité de l'entreprise**

Actuellement, l'entreprise Séco inc. a une politique de crédit plutôt restrictive. Les renseignements suivants concernant cette entreprise sont disponibles :

- Ventes actuelles : 600 000 $/année
- Coûts variables : 70% des ventes
- Mauvaises créances : 2% des ventes
- Frais d'administration et de recouvrement : 6 000 $/année
- Délai moyen de recouvrement des comptes clients : 30 jours
- Coût des fonds investis dans les comptes clients : 12%

L'entreprise envisage la possibilité d'adopter des normes de crédit plus libérales qui auraient, selon les estimations, les conséquences suivantes :

- Ventes additionnelles : 200 000 $/année
- Mauvaises créances sur les ventes additionnelles : 5% des ventes
- Augmentation des frais d'administration et de recouvrement : 4 000 $/année
- Délai moyen de recouvrement des comptes clients
  sur les ventes additionnelles : 40 jours

L'entreprise devrait-elle modifier sa politique de crédit actuelle?

■ **Solution**

Les éléments à prendre en considération pour décider s'il est avantageux, d'un point de vue financier, de modifier les normes de crédit actuelles sont les suivants :

1. l'augmentation du profit brut attribuable aux ventes additionnelles;

2. l'augmentation des mauvaises créances;

3. l'augmentation des frais d'administration et de recouvrement;

4. l'augmentation des coûts de financement des comptes clients liée aux ventes additionnelles.

1. L'augmentation du profit attribuable aux ventes additionnelles

$$\text{Augmentation du profit brut attribuable aux ventes additionnelles} = \left(\begin{array}{c}\text{Ventes}\\\text{additionnelles}\end{array}\right) - \left(\begin{array}{c}\text{Coûts variables}\\\text{additionnels}\end{array}\right)$$

$$= 200\,000 - (0,70)(200\,000)$$

$$= 60\,000\,\$$$

Remarque. Nous supposons que l'entreprise opère actuellement en-deçà de sa capacité maximale de production et que, par conséquent, ses frais fixes ne seront pas affectés par les ventes additionnelles. Lorsque cette hypothèse n'est pas vérifiée, il faut tenir compte dans l'analyse de tous les coûts additionnels - fixes et variables - qu'entraînerait une modification de la politique de crédit.

2. L'augmentation des mauvaises créances

$$\text{Augmentation des mauvaises créances} = \left(\begin{array}{c}\text{Ventes}\\\text{additionnelles}\end{array}\right)\left(\begin{array}{c}\text{Mauvaises créances}\\\text{en pourcentage des}\\\text{ventes}\end{array}\right)$$

$$= (200\,000)(0,05) = 10\,000\,\$$$

3. L'augmentation des frais d'administration et de recouvrement

Les frais d'administration et de recouvrement additionnels sont de 4 000 $.

4. L'augmentation des coûts de financement des comptes clients liée aux ventes additionnelles

$$\text{Augmentation des coûts de financement des comptes clients liée aux ventes additionnelles} = \left(\begin{array}{c}\text{Augmentation de}\\\text{l'investissement}\\\text{dans les comptes}\\\text{clients liée aux}\\\text{ventes}\\\text{additionnelles}\end{array}\right)\left(\begin{array}{c}\text{Coûts de financement}\\\text{des comptes clients en}\\\text{pourcentage}\end{array}\right)$$

$$= \left(\frac{\text{Ventes}\atop\text{additionnelles}}{365}\right)\left(\begin{array}{c}\text{Délai moyen de}\\\text{recouvrement des}\\\text{comptes clients sur}\\\text{les ventes addition-}\\\text{nelles en jours}\end{array}\right)\left(\begin{array}{c}\text{Coûts variables}\\\text{en pourcentage}\\\text{des ventes}\end{array}\right)\left(\begin{array}{c}\text{Coût de}\\\text{financement}\\\text{des comptes clients}\\\text{en pourcentage}\end{array}\right)$$

$$= \left(\frac{200\,000}{365}\right)(0,40)(0,70)(0,12) = 1\,841,10\,\$$$

Comme les revenus marginaux (60 000 $) excèdent les coûts marginaux (15 841,10 $ = 10 000 $ + 4000 $ + 1841,10 $), l'entreprise aurait avantage à modifier ses normes de crédit actuelles. Si les estimations fournies sont exactes, il en résultera alors une augmentation du profit avant impôt de 44 158,90 $ (c.-à-d. 60 000 $ - 15 841,10 $).

L'analyse du risque de crédit

Pour décider si elle acceptera ou non de vendre à crédit à un client et, le cas échéant, quelles seront les conditions de la vente, l'entreprise doit obtenir, tout dépendant du montant impliqué, des informations plus ou moins complètes permettant d'apprécier le risque que comporte le client potentiel. Parmi les différentes sources d'information disponibles, mentionnons :

1. **Les états financiers du client.** Le responsable de la gestion du crédit analysera les états financiers du client potentiel (ses actifs, son ratio du fonds de roulement, son ratio d'endettement, son ratio de couverture des charges financières, ses bénéfices, ses flux monétaires, etc.) afin de porter un jugement sur sa stabilité financière et sur sa capacité à honorer ses engagements.

2. **Les agences spécialisées d'évaluation du crédit.** La plus connue de ces agences est, sans aucun doute, Dun and Bradstreet. Sa base de données renferme de l'information sur environ 1,5 million d'entreprises canadiennes et sur plus de 122 millions d'entreprises à travers le monde. Les renseignements accessibles en ligne permettent au responsable de la gestion du crédit d'apprécier rapidement la situation financière des clients actuels et potentiels de l'entreprise et ainsi de prendre des décisions éclairées en matière d'octroi et de maintien du crédit.

> **Site Internet**
> www.dnb.ca

Parmi les autres sources externes spécialisées dans le crédit, des sociétés, telles que Equifax et TransUnion, sont en mesure de fournir au gestionnaire des renseignements forts utiles sur le dossier de crédit des consommateurs et l'aider à prendre de meilleures décisions lors de l'évaluation des risques associés au crédit.

> **Sites Internet**
> 1. www.equifax.ca
> 2. www.transunion.ca

3. **La banque et les fournisseurs du client.** Le responsable de la gestion du crédit peut également s'adresser au banquier du client ainsi qu'à ses fournisseurs passés et actuels pour obtenir des renseignements additionnels sur la qualité de son crédit.

4. **Le comportement passé du client.** Bien entendu, dans le cas d'un de ses clients actuels, l'entreprise tiendra également compte de son expérience passée avec ce dernier.

Une fois que toutes les informations recueillies relativement à la situation financière d'un client potentiel auront été analysées, l'entreprise devra décider si elle accepte ou refuse de lui octroyer du crédit. À cette fin, une approche couramment utilisée consiste à répartir les clients potentiels en différentes catégories de risque. Un exemple de ce genre de classification apparaît au tableau 9.1.

Tableau 9.1

Classification des clients en fonction du degré de risque qu'il représente

Catégorie de risque	Pourcentage de perte
1	0 à 1%
2	1 à 2%
3	2 à 4%
4	4 à 7%
5	Plus de 7%

Avec une telle politique, l'entreprise pourrait, par exemple, accepter de vendre automatiquement à crédit aux clients de la catégorie 1 et d'examiner leur situation financière une seule fois par année. Quant aux clients appartenant à la seconde catégorie, il pourrait se voir octroyer du crédit jusqu'à une certaine limite spécifiée. La situation financière de ces clients serait cependant examinée sur une base plus fréquente, (par exemple, semestriellement). Des décisions similaires pourraient être prises pour les clients des autres catégories et l'entreprise pourrait, à la limite, décider de vendre seulement au comptant aux clients de la catégorie 5 car, dans ce dernier cas, la probabilité de non-paiement est assez importante.

L'analyse discriminante

Dans le but de faciliter la répartition de ses clients en différentes catégories, l'entreprise peut avoir recours à une méthode statistique, connue sous le nom d'analyse discriminante. Un exemple d'un modèle statistique de ce genre est présenté au tableau 9.2.

Tableau 9.2

Exemple d'un modèle d'analyse discriminante

Analyse discriminante
Méthode statistique qui vise à expliquer et à prédire l'appartenance des observations à des groupes connus a priori en ayant recours à des informations contenues dans un ensemble de variables explicatives

Variables explicatives retenues	Pondération	Indice de solvabilité (Z)	Catégorie de risque
Ratio de trésorerie (X_1)	9	$Z \geq 50 \Rightarrow$	1
		$42 \leq Z < 50 \Rightarrow$	2
		$34 \leq Z < 42 \Rightarrow$	3
		$26 \leq Z < 34 \Rightarrow$	4
		$Z < 26 \Rightarrow$	5
Ratio de couverture des charges financières (X_2)	3		
Âge de l'entreprise (X_3)	1,50		

Fonction discriminante : $Z = 9X_1 + 3X_2 + 1,50X_3$

Dans l'exemple précédent, la cote de solvabilité d'une entreprise (Z) dépend de trois variables, soit le ratio de trésorerie, le ratio de couverture des charges financières et l'âge de l'entreprise (bien entendu, pour améliorer la précision du modèle d'autres variables pourraient être ajoutées). Les variables utilisées et leur importance respective dans la fonction discriminante ont été obtenues en répartissant en deux groupes les clients de l'entreprise : les « bons payeurs » et les « mauvais payeurs ». Pour chacun d'entre eux, l'entreprise est en mesure d'obtenir des données historiques (ratio de trésorerie, ratio de couverture des charges financières, âge de l'entreprise, etc.) les concernant et il est alors possible, à l'aide d'un logiciel statistique approprié, de générer une fonction discriminante du genre de celle présentée au tableau 9.2.

Supposons maintenant qu'un nouveau client satisfaisant aux conditions suivantes désire obtenir du crédit :

- Ratio de trésorerie : 1,60

- Ratio de couverture des charges financières : 3,60

- Âge de l'entreprise : 12 ans

Dans ce cas, l'indice de solvabilité (Z) de ce client se calculera ainsi :

$$Z = (9)(1,60) + (3)(3,60) + (1,50)(12)$$

$$Z = 43,20$$

Ce client, compte tenu de son pointage, sera donc inclus dans la catégorie 2 et l'entreprise acceptera de lui vendre à crédit.

Pour conclure sur l'analyse discriminante, mentionnons qu'elle permet au responsable de la gestion du crédit d'apprécier objectivement et rapidement le risque que présente un client et lui évite ainsi à avoir à pondérer subjectivement un ensemble de variables afin d'en arriver à une décision. Elle est, par ailleurs, particulièrement utile aux compagnies - par exemple, celles oeuvrant dans le secteur du pétrole ou des cartes de crédit - qui doivent évaluer la solvabilité de nombreux clients.

9.4.2 La période de crédit

Période de crédit
Temps accordé au client pour payer sa facture

La période de crédit est le délai maximal accordé au client pour acquitter sa facture. Cette période, qui peut varier de quelques jours à quelques mois, dépend notamment des facteurs suivants :

1. **La nature du bien vendu.** De façon générale, la période de crédit est plus courte dans le cas de biens périssables qu'elle ne l'est lorsque les biens sont sujets à une lente détérioration.

2. **La probabilié de non-paiement.** Une entreprise aura tendance à consentir un délai de paiement plus long à ses clients opérant dans des secteurs industriels peu risqués qu'à ceux oeuvrant dans des secteurs très risqués.

3. **Le montant du compte client.** Étant donné que les petits comptes clients occasionnent des frais de gestion proportionnellement plus élevés que les comptes importants, on peut s'attendre à ce que la longueur de la période de crédit soit liée inversement au montant du compte à recevoir.

4. **Le délai accordé par les principaux concurrents.** De façon à être compétitive, une entreprise aura tendance à consentir à ses clients un délai de paiement similaire à celui offert par ses principaux concurrents.

La décision d'allonger la période de crédit doit se prendre en considérant les ventes additionnelles et les coûts qui en découleraient. L'exemple ci-dessous illustre le genre d'analyse à effectuer.

Exemple 9.3 | **Impact de la décision d'allonger la période de crédit sur la rentabilité de l'entreprise**

Dans le but de stimuler les ventes, le directeur du marketing de la compagnie Beauclair inc. pense que l'on devrait allonger la période de crédit de 30 à 45 jours. Selon les prévisions, en allongeant ainsi la période de crédit, les ventes annuelles de l'entreprise devraient passer de 800 000 $ à 1 000 000 $. Les frais variables représentent 70% des ventes et le coût des fonds investis dans les comptes clients est de 12%. On estime, en outre, que les mauvaises créances demeureront à 5% des ventes et que les frais d'administration et de recouvrement annuels resteront à leur niveau actuel, soit 10 000 $. La compagnie devrait-elle allonger sa période de crédit?

■ **Solution**

Les éléments à prendre en considération pour en arriver à une décision judicieuse sont les suivants :

1. l'augmentation du bénéfice brut attribuable aux ventes additionnelles;
2. l'augmentation des mauvaises créances;
3. l'augmentation des coûts de financement des comptes clients liée aux ventes actuelles;
4. l'augmentation des coûts de financement des comptes clients liée aux ventes additionnelles.

1. L'augmentation du bénéfice brut attribuable aux ventes additionnelles

$$\text{Augmentation du bénéfice brut attribuable aux ventes additionnelles} = \left(\begin{array}{c}\text{Ventes}\\\text{additionnelles}\end{array}\right) - \left(\begin{array}{c}\text{Coûts variables}\\\text{additionnels}\end{array}\right)$$

$$= 200\ 000 - (0,70)(200\ 000)$$

$$= 60\ 000\ \$$$

2. L'augmentation des mauvaises créances

$$\begin{pmatrix} \text{Augmentation des} \\ \text{mauvaises créances} \end{pmatrix} = \begin{pmatrix} \text{Ventes} \\ \text{additionnelles} \end{pmatrix} - \begin{pmatrix} \text{Mauvaises créances} \\ \text{en pourcentage des} \\ \text{ventes} \end{pmatrix}$$

$$= (200\,000)(0,05) = 10\,000\ \$$$

3. L'augmentation des coûts de financement des comptes clients liée aux ventes actuelles

$$\begin{pmatrix} \text{Augmentation des} \\ \text{coûts de financement} \\ \text{des comptes clients liée} \\ \text{aux ventes actuelles} \end{pmatrix} = \begin{pmatrix} \text{Augmentation de} \\ \text{l'investissement} \\ \text{dans les comptes} \\ \text{clients liée aux} \\ \text{ventes actuelles} \end{pmatrix} \begin{pmatrix} \text{Coûts de financement} \\ \text{des comptes clients en} \\ \text{pourcentage} \end{pmatrix}$$

$$= \begin{pmatrix} \dfrac{\text{Ventes}}{\text{actuelles}} \\ \overline{365} \end{pmatrix} \begin{pmatrix} \text{Augmentation du} \\ \text{délai moyen de} \\ \text{recouvrement des} \\ \text{comptes clients en} \\ \text{jours} \end{pmatrix} \begin{pmatrix} \text{Coût de} \\ \text{financement} \\ \text{des comptes clients} \\ \text{en pourcentage} \end{pmatrix}$$

$$= \left(\frac{800\,000}{365} \right) (15)(0,12) = 3\,945,21\ \$$$

4. L'augmentation des coûts de financement des comptes clients liée aux ventes additionnelles

$$\begin{pmatrix} \text{Augmentation des} \\ \text{coûts de financement} \\ \text{des comptes clients liée} \\ \text{aux ventes additionnelles} \end{pmatrix} = \begin{pmatrix} \text{Augmentation de} \\ \text{l'investissement} \\ \text{dans les comptes} \\ \text{clients liée aux} \\ \text{ventes} \\ \text{additionnelles} \end{pmatrix} \begin{pmatrix} \text{Coûts de financement} \\ \text{des comptes clients en} \\ \text{pourcentage} \end{pmatrix}$$

$$= \begin{pmatrix} \dfrac{\text{Ventes}}{\text{additionnelles}} \\ \overline{365} \end{pmatrix} \begin{pmatrix} \text{Nouveau délai} \\ \text{moyen de recouvre-} \\ \text{ment des comptes} \\ \text{clients en jours} \end{pmatrix} \begin{pmatrix} \text{Coûts variables} \\ \text{en pourcentage} \\ \text{des ventes} \end{pmatrix} \begin{pmatrix} \text{Coût de} \\ \text{financement} \\ \text{des comptes clients} \\ \text{en pourcentage} \end{pmatrix}$$

$$= \left(\frac{200\,000}{365} \right) (45)(0,70)(0,12) = 2\,071,23\ \$$$

Si les prévisions effectuées s'avèrent exactes, il s'ensuivra une augmentation du bénéfice avant impôts de 43 983,56 $ (c.-à-d. 60 000 $ − 10 000 $ − 3 945,21 $ − 2 071,23 $). L'entreprise aurait donc avantage à allonger sa période de crédit de 30 à 45 jours. Toutefois, il est à noter que l'analyse ci-dessus ne tient pas compte des réactions possibles des concurrents de la compagnie Beauclair. Si ces derniers décident également d'allonger leur période de crédit, il y a de fortes chances que la hausse des ventes anticipée de 200 000 $ ne se concrétise pas

Remarques. 1. Les calculs ci-dessus tiennent compte du fait que l'investissement dans les comptes clients augmentera pour les deux raisons suivantes: (1) les clients actuels de l'entreprise effectueront leurs paiements le 45e jour, au lieu du 30e jour, si la période de crédit est allongée et (2) les ventes additionnelles engendreront de nouveaux comptes clients.

2. Nous avons calculé l'augmentation de l'investissement dans les comptes clients liée aux ventes actuelles en tenant compte du montant total des comptes clients, puisque les clients actuels de l'entreprise devraient payer la totalité du prix de vente au bout de 30 jours si les conditions de crédit restaient inchangées. Cependant, l'investissement dans les comptes clients lié aux ventes additionnelles est calculé en considérant le fait que le montant investi par l'entreprise dans les nouveaux comptes clients n'est constitué que des coûts variables de la marchandise.

9.4.3 Les escomptes de caisse

Excompte de caisse
Rabais accordé au client pour l'inciter à régler sa facture plus rapidement

Dans le but de les inciter à régler rapidement leurs factures, une entreprise consent souvent à ses clients un escompte de caisse. Cet escompte, qui s'applique au prix de vente net, n'est généralement valable que dans les quelques jours suivant la date de la facture. Par exemple, des conditions de crédit 2/10, net 30 - ce qui est courant en pratique - signifient que l'escompte de 2% n'est applicable que si le règlement est effectué dans les 10 jours suivant la date de la facture et que le montant intégral de celle-ci est exigible dans les 30 jours de la facturation.

De façon générale, une entreprise qui décide de consentir un escompte à ses clients peut s'attendre à voir son chiffre d'affaires augmenté et son délai moyen de recouvrement des comptes clients réduit. Évidemment, le fait de consentir un escompte à ses clients occasionne pour l'entreprise une perte de revenus. La décision d'accorder ou non un escompte nécessite une comparaison des bénéfices et des coûts qui en résulteraient. Pour illustrer le genre d'analyse à effectuer, considérons l'exemple ci-dessous.

Exemple 9.4 | **Impact de la décision d'accorder un escompte de caisse sur la rentabilité de l'entreprise**

À l'heure actuelle, la compagnie Boileau inc. ne consent aucun escompte de caisse à ses clients et ces derniers doivent régler le montant intégral de la facture dans les 30 jours de la facturation (condition net 30). L'entreprise envisage la possibilité d'offrir à ses clients des conditions de crédit plus avantageuses, soit 2/10, net 30. Selon les prévisions, un tel changement de politique aurait pour conséquence de faire passer les ventes de l'entreprise de 500 000 $ à 600 000 $. De plus, on estime que 50% des clients de l'entreprise se prévaudront de l'escompte et paieront leurs factures le 10 ^{ième} jour. Par conséquent, le délai moyen de recouvrement des comptes clients passera à 20 jours (c.-à-d. 50% × 10 jours + 50% × 30 jours). Le coût des fonds investis dans les comptes clients est de 12% et les coûts variables représentent 70% des ventes. Les mauvaises créances sont négligeables. Compte tenu des prévisions, la compagnie devrait-elle modifier ses conditions de crédit actuelles?

■ **Solution**

Pour déterminer si la compagnie Boileau inc. aurait avantage à accorder un escompte de caisse à ses clients, on doit prendre en considération les éléments suivants :

1. l'augmentation du bénéfice brut attribuable aux ventes additionnelles;

2. la diminution du bénéfice brut sur les ventes actuelles attribuable à l'escompte;

3. l'augmentation des coûts de financement des comptes clients liée aux ventes additionnelles;

4. la diminution des coûts de financement des comptes clients liée aux ventes actuelles.

1. L'augmentation du bénéfice brut attribuable aux ventes additionnelles

$$\text{Augmentation du bénéfice brut attribuable aux ventes additionnelles} = \left(\begin{array}{c}\text{Ventes}\\\text{additionnelles}\end{array}\right)\left(1 - \begin{array}{c}\text{Coûts variables}\\\text{additionnels en}\\\text{pourcentage des}\\\text{ventes}\end{array}\right)$$

$$- \left(\begin{array}{c}\text{Ventes}\\\text{additionnelles}\end{array}\right)\left(\begin{array}{c}\text{Proportion des}\\\text{clients qui se}\\\text{prévaudront de}\\\text{l'escompte}\end{array}\right)\left(\begin{array}{c}\text{Escompte}\\\text{accordé en}\\\text{pourcentage}\end{array}\right)$$

$$= (100\ 000)\ (1 - 0,70) - (100\ 000)(0,50)(0,02)$$
$$= 29\ 000\ \$$$

2. La diminution du bénéfice brut sur les ventes actuelles attribuable à l'escompte

$$\begin{array}{c}\text{Diminution du bénéfice}\\\text{brut attribuable sur les}\\\text{ventes actuelles}\\\text{attribuable}\\\text{à l'escompte}\end{array} = \left(\begin{array}{c}\text{Ventes}\\\text{actuelles}\end{array}\right)\left(\begin{array}{c}\text{Proportion des}\\\text{clients qui se}\\\text{prévaudront de}\\\text{l'escompte}\end{array}\right)\left(\begin{array}{c}\text{Escompte}\\\text{accordé en}\\\text{pourcentage}\end{array}\right)$$

$$= (500\ 000)\ (0,50)\ (0,02)$$
$$= 5\ 000\ \$$$

3. L'augmentation des coûts de financement des comptes clients liée aux ventes additionnelles

$$\begin{array}{l} \text{Augmentation des} \\ \text{coûts de financement} \\ \text{des comptes clients liée} \\ \text{aux ventes} \\ \text{additionnelles} \end{array} = \left(\frac{\text{Ventes}\ \text{additionnelles}}{365} \right) \left(\begin{array}{c} \text{Nouveau délai} \\ \text{moyen de recouvre-} \\ \text{ment des comptes} \\ \text{clients en jours} \end{array} \right) \left(\begin{array}{c} \text{Coûts variables} \\ \text{en pourcentage} \\ \text{des ventes} \end{array} \right) \left(\begin{array}{c} \text{Coût de} \\ \text{financement} \\ \text{des comptes clients} \\ \text{en pourcentage} \end{array} \right)$$

$$= \left(\frac{100\,000}{365} \right) (20)\,(0{,}70)\,(0{,}12)$$

$$= 460{,}27\ \$$$

4. La diminution des coûts de financement des comptes clients liée aux ventes actuelles

$$\begin{array}{l} \text{Diminution des coûts} \\ \text{de financement des} \\ \text{comptes clients liée aux} \\ \text{ventes actuelles} \end{array} = \left(\frac{\text{Ventes}\ \text{actuelles}}{365} \right) \left(\begin{array}{c} \text{Diminution du} \\ \text{délai moyen de} \\ \text{recouvrement des} \\ \text{comptes clients en} \\ \text{jours} \end{array} \right) \left(\begin{array}{c} \text{Coût de} \\ \text{financement} \\ \text{des comptes clients} \\ \text{en pourcentage} \end{array} \right)$$

$$= \left(\frac{500\,000}{365} \right) (10)\,(0{,}12)$$

$$= 1\,643{,}84\ \$$$

Puisque l'augmentation prévue du profit avant impôts est de 25 183,57 \$ (c.-à-d. 29 000 \$ - 5000 \$ - 460,27 \$ + 1643,84 \$), l'entreprise aurait avantage à accorder un escompte de caisse à ses clients

9.4.4 Les procédures de recouvrement

Procédures de recouvrement
Moyens auxquels l'entreprise peut avoir recours pour récupérer les comptes en souffrance

Les procédures de recouvrement sont les moyens utilisés par l'entreprise pour recouvrer les créances non acquittées après la date d'échéance. Parmi les moyens dont dispose cette dernière, mentionnons: l'envoi d'une lettre, un appel téléphonique, une visite personnelle, la menace de poursuites judiciaires, la cession du compte à une agence de recouvrement et les poursuites judiciaires. Certaines des mesures énumérées ci-dessus - comme, par exemple, les poursuites judiciaires - entraînent des coûts substantiels, alors que d'autres - comme, par exemple, une lettre de rappel ou un appel téléphonique - sont peu dispendieuses. Avant d'utiliser des méthodes de recouvrement ultimes et onéreuses, l'entreprise se doit de comparer les bénéfices qui en résulteraient et les coûts impliqués. En principe, lorsque les coûts de recouvrement dépassent le montant qui peut être récupéré, le compte devrait être radié. Toutefois, il peut arriver qu'une entreprise engage des coûts de recouvrement qui excèdent le montant de la créance et ce, dans le but d'éviter que le non-paiement de la facture ne devienne pratique courante.

9.4.5 Les diverses composantes de la politique de crédit et leur impact prévu sur les ventes, le délai moyen de recouvrement des comptes clients et les mauvaises créances

Le tableau 9.3 résume l'impact prévu des diverses composantes de la politique de crédit sur les ventes, le délai moyen de recouvrement des comptes clients (DMRCC) et les mauvaises créances.

Tableau 9.3

Les diverses composantes de la politique de crédit et leur impact sur les ventes, le DMRCC et les mauvaises créances

Variable de décision	Décision prise	Impact prévu sur les ventes	Impact prévu sur le délai moyen de recouvrement des comptes clients	Impact prévu sur les mauvaises créances
1. Normes de crédit	Assouplissement	Augmentation	Augmentation	Augmentation
2. Période de crédit	Allongement	Augmentation	Augmentation	Augmentation
3. Escomptes de caisse	Augmentation du taux d'escompte	Augmentation	Diminution	Diminution
4. Procédures de recouvrement	Augmentation des frais engagés pour la perception des comptes en souffrance	Diminution	Diminution	Diminution

9.5 Les cartes de crédit

Les cartes de crédit - comme Visa ou Mastercard - ont connu, au fil des ans, une popularité sans cesse grandissante dans le commerce de détail. En acceptant les cartes de crédit, l'entreprise permet à ses clients de bénéficier d'une certaine période de temps - habituellement de 20 à 30 jours - pour régler leurs factures. Une fois que le délai indiqué sur l'état de compte est écoulé, l'émetteur charge au client des intérêts sur le solde qui demeure impayé. De plus, le consommateur doit habituellement payer à l'émetteur des frais annuels - par exemple, 30 $ - pour avoir le privilège d'utiliser sa carte.

Du point de vue du commerçant, ces cartes lui permettent de percevoir rapidement les recettes liées aux ventes, tout en lui évitant les différents coûts associés à la gestion du crédit (analyse des demandes de crédit, facturation, frais de recouvrement et coûts de financement des comptes clients). Toutefois, le commerçant doit verser à l'institution financière avec laquelle il a conclu une entente une commission correspondant à un certain pourcentage du montant de la vente à crédit. Cette commission est habituellement de l'ordre de 2 à 6%. Par exemple, pour une vente à crédit de 10 000 $ et un taux de commission de 4%, le commerçant recevra un montant net de 9 600 $, soit 10 000(1 - 0,04).

9.6 Le contrôle des comptes clients

Le délai moyen de recouvrement des comptes clients et l'évolution des habitudes de paiement constituent deux des outils dont dispose le gestionnaire pour contrôler l'investissement dans les comptes clients.

Le délai moyen de recouvrement des comptes clients

Comme nous l'avons mentionné au chapitre 3, le délai moyen de recouvrement des comptes clients mesure la période moyenne qui s'écoule entre le moment où la vente a lieu et celui où le client règle sa facture. À partir des ventes annuelles, il se calcule ainsi :

$$\text{Délai moyen de recouvrement des comptes clients} = \frac{\text{Comptes clients}}{\text{Ventes annuelles} / 365}$$

Par exemple, si les ventes annuelles de l'entreprise s'élèvent à 2 000 000$ et le montant des comptes clients à 150 000$, le délai moyen de recouvrement des comptes clients sera alors égal à :

$$\text{Délai moyen de recouvrement des comptes clients} = \frac{150\ 000}{2\ 000\ 000 / 365} = 27,4 \text{ jours}$$

Le ratio précédent est l'outil traditionnellement utilisé pour contrôler les comptes clients. Cependant, dans plusieurs cas - particulièrement pour les entreprises saisonnières -, il s'avère inapproprié car il est influencé à la fois par les fluctuations des ventes et les changements dans les habitudes de paiement. Ainsi, le comportement temporel de ce ratio - le ratio suit une tendance haussière - peut suggérer à l'entreprise qu'elle devrait apporter des mesures correctives dans un contexte où les habitudes de paiement sont stables et qu'il n'y a pas lieu, par conséquent, de modifier les politiques actuellement en vigueur. Inversement, la tendance de ce ratio - le ratio diminue constamment - peut, dans certains cas, dissimuler le fait que la gestion des comptes clients se détériorent et que l'on devrait, par conséquent, apporter des mesures correctives appropriées.

Les habitudes de paiement

Proposé initialement par Lewellen et Johnson[2], l'analyse des habitudes de paiement des clients constitue un outil qui permet de remédier aux lacunes du

---

[2] Lewellen, G. et R.W. Johnson, « A Better Way to Monitor Accounts Receivable », *Harvard Business Review*, mai-juin 1972, pp. 101-109.

délai moyen de recouvrement des comptes clients. Essentiellement, cet outil d'analyse indique le pourcentage des ventes à crédit qui demeurent impayées à la fin du mois de la vente et dans les mois subséquents. Pour illustrer, nous aurons recours aux données présentées aux tableaux 9.4 et 9.5 concernant les ventes, les recouvrements, le solde des comptes clients, le délai moyen de recouvrement des comptes clients et l'évolution des habitudes de paiement des clients de l'entreprise Sigma inc.

Tableau 9.4

Les ventes, les recouvrements, le solde des comptes clients et le délai moyen de recouvrement des comptes clients de l'entreprise Sigma

Mois	Ventes	Recouvrements (voir note 2)	Soldes des comptes clients (voir note 3)	Délai moyen de recouvrement des comptes clients selon les ventes du mois (voir note 4)	Délai moyen de recouvre- des comptes clients selon les ventes des 2 derniers mois (voir note 5)
Mars	300 000 $				
Avril	200 000				
Mai	100 000	185 000 $	110 000 $	34,1 jours	22,4 jours
Juin	100 000	125 000	85 000	25,5	25,9
Juillet	200 000	140 000	145 000	22,5	29,5
Août	450 000	275 000	320 000	22,0	30,5

Notes : 1. Les habitudes de paiement des clients sont les suivantes :

- 40% des ventes sont payées dans le mois de la vente
- 35% un mois après la vente
- 25% deux mois après la vente
- Il n'y a pas de mauvaises créances.

2. Les recouvrements du mois de mai s'établissent de la façon suivante :

(25%)(Ventes de mars) + (35%)(Ventes d'avril) + (40%)(Ventes de mai)

$= (25\%)(300\,000) + (35\%)(200\,000) + (40\%)(100\,000) = 185\,000$ $

Des calculs similaires sont effectués pour les autres mois.

3. Le solde des comptes clients à la fin du mois de mai se calcule ainsi :

$$\left(\begin{array}{c}\text{Montant restant dû sur}\\\text{les ventes d'avril}\end{array}\right) + \left(\begin{array}{c}\text{Montant restant dû sur}\\\text{les ventes de mai}\end{array}\right)$$

$= (25\%)(300\,000) + (60\%)(100\,000)$

$= 110\,000$ $

4. Pour le mois de mai, le délai moyen de recouvrement des comptes clients selon les ventes du mois se calcule de la façon suivante :

$$\frac{\text{Solde des comptes clients à la fin de mai}}{\text{Ventes de mai / Nombre de jours en mai}} = \frac{110\,000}{100\,000/31} = 34,1 \text{ jours}$$

5. Pour le mois de mai, le délai moyen de recouvrement des comptes clients selon les ventes des deux derniers mois se calcule ainsi :

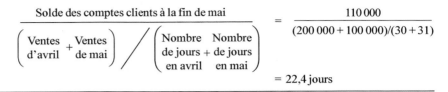

$$\frac{\text{Solde des comptes clients à la fin de mai}}{\left(\begin{array}{c}\text{Ventes} \\ \text{d'avril}\end{array} + \begin{array}{c}\text{Ventes} \\ \text{de mai}\end{array}\right) \Bigg/ \left(\begin{array}{c}\text{Nombre} \quad \text{Nombre} \\ \text{de jours} + \text{de jours} \\ \text{en avril} \quad \text{en mai}\end{array}\right)} = \frac{110\,000}{(200\,000 + 100\,000)/(30 + 31)}$$

$$= 22,4 \text{ jours}$$

Le délai moyen de recouvrement des comptes clients présenté au tableau 9.4 a été calculé de deux façons, soit à partir des ventes quotidiennes du mois et de celles effectuées au cours des deux derniers mois. Le comportement temporel du délai moyen de recouvrement des comptes à recevoir calculé à partir des ventes quotidiennes du mois suggère que la gestion des comptes clients s'améliore d'un mois à l'autre. Par contre, le comportement temporel de ce ratio lorsque calculé à partir des ventes des deux derniers mois suggère une détérioration dans la gestion des comptes clients. Évidemment, aucune de ces deux conclusions n'est valable. En effet, les habitudes de paiement étant stables, la gestion des comptes clients ne s'est ni améliorée ni détériorée avec le temps. Le tableau 9.5 permet d'ailleurs de constater ce fait. Ainsi, la lecture horizontale de ce tableau nous indique que, peu importe le mois considéré, 60% des ventes effectuées au cours du mois demeurent impayées à la fin du mois et que 25% d'entre elles le sont encore à la fin du mois suivant. D'autre part, la lecture verticale de ce même tableau nous permet de constater que le solde des comptes clients à la fin de n'importe quel mois est constitué de 60% des ventes effectuées au cours du mois et de 25% de celles effectuées au cours du mois précédent.

Tableau 9.5

Évolution temporelle des habitudes de paiement des clients de l'entreprise Sigma

	Pourcentage des ventes impayées à la fin du mois			
	Mai	Juin	Juillet	Août
Mars	0%			
Avril	25%	0%		
Mai	60%	25%	0%	
Juin		60%	25%	0%
Juillet			60%	25%
Août				60%

Finalement, il nous apparaît utile de souligner que si, pour une raison ou pour une autre, les clients de l'entreprise Sigma décidaient d'acquitter moins rapidement leurs factures, l'analyse des habitudes de paiement permettrait de détecter rapidement cette détérioration dans la gestion des comptes clients et de prendre les mesures appropriées. Toutefois, cette détérioration pourrait passer inaperçue si l'on se limitait strictement à l'analyse du comportement temporel du délai moyen de recouvrement des comptes clients.

9.7 L'assurance comptes clients

Exportation et développement Canada (EDC) propose aux entreprises canadiennes qui exportent des biens et des services une police d'assurance qui leur permet de se protéger contre le risque de non-paiement par leurs clients américains ou étrangers. Cette forme d'assurance couvre jusqu'à 90% des pertes attribuables au non-paiement qui sont la conséquence des risques commerciaux et politiques suivants : (1) la faillite ou l'insolvabilité du client, (2) la révocation du permis d'importation ou d'exportation, (3) le transfert des devises, (4) le défaut de paiement, (5) le refus du client étranger d'accepter la livraison de la marchandise, (6) la guerre, la révolution ou l'insurrection et (7) la révocation de contrats. La prime chargée par EDC pour cette police d'assurance est notamment fonction des produits ou des services vendus par l'entreprise, des pays d'exportation et des conditions de paiement accordées aux clients.

Pour sa part, l'assureur-crédit privé Euler Hermes offre des contrats d'assurance qui permettent à l'entreprise de se protéger contre le non-paiement et l'insolvabilité de ses clients canadiens et internationaux.

9.8 Concepts fondamentaux

- Le solde des comptes clients d'une entreprise dépend de la proportion de ses ventes qui sont effectuées à crédit et du délai moyen de recouvrement des comptes clients.

- L'octroi du crédit entraîne pour l'entreprise des coûts associés au financement des comptes clients, des pertes financières attribuables aux mauvais payeurs ainsi que des frais d'administration et de recouvrement.

- La politique de crédit d'une entreprise s'articule autour des éléments suivants : (1) les normes de crédit (c.-à-d. les critères utilisés par l'entreprise pour déterminer à quels clients elle accordera du crédit et leur limite autorisée), (2) la période de crédit (c.-à-d. le délai maximal accordé au client pour régler sa facture), (3) les escomptes de caisse (c.-à-d. les rabais accordés aux clients de façon à les inciter à acquitter rapidement leurs factures) et (4) les procédures de recouvrement (c.-à-d. les mesures auxquelles l'entreprise aura recours pour récupérer les comptes en souffrance). Lors de l'élaboration d'une politique de crédit, le gestionnaire doit fixer les paramètres de façon à ce que la proportion la plus élevée possible des ventes effectuées à crédit se traduisent subséquemment par des rentrées de fonds pour l'entreprise.

- De façon à déterminer s'il s'avère avantageux pour l'entreprise de modifier l'une ou l'autre des composantes de sa politique de crédit, on procède à une analyse marginale où l'augmentation anticipée des bénéfices avant impôts est comparée aux coûts additionnels qu'entraînerait le changement envisagé. Ces coûts supplémentaires concernent le financement des comptes clients, les mauvaises créances, la diminution du bénéfice brut suite à l'octroi d'un escompte de caisse ainsi que les frais d'administration et de recouvrement.

■ Afin de prendre une décision éclairée relative à l'octroi du crédit, l'entreprise analysera la situation financière du client, tiendra compte de son expérience passée avec ce dernier - dans le cas d'un client actuel - et obtiendra les informations complémentaires jugées nécessaires auprès de sources externes (banquier du client, fournisseurs passés et actuels du client, Dun and Bradstreet, Equifax, TransUnion, etc.).

■ Pour apprécier le risque de crédit d'un client, une méthode statistique, connue sous le nom d'analyse discriminante, peut également s'avérer pertinente.

■ Le délai maximal accordé à un client pour acquitter sa facture est notamment fonction de la nature du bien vendu, de la probabilité de non-paiement, du montant du compte à recevoir et du délai octroyé par les principaux concurrents.

■ De façon à contrôler l'investissement dans les comptes clients, l'analyse des habitudes de paiement permet de remédier aux lacunes du délai moyen de recouvrement des comptes à recevoir. Essentiellement, cet outil d'analyse indique le pourcentage des ventes à crédit qui demeurent impayées à la fin du mois de la vente et dans les mois subséquents. Lorsque le gestionnaire détecte un changement dans les habitudes de paiement des clients, il doit identifier les causes de cette modification de comportement et y apporter les mesures correctives appropriées.

■ L'assurance-crédit permet à l'entreprise de se protéger contre le non-paiement et l'insolvabilité de ses clients étrangers qui découlent de facteurs économiques et politiques.

9.9 Mots clés

Agences spécialisées d'évaluation du crédit
Analyse discriminante
Analyse du risque de crédit
Assurance comptes clients
Cartes de crédit
Contrôle des comptes clients
Délai moyen de recouvrement des comptes clients
Dun and Bradstreet
Equifax
Escomptes de caisse
Habitudes de paiement
Mauvaises créances
Normes de crédit
Période de crédit
Politique de crédit
Procédures de recouvrement
Solde des comptes clients
TransUnion
Ventes à crédit

9.10 Exercices

1. Vrai ou faux.

a) De façon générale, lorsque l'entreprise allonge sa période de crédit, cela a pour conséquence d'accroître son chiffre d'affaires.

b) Des conditions de crédit « 1/10, net 60 » signifient que le client bénéficie d'un escompte de 1% s'il règle sa facture au bout de 60 jours.

c) Si les conditions de crédit d'une entreprise passent de « net 30 » à « 2/10, net 30 », on peut s'attendre à ce que son chiffre d'affaires augmente.

d) Si les conditions de crédit d'une entreprise passent de « 3/15, net 45 » à « 1/15, net 45 », on peut s'attendre à ce que le solde des comptes clients augmente.

e) La période de crédit est le délai durant lequel le client peut bénéficier d'un escompte s'il règle sa facture.

f) Si les procédures de recouvrement utilisées par une entreprise deviennent moins contraignantes, il s'ensuivra alors une diminution du délai moyen de recouvrement des comptes clients.

g) L'objectif de la gestion des comptes clients est de maximiser les ventes à crédit de l'entreprise.

h) Toutes choses étant égales par ailleurs, une amélioration des conditions économiques aurait pour effet de diminuer le solde des comptes clients de l'entreprise.

i) Toutes choses étant égales par ailleurs, une diminution des taux d'intérêt devrait normalement avoir pour effet de diminuer le solde des comptes clients de l'entreprise.

j) Dans le cas d'une entreprise saisonnière, le délai moyen de recouvrement des comptes clients est le meilleur outil à utiliser pour contrôler l'investissement dans les comptes clients.

k) Lorsque le délai moyen de recouvrement des comptes clients est à la hausse pendant trois périodes consécutives, cela signifie nécessairement que la gestion des comptes clients se détériore.

l) Il est possible que les habitudes de paiement des clients demeurent inchangées alors que le délai moyen de recouvrement des comptes clients fluctue.

m) L'assurance comptes clients offerte par Exportation et développement Canada permet à l'entreprise de se protéger contre le non-paiement de ses clients locaux.

2. CCG inc. envisage la possibilité d'allonger sa période de crédit de 30 à 45 jours. On estime qu'un tel changement aurait pour effets de faire passer les ventes annuelles à crédit de l'entreprise de 1 000 000 $ à 1 200 000 $ et les frais de recouvrement annuels de 2 000 $ à 3 000 $. Les coûts variables représentent 70% des ventes et le coût des fonds investis dans les comptes clients est de 14%. Les mauvaises créances s'élèvent à 4% des ventes. CCG inc. devrait-elle allonger sa période de crédit?

3. On dispose des renseignements suivants concernant l'entreprise Ladouceur inc. :

- Ventes actuelles : 400 000 $/année
- Délai moyen de recouvrement des comptes clients : 60 jours
- Mauvaises créances : 7% des ventes
- Coûts variables : 75% des ventes
- Coût des fonds investis dans les comptes clients : 10%
- Frais d'administration et de recouvrement annuels : 5 000 $

L'entreprise considère la possibilité d'instaurer des procédures de recouvrement plus contraignantes et qui, estime-t-on, auraient pour effets de faire passer les ventes à 375 000 $ par année, le délai moyen de recouvrement des comptes clients à 45 jours, les mauvaises créances à 3% des ventes et les frais d'administration et de recouvrement annuels à 15 000 $.

L'entreprise devrait-elle modifier ses procédures de recouvrement actuellement en vigueur?

4. Les ventes annuelles à crédit de la compagnie AJB inc. sont de 2 000 000 $. Les conditions de crédit sont « net 30 ». Les mauvaises créances s'élèvent à 3% des ventes et les frais variables correspondent à 75% des ventes. Le coût des fonds investis dans les comptes clients est de 15%.

La direction de la compagnie envisage de modifier sa politique de crédit. Elle étudie présentement trois propositions qui auraient, selon les estimations, les effets indiqués à la page suivante.

L'entreprise devrait-elle modifier sa politique de crédit actuelle? Si oui, quelle proposition devrait-elle adopter?

Proposition	Ventes annuelles à crédit prévues	Mauvaises créances	Délai moyen de recouvre- ment des comptes clients	Augmentation des frais d'administra- tion et de recouvrement annuels
Proposition 1: allonger la période de crédit de 30 à 45 jours	2 400 000 $	5% sur les nouvelles ventes et 3% sur les ventes actuelles	45 jours	5 000 $
Proposition 2: assouplir les normes de crédit	2 600 000 $	8% sur les nouvelles ventes et 3% sur les ventes actuelles	30 jours	20 000 $
Proposition 3: offrir un escompte de caisse de 2%. Les nouvelles conditions de crédit seraient 2/10, net 30. On estime que 40% des clients se prévaudront de l'escompte.	2 600 000 $	3% sur toutes les ventes	22 jours	—

5. Au cours des dix derniers mois de l'année, les ventes à crédit de la compagnie DMX inc. ont été les suivantes :

Mois	Ventes à crédit
Mars	65 000 $
Avril	41 000
Mai	140 000
Juin	180 000
Juillet	250 000
Août	300 000
Septembre	350 000
Octobre	200 000
Novembre	60 000
Décembre	50 000

Habituellement, 75% des ventes à crédit sont payées un mois après la vente et 25% deux mois après la vente. Les mauvaises créances sont négligeables. En débutant au mois d'avril :

a) Calculez le solde des comptes clients à la fin de chaque mois.

b) Calculez, pour chaque mois, le délai moyen de recouvrement des comptes clients à partir des ventes des deux derniers mois.

c) Qu'observez-vous en ce qui a trait au comportement temporel du délai moyen de recouvrement des comptes clients?

6. Les informations suivantes sont disponibles concernant les ventes et les comptes clients de la compagnie CFX inc. pour les mois de mai à septembre inclusivement :

	Mois				
	Mai	**Juin**	**Juillet**	**Août**	**Septembre**
Ventes	150 000 $	75 000 $	75 000 $	150 000 $	500 000 $
Comptes clients					
• ventes du même mois		45 000 $	40 750 $	80 750 $	260 000 $
• ventes du mois précédent		37 500	17 250	17 250	33 000
• ventes d'il y a deux mois		0	0	0	0
		82 500 $	58 000 $	98 000 $	293 000 $

a) Calculez, pour chaque mois (juin à septembre inclusivement), le délai moyen de recouvrement des comptes clients à partir des ventes des deux derniers mois. Selon ce ratio, la gestion des comptes clients a-t-elle tendance à s'améliorer ou à se détériorer avec le temps?

b) Dressez un tableau montrant l'évolution des habitudes de paiement des clients de la compagnie CFX (voir le tableau 9.5). Selon cette méthode d'analyse, la gestion des comptes clients a-t-elle tendance à s'améliorer ou à se détériorer avec le temps?

10

LA GESTION DES STOCKS

Sommaire

Lorsque vous aurez complété l'étude du chapitre 10,

1. vous serez familier avec les différents types de stocks détenus par les entreprises;

2. vous connaîtrez et serez en mesure de calculer les différents types de coûts liés aux stocks;

3. vous serez apte à calculer la quantité économique à commander ainsi que le nombre optimal de commandes à placer;

4. vous connaîtrez les limites de la méthode de la quantité économique à commander;

5. vous serez capable de déterminer le point de commande lorsqu'il y a un délai de livraison et que l'entreprise désire maintenir un stock de sécurité;

6. vous serez en mesure de déterminer s'il est avantageux pour l'entreprise de profiter des escomptes de quantité;

7. vous serez familier avec la méthode du « juste à temps » et l'objectif qu'elle poursuit;

8. vous comprendrez le fonctionnement de la méthode ABC.

10.1 Introduction

Pour un bon nombre d'entreprises, les stocks constituent l'élément le plus important de l'actif à court terme. Bien que la responsabilité formelle de la gestion des stocks relève habituellement du responsable des achats ou de la production et que le service de marketing a également son mot à dire sur cette question - car son objectif est de satisfaire le mieux possible la clientèle -, le gestionnaire financier doit veiller à ce que cet élément d'actif soit géré efficacement et ce, afin que la valeur de l'entreprise soit maximisée.

Comme c'est le cas pour l'encaisse, l'entreprise doit tenter de maintenir des stocks ni trop faibles ni trop élevés. En effet, des stocks insuffisants peuvent faire perdre des ventes à l'entreprise et, par conséquent, affecter négativement sa rentabilité. De même, des stocks de matières premières trop faibles peuvent provoquer une interruption de la production et entraîner des délais de livraison. Enfin, commander en trop petites quantités peut faire perdre à l'entreprise des escomptes à l'achat. Cependant, comme les coûts associés à la détention des stocks (c.-à-d. les frais d'entreposage, la prime d'assurance, les pertes liées aux dommages, aux vols et à la désuétude, le coût de renonciation du capital, etc.) croissent avec le niveau des stocks, il s'ensuit que plus le montant investi dans les stocks est élevé, plus la rentabilité de l'entreprise sera faible (toutes choses étant égales par ailleurs). Dans ces conditions, il importe pour le gestionnaire de déterminer le niveau des stocks qui équilibre en quelque sorte les avantages et les coûts associés à la détention des stocks. À cette fin, plusieurs modèles mathématiques, qui prennent en considération des facteurs comme les ventes prévues, les délais de livraison de la marchandise ainsi que les coûts de commande et de détention des stocks, ont été développés pour assister le gestionnaire. Plus loin dans ce chapitre, nous discutons de ce genre de modèle. Toutefois, il convient auparavant de distinguer entre les différents types de stocks détenus par les entreprises.

10.2 Les types de stocks

Matières premières
Biens qui seront transformés par le processus de fabrication afin d'aboutir à un produit livrable au client

Produit semi-fini
Produit résultant de la transformation de la matière première mais qui n'est pas encore un produit disponible pour la vente au client

Produit fini
Produit dont la fabrication est complétée et qui peut maintenant être vendu au client

Le niveau des stocks et le type de stocks détenus varient considérablement d'une industrie à l'autre. Ainsi, les entreprises opérant dans le secteur des services (bureaux de consultants en administration, agences de publicité, etc.) ne détiennent généralement pas de stocks, si ce n'est quelques fournitures nécessaires à leurs activités. Les entreprises commerciales, pour leur part, gardent principalement en stock des produits finis, c'est-à-dire des produits dont la fabrication est complétée et qui sont prêts à être vendus. Enfin, les stocks des entreprises manufacturières sont habituellement composés de matières premières (c.-à-d. des biens achetés dans le but de fabriquer un produit), de produits en cours ou semi-finis (c.-à-d. des produits dont la fabrication n'est pas encore complétée) et de produits finis. L'existence des produits en cours de fabrication est attribuable au fait que la production d'un bien se réalise sur une certaine période de temps, plutôt qu'instantanément. Plus le cycle de production d'une entreprise manufacturière est long, plus elle détiendra un stock important de produits semi-finis.

10.3 Les méthodes de gestion des stocks

Pour gérer leurs stocks efficacement, les entreprises peuvent recourir à diverses approches. Ci-dessous, nous abordons les plus connues d'entre elles.

10.3.1 Le modèle de la quantité économique de commande (QEC ou Q*)

Modèle de la quantité économique de commande (QEC)
Modèle mathématique qui permet de calculer la quantité optimale à commander, de façon à minimiser le coût total associé à la gestion des stocks (c.-à-d. la somme des frais de détention et des frais de commande)

L'objectif de la gestion des stocks consiste à minimiser les coûts liés aux investissements dans les stocks et, par conséquent, d'accroître la rentabilité de l'entreprise, tout en s'assurant que cette dernière puisse disposer des marchandises au moment voulu. Dans ce but, le modèle de la quantité économique de commande (QEC) peut nous être utile. En effet, ce modèle permet de répondre aux questions suivantes :

1. Quelle devrait être la taille optimale de chaque commande[1] ?

2. Combien de commandes l'entreprise devrait-elle placer par période?

3. Quels sont les coûts totaux liés aux stocks pendant une période donnée?

---

[1] Dans ce qui suit, nous discutons du modèle QEC dans le cas de quantités achetées. Toutefois, ce modèle s'applique aussi bien à des quantités fabriquées.

Avant d'aborder la formulation mathématique de ce modèle, il convient d'énoncer les hypothèses sur lesquelles il est basé et de discuter des différents genres de coûts associés à la gestion des stocks.

Hypothèses du modèle

Les hypothèses fondamentales de ce modèle sont les suivantes :

1. la demande est constante au cours de la période et connue avec certitude en début de période;

2. il n'y a aucun délai de livraison des marchandises;

3. le prix unitaire de la marchandise et les coûts associés à une commande sont indépendants de la quantité commandée;

4. le coût unitaire de détention des stocks est fixe.

Coûts reliés à la gestion des stocks

On peut répartir les coûts reliés aux stocks en trois catégories: (1) les coûts de détention des stocks, (2) les coûts de commande et (3) les coûts d'une rupture des stocks.

1. Les coûts de détention des stocks ont trait aux coûts que doit supporter l'entreprise pour maintenir en stock une certaine quantité d'un produit au cours d'une période de temps. Ces coûts comprennent notamment les frais d'entreposage, la prime d'assurance, les pertes liées aux dommages, aux vols et à la désuétude ainsi que le coût de renonciation des fonds investis dans les stocks. Comme l'illustre la figure 10.1, les coûts de détention des stocks augmentent avec la taille de la commande.

2. Les coûts de commande, quant à eux, ont trait principalement aux frais cléricaux que doit encourir l'entreprise pour placer les commandes et vérifier les marchandises lors de leur réception. Il est à noter que le nombre de commandes que devra placer l'entreprise au cours d'une période donnée est en relation inverse avec la taille de la commande. Comme les coûts associés à une commande sont supposés fixes (c.-à-d. indépendants de la taille de la commande), il s'ensuit que les coûts de commande totaux pour une période donnée diminueront avec la taille de la commande comme on peut le visualiser à la figure 10.1.

3. Finalement, les coûts d'une rupture des stocks concernent les ventes et les clients perdus par l'entreprise ainsi que les interruptions de la production attribuables à des stocks insuffisants. Ces frais, qui sont probablement les plus difficiles à quantifier, sont liés inversement avec la taille de la commande.

Coûts de détention des stocks
Ensemble des coûts que doit supporter l'entreprise pour conserver en inventaire une quantité donnée d'un produit pendant un certain temps

Coûts de commande
Ensemble des frais à encourir lorsque l'entreprise place et reçoit une commande

Coûts d'une rupture des stocks
Ensemble des coûts attribuables au fait qu'un produit s'avère actuellement indisponible pour la vente

Figure 10.1

Coûts de détention
et de commande

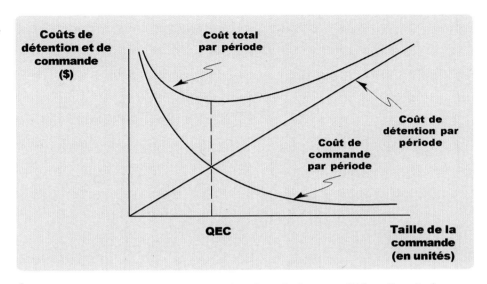

Élaboration du modèle et détermination de la quantité optimale à commander

Dans le but de déterminer la taille de la commande pour laquelle le coût total associé à la gestion des stocks[2] (c.-à-d. la somme des coûts de détention et de commande) est à son plus bas niveau, définissons d'abord les symboles suivants :

CT : Coût total de la période

D : Demande pour la période

Q : Taille de chaque commande

Q* : Quantité optimale à commander

F : Frais relatifs à une commande

S : Coût unitaire de détention

N : Nombre de commandes par période.

Le coût total pour la période peut s'exprimer ainsi :

$$\text{Coût total} = \text{Frais de commande} + \text{Frais de détention}$$

Les frais de commande totaux pour la période valent :

$$\text{Frais de commande totaux} = \left(\begin{array}{c}\text{Nombre de}\\\text{commandes}\end{array}\right)\left(\begin{array}{c}\text{Frais relatifs à}\\\text{une commande}\end{array}\right)$$

$$= \left(\frac{\text{Demande pour la période}}{\text{Taille de la commande}}\right)\left(\begin{array}{c}\text{Frais relatifs à}\\\text{une commande}\end{array}\right)$$

$$= \left(\frac{D}{Q}\right)(F)$$

[2] Les coûts d'une rupture des stocks ne sont pas considérés dans la version de base de ce modèle.

D'autre part, en supposant une demande uniforme au cours de la période, le stock moyen de la période correspondra alors à la taille de la commande divisée par deux. Par conséquent, les frais de détention totaux pour la période peuvent se calculer ainsi :

$$\text{Frais de détention totaux} = \left(\begin{matrix} \text{Stock} \\ \text{moyen} \end{matrix} \right)\left(\begin{matrix} \text{Coût unitaire} \\ \text{de stockage} \end{matrix} \right)$$

$$= \left(\frac{\text{Taille de la commande}}{2} \right)\left(\begin{matrix} \text{Coût unitaire} \\ \text{de stockage} \end{matrix} \right)$$

$$= \left(\frac{Q}{2} \right)(S)$$

Le coût total de la période sera donc égal à :

$$CT = \left(\frac{D}{Q} \right)(F) + \left(\frac{Q}{2} \right)(S) \tag{10.1}$$

Pour obtenir la valeur de Q qui minimise CT, il s'agit de calculer la dérivée première de CT par rapport à Q et d'annuler cette dérivée. La dérivée première est égale à :

$$\frac{dCT}{dQ} = \frac{d}{dQ}\left(DFQ^{-1} + \frac{QS}{2} \right) = \frac{-DF}{Q^2} + \frac{S}{2}$$

En annulant cette dérivée première, on obtient alors[3] :

$$\frac{-DF}{Q^2} + \frac{S}{2} = 0$$

$$\frac{DF}{Q^2} = \frac{S}{2}$$

$$2DF = SQ^2$$

$$Q^* = QEC = \sqrt{\frac{2DF}{S}} \tag{10.2}$$

L'expression précédente est souvent appelée formule de Wilson. Elle

---

[3] Afin de s'assurer que nous avons localisé un minimum, plutôt qu'un maximum, il faut vérifier si la dérivée seconde est positive. Le calcul de la dérivée seconde donne :

$$\frac{d^2CT}{dQ^2} = \frac{d}{dQ}\left(-DFQ^{-2} + \frac{S}{2} \right) = \frac{2DF}{Q^3}$$

Puisque D, F et Q ne prennent que des valeurs positives, on peut conclure que :

$$\frac{2DF}{Q^3} > 0$$

Par conséquent, Q* minimise bien CT.

nous indique que la taille optimale de commande augmente avec les frais de commande et la demande périodique, mais diminue avec les frais de détention des stocks. De plus, notons que la quantité à commander est indépendante du coût d'achat ou de fabrication unitaire.

Quant au nombre optimal de commande (N*), on peut le calculer ainsi :

$$N^* = \frac{\text{Demande pour la période}}{\text{Quantité optimale à commander}}$$

$$N^* = \frac{D}{Q^*} \tag{10.3}$$

Exemple 10.1 **Calcul de la quantité optimale à commander et des coûts associés à une politique d'approvisionnement**

La compagnie Lumino inc. vend par année 1000 lampes de type FGOW14 au prix unitaire de 30 \$. Elle les achète au prix unitaire de 15 \$ de son fournisseur. Chaque commande entraîne des frais de 10 \$. Le coût de détention annuel est de 2 \$ par lampe. Les délais de livraison sont nuls et la demande est uniforme au cours de l'année. La politique actuelle de la compagnie est de commander 50 lampes à la fois.

a) Quel est le coût total annuel associé à la politique actuelle d'approvisionnement?

b) Quelle est la quantité optimale à commander?

c) Quel est le coût total annuel associé à la politique optimale d'approvisionnement?

d) Quel est le nombre optimal de commandes à placer à chaque année?

e) Supposons maintenant qu'il existe un délai de livraison de 5 jours ouvrables. Dans ces conditions, quelle est la quantité optimale à commander?

■ **Solution**

a) Ici, on a :

   D = 1 000 lampes

   Q = 50 lampes

   F = 10 \$

   S = 2 \$

Par conséquent, le coût total annuel associé à la gestion de ce stock de lampes (à l'exclusion du coût d'achat proprement dit des lampes) est :

$$CT = \left(\frac{1000}{50}\right)(10) + \left(\frac{50}{2}\right)(2)$$

$$CT = 250 \; \$$$

b) La quantité optimale à commander se calcule à partir de l'expression (10.2) :

$$Q* = \sqrt{\frac{(2)(1000)(10)}{2}} = 100 \text{ lampes}$$

Afin de minimiser le coût total annuel associé à la gestion des stocks, on devrait donc commander 100 lampes à chaque fois que le stock devient nul.

c) Le coût total annuel correspondant à la politique optimale se calcule ainsi :

$$CT = \left(\frac{1000}{100}\right)(10) + \left(\frac{1000}{2}\right)(2) = 200 \text{ \$}$$

d) Le nombre optimal de commandes (N*) est égal à :

$$N* = \frac{1000}{100} = 10 \text{ commandes}$$

En supposant que l'année comporte 250 jours ouvrables, on devra commander un lot de 100 lampes à tous les 25 jours. La figure 10.2 permet de visualiser la façon dont évoluera le niveau des stocks en fonction du temps.

Figure 10.2

Évolution du stock de lampes en fonction du temps

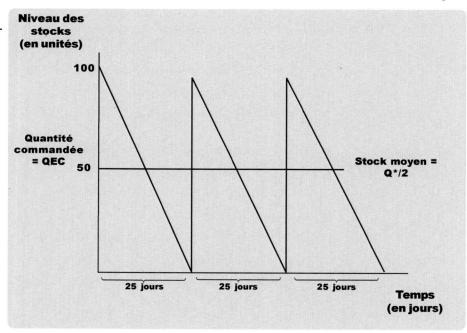

e) La quantité optimale à commander demeure inchangée. Cependant, de façon à éviter des ruptures de stocks, l'entreprise devra placer une commande lorsque le niveau des stocks atteint 20 unités. Ce nombre se calcule comme suit :

Délai de livraison (en jours) $\times$ demande journalière

5 = 20 unités

Stock de sécurité

Stock de sécurité
Quantité minimale d'un produit que l'entreprise désire maintenir en inventaire

Jusqu'à maintenant (sauf dans la partie (e) de l'exemple 10.1), nous avons supposé une demande constante et certaine et des délais de livraison nuls. Bien entendu, ces hypothèses ne sont généralement pas conformes à la réalité. En effet, dans plusieurs situations rencontrées en pratique - on n'a qu'à penser aux entreprises impliquées dans la vente de jouets ou de motoneiges -, la demande est plutôt saisonnière et ne peut être prévue avec certitude en début de période. De même, des facteurs comme les grèves, les conditions de la météo et les erreurs humaines peuvent occasionner des retards dans la livraison des marchandises. Dans ces conditions, afin de réduire les risques d'une rupture des stocks, le responsable de la gestion des stocks doit voir à ce que le niveau des stocks de l'entreprise ne devienne jamais inférieur à un certain seuil minimal, appelé stock de sécurité. L'importance du stock de sécurité dépendra du degré d'incertitude de la demande et des délais de livraison ainsi que des coûts qu'implique une rupture des stocks.

Notons que la détention d'un stock de sécurité réduit ou élimine les coûts associés à une rupture des stocks, mais a également pour effet d'accroître les coûts de détention des stocks. Dans ce contexte, certains modèles mathématiques, dont la description déborde le cadre du présent ouvrage, peuvent être utiles pour déterminer le niveau optimal du stock de sécurité.

Exemple 10.2 | **Calcul du point de commande**

Supposons que le délai de livraison des lampes soit de 5 jours ouvrables et que l'on désire maintenir un stock de sécurité de 16 unités. Dans ces conditions, à quel moment devrait-on placer une commande?

■ **Solution**

On devra commander des lampes lorsque le niveau des stocks atteint 36 unités. Ce nombre se calcule ainsi :

$$\text{Point de commande} = \begin{pmatrix} \text{Délai de} \\ \text{livraison} \\ \text{en jours} \end{pmatrix} \begin{pmatrix} \text{Demande} \\ \text{journalière} \end{pmatrix} + \begin{pmatrix} \text{Stock de} \\ \text{sécurité} \end{pmatrix}$$

$$= (5)(4) + 16$$

$$= 36 \text{ unités}$$

Il est à noter que la quantité optimale à commander est toujours de 100 lampes.

Lorsqu'on tient compte d'un délai de livraison de 5 jours et d'un stock de sécurité de 16 unités, le niveau des stocks évolue ainsi au fil du temps (voir la figure 10.3) :

Figure 10.3
Évolution du stock de lampes en fonction du temps en tenant compte d'un délai de livraison et d'un stock de sécurité

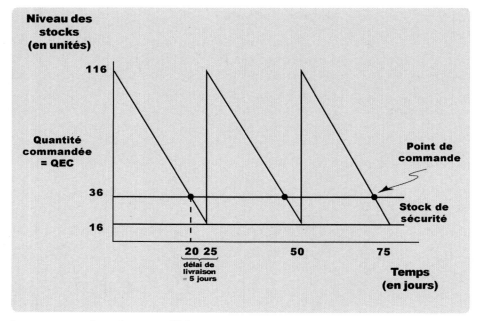

Les escomptes de quantité

Dans plusieurs cas, il peut être avantageux pour l'entreprise de profiter des escomptes de quantité que son fournisseur est disposé à lui octroyer. Pour illustrer, supposons que la compagnie Lumino inc. ne reçoit aucun escompte lorsqu'elle commande 100 commandes, mais que son fournisseur est prêt à lui accorder un escompte correspondant à 2% du prix d'achat si la taille de chaque commande s'élève à 200 unités. Dans ces conditions, que devrait faire la compagnie? Pour répondre à cette question, il s'agit de comparer les économies annuelles attribuables à une baisse du prix d'achat des lampes de 2% avec l'augmentation du coût total associé à la gestion des stocks.

Escompte de quantité
Le prix de vente diminue pour d'importantes commandes

Les économies annuelles attribuables à l'escompte de 2% se calculent ainsi :

$$\text{Économies annuelles attribuables à l'escompte}$$

L'augmentation du coût total associé à la gestion du stock de lampes peut s'estimer comme suit :

$$\begin{pmatrix} \text{Augmentation du coût total} \\ \text{annuel associé à la} \\ \text{gestion du stock} \\ \text{de lampes} \end{pmatrix} = \begin{pmatrix} \text{Coût total annuel} \\ \text{si la taille de la} \\ \text{commande est} \\ \text{de 200 lampes} \end{pmatrix} - \begin{pmatrix} \text{Coût total annuel} \\ \text{si la taille de la} \\ \text{commande est} \\ \text{de 100 lampes} \end{pmatrix}$$

$$= \left[\left(\frac{1000}{200} \right)(10) + \left(\frac{200}{2} \right)(2) \right] - \left[\left(\frac{1000}{100} \right)(10) + \left(\frac{100}{2} \right)(2) \right]$$

$$= 250 - 200 = 50 \text{ \$}$$

Les économies annuelles nettes que réalisera Lumino inc. si elle augmente la taille de chaque commande à 200 unités s'élèvent à 250 $, soit 300 $ -50 $. Par conséquent, la compagnie a avantage à profiter de l'escompte de 2% du prix d'achat que lui propose son fournisseur.

L'analyse de sensibilité et le modèle de la quantité économique de commande

Le modèle de la quantité économique à commander nous permet de calculer précisément la taille de la commande qui minimise le coût total lié à la gestion des stocks. Toutefois, il peut être démontré que, dans la mesure où l'on ne s'éloigne pas significativement de la valeur optimale obtenue par l'intermédiaire de ce modèle, le coût total lié à la gestion des stocks ne subira pas de hausse vraiment importante. Par exemple, si la compagnie Lumino inc. commande 125 lampes - au lieu de 100 lampes qui est la taille optimale de la commande -, elle verra alors son coût total annuel lié à la gestion des stocks passer à 205 $ - au lieu de 200 $ qui est le coût que l'on obtient avec une quantité commandée de 100 lampes -, soit une hausse de 2,5%. Cela implique que le préposé aux achats peut, au besoin, commander une quantité quelque peu inférieure ou supérieure à la quantité optimale, sans pour autant risquer d'augmenter significativement le coût total lié à la gestion des stocks. La valeur que l'on obtient à l'aide du modèle de la quantité économique à commander doit donc s'interpréter comme étant un ordre de grandeur et non comme une valeur précise que l'on doit respecter scrupuleusement et ce, d'autant plus que ce modèle est basé sur des hypothèses qui ne sont pas conformes à la réalité.

10.3.2 La méthode du « juste à temps »

Méthode du juste à temps
Méthode visant à maintenir des stocks quasiment nuls et à minimiser les coûts associés à la gestion des stocks

La méthode du « juste à temps » (aussi appelée méthode du stock zéro) a été développée au Japon par le constructeur automobile Toyota. Elle est maintenant utilisée par plusieurs entreprises à travers le monde, dont le processus de production est à flux continu et hautement automatisé (fabricants d'automobiles, d'ordinateurs, d'appareils électroniques, etc.). Son objectif est de permettre à l'entreprise de maintenir des stocks très bas ou nuls. Selon cette approche, l'entreprise contacte ses fournisseurs quelques heures - ou tout au plus quelques jours - avant le moment où elle aura besoin des pièces entrant dans la fabrication de ses produits. Pour que les pièces nécessaires puissent lui être livrées très rapidement, il faut que la distance séparant les installations de l'entreprise de celles de ses fournisseurs soit plutôt minime et qu'il existe, en outre, une excellente coordination entre les parties impliquées. Ce système met évidemment beaucoup de pression sur les fournisseurs qui doivent fournir rapidement des pièces de haute qualité mais permet aux entreprises de diminuer considérablement leurs coûts liés à la gestion des stocks et ainsi accroître leur rentabilité.

10.3.3 La méthode ABC

La méthode ABC est fondée sur le principe que l'entreprise devrait exercer un contrôle plus serré sur les articles coûteux que sur ceux dont la valeur

Méthode ABC
Méthode de gestion des stocks consistant à répartir les articles détenus par l'entreprise en trois catégories par ordre décroissant d'importance

unitaire est minime. Pour illustrer le fonctionnement de cette méthode, considérons les données du tableau 10.1 se rapportant aux stocks de l'entreprise KSW inc. Les stocks de cette entreprise sont constitués d'une centaine de produits que l'on peut, en fonction de la valeur du produit, répartir en trois catégories : catégorie A (produits ayant une valeur unitaire élevée), catégorie B (produits ayant une valeur unitaire moyenne) et catégorie C (produits ayant une faible valeur unitaire).

Tableau 10.1

Les stocks de l'entreprise KSW inc.

Catégories	Part des stocks de l'entreprise	Part de la valeur totale des stocks de l'entreprise
A	10%	60%
B	35%	30%
C	55%	10%

On constate, au tableau précédent, que les produits appartenant à la catégorie A ne constituent que 10% des articles en stocks de l'entreprise, mais représentent 60% de la valeur totale des stocks de cette dernière. L'entreprise devrait donc consacrer beaucoup plus de temps et d'efforts au contrôle des produits de cette catégorie. Par contre, elle devrait exercer un contrôle beaucoup moins serré sur les produits appartenant à la catégorie C, puisque ces derniers ne représentent que 10% de la valeur totale de ses stocks. Enfin, en ce qui a trait aux produits de la catégorie B, les contrôles devraient être moins fréquents que pour les produits de la catégorie A, mais plus fréquents que pour ceux de la catégorie C.

La méthode ABC est très utile à l'administrateur pour lui indiquer sur quels produits il devrait exercer les contrôles les plus serrés et utiliser les outils de gestion les plus sophistiqués. Toutefois, contrairement à la méthode QEC, elle ne permet pas de déterminer la taille optimale de commande d'un produit et le moment le plus propice pour le commander.

10.4 Concepts fondamentaux

■ La gestion des stocks vise à minimiser l'ensemble des coûts se rapportant aux investissements dans cet actif à court terme, tout en s'assurant que l'entreprise sera en mesure de satisfaire les besoins de ses clients au moment opportun.

■ Les stocks d'une entreprise industrielle comprennent des matières premières (c.à.d. des liens achetés dans le but de fabriquer un produit), des produits en cours ou semi-finis (c.à.d. des produits dont la fabrication n'est pas encore complétée) et des produits finis (c.à.d. des produits prêts à être vendus au client). Pour leur part, les entreprises commerciales ne stockent généralement que des produits finis.

- Les coûts se rattachant à la gestion des stocks comprennent les coûts de détention, les coûts de commande et les coûts d'une pénurie. Les coûts de détention sont ceux que l'entreprise doit supporter pour maintenir en inventaire une quantité donnée d'un produit pendant un certain temps. Quant aux coûts de commande, ils réfèrent à l'ensemble des frais liés à la passation et à la réception d'une commande. Finalement, lorsque la demande pour l'un de ses produits excède la quantité en inventaire, cela entraîne pour l'entreprise des coûts de pénurie.

- La détermination du niveau optimal des stocks implique un arbitrage entre les frais de détention, les frais de commande et les frais occasionnés par une pénurie.

- Le modèle de la quantité économique de commande (QEC) constitue une approche mathématique permettant de faciliter la gestion des stocks. Il permet d'établir la quantité optimale à commander afin d'en arriver à minimiser l'ensemble des coûts se rattachant à la gestion des stocks.

- De façon à tenir compte du caractère imprévisible de la demande associée à un produit et de la possibilité que la livraison de la marchandise ne puisse s'effectuer à la date prévue, les entreprises détiennent généralement un stock de sécurité.

- La méthode du « juste à temps » permet à l'entreprise de maintenir des stocks très bas - ou même nuls - et ainsi minimiser les coûts associés à la gestion des stocks.

- La méthode ABC consiste à classer les articles détenus par l'entreprise en trois catégories. Elle s'avère très utile au gestionnaire pour identifier les produits qui méritent une attention toute particulière.

10.5 Mots clés

Coûts de commande
Coûts de détention des stocks
Coûts d'une rupture des stocks
Escomptes de quantité
Gestion des stocks
Matières premières
Méthode ABC
Méthode du « juste à temps »
Modèle de la quantité économique de commande (modèle QEC)
Produits en cours ou semi-finis
Produits finis
Stock de sécurité

10.6 Sommaire des principales formules

Modèle de la quantité économique de commande

Coût total de la période (CT)

$$CT = \left(\frac{D}{Q}\right)(F) + \left(\frac{Q}{2}\right)(S) \qquad (10.1)$$

où D : Demande pour la période
 Q : Taille de chaque commande
 F : Frais relatifs à une commande
 S : Coût unitaire de détention.

Taille optimale d'une commande (Q*)

$$Q^* = \sqrt{\frac{2DF}{S}} \qquad (10.2)$$

Nombre optimal de commandes (N*)

$$N^* = \frac{D}{Q^*} \qquad (10.3)$$

10.7 Exercices

1. Vrai ou faux.

a) Le modèle de la quantité économique de commande (QEC) est basé sur des hypothèses qui sont généralement vérifiées dans un contexte pratique.

b) Lorsque la taille de la commande augmente, les coûts de détention des stocks diminuent.

c) La taille optimale de commande est liée inversement avec les frais de commande.

d) Plus les délais de livraison sont incertains, plus le stock de sécurité devrait être élevé.

e) L'objectif de la gestion des stocks est de minimiser les coûts de commande par période.

f) Toutes choses étant égales par ailleurs, plus les taux d'intérêt sont élevés, plus la quantité optimale à commander devrait être élevée.

g) Si le cycle de production d'une entreprise manufacturière s'allonge, son stock de produits semi-finis aura alors tendance à diminuer.

h) Plus la demande est prévisible, plus le stock de sécurité devrait être important.

i) Lorsqu'une entreprise décide de profiter des escomptes de quantité, cela entraîne une hausse du coût total associé à la gestion des stocks.

j) Il est toujours avantageux pour une entreprise de profiter des escomptes de quantité.

k) L'utilisation de la méthode du « juste à temps » vise à diminuer les coûts liés à la gestion des stocks.

l) La méthode ABC est basée sur l'idée que l'entreprise devrait exercer un degré de contrôle identique sur tous ses articles.

2. La compagnie Amex inc. utilise 240 000 unités de matières premières par année à un rythme relativement constant. Le coût de détention par unité est de 3 $ et les frais relatifs à une commande s'élèvent à 100 $.

a) Complétez le tableau suivant :

Taille d'une commande	Stock moyen	Frais de détention	Frais de commande annuel	Coût total annuel annuels
1 000	———	———	———	———
2 000	———	———	———	———
3 000	———	———	———	———
6 000	———	———	———	———
8 000	———	———	———	———

b) Quelle est la quantité optimale à commander?

3. L'entreprise Mica inc. vend une calculatrice financière au prix unitaire de 40 $. Les informations suivantes sont disponibles relativement à ce produit :

1. Prix d'achat unitaire : 25 $

2. Ventes annuelles : 2 000 unités (supposez que l'année comporte 250 jours ouvrables)

3. Coût de détention annuel par unité : 2,50 $

4. Frais relatifs à une commande : 40 $

5. Stock de sécurité : 80 unités (ce stock est disponible initialement)

6. Délai de livraison : 4 jours ouvrables

7. Les commandes doivent nécessairement être passées par tranche de 50 unités.

a) Quelle est la quantité optimale à commander?

b) Quel est le nombre optimal de commandes à placer à chaque année?

c) Quel sera le stock moyen?

d) Quel est le coût total annuel associé à la politique optimale d'approvisionnement?

e) À quel niveau des stocks devrait-on placer une commande?

4. La demande pour un certain appareil électro-ménager est de 200 unités par mois. Les frais relatifs à une commande sont de 27 $ et le coût de détention annuel par unité est de 36 $. Le délai de livraison est de 3 jours ouvrables. On suppose 20 jours ouvrables par mois. Aucune pénurie de stock n'est permise.

a) Quelle est la quantité optimale à commander?

b) Quel est le nombre optimal de commandes à placer à chaque année?

c) Quel est le coût total annuel associé à la politique optimale d'approvisionnement?

d) À quel niveau des stocks devrait-on placer une commande?

5. La compagnie Lemaire inc. vend 125 000 unités d'un certain produit par année. Les frais relatifs à une commande sont de 200 $ et le coût annuel de détention par unité de 2 $. Le prix d'achat du produit est de 5 $ l'unité.

a) Quelle est la quantité optimale à commander?

b) Son fournisseur est prêt à lui consentir un escompte de 0,03 $ par unité si elle place des commandes de 12 500 unités. Dans ces conditions, que devrait faire la compagnie?

6. La compagnie Lesieur inc. vend 10 000 unités d'un certain produit par année. Les frais relatifs à une commande sont de 200 $ et le coût annuel de détention par unité de 1 $.

a) Quelle est la quantité optimale à commander?

b) Supposons maintenant que son fournisseur est prêt à lui consentir les prix suivants :

Taille de la commande	Prix du produit
0 à 1999 unités	25 $
2000 à 2499 unités	24,75 $
2500 à 4999 unités	24,65 $
5000 unités ou plus	24,55 $

Dans ces conditions, quelle est la taille optimale d'une commande?

7. L'an dernier, les ventes de la compagnie MSI inc. se sont élevées à 2 000 000 $ et le stock moyen à 400 000 $. Pour la prochaine année, les ventes prévues sont de 3 000 000 $.

   a) Selon la méthode du pourcentage des ventes, quel devrait être le stock moyen de l'entreprise?

   b) Selon le modèle QEC, quel devrait être le stock moyen de l'entreprise (en $)?

   c) Laquelle des deux méthodes est la meilleure? Discutez.

11

Les sources de financement à court et moyen termes

Lorsque vous aurez complété l'étude du chapitre 11,

1. vous connaîtrez les principales caractéristiques du crédit commercial;

2. vous serez en mesure de calculer le taux d'intérêt implicite associé au fait de ne pas se prévaloir de l'escompte de caisse;

3. vous connaîtrez les principales caractéristiques des types de prêts à court terme (marge de crédit, accord de crédit formel et crédit relatif à une transaction spécifique) que les banques consentent aux entreprises;

4. vous serez apte à calculer le coût d'un emprunt bancaire;

5. vous connaîtrez les principales caractéristiques du papier commercial et serez en mesure de calculer le coût de cette source de fonds pour l'entreprise;

6. vous saurez en quoi consiste une acceptation bancaire;

7. Vous connaîtrez les caractéristiques, les avantages et les inconvénients de l'affacturage des comptes clients;

8. vous serez familier avec les principales garanties (comptes clients, stocks, biens personnels des actionnaires, etc.) que peut offrir l'entreprise pour obtenir du crédit;

9. vous saurez que la mise en gage des stocks peut s'effectuer de trois façons, soit (1) la garantie flottante, (2) le certificat fiduciaire et (3) le certificat d'entreposage;

10. vous connaîtrez les principales caractéristiques d'un prêt à terme;

11. vous saurez qu'il existe de nombreux programmes d'aide gouvernementaux auxquels l'entreprise peut avoir accès à chacun des stades de son développement;

12. vous serez sensibilisé aux principaux facteurs qui sont pris en considération par une institution financière dans la décision d'octroyer ou non un prêt à l'entreprise.

11.1   Introduction

Dans ce chapitre, nous discutons des sources de financement à court et moyen termes les plus fréquemment utilisées par les entreprises. Ces sources de financement sont mentionnées au tableau 11.1. La notion de court terme réfère ici aux dettes qui seront remboursées au cours de la prochaine année alors que le moyen terme concerne les dettes dont l'échéance varie habituellement entre un et dix ans.

Tableau 11.1

Les principales sources de financement à court et moyen termes

A.   Le financement à court terme

1. Le crédit commercial
   a) Les comptes fournisseurs
   b) Les billets à ordre
2. Les prêts bancaires à court terme
   a) La marge de crédit
   b) L'accord de crédit formel
   c) Le crédit relatif à une transaction ou à une opération spécifique
3. Le papier commercial
4. Les acceptations bancaires
5. L'affacturage
6. Les avances des actionnaires

Tableau 11.1(suite)

Les principales sources de financement à court et moyen termes

B. Le financement à moyen terme
   1. Le prêt à terme
   2. La location
C. L'aide gouvernementale

L'entreprise a généralement recours aux sources de financement à court terme pour satisfaire ses besoins de fonds temporaires ou saisonniers. Quant aux sources de financement à moyen terme, elles sont utilisées pour combler des besoins plus permanents, tels que l'acquisition d'immobilisations ou certaines dépenses importantes que la liquidité normale de l'entreprise ne peut assumer.

Site Internet : www.statcan.ca

Comme la figure 11.1 permet de le visualiser, les sources de fonds à court terme sont importantes pour les entreprises puisqu'elles permettent de financer 42% de leur actif total.

Figure 11.1

Les sources de financement des entreprises non financières canadiennes (2005)

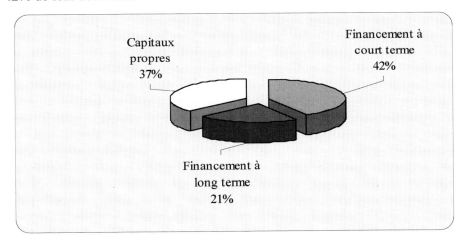

Source : Statistique Canada, 2005.

11.2 Le financement à court terme

11.2.1 Le crédit commercial

Le crédit commercial résulte principalement des opérations courantes de l'entreprise. Plus précisément, ce type de crédit provient des achats de marchandises et de matières premières effectués par l'entreprise et des prestations de travail fournies par ses employés.

Dans le cas des achats, les deux formes de crédit commercial que l'on rencontre généralement sont les comptes fournisseurs et les billets à ordre. En ce qui a trait aux employés, il s'agit plutôt de salaires à payer et des remises gouvernementales à verser. Ces formes de crédit ne portent pas intérêt à moins que les délais prescrits ne soient dépassés.

Crédit commercial
Financement provenant des achats à crédit effectués par l'entreprise

Compte tenu que les délais pour payer les salaires sont relativement courts - une ou deux semaines - et que ces derniers ne sont généralement pas extensibles, nous nous limiterons, dans le cadre de ce chapitre, au crédit commercial découlant des achats.

11.2.1.1 Les comptes fournisseurs

Comme l'illustre la figure 11.2, les comptes fournisseurs représentent une portion considérable - environ 40% - du financement à court terme des entreprises non financières. Dans le cas des petites entreprises, qui ont un accès limité aux marchés financiers, ce pourcentage peut être plus élevé. Le crédit fournisseur constitue donc avec les emprunts contractés auprès des institutions financières l'essentiel de la dette à court terme des entreprises.

Figure 11.2

Les principales sources de financement à court terme des entreprises canadiennes en pourcentage du financement total à court terme

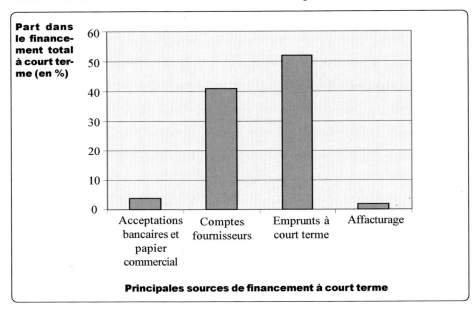

Source : Statistique Canada, 2003.

Une des particularités de ce type de financement est que l'acheteur n'a pas à signer de document formel de reconnaissance de dette envers le vendeur. L'acceptation des marchandises livrées constitue pour l'acheteur un engagement à payer au vendeur le montant de la facture selon les conditions de crédit établies par ce dernier.

Les comptes fournisseurs représentent pour l'entreprise une source automatique de financement. Ils croissent normalement avec le volume des achats effectués. Ainsi, si les achats à crédit de l'entreprise doublent, on peut s'attendre à ce que ses comptes fournisseurs doublent également (en supposant, bien entendu, que la période de crédit demeure inchangée).

La période de crédit

Période de crédit
Délai octroyé à l'entreprise par son fournisseur pour régler sa facture lorsqu'elle achète de la marchandise à crédit

Lorsqu'une entreprise achète de la marchandise à crédit, elle dispose habituellement d'un certain délai pour acquitter la facture. Ce délai, qui lui est accordé par le fournisseur, s'appelle la période de crédit. Cette période varie normalement entre 0 et 90 jours et dépend notamment de la nature des biens achetés, de la santé financière de l'acheteur et de celle du vendeur.

En ce qui a trait à la nature de la marchandise acquise, le délai de paiement accordé à l'acheteur est généralement plus court dans le cas de biens périssables qu'il ne l'est lorsque les biens achetés sont sujets à une lente détérioration. De plus, d'un point de vue financier, le vendeur aura tendance à réduire la période de crédit allouée à l'acheteur lorsque ses liquidités sont faibles ou si la situation financière de l'acheteur est précaire. Dans certains cas, on va même jusqu'à exiger le paiement comptant à la livraison des marchandises, d'où l'expression C.O.D. (*cash on delivery*).

L'escompte de caisse

Escompte de caisse
Rabais consenti à l'entreprise par son fournisseur de façon à l'inciter à régler rapidement sa facture

Pour inciter l'acheteur à acquitter rapidement sa facture, le vendeur offrira souvent à ce dernier un escompte de caisse. Parmi les conditions de crédit que l'on rencontre en pratique, les conditions « 2/10, n/30 » sont les plus fréquentes. Cela signifie que l'acheteur peut bénéficier d'un escompte de 2% s'il effectue le paiement dans les 10 jours de la facture et que le montant intégral de la facture est exigible au bout de 30 jours. Dans un tel cas, ne pas profiter de l'escompte peut s'avérer très onéreux (voir l'exemple ci-dessous).

Exemple 11.1 | **Calcul du taux d'intérêt implicite associé à certaines conditions de crédit**

Considérez des conditions de crédit « 2/10, n/30 » et une facture de 2 000 $.

a) Quel est le taux d'intérêt nominal implicite associé à ces conditions de crédit?

b) Quel est le taux d'intérêt effectif annuel implicite associé à ces conditions de crédit?

■ **Solution**

a) Dans ce cas, l'acheteur paiera 1 960 $ s'il règle sa facture au bout de 10 jours alors qu'il devra verser 2 000 $ si la facture est acquittée le 30ᵉ jour. Le vendeur exige donc 40 $ pour financer une somme de 1 960 $ pendant une période de 20 jours. Par conséquent, le taux d'intérêt périodique implicite s'élève à :

$$\text{Taux périodique} = \frac{40}{1\ 960} = 2,04\%$$

Le taux nominal correspondant se calcule ainsi:

$$\text{Taux nominal} = (2,04\%)\left(\frac{365}{20}\right) = 37,2\%$$

On peut également calculer directement le taux nominal implicite à l'aide de l'expression suivante :

$$\text{Taux nominal} = \left(\frac{\text{Escompte en \%}}{100\% - \text{Escompte en \%}} \right) \left(\frac{365}{\underset{\text{est exigible}}{\overset{\text{Jour où le}}{\text{paiement}}} - \underset{\text{en jours}}{\overset{\text{Période}}{\text{d'escompte}}}} \right) (11.1)$$

$$= \left(\frac{2\%}{100\% - 2\%} \right) \left(\frac{365}{30 - 10} \right)$$

$$= 37,2\%$$

b) Le taux effectif annuel implicite est:

$$\text{Taux nominal} = (1 + 0,0204)^{365/20} - 1 = 44,6\%$$

Avec de telles conditions de crédit, ne pas se prévaloir de l'escompte et régler la facture le 30e jour équivaut à emprunter pour une période de 20 jours à un taux d'intérêt effectif annuel de 44,6% ou à un taux nominal annuel de 37,2%. Si l'on peut emprunter à la banque ou ailleurs à un taux effectif annuel inférieur à 44,6% - ce qui est fort probable -, il est alors avantageux de profiter de l'escompte et de régler la facture le 10e jour. De plus, notons que si aucun escompte n'est offert ou que la période pendant laquelle l'escompte est applicable est déjà écoulée, le paiement de la facture devrait être effectué à la toute fin de la période de crédit, soit le 30e jour dans notre exemple.

11.2.1.2 Les billets à ordre

Billet à ordre
Promesse de paiement écrite en vertu de laquelle l'acheteur d'un bien ou d'un service s'engage à verser au vendeur une certaine somme d'argent à une date déterminée

Par opposition à un compte à payer, le billet à ordre constitue une reconnaissance formelle d'une dette. Ce dernier stipule le montant de la dette de l'acheteur envers le vendeur ainsi que la date précise où le paiement devra être effectué. Ce type de créance doit être signé par l'acheteur lors de la réception de la marchandise. Le recours à ce procédé est cependant rare et n'est utilisé que pour les clients dont la santé financière est jugée précaire.

11.2.2 Les prêts bancaires à court terme

Les prêts bancaires constituent, par ordre d'importance, la deuxième source de financement à court terme des entreprises. Habituellement, l'entreprise a recours au crédit bancaire à court terme pour financer ses comptes clients, ses stocks ou autres actifs à court terme. Les principaux types de prêts à court terme que les banques accordent aux entreprises sont discutés ci-dessous.

11.2.2.1 La marge de crédit

Marge de crédit
Entente entre l'entreprise et son institution financière prévoyant le montant maximal qu'elle pourra, au besoin, emprunter pour faire face à des besoins de financement temporaires

La marge de crédit est une entente informelle entre la banque et l'emprunteur établissant un montant maximum de crédit dont pourra bénéficier l'entreprise en cas de besoin. La marge de crédit est généralement renouvelable annuellement et le montant accordé est déterminé en considérant les besoins de crédit et la position financière de l'entreprise. Le taux d'intérêt chargé sur la marge de crédit est habituellement basé sur le taux préférentiel (c.-à-d. le taux auquel la banque prête à ses meilleurs clients) auquel on ajoute un certain pourcentage pour couvrir le risque que représente l'entreprise en cause. Évidemment, l'entreprise ne paye des intérêts que sur le montant réellement emprunté. Ces intérêts sont habituellement exigibles mensuellement.

La banque impose généralement certaines restrictions à l'entreprise lorsqu'elle lui accorde une marge de crédit. Ainsi, la banque peut se réserver le droit de révoquer la marge de crédit octroyée dans les cas suivants : (1) la situation financière de l'entreprise se détériore, (2) l'entreprise modifie sensiblement la nature de ses activités et (3) certains de ses dirigeants-clés démissionnent.

11.2.2.2 L'accord de crédit formel

Accord de crédit formel
Engagement contractuel de la part de la banque d'octroyer du crédit à l'entreprise et ce, jusqu'à concurrence d'un certain montant

L'accord de crédit formel est en quelque sorte une marge de crédit garantie. Ce type d'accord de crédit constitue un engagement contractuel de la banque d'accorder du crédit à une entreprise et ce, jusqu'à concurrence d'un certain montant. Pour bénéficier d'un tel privilège, l'entreprise doit payer certains frais sur la partie inutilisée du crédit. Ces frais permettent en quelque sorte de dédommager la banque pour son engagement à prêter les fonds si l'entreprise en a besoin. Ainsi, dans le cas où un accord de crédit formel de 1 000 000 $ a été consenti et que l'entreprise en cause n'emprunte que 800 000 $, des frais seront payés sur les 200 000 $ inutilisés (par exemple, 0,25% du montant inutilisé = 0,25% × 200 000 $ = 500 $). En contrepartie, l'entreprise est assurée de pouvoir utiliser le montant de 200 000 $ si elle en a besoin. Bien entendu, l'entreprise doit également payer des intérêts sur la partie utilisée du crédit, c'est-à-dire sur un montant de 800 000 $ dans notre exemple.

11.2.2.3 Le crédit relatif à une transaction ou à une opération spécifique

Les deux types de financement discutés ci-dessus ne conviennent pas toujours à l'entreprise lorsque celle-ci éprouve un besoin ponctuel de fonds pour une opération ou une transaction spécifique. Par exemple, l'exécution d'un contrat inattendu peut nécessiter une sortie soudaine d'argent pour l'entreprise. En pareil cas, une demande spécifique de crédit sera effectuée et le remboursement de la somme avancée aura lieu lorsque l'entreprise sera payée pour le travail accompli.

11.2.2.4 Le calcul du coût des prêts bancaires

Les intérêts sur un prêt bancaire peuvent être payés à la date d'échéance du prêt ou ils peuvent être déduits du montant du prêt initial. Pour illustrer les deux méthodes de calcul, considérons le cas d'une entreprise qui a besoin d'un montant de 50 000 $ pour une période d'un an. Le taux d'intérêt annuel annoncé par la banque est de 10%. Si les intérêts sont payés à l'échéance, le taux d'intérêt effectif annuel se calcule alors comme suit :

$$\begin{aligned} \text{Taux d'intérêt effectif annuel} &= \left(\frac{\text{Intérêts}}{\text{Montant emprunté}} \right) \qquad (11.2) \\[2mm] &= \frac{(0,10)(50\,000)}{50\,000} \\[2mm] &= 10\% \end{aligned}$$

Dans ce cas, le taux effectif annuel correspond au taux affiché.

D'autre part, si les intérêts sont déduits du montant du prêt initial (c.-à-d. si le prêt est escompté), le taux d'intérêt effectif annuel sera alors supérieur à 10% comme le montrent les calculs ci-dessous.

Le montant que l'entreprise doit emprunter pour disposer de 50 000 $ (X) se calcule ainsi :

$$\begin{aligned} \text{X} - \text{Intérêts escomptés} &= 50\,000 \\ \text{X} - (0,10)\,(\text{X}) &= 50\,000 \\ 0,90\,\text{X} &= 50\,000 \\ \text{d'où :} \qquad \text{X} &= 55\,555,56\ \$ \end{aligned}$$

Les intérêts payés s'élèvent à :

$$\text{Intérêts} = (55\,555,56)\,(10\%) = 5\,555,56\ \$$$

Par conséquent, le taux d'intérêt effectif annuel correspond à :

$$\begin{aligned} \text{Taux d'intérêt effectif annuel} &= \frac{\text{Intérêts}}{\text{Montant emprunté} - \text{Intérêts escomptés}} \qquad (11.3) \\[2mm] &= \frac{\text{Intérêts}}{\text{Montant dont dispose l'emprunteur}} \\[2mm] &= \frac{5\,556,56}{50\,000} \\[2mm] &= 11,11\% \end{aligned}$$

Finalement, notons que les exigences relatives au maintien d'un solde compensateur exercent également un impact sur le taux d'intérêt effectif annuel d'un prêt. Ainsi, dans l'exemple précédent, si la banque exige le maintien d'un solde compensateur de 20% et que les intérêts sont déduits du montant du prêt initial, le montant à emprunter (X), les intérêts à payer et le taux d'intérêt effectif annuel se calculent alors comme suit :

$$\text{Montant emprunté} - \left(\begin{array}{c}\text{Solde compensateur}\\ \text{exigé}\end{array}\right) - \text{Intérêts escomptés} = 50\,000$$

$$X - (0,20)(X) - (0,10)(X) = 50\,000$$
$$(0,70)(X) = 50\,000$$

d'où :
$$X = 71\,428,57\ \$$$

$$\text{Intérêts payés} = (0,10)(71\,428,57) = 7\,142,86\ \$$$

$$\begin{array}{l}\text{Taux d'intérêt}\\ \text{effectif annuel}\end{array} = \frac{\text{Intérêts}}{\begin{array}{ccc}\text{Montant}&\text{Solde compen-}&\text{Intérêts}\\ \text{emprunté}&\text{sateur exigé}&\text{escomptés}\end{array}} \qquad (11.4)$$

$$= \frac{\text{Intérêts}}{\text{Montant dont dispose l'emprunteur}}$$

$$= \frac{7142,86}{50\,000}$$

$$= 14,29\%$$

11.2.3 Le papier commercial

Le papier commercial est un titre à court terme émis par les grandes entreprises ayant une excellente cote de crédit. Il est généralement émis à escompte, mais peut parfois porter un intérêt payable à la date d'échéance. Les acheteurs de ce genre de titre comprennent notamment les entreprises, les compagnies d'assurance, les banques et les caisses de retraite. Cette source de financement prend la forme d'un billet à ordre non garanti négociable sur le marché monétaire. Le papier commercial peut être vendu directement aux investisseurs (placement direct) ou indirectement en ayant recours aux services d'une maison de courtage en valeurs mobilières. Dans ce dernier cas, l'entreprise devra évidemment verser une commission à la firme de courtage qui se charge de trouver des acheteurs pour ses titres.

L'échéance du papier commercial varie habituellement entre trente jours et un an. Le taux de rendement offert sur ce genre de titre dépend de l'importance du montant emprunté, du taux d'escompte de la banque du Canada[1] et de la durée de l'emprunt. Pour illustrer le calcul du taux de rendement de cet effet de commerce, considérons l'exemple suivant.

---

[1] Le taux d'escompte de la banque du Canada correspond au taux de rendement moyen des bons du Trésor à 91 jours plus 0,25%.

| **Exemple 11.2** | **Calcul du taux de rendement d'un papier commercial** |

L'entreprise MXK inc. émet à escompte un papier commercial dont la valeur nominale est de 2 000 000 $ et l'échéance dans 120 jours. L'investisseur verse alors à MXK inc. un montant de 1 930 196 $. Cela signifie que l'acheteur de ce papier commercial recevra à la date d'échéance un montant de 2 000 000 $ pour une mise de fonds de 1 930 196 $. La différence entre ces deux montants 69 804 $ (c.-à-d. 2 000 000 $ - 1 930 196 $) représente les intérêts payés par MXK inc. Le taux de rendement de l'investisseur ou le coût du financement (avant impôt) de l'entreprise se calcule ainsi :

$$1\,930\,196 = \frac{2\,000\,000}{1+i}$$

d'où: i = Taux de rendement pour 120 jours = 3,62%

Le taux de rendement effectif annuel correspondant (r) s'élève à :

$$r = (1+0,0362)^{365/120} - 1 = 11,42\%$$

Pour l'emprunteur, le papier commercial constitue habituellement une source de financement moins onéreuse que l'emprunt bancaire. De plus, dans le cas du papier commercial, l'entreprise n'a pas à maintenir un solde compensateur. Cependant, contrairement à la relation s'établissant entre l'emprunteur et son banquier, le marché du papier commercial est plutôt impersonnel et en cas de difficultés financières la banque serait probablement davantage disposée à aider l'entreprise que le courtier en papier commercial.

À l'instar des obligations et des actions privilégiées, les papiers commerciaux émis par les entreprises font l'objet d'une évaluation indépendante de leur qualité par les agences de notation du crédit (le *Dominion Bond Rating Service* de Toronto (DBRS) et le *Canadian Bond Rating Service* de Montréal qui appartient maintenant à la *Standard & Poor's*). Ces agences professionnelles d'évaluation du crédit résument les conclusions de leur analyse au moyen d'une cote. Celle-ci constitue en quelque sorte un indicateur de la probabilité que l'émetteur sera en mesure de rembourser sa dette au moment de l'échéance. Dans le cas de la *Dominion Bond Rating Service*, la meilleure cote de crédit attribuée est R-1 (élevée) et la pire cote est D. La cote R-1 signifie que le risque de défaut est très faible. Inversement, la cote D indique que l'émetteur des titres n'a pas effectué un paiement à la date prévue ou encore qu'il ne sera pas en mesure de payer sa dette dans un avenir rapproché. Pour sa part, *Standard & Poor's* attribue aux différentes émissions de papiers commerciaux des cotes comprises entre A-1 (élevée) et D.

Sites Internet
www.dbrs.com
www.standard
andpoors.com

11.2.4 Les acceptations bancaires

Acceptation bancaire
Billet èa court terme émis par une entreprise et garantie par une banque

Une acceptation bancaire est un instrument de dette à court terme émis par une entreprise et endossé par une banque. La banque s'engage alors à verser le montant indiqué lorsque l'acceptation sera présentée à l'échéance. Évidemment, pour ce genre de service, les banques exigent une rémunération qui peut être de l'ordre de 0,75% du montant émis.

Les acceptations bancaires sont généralement vendues à escompte à une maison de courtage en valeurs mobilières et remboursables à leur valeur nominale. À l'instar du papier commercial, elles se transigent sur le marché monétaire. Les acceptations sont généralement émises en multiples de 100 000 $ et leur date d'échéance varie habituellement entre 1 et 90 jours. Ces effets de commerce sont souvent utilisés dans le cas de transactions de nature internationale ou lorsque le vendeur entretient certains doutes sur la capacité ou la volonté de l'acheteur à payer la marchandise.

11.2.5 L'affacturage

Affacturage
Vente par l'entreprise, à prix réduit, de ses comptes clients à une société spécialisée dans le financement

L'affacturage (ou *factoring*) est une méthode de financement par laquelle une entreprise vend ses comptes clients à une société d'affacturage. Ce mode de financement est surtout utilisé par les petites et moyennes entreprises pour lesquelles il ne serait pas avantageux, compte tenu de leur volume des ventes à crédit, d'avoir un département de crédit. L'affacturage est souvent utilisé dans des industries telles que le textile, la chaussure et les fournitures domestiques.

L'affacturage peut s'effectuer de deux façons. Dans le cas de l'affacturage d'échéance (voir la figure 11.3 à la page suivante), la société d'affacturage achète tous les comptes clients de l'entreprise et remet à celle-ci le produit de la vente au fur et à mesure que les sommes sont collectées. Évidemment, pour ce genre de service, la société d'affacturage exige une certaine rémunération - la rémunération peut varier entre 0,75% et 2% de la valeur des comptes clients cédés - qui est fonction des risques encourus, du montant des créances vendues et de la date d'échéance des comptes. De plus, compte tenu que c'est elle qui supporte généralement les risques de mauvaises créances, la société d'affacturage se charge de vérifier la solvabilité des clients potentiels de l'entreprise avant d'approuver les transactions de vente.

L'affacturage peut également constituer pour l'entreprise une source de financement immédiate. Les comptes clients servent alors à garantir le prêt octroyé à l'entreprise par la société d'affacturage. Les avances de fonds consenties par la société d'affacturage peuvent représenter environ 80% de la valeur des comptes clients, le solde étant versé à l'entreprise lors de la perception des créances. En pareil cas, des frais d'intérêt - en plus de la commission habituelle variant entre 0,75% et 2% - sont chargés à un taux préétabli. Le taux d'intérêt correspond approximativement au taux préférentiel auquel il faut ajouter une prime de l'ordre de 2% à 3%.

Figure 11.3

Le fonctionnement
de l'affacturage
d'échéance

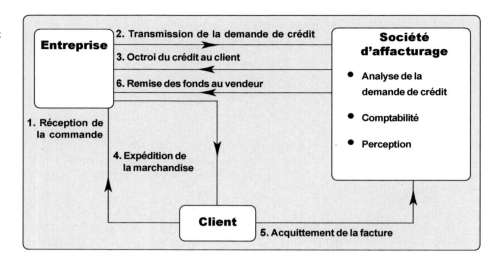

En conclusion, on peut affirmer que l'affacturage constitue pour l'entreprise un mode de financement à court terme rapide, qui permet à cette dernière de se soustraire des problèmes liés à la vérification de la solvabilité des clients et à la perception des comptes clients. Cependant, ce type de financement est plus onéreux que le crédit bancaire et peut indiquer que l'entreprise éprouve certaines difficultés à obtenir du financement selon les voies usuelles. De plus, compte tenu que selon ce procédé ses clients doivent habituellement faire parvenir directement leurs paiements à la société d'affacturage, le recours à l'affacturage a également comme inconvénient de priver l'entreprise de contacts personnels avec ses acheteurs à crédit.

11.2.6 Les avances des actionnaires

Dans le cas des PME, il arrive assez souvent que les actionnaires consentent des prêts à court terme à l'entreprise. Cette situation survient lorsque l'entreprise éprouve certaines difficultés à obtenir le financement à court terme essentiel à son développement selon les voies usuelles - institution financière et marché monétaire.

11.2.7 L'utilisation des garanties dans l'obtention du financement à court terme

Très souvent, les petites et moyennes entreprises (PME) - particulièrement celles qui ne sont en affaires que depuis quelque temps - ne peuvent obtenir un prêt auprès d'une banque ou d'une autre institution financière à moins de donner en garantie certains actifs. De plus, en mettant en gage certains actifs, l'entreprise peut généralement obtenir du crédit à un taux d'intérêt plus avantageux.

Plusieurs types d'actif peuvent servir à garantir un prêt. Parmi ceux-ci, mentionnons : des actions, des obligations, des certificats de dépôt, un terrain, un bâtiment, de l'équipement, des comptes clients et des stocks. Les actions de compagnies bien établies, les obligations et les certificats de dépôt constituent d'excellentes garanties à offrir au prêteur. Toutefois, peu de petites et moyennes entreprises détiennent un portefeuille de valeurs mobilières suffisamment important qui pourrait être cédé en garantie. D'autre part, les actifs à long terme de l'entreprise (équipement, bâtiment, etc.) servent généralement à garantir les emprunts à long terme de cette dernière. Dans ces conditions, l'entreprise utilisera habituellement ses actifs à court terme, en particulier ses comptes clients et ses stocks, pour garantir ses dettes à court terme. De plus, dans le cas des petites et moyennes entreprises, le créancier exige parfois que les biens personnels de certains actionnaires soient offerts en garantie.

11.2.7.1 Les comptes clients

Les comptes clients figurent parmi les actifs les plus liquides de l'entreprise et constituent, par conséquent, une des meilleures garanties à offrir au prêteur. Le montant du prêt pouvant être accordé en donnant les comptes clients en garantie dépend de la qualité et du montant des comptes clients de l'entreprise. La qualité se mesure principalement par la santé financière des clients de l'entreprise et par l'âge des comptes clients donnés en garantie. Les institutions financières, comme les banques, les sociétés d'affacturage et les importantes compagnies de finance prêtent habituellement un montant correspondant à environ 75% des bons comptes clients (c.à.d. des comptes clients qui remontent au maximum à 90 jours). De plus, notons que, dans le cas des comptes clients assurés par Exportation et Développement Canada (EDC), ce pourcentage peut atteindre 90%.

En général, les clients de l'entreprise ne sont pas informés que les créances ont été cédées en garantie à une institution financière. Cependant, dans certaines situations, les clients de l'entreprise sont avisés que les comptes clients ont été mis en gage et doivent alors faire parvenir directement leurs paiements à l'institution prêteuse. Ce genre de pratique est de nature à affecter négativement les relations entre l'entreprise et ses acheteurs à crédit.

Le taux de financement exigé pour ce type de prêt à court terme garanti est habituellement le taux préférentiel plus 2 à 5%. Très souvent, des frais de gestion sont également prélevés par l'institution prêteuse pour couvrir les coûts administratifs inhérents à ce genre de prêt. Habituellement, le montant des frais est lié directement au nombre de comptes clients offerts en garantie.

Il est à noter que, contrairement à ce qui se produit dans le cas de l'affacturage des comptes clients, l'entreprise supporte le risque de non-paiement et demeure responsable de la collection des comptes clients. Lorsque ses clients acquittent leurs factures, l'entreprise rembourse alors l'institution prêteuse. De plus, s'il arrive que ses clients ne règlent pas leurs factures, l'entreprise doit quand même rembourser l'emprunt qu'elle a contracté.

11.2.7.2 Les stocks

Pour garantir un prêt à court terme, l'entreprise peut également avoir recours à ses stocks. Cette dernière offrira alors au créancier de prendre en garantie ses stocks de matières premières, de produits en cours et de produits finis.

Le montant du prêt qui peut être accordé en mettant en gage les stocks dépend de la nature des stocks détenus et de la facilité avec laquelle on peut revendre ces derniers. Les stocks périssables et ceux qui sont sujets à une dépréciation rapide ne sont généralement pas acceptés comme garantie par les créanciers. Il en va de même pour les stocks comportant des items trop spécialisés ou spécifiques à un secteur d'activité donné. La négociabilité des stocks est probablement la qualité la plus recherchée par les bailleurs de fonds. Lorsque les stocks répondent aux caractéristiques souhaitées par les créanciers, le montant du prêt peut représenter environ 50% de la valeur aux livres des stocks de produits finis. Dans le cas des stocks de produits en cours et de matière premières, ce pourcentage est, bien entendu, nettement inférieur à 50%.

La mise en gage des stocks peut s'effectuer de trois façons, soit (1) la garantie flottante, (2) le certificat fiduciaire et (3) le certificat d'entreposage. Ces trois méthodes de garantie sont discutées brièvement ci-dessous.

1. La garantie flottante. Cette forme de mise en gage donne un droit au prêteur sur tous les stocks détenus par l'entreprise. Elle est souvent utilisée dans le cas d'articles de faible valeur qui se vendent rapidement. Il est à noter que selon ce genre d'entente les stocks demeurent en possession de l'emprunteur. Cependant, ce dernier doit régulièrement informer le prêteur de l'évolution du niveau des stocks en lui remettant une copie de ses états financiers périodiques. Le prêteur peut également, de temps à autre, procéder à une inspection physique des stocks. Compte tenu que selon ce type d'accord le prêteur exerce peu de contrôle sur les stocks donnés en garantie, le montant du prêt qui est octroyé est généralement très inférieur à la valeur aux livres des stocks - moins de 50%. Le taux d'intérêt chargé par l'institution prêteuse excède le taux préférentiel d'un pourcentage se situant autour de 5%.

2. Le certificat fiduciaire. Un certificat fiduciaire est un document attestant que l'entreprise garde certains actifs en fiducie pour le prêteur. Lorsque les actifs en cause sont vendus, l'entreprise rembourse alors le prêteur. Les certificats fiduciaires sont surtout utilisés pour financer des biens dont la valeur est élevée et qui sont facilement identifiables. Les stocks des concessionnaires automobiles sont souvent financés de cette façon.

3. Le certificat d'entreposage. Selon cette forme de mise en gage, les stocks de l'entreprise sont transférés dans un entrepôt public qui est administré par une société d'entreposage. Cette société émet alors un certificat d'entreposage qui sera remis à l'institution prêteuse à titre de garantie. Les stocks ne pourront quitter l'entrepôt public à moins que le détenteur du certificat d'entreposage (c.-à-d. l'institution prêteuse) n'y consente. Lorsque les clients de l'entreprise placent des commandes, celles-ci doivent donc être acheminées au prêteur afin que ce dernier autorise la sortie des marchandises de l'entrepôt. L'entreprise remboursera le capital emprunté, paiera les intérêts et les frais relatifs à la surveillance et à l'entreposage des stocks lorsque ses clients acquitteront leurs factures.

Finalement, notons que lorsque le transfert des stocks de l'entreprise à un entrepôt public occasionne des frais trop élevés, le prêteur a alors recours aux services d'une firme spécialisée pour contrôler dans des entrepôts appartenant à l'emprunteur les stocks donnés en garantie.

11.2.7.3 Les biens personnels des actionnaires

Compte tenu qu'une des caractéristiques de la compagnie est la responsabilité limitée - les actionnaires ne pouvant pas perdre un montant excédant leur mise de fonds dans la compagnie -, les créanciers exigent souvent que les emprunts de l'entreprise soient garantis par des biens personnels des actionnaires (maison, automobile, bateau, etc.). Dans ce cas, le créancier pourra, afin de se faire rembourser, vendre les biens personnels des actionnaires cédés en garantie si l'entreprise n'est pas en mesure d'honorer ses engagements financiers.

11.3 Le financement à moyen terme

Sites Internet :
www.bdc.ca
www.roynat.com

Le financement à moyen terme vise à combler des besoins de fonds qui sont plus que saisonniers ou temporaires comme, par exemple, l'acquisition d'immobilisations ou le financement de l'actif à court terme permanent. Ce genre de financement peut être obtenu auprès des banques canadiennes ou étrangères, des caisses populaires, des compagnies d'assurance, de certains organismes gouvernementaux (par exemple, la Banque de développement du Canada) et des sociétés de financement du secteur privé (par exemple, Roynat).

Ci-dessous, nous discutons de deux des formes de financement à moyen terme les plus utilisées en pratique, soit le prêt à terme et le contrat de location.

11.3.1 Le prêt à terme

Prêt à terme
Prêt permettant de financer, à moyen ou à long terme, l'acquisition d'immobilisations

Un prêt à terme est un prêt commercial pour une période variant habituellement entre un et dix ans. Dans certains cas, la durée du prêt peut excéder 10 ans. La plupart du temps, le remboursement d'un prêt à terme s'effectue par le biais d'une série de paiements égaux - mensuels, trimestriels, semestriels ou annuels - s'échelonnant sur la durée du prêt. Chaque versement effectué par l'entreprise comporte une partie intérêt et une partie remboursement de capital (voir la section A.5.4 de l'annexe apparaissant à la fin de ce volume pour plus de détails concernant l'amortissement d'un prêt à terme).

Le taux d'intérêt sur un prêt à terme peut être fixe ou variable. Dans le cas des prêts offerts par les banques, le taux d'intérêt est généralement variable alors que dans les autres cas il est habituellement fixe. Lorsque le taux d'intérêt est variable, il évolue en fonction du taux préférentiel. Par exemple, si le taux d'intérêt est établi à 3% au-dessus du taux préférentiel pour un emprunteur donné, ce dernier paiera alors 11% lorsque le taux préférentiel se situe à 8% et 10% si le taux préférentiel passe à 7%. Dans le cas des prêts à taux variable, on fixe parfois un plafond quant au taux d'intérêt que peut charger l'institution prêteuse et ce, dans le but de limiter le risque de l'emprunteur.

Le prêt à terme constitue une importante source de financement pour les petites et moyennes entreprises. Toutefois, ce mode de financement comporte certaines clauses restrictives dont les plus courantes concernent le ratio du fonds de roulement et le niveau du fonds de roulement net à maintenir, les emprunts additionnels que pourra contracter l'entreprise, le versement des dividendes, les achats additionnels d'actifs et les renseignements périodiques - incluant les états financiers - que devra fournir l'emprunteur à l'institution prêteuse. Ces clauses ont évidemment pour objectif de protéger la position du prêteur. De plus, dans plusieurs cas, le prêteur exigera que l'entreprise emprunteuse cède des actifs en garantie ou même que certains de ses actionnaires donnent des garanties personnelles.

11.3.2 La location

· · ·
Contrat de location
Entente permettant à l'entreprise d'utiliser un actif, sans en être propriétaire, au cours d'une certaine période de temps en échange d'un loyer périodique versé au locateur

Une autre façon pour l'entreprise d'obtenir l'usage d'un actif donné consiste à signer un contrat de location. Ce genre de contrat permet au locataire (ou preneur) d'utiliser un actif, sans en être propriétaire, au cours d'une période de temps spécifique. En contrepartie, le locataire s'engage à verser au locateur (ou bailleur) un loyer périodique jusqu'à l'expiration du contrat. Tout dépendant de la durée du contrat, la location peut être classifiée comme un mode de financement à court, moyen ou long terme. La location fait l'objet d'une présentation détaillée dans notre autre ouvrage traitant des décisions financières à long terme [2].

11.4 L'aide gouvernementale

Dans le but de favoriser notamment l'acquisition d'immobilisations, la création d'emplois, l'implantation d'entreprises dans certaines régions du pays et la recherche scientifique, le gouvernement du Canada et celui du Québec ont mis sur pied un nombre impressionnant de programmes visant à venir en aide aux entreprises. Selon les statistiques disponibles, il y aurait environ 3 000 programmes d'aide gouvernementaux offerts par le Canada alors que le Québec en compterait, pour sa part, approximativement 1 800. L'aide gouvernementale octroyée peut notamment revêtir la forme d'une subvention - pour une fois ou renouvelable -, d'un prêt sans intérêt ou à taux réduit, d'une garantie de prêt, d'un remboursement ou d'un crédit d'impôt, d'une garantie d'achat du

[2] Voir, Morissette, D., « Gestion financière », Les Éditions SMG, 2002, 633 pages.

produit ou du service par le gouvernement, de ressources techniques ou financières et de programmes de formation. Compte tenu de la diversité des programmes offerts et de la nature changeante de ces derniers, nous ne tenterons pas, dans le cadre de cet ouvrage, de décrire chacun d'entre eux dans les moindres détails. Nous suggérons plutôt au lecteur qui s'intéresse à ces initiatives gouvernementales à visiter les sites Web mentionnés en exergue.

11.5 L'analyse d'une demande de prêt

Lorsqu'une entreprise sollicite une demande de crédit auprès d'une institution financière, celle-ci prend en considération un ensemble de facteurs avant de rendre sa décision concernant l'octroi ou non du prêt et les conditions qui y seront rattachées advenant son acceptation. Parmi les principaux facteurs considérés par les institutions financières, mentionnons :

1. le but de l'emprunt;

2. la capacité de remboursement;

3. les antécédents de crédit;

4. les garanties offertes;

5. le personnel de direction de l'entreprise.

Ces différents facteurs sont discutés brièvement ci-dessous.

1. Le but de l'emprunt. Au départ, l'institution prêteuse voudra connaître ce que l'entreprise entend faire avec le produit de l'emprunt. De façon générale, il sera beaucoup plus facile de justifier un emprunt à court terme s'il vise à financer les comptes clients et les stocks plutôt que l'acquisition d'actifs à long terme. En effet, les créanciers préféreront financer les actifs à long terme de l'entreprise par des dettes à long terme. De plus, il est habituellement beaucoup plus facile d'obtenir des fonds pour des activités pour lesquelles l'entreprise possède une expertise que pour financer des nouveaux créneaux de développement ou des projets spéculatifs.

2. La capacité de remboursement. Le prêteur cherchera ensuite à savoir dans quelle mesure l'entreprise pourra rembourser les capitaux empruntés. À cette fin, les états financiers passés et prévisionnels de l'entreprise, une demande officielle de financement, un bilan financier personnel, un plan d'affaires, une évaluation des actifs à financer et une prévision des flux de trésorerie sont les documents les plus souvent exigés par les institutions financières dans le cadre d'une demande de financement par emprunt effectuée par une PME (voir le tableau 11.2 à ce sujet). Compte tenu de l'importance accordée aux états financiers, il est bien évident que l'emprunteur a tout avantage à connaître à l'avance les normes du créancier en ce qui a trait à certains ratios financiers tels que le ratio du fonds de roulement, le ratio d'endettement et le ratio de couverture des intérêts. Le gestionnaire financier devra alors s'assurer que ses projections respectent les contraintes généralement imposées par les prêteurs.

Tableau 11.2

Documents exigés par les établissements financiers dans le cadre d'une demande de financement par emprunt

Type de document exigé	2004 (%)
États financiers de l'entreprise	61
Demande officielle de financement	53
Bilan financier personnel	47
Plan d'affaires	21
Évaluation des actifs à financer	26
Prévision des flux de trésorerie	22
Tout autre document	5
Aucun document requis	18

Source : Programme de recherche sur le financement des PME, Statistique Canada, *Enquête sur le financement des petites et moyennes entreprises*, 2004.

3. Les antécédents de crédit. Avant d'octroyer du crédit à l'entreprise, l'institution prêteuse s'assurera que cette dernière a, par le passé, respecté ses engagements financiers envers ses prêteurs et a acquitté ses dettes dans les délais prévus. Comme nous l'avons indiqué au chapitre 9, il est possible pour le prêteur d'obtenir rapidement de l'information sur l'historique de crédit de l'entreprise en s'adressant à Dun & Bradstreet. De plus, d'autres facteurs, tels que la gestion de la marge de crédit existante - une marge de crédit utilisée près du maximum autorisé et qui fluctue peu ou pas ainsi que des intérêts non acquittés aux dates prévues sont considérés comme des signaux d'alarme - et les retards dans les remises gouvernementales - impôts en souffrance, taxe sur les produits et services (TPS) et déductions à la source non réglées, acomptes provisionnels impayés, etc. - sont également pris en compte par l'institution financière dans l'analyse du risque de crédit.

4. Les garanties offertes. Les garanties offertes jouent souvent un rôle déterminant dans l'obtention d'un prêt. Cette affirmation est d'autant plus vraie si l'emprunteur n'est en affaires que depuis récemment ou si ce dernier est un nouveau client de l'institution financière sollicitée.

Le prêteur exige des garanties afin de s'assurer qu'il pourra être remboursé même si l'entreprise traverse une période difficile. Comme nous l'avons déjà mentionné, le prêteur préférera des garanties faciles à liquider et n'hésitera pas à exiger des garanties personnelles dans le cas d'un prêt à une petite ou moyenne entreprise.

En 2004, un peu plus de 40% des PME ont dû fournir à leurs établissements financiers des biens - actifs de l'entreprise et/ou des propriétaires - pour garantir les dettes contractées.

5. La direction de l'entreprise. De nos jours, les banquiers et autres prêteurs attachent de plus en plus d'importance à des facteurs comme l'expérience des dirigeants de l'entreprise, leur compétence professionnelle, leur crédibilité dans le milieu des affaires et leur participation financière dans l'entreprise.

Dans ce contexte, il peut être utile de joindre à la demande de prêt un curriculum vitae des principaux dirigeants de l'entreprise et de faire ressortir leurs principales réalisations. Il est également important de présenter les résultats passés de l'entreprise afin de pouvoir juger de l'efficacité des gestionnaires en place.

Tout dépendant de l'attitude de l'analyste du crédit face au risque et/ou de la politique de l'institution financière relativement au financement, l'importance à accorder à chacun des critères discutés ci-dessus variera d'un dossier à l'autre.

11.6   Concepts fondamentaux

- Les sources de fonds à court terme servent à financer, en partie, les actifs à court terme de l'entreprise. Pour leur part, les emprunts à moyen terme sont notamment utilisés pour financer l'acquisition d'immobilisations et/ou l'actif à court terme permanent de l'entreprise.

- Les principales sources de financement à court terme de l'entreprise sont les emprunts contractés auprès des institutions financières et le crédit commercial. Parmi les autres sources de financement disponibles, on retrouve notamment le papier commercial, les acceptations bancaires, l'affacturage et les avances des actionnaires. Ces dettes à court terme sont normalement remboursées à l'intérieur d'une période d'un an.

- Les emprunts à court terme de l'entreprise peuvent être parfois non garantis, mais le plus souvent ils sont garantis par des actifs spécifiques (comptes clients, stocks, biens personnels des actionnaires, etc.). Habituellement, l'entreprise préfère emprunter en minimisant les garanties offertes au créancier, puisque celles-ci augmentent le coût de l'emprunt en plus de limiter sa flexibilité pour son financement futur.

- La marge de crédit constitue une entente entre l'entreprise et son institution financière prévoyant le montant maximal qu'elle pourra, au besoin, emprunter au cours d'une période donnée pour financer ses actifs à court terme, principalement ses comptes clients et ses stocks. Elle est généralement renouvelable sur une base annuelle.

- Le crédit commercial résulte des achats à crédit de marchandises effectués par l'entreprise auprès de ses fournisseurs.

- Le papier commercial est un billet à ordre non garanti échéant dans un an ou moins. Il est généralement émis à escompte par les grandes entreprises ayant une excellente cote de crédit.

- Une acceptation bancaire est un billet à court terme émis par une entreprise et garanti par une banque.

- L'affacturage constitue une transaction en vertu de laquelle l'entreprise vend à escompte ses comptes clients à une société spécialisée dans le financement.

■ Les avances des actionnaires représentent des prêts qu'effectuent les actionnaires à l'entreprise.

■ Pour garantir ses emprunts à court terme, l'entreprise utilise habituellement ses comptes clients et ses stocks. De plus, dans le cas des prêts consentis aux PME, les institutions financières exigent régulièrement des garanties personnelles des actionnaires.

■ Un prêt à terme représente un prêt à moyen ou à long terme octroyé par une institution financière privée ou une agence gouvernementale (par exemple, la Banque de développement du Canada) pour financer l'achat d'immobilisations. Ce genre de prêt est généralement remboursable par une série de versements périodiques uniformes. De plus, il peut comporter un taux d'intérêt fixe ou variable.

■ Les principaux facteurs considérés par les institutions financières lors de l'analyse d'une demande de prêt sont les suivants : (1) le but de l'emprunt, (2) la capacité de remboursement, (3) les antécédents de crédit, (4) les garanties offertes et (5) le personnel de direction de l'entreprise.

■ Un nombre important d'entreprises - particulièrement les PME - peuvent bénéficier des nombreux programmes d'aide gouvernementale qui ont été créés par le gouvernement du Canada et celui du Québec pour favoriser la croissance économique et soutenir la création d'emplois.

11.7 Mots clés

Acceptation bancaire	Crédit commercial
Accord de crédit formel	Crédit relatif à une transaction spécifique
Affacturage	Escompte de caisse
Agence de notation du crédit	Financement à court terme
Aide gouvernementale	Financement à moyen terme
Analyse d'une demande de prêt	Garanties
Antécédents de crédit	Garantie flottante
Avances des actionnaires	Location
Biens personnels des actionnaires	Marge de crédit
Billet à ordre	Papier commercial
Capacité de remboursement	Période de crédit
Certificat d'entreposage	Prêt à terme
Certificat fiduciaire	Prêt bancaire à court terme
Comptes fournisseurs	Solde compensateur
Coût d'un prêt bancaire	Taux d'escompte

11.8 Sommaire des principales formules

Escompte de caisse

$$\text{Taux nominal} = \left(\frac{\text{Escompte en \%}}{100\% - \text{Escompte en \%}} \right) \left(\frac{365}{\begin{array}{cc} \text{Jour où le} & \text{Période} \\ \text{paiement} & - & \text{d'escompte} \\ \text{est exigible} & \text{en jours} \end{array}} \right) \quad (11.1)$$

Coût d'un emprunt bancaire

Intérêts payés à l'échéance

$$\begin{array}{l} \text{Taux d'intérêt} \\ \text{effectif annuel} \end{array} = \left(\frac{\text{Intérêts}}{\text{Montant emprunté}} \right) \quad (11.2)$$

Intérêts déduits du montant du prêt initial (prêt escompté)

$$\begin{array}{l} \text{Taux d'intérêt} \\ \text{effectif annuel} \end{array} = \frac{\text{Intérêts}}{\text{Montant emprunté} - \text{Intérêts escomptés}} \quad (11.3)$$

Intérêts déduits du montant du prêt initial et maintien d'un solde compensateur

$$\begin{array}{l} \text{Taux d'intérêt} \\ \text{effectif annuel} \end{array} = \frac{\text{Intérêts}}{\begin{array}{ccc} \text{Montant} & \text{Solde compen-} & \text{Intérêts} \\ \text{emprunté} & - \text{sateur exigé} & - \text{escomptés} \end{array}} \quad (11.4)$$

11.9 Exercices

1. Vrai ou faux.

   a) Toutes les entreprises émettent du papier commercial.

   b) Le prêt bancaire à court terme est une excellente façon de financer l'acquisition d'immobilisations à long terme.

   c) Le crédit commercial découle des achats qu'une entreprise effectue auprès de ses fournisseurs.

   d) Les stocks de produits en cours constituent habituellement pour le prêteur une meilleure garantie que les stocks de produits finis.

   e) Le taux d'intérêt associé à un emprunt garanti est généralement moins élevé que celui lié à un emprunt non garanti.

   f) Le taux préférentiel est toujours de 6%.

   g) Le taux préférentiel est le taux d'intérêt auquel les compagnies de finance consentent des prêts à leurs clients.

h) Le papier commercial se transige sur le marché des capitaux.

i) Les échéances du papier commercial varient habituellement entre 5 et 10 ans.

j) Habituellement, c'est la société d'affacturage qui supporte le risque de non-paiement.

k) Généralement, lorsque les ventes de l'entreprise augmentent, le financement par l'intermédiaire des comptes fournisseurs croît également.

l) Lorsque les comptes clients garantissent un prêt, le risque de non-paiement est supporté par l'institution prêteuse.

m) Un prêt à terme est généralement garanti par les comptes clients et les stocks que possède l'entreprise.

n) Dans le cas d'un financement par location, le locataire ou preneur est propriétaire de l'actif.

o) En général, il n'est pas avantageux pour une entreprise de profiter des escomptes de caisse offerts.

p) Un papier commercial est généralement émis à escompte.

q) Les grandes entreprises canadiennes ont fréquemment recours à l'affacturage comme mode de financement.

r) Les banques prêtent généralement à l'entreprise un montant correspondant à 100% de la valeur aux livres des comptes clients.

s) L'affacturage de ses comptes clients permet à l'entreprise d'éviter d'avoir à maintenir un département de crédit.

t) Habituellement, les comptes clients constituent une meilleure garantie à offrir au prêteur que les stocks.

u) Un prêt à terme est toujours consenti à un taux d'intérêt fixe pour toute sa durée.

v) L'entreprise a généralement recours aux sources de financement à court terme pour satisfaire ses besoins de fonds permanents.

w) Le coût d'un emprunt bancaire est le même pour tous les emprunteurs.

x) Généralement, les sources de fonds à court terme sont moins onéreuses que celles à moyen terme.

y) Le ratio d'endettement actuel de l'entreprise est un des facteurs pris en considération par l'institution financière dans la décision d'accorder ou non du crédit additionnel à cette dernière.

2. Calculez le coût annuel implicite (sur une base nominale) de ne pas profiter de l'escompte de caisse lorsque les conditions de crédit suivantes s'appliquent :

a) 3/5, net 20

b) 2/5, net 30

c) 2/30, net 45

d) 1/10, net 60

e) 3/10, net 90

3. Refaire l'exercice 2 en supposant que l'entreprise paie habituellement ses fournisseurs - ces derniers tolèrent cette pratique - 15 jours après la date d'échéance de la facture. Quel est l'impact de cette pratique sur le coût implicite du crédit commercial?

4. La compagnie SVG inc. peut bénéficier d'un escompte de caisse de 3% si elle effectue le paiement dans les 10 jours de la facturation. Cependant, SVG inc. a décidé de ne pas se prévaloir de l'escompte de caisse et de payer 10 jours après la date d'échéance de la facture. Le contrôleur de SVG inc. a estimé que le coût implicite annuel (sur une base nominale) de ne pas se prévaloir de l'escompte est de 18,8%. Combien de jours s'écoule-t-il entre la fin de la période d'escompte et le moment où la facture est acquittée?

5. La compagnie Cymon inc. achète pour 1 000 000 $ par année de son fournisseur habituel. Les conditions de crédit offertes sont « net 30 ».

a) En supposant que Cymon inc. acquitte toujours ses factures à temps, quel est le solde moyen de ses comptes fournisseurs? (Supposez une année de 365 jours.)

b) Quel est le financement additionnel que pourrait obtenir Cymon inc. en réglant son fournisseur 10 jours plus tard?

6. La compagnie Assek inc. éprouve actuellement certains problèmes de liquidités. Dans ce contexte, la directrice des finances envisage deux possibilités : (1) ne pas profiter des escomptes de caisse offerts et régler les fournisseurs dans 60 jours ou (2) contracter un emprunt bancaire au taux effectif annuel de 15%. Que devrait faire l'entreprise si les conditions de crédit offertes par les fournisseurs sont « 2/10, net 60 »?

7. La banque X offre de prêter à l'entreprise Kassé inc. au taux annuel de 10% (les intérêts sont payables à la fin de l'année). D'autre part, la banque Y peut prêter au taux annuel de 9,5% si les intérêts sont payés en début d'année. À quel endroit l'entreprise Kassé inc. devrait-elle emprunter?

8. La compagnie Beaumont inc. a besoin d'un montant de 200 000 $ pour un an. La banque offre trois possibilités :

1. Taux d'intérêt annuel : 14%; intérêts payables à l'échéance; aucun solde compensateur.

2. Taux d'intérêt annuel : 12%; intérêts payables à l'échéance; un solde compensateur de 20% est exigé.

3. Taux d'intérêt annuel : 11%; intérêts payables en début d'année; un solde compensateur de 16% est exigé.

Quelle possibilité vous semble la meilleure?

9. Un papier commercial de 1 000 000 $, échéant dans 90 jours, est escompté à 973 000 $. Calculez :

a) son taux de rendement nominal annuel;

b) son taux de rendement effectif annuel.

Annexe A

Valeurs actualisées et valeurs capitalisées

Sommaire

A.1 Introduction

Dans cette annexe, nous présentons les concepts fondamentaux des mathématiques financières. Plus précisément, nous montrons, en premier lieu, comment déterminer la valeur capitalisée (c.-à-d. ce que vaudra à un moment donné dans le futur une somme investie aujourd'hui) et la valeur actualisée (c.-à-d. ce que vaut en dollars d'aujourd'hui une somme à recevoir à un moment donné dans le futur) dans le cas d'un flux monétaire unique. Par la suite, nous abordons le calcul de la valeur capitalisée et de la valeur actualisée dans des situations plus complexes où les flux monétaires sont multiples.

Les mathématiques financières jouent un rôle essentiel dans la prise de décisions financières. En effet, la plupart des décisions financières à long terme de l'entreprise (décisions d'investir en actifs réels, décision achat-location, décisions de refinancement, etc.) et de l'investisseur (décision d'acheter ou de vendre des actions ou des obligations) exigent la comparaison de flux monétaires dont la chronologie diverge. Afin d'effectuer des comparaisons valables, on doit être en mesure de transformer les flux monétaires prévus en dollars d'une même période. Il est donc essentiel pour le futur gestionnaire financier de bien maîtriser les notions fondamentales d'actualisation et de capitalisation abordées dans les sections qui suivent.

A.2 Définition de l'intérêt

On peut considérer l'intérêt comme étant une dépense ou un revenu. Pour l'emprunteur, il s'agit d'une dépense qui correspond au loyer à payer pour l'utilisation d'une somme d'argent que le prêteur a mise à sa disposition. Pour le prêteur, l'intérêt est un revenu qu'il retire en guise de compensation pour s'être privé de la somme prêtée.

Pour calculer l'intérêt, on doit connaître le pourcentage à prélever sur le capital initial ainsi que la durée du prêt ou de l'emprunt. Le pourcentage à utiliser est défini comme étant le taux d'intérêt. Il existe deux sortes d'intérêt : l'intérêt simple et l'intérêt composé.

A.3 L'intérêt simple

Identifions les différents termes utilisés comme suit:

P   : Principal ou capital initial
i   : Taux d'intérêt par période
n   : Nombre de périodes
I_n : Montant en dollars des intérêts
S_n : Valeur définitive, finale ou accumulée au terme de n périodes.

L'intérêt rapporté par le capital P au cours de n périodes vaut :

$$I_n = P \cdot i \cdot n \tag{A.1}$$

Intérêt simple
Les intérêts sont encaissés à la fin de chaque période et le capital initial demeure inchangé

La valeur définitive d'un placement au terme de n périodes est définie comme étant le total du capital investi et des intérêts gagnés. On peut donc écrire :

$$S_n = P + I_n$$
$$S_n = P + P \times i \times n$$
$$S_n = P(1 + in) \tag{A.2}$$

L'équation (A.2) indique que, dans le cas de l'intérêt simple, la valeur accumulée d'un capital croît linéairement avec le temps. Comme l'illustre la figure (A.1), plus le taux d'intérêt est élevé, plus la croissance est accentuée.

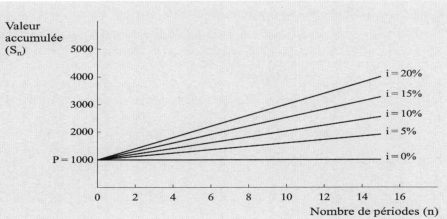

Figure A.1

Valeur accumulée au terme de n périodes d'un capital de 1 000$ à différents taux d'intérêt

**Valeur accumulée au terme de n périodes
d'un capital de 1 000 $ (intérêt simple)**

Taux d'intérêt (i)	Nombre de périodes (n)			
	1	**5**	**10**	**15**
0%	1 000,00 $	1 000,00 $	1 000,00 $	1 000,00 $
5%	1 050,00 $	1 250,00 $	1 500,00 $	1 750,00 $
10%	1 100,00 $	1 500,00 $	2 000,00 $	2 500,00 $
15%	1 150,00 $	1 750,00 $	2 500,00 $	3 250,00 $
20%	1 200,00 $	2 000,00 $	3 000,00 $	4 000,00 $

Exemple A.1

Calcul des intérêts périodiques et de la valeur accumulée

On vous prête une somme de 10 000 $ pour une durée de 4 ans au taux d'intérêt simple de 8% par année.

a) Quel sera le montant d'intérêt que vous aurez à payer pour les deux premières années?

b) Calculez le montant total que vous devrez remettre pendant la durée du prêt.

■ **Solution**

a) En utilisant l'expression (A.1), on obtient :

$I_2 = (10\ 000)(0,08)(2) = 1\ 600\ \$$

b) À l'aide de l'expression (A.2), on trouve :

$S_4 = 10\ 000\ [1 + (4)(0,08)] = 13\ 200\ \$$

Il est à noter que, dans le cas de l'intérêt simple, le capital initial reste invariable et que les intérêts sont les mêmes d'une période à l'autre. Ainsi, dans l'exemple précédent, les intérêts sont de 800 $ pour chacune des quatre années. Soulignons, en outre, que la fréquence de versement des intérêts n'exerce aucune influence sur le montant total des intérêts qui devra être payé au cours d'une année. Dans l'exemple ci-dessus, si les intérêts étaient versés trimestriellement, il faudrait alors effectuer 4 versements de 200 $ à chaque année.

Exemple A.2

Calcul du taux d'intérêt simple

Après avoir investi 100 000 $ pendant 150 jours, un épargnant peut retirer une somme de 104 000 $. À quel taux d'intérêt annuel simple a-t-il placé son argent?

■ **Solution**

Le taux d'intérêt cherché est le taux i qui permet de satisfaire l'égalité suivante :

$$104\ 000 = 100\ 000\left[1 + i\left(\frac{150}{365}\right)\right]$$

$$\frac{104\ 000}{100\ 000} = 1 + \frac{150\ i}{365}$$

$$1,04 - 1 = \frac{150\ i}{365}$$

$$\text{d'où : } i = (0,04)\left(\frac{365}{150}\right) = 9,73\%$$

A.4 L'intérêt composé

Intérêt composé
Les intérêts gagnés au cours d'une période s'ajoutent au capital pour constituer un nouveau capital qui, à son tour, générera des intérêts pendant la période subséquente

Dans le cas de l'intérêt composé, le montant d'intérêt simple gagné au cours d'une période s'ajoute au capital à la fin de chacune des périodes d'intérêt pour former un nouveau capital. Cela implique, qu'en plus du capital initial, les intérêts simples de la période précédente porteront intérêt la période suivante, d'où la notion d'intérêt composé qui peut s'exprimer comme étant de l'intérêt sur l'intérêt. Par exemple, si vous placez 1 000 $ pour 3 ans à un taux d'intérêt annuel de 10%, la valeur accumulée dans un an sera égale à 1 100 $, soit 1 000 + (0,10)(1 000). À la fin de l'année 2, elle correspondra à 1 210 $, soit 1 100 + (0,10)(1 100). Dans 3 ans, on aura 1 331 $, soit 1 210 + (0,10)(1 210). En finance, à moins d'avis contraire, les calculs sont effectués en supposant que les intérêts sont composés.

A.4.1 Calcul de l'intérêt composé

Dans le but d'en arriver à une expression mathématique permettant de calculer directement la valeur accumulée d'un capital unique, nous aurons recours à la notation suivante :

S_n : Valeur accumulée à la fin de la période n
P : Capital initial
i : Taux d'intérêt par période de capitalisation des intérêts (taux périodique)
n : Nombre de périodes de capitalisation des intérêts.

La valeur accumulée à la fin de chacune des périodes peut se calculer ainsi :

Période 1

$$S_1 = \text{Principal} + \left(\begin{array}{c}\text{Intérêts gagnés au cours}\\ \text{de la période 1}\end{array}\right)$$

$$S_1 = P + Pi$$

$$S_1 = P(1 + i)$$

Période 2

$$S_2 = \left(\begin{array}{c}\text{Valeur accumulée à la fin}\\ \text{de la période 1}\end{array}\right) + \left(\begin{array}{c}\text{Intérêts gagnés au cours}\\ \text{de la période 2}\end{array}\right)$$

$$S_2 = P(1 + i) + P(1 + i)i$$

$$S_2 = P(1 + i)(1 + i)$$

$$S_2 = P(1 + i)^2$$

Période 3

$$S_3 = \left(\begin{array}{c}\text{Valeur accumulée à la fin}\\ \text{de la période 2}\end{array}\right) + \left(\begin{array}{c}\text{Intérêts gagnés au cours}\\ \text{de la période 3}\end{array}\right)$$

$$S_3 = P(1+i)^2 + P(1+i)^2 i$$

$$S_3 = P(1+i)^2(1+i)$$

$$S_3 = P(1+i)^3$$

Période n

On constate que, de façon générale, la valeur accumulée d'un capital à la fin de la période n (S_n) s'établit ainsi :

$$S_n = P(1+i)^n \tag{A.3}$$

L'équation (A.3) représente l'équation fondamentale de l'intérêt composé. Elle indique que la valeur accumulée d'un capital croît exponentiellement avec le temps. Comme l'illustre la figure A.2, plus le taux d'intérêt est élevé, plus la croissance est rapide.

Figure A.2

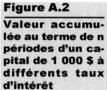

Valeur accumulée au terme de n périodes d'un capital de 1 000 $ à différents taux d'intérêt

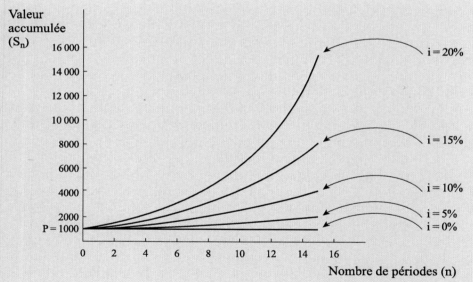

Valeur accumulée au terme de n périodes
d'un capital de 1 000 $ (intérêt composé)

Taux d'intérêt (i)	Nombre de périodes (n)			
	1	**5**	**10**	**15**
0%	1 000,00 $	1 000,00 $	1 000,00 $	1 000,00 $
5%	1 050,00 $	1 276,28 $	1 628,89 $	2 078,93 $
10%	1 100,00 $	1 610,51 $	2 593,74 $	4 177,25 $
15%	1 150,00 $	2 011,36 $	4 045,56 $	8 137,06 $
20%	1 200,00 $	2 488,32 $	6 191,74 $	15 407,02 $

Remarque. La table 1 (annexe B, à la fin de l'ouvrage) donne la valeur du facteur $(1+i)^n$ pour différentes valeurs de i et de n. Il est à noter cependant que les tables financières sont de moins en moins utilisées depuis l'introduction sur le marché de calculatrices financières permettant d'effectuer rapidement et précisément le calcul des valeurs capitalisées et des valeurs actualisées. Dans ce chapitre, nous supposons que le lecteur a en sa possession une calculatrice financière.

Exemple A.3

Calcul de la valeur définitive d'un placement

Un investisseur place 1 000 $ pour 5 ans dans un certificat de placement garanti à un taux d'intérêt de 6% composé annuellement.

a) De quelle somme disposera-t-il dans 5 ans si les intérêts sont réinvestis à 6%?

b) Déterminez les intérêts gagnés au cours de la 5ᵉ année.

■ **Solution**

a) En utilisant l'expression (A.3), on obtient:

$$S_5 = 1\ 000(1 + 0,06)^5 = 1\ 338,23\ \$$$

Le résultat précédent peut s'obtenir directement à l'aide de la calculatrice financière SHARP EL-738 en procédant comme suit :

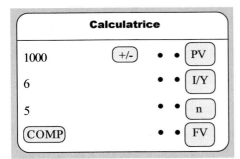

PV : Valeur présente

I/Y : Taux d'intérêt périodique

n : Nombre de périodes

FV : Valeur future

L'écran montre le résultat cherché, soit FV = 1 338,23 $.

Remarque. Un investissement ou une sortie de fonds (le placement de 1 000 $ dans l'exemple ci-dessus) est précédé d'un signe négatif sur la calculatrice SHARP EL-738.

b) Les intérêts gagnés au cours de la 5ᵉ année correspondent à la différence entre S_5 et S_4 :

$$\text{Intérêts gagnés au cours de la 5ᵉ année} = S_5 - S_4 = 1\ 000(1 + 0,06)^5 - 1\ 000(1 + 0,06)^4 = 75,75\ \$$$

Exemple A.4

Calcul du taux d'intérêt nécessaire pour doubler un capital en dix ans

À quel taux d'intérêt composé annuellement un capital double-t-il en 10 ans?

■ Solution

Soit : P = Capital

Algébriquement, il s'agit de trouver la valeur de i qui permet de satisfaire l'équation suivante :

$$P(1+i)^{10} = 2P$$

$$(1+i)^{10} = 2$$

d'où : $i = 2^{1/10} - 1 = 7,18\%$

Avec la SHARP EL-738, on procède comme suit :

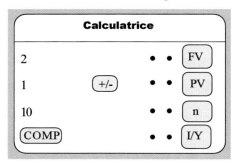

Note: le nombre 1 doit être précédé d'un signe négatif car il s'agit d'un investissement.

La calculatrice affiche alors le taux d'intérêt cherché, soit i = 7,18%.

Remarque. Il existe une vieille règle empirique qui est souvent utilisée pour déterminer le nombre d'années nécessaires pour doubler le capital investi ou encore pour calculer le taux d'intérêt auquel le capital doit être placé afin que sa valeur initiale double sur un certain nombre d'années. Cette règle est la suivante :

$$\text{Nombre d'années nécessaires pour doubler un investissement (n)} = \frac{72}{i}$$

En utilisant les données de l'exemple précédent, on obtient :

$$n = \frac{72}{i}$$

d'où : $i \approx \dfrac{72}{n} \approx \dfrac{72}{10} \approx 7,20\%$

A.4.2 Taux nominal, taux périodique et taux effectif

Il arrive fréquemment, en pratique, que la capitalisation des intérêts s'effectue sur une base autre qu'annuelle. Ainsi, les intérêts peuvent être capitalisés deux fois au cours d'une année (c.-à-d. semestriellement), quatre fois au cours d'une année (c.-à-d. trimestriellement) ou douze fois au cours d'une année (c.-à-d. mensuellement). Dans un tel contexte, il convient de distinguer entre le taux nominal, le taux périodique et le taux effectif annuel.

Taux nominal

Taux nominal
Taux d'intérêt exprimé sur une base annuelle capitalisé plusieurs fois dans l'année

On utilise l'expression taux nominal lorsque les intérêts sont capitalisés plusieurs fois au cours d'une année. Le taux nominal est un taux d'intérêt qui est toujours exprimé sur une base annuelle. Il est symbolisé par i_c, où c indique le nombre de périodes de capitalisation des intérêts au cours d'une année (c.-à-d. le nombre de fois où les intérêts sont versés et ajoutés au capital au cours d'une année). Ainsi, i_2 représente un taux nominal capitalisé semestriellement, i_4 un taux nominal capitalisé trimestriellement, i_{12} un taux nominal capitalisé mensuellement, i_{365} un taux nominal capitalisé quotidiennement, etc.

Taux périodique

Taux périodique
Taux d'intérêt nominal divisé par le nombre de périodes de capitalisation des intérêts dans l'année

Le taux périodique est celui qui est appliqué à chaque période de capitalisation. Ce taux, symbolisé par la lettre i, se calcule de la façon suivante :

$$i = \frac{\text{Taux nominal}}{\text{Nombre de périodes de capitalisation des intérêts dans une année}}$$

$$i = \frac{i_c}{c} \tag{A.4}$$

Ainsi, un taux nominal annuel de 10% capitalisé semestriellement est équivalent à un taux périodique semestriel de 5%. De même, un taux nominal de 10% capitalisé trimestriellement équivaut à un taux périodique trimestriel de 2,5%.

Lorsque les intérêts sont capitalisés plusieurs fois au cours d'une année, l'exposant n apparaissant dans la formule $S_n = P(1+i)^n$ (équation A.3) doit être ajusté en conséquence selon la convention suivante :

$$n = (\text{Durée en années de la transaction}) \times c \tag{A.5}$$

De plus, le taux d'intérêt i qui doit apparaître dans l'équation (A.3) est nécessairement le taux d'intérêt périodique, soit i_c/c.

| Exemple A.5 | **Calcul de la valeur définitive d'un capital lorsque les intérêts sont capitalisés plusieurs fois dans l'année** |

Une banque offre un taux d'intérêt nominal de 12% sur un dépôt de 1 000 $.

a) Quelle sera la valeur de ce dépôt après 5 ans si la capitalisation des intérêts est semestrielle?
b) Quelle sera la valeur de ce dépôt après 5 ans si la capitalisation des intérêts est mensuelle?

■ Solution

a) Ici, on a:

   $n = 5 \times 2 = 10$ périodes de capitalisation

   et i = Taux d'intérêt semestriel équivalent = $\dfrac{12\%}{2} = 6\%$

   La valeur du dépôt dans 10 semestres sera donc égale à :

   $S_{10} = 1\ 000(1+0,06)^{10} = 1\ 790,85$ $

b) Dans ce contexte, on a :

   $n = 5 \times 12 = 60$ périodes de capitalisation

   et i = Taux d'intérêt mensuel équivalent = $\dfrac{12\%}{12} = 1\%$

Par conséquent:

$$S_{60} = 1\,000(1 + 0,01)^{60} = 1\,816,70\,\$$$

Du point de vue de l'épargnant, on observe que la capitalisation mensuelle des intérêts est plus avantageuse que la capitalisation semestrielle.

Taux effectif annuel

Taux effectif annuel
Taux d'intérêt capitalisé une seule fois dans l'année qui génère le même montant d'intérêts annuels qu'un taux nominal i_c capitalisé c fois dans l'année

Le taux effectif annuel est symbolisé par la lettre r. Il s'agit du taux d'intérêt que l'on trouve en ramenant le taux d'intérêt périodique sur une base annuelle. On peut également définir le taux effectif annuel comme étant le taux d'intérêt obtenu en divisant l'intérêt composé gagné au cours d'une année par le capital initial placé au début de l'année. Par exemple, si vous placez 1 000 $ pour un an à un taux nominal de 10% capitalisé semestriellement, les intérêts gagnés au cours de l'année seront de :

$$\begin{aligned}\text{Intérêts gagnés pendant le premier semestre de l'année} &= \left(\begin{array}{c}\text{Capital investi au}\\\text{début de l'année}\end{array}\right)\left(\begin{array}{c}\text{Taux d'intérêt}\\\text{périodique équivalent}\end{array}\right)\\ &= Pi\\ &= (1\,000)\left(\frac{0,10}{2}\right)\\ &= 50\,\$\end{aligned}$$

$$\begin{aligned}\text{Intérêts gagnés pendant le second semestre de l'année} &= \left(\begin{array}{c}\text{Capital investi au début}\\\text{du second semestre}\end{array}\right)\left(\begin{array}{c}\text{Taux d'intérêt}\\\text{périodique équivalent}\end{array}\right)\\ &= \left(\begin{array}{cc}\text{Capital investi} & \text{Intérêts gagnés}\\\text{au début de} \;+ & \text{pendant le premier}\\\text{l'année} & \text{semestre de l'année}\end{array}\right)\left(\begin{array}{c}\text{Taux d'intérêt}\\\text{périodique}\\\text{équivalent}\end{array}\right)\\ &= (P + Pi)i\\ &= (1\,000 + 50)\left(\frac{0,10}{2}\right) = 52,50\,\$\end{aligned}$$

Intérêts gagnés pendant l'année = 50 + 52,50 = 102,50 $

$$\text{d'où : r} = \text{Taux effectif annuel} = \frac{\text{Intérêts gagnés pendant l'année}}{\text{Somme investie au début de l'année}}$$

$$= \frac{102,50}{1000}$$

$$= 10,25\%$$

Le fait de capitaliser les intérêts sur une base semestrielle a pour conséquence de faire passer le taux de rendement réel ou effectif annuel du placement à 10,25%. Cela signifie qu'un taux d'intérêt annuel de 10% capitalisé semestriellement correspond en réalité à un taux d'intérêt effectif annuel de 10,25%. En effet, dans les deux cas, un placement de 1 000 $ rapporte en intérêts 102,50 $ au terme d'une année.

Relation d'équivalence entre les différents taux d'intérêt

Le nombre de fois où les intérêts sont capitalisés dans une année influence le taux de rendement d'un placement ou le coût d'un emprunt. Dans ce contexte, il est essentiel de pouvoir ramener sur une base commune des taux d'intérêt qui ne sont pas capitalisés le même nombre de fois au cours d'une année.

Passage d'un taux nominal à un taux effectif annuel

Si l'on veut déterminer le taux effectif annuel (r) correspondant à un taux nominal (i_c) capitalisé c fois l'an, on utilise la relation d'équivalence suivante :

$$\left(1+\frac{i_c}{c}\right)^c = (1+r) \qquad\qquad (A.6)$$

$$\text{d'où: } r = \left(1+\frac{i_c}{c}\right)^c - 1 \qquad\qquad (A.6a)$$

Exemple A.6 | **Calcul du taux périodique et du taux effectif annuel à partir du taux nominal**

Votre ami vous prête pour 5 ans une somme de 10 000 $ au taux de 21% par année composé mensuellement.

a) Quel est le taux nominal?

b) Quel est le taux périodique?

c) Quel est le taux effectif annuel?

d) Quel montant devrez-vous rembourser dans 5 ans?

■ Solution

a) Taux nominal = i_{12} = 21%

b) Taux périodique = $i = \dfrac{i_{12}}{12} = \dfrac{0,21}{12} = 1,75\%$

c) Le taux effectif annuel équivalent vaut selon l'expression (A.6) :

$$r = \left(1+\frac{0,21}{12}\right)^{12} - 1 = 23,14\%$$

À l'aide de la calculatrice SHARP EL-738, le taux effectif annuel peut se calculer comme suit :

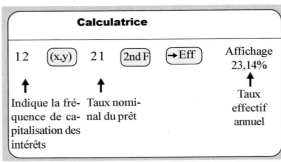

d) Ici, on a : $n = 5 \times 12 = 60$ et $i = 1,75\%$. Par conséquent, le capital à rembourser dans 5 ans ou 60 mois est :

$$S_{60} = 10\ 000(1+0,0175)^{60} = 28\ 318,16\ \$$$

Passage d'un taux effectif annuel à un taux nominal

Afin de calculer le taux nominal (i_c) capitalisé c fois l'an qui équivaut à un taux effectif annuel (r) donné, il s'agit d'isoler i_c dans l'expression (A.6). Pour ce faire, on procède ainsi :

$$\left(1+\frac{i_c}{c}\right)^c = (1+r)$$

$$\left(1+\frac{i_c}{c}\right) = (1+r)^{1/c}$$

$$\frac{i_c}{c} = (1+r)^{1/c} - 1$$

$$\text{d'où: } i_c = c[(1+r)^{1/c} - 1] \tag{A.6b}$$

Exemple A.7 **Calcul du taux nominal à partir du taux effectif annuel**

Quel est le taux nominal capitalisé mensuellement équivalent à un taux effectif annuel de 10%?

■ **Solution**

En ayant recours à l'équation (A.6b), on trouve :

$$i_{12} = 12[(1+0,10)^{1/12} - 1] = 9,57\%$$

À l'aide de la calculatrice SHARP EL-738, le taux effectif annuel peut se calculer comme suit :

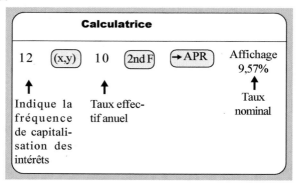

Équivalence entre deux taux nominaux

Si l'on cherche à déterminer le taux nominal (i_c) capitalisé c fois l'an équivalent à un taux nominal ($i_{c'}$) capitalisé c' fois l'an, on utilise alors la relation d'équivalence présentée à la page suivante :

$$\left(1+\frac{i_c}{c}\right)^c = \left(1+\frac{i_{c'}}{c'}\right)^{c'}$$

$$\left(1+\frac{i_c}{c}\right) = \left(1+\frac{i_{c'}}{c'}\right)^{c'/c}$$

$$\frac{i_c}{c} = \left(1+\frac{i_{c'}}{c'}\right)^{c'/c} - 1$$

$$\text{d'où: } i_c = c\left[\left(1+\frac{i_{c'}}{c'}\right)^{c'/c} - 1\right] \tag{A.7}$$

Exemple A.8 **Équivalence entre deux nominaux**

Quel est le taux nominal capitalisé mensuellement qui est équivalent à un taux nominal de 9% capitalisé semestriellement?

■ **Solution**

Ici, on a :

$i_{c'} = i_2 = 9\%$

$c' = 2$

$c = 12$

et $i_c = i_{12} = ?$

À partir de l'expression (A.7), on obtient :

$$i_{12} = 12\left[\left(1+\frac{0,09}{2}\right)^{2/12} - 1\right] = 8,84\%$$

La calculatrice SHARP EL-738 permet d'obtenir directement le taux nominal cherché en procédant comme suit :

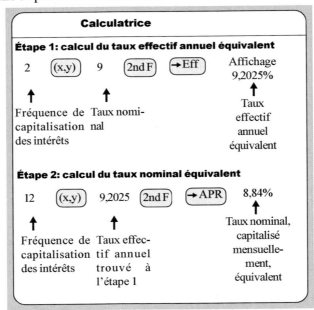

Remarques. 1. Lorsque les intérêts sont capitalisés une fois l'an, on a :
Taux nominal = Taux périodique = Taux effectif annuel

$$i_c = \frac{i_c}{c} = i = r \quad \text{puisque } c = 1.$$

2. Pour un taux nominal donné, plus c est grand, plus r sera grand. Par exemple, il est plus avantageux de placer son argent à un taux nominal de 14% capitalisé trimestriellement qu'à un taux nominal de 14% semestriellement. C'est l'inverse lors d'un emprunt.

A.4.3 La valeur actuelle ou présente

Actualisation
Processus visant à ramener en dollars d'aujourd'hui une (ou des) somme(s) d'argent à recevoir dans le futur

Le calcul de la valeur actuelle permet de répondre à la question suivante: quelle somme P dois-je investir aujourd'hui pendant n périodes au taux d'intérêt stipulé pour obtenir la somme S_n. Par exemple, la valeur actuelle d'une somme de 125 000 $ à recevoir dans 3 ans est de 93 914,35 $ si le taux d'intérêt annuel est de 10%. Ce résultat signifie qu'il faudrait placer 93 914,35 $ aujourd'hui pour obtenir 125 000 $ dans 3 ans. En effet, on a :

$$93\,914,35\,(1 + 0,10)^3 = 125\,000\ \$.$$

La valeur actuelle n'est en fait que l'inverse de la valeur accumulée. Comme l'illustre le schéma ci-dessous, lorsque l'on détermine la valeur accumulée d'une somme on avance dans le temps, tandis que lorsque l'on calcule la valeur actuelle d'une somme on se trouve à reculer dans le temps.

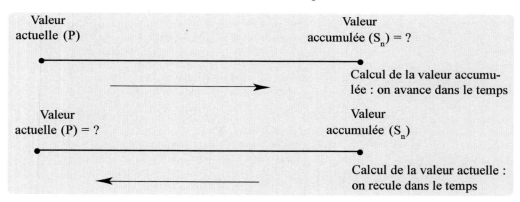

Pour calculer la valeur actuelle d'une somme S_n à recevoir dans n périodes, il suffit d'isoler P dans l'expression (A.3). On obtient alors :

$$S_n = P(1+i)^n$$

$$\text{d'où:}\quad P = \frac{S_n}{(1+i)^n} = S_n(1+i)^{-n} \tag{A.8}$$

Figure A.3

Valeur actualisée au temps 0 d'une somme de 1 000 $ à recevoir dans n périodes à différents taux d'intérêt

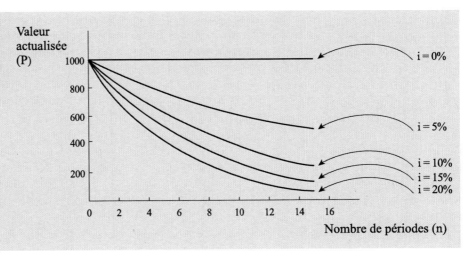

Valeur actualisée au temps 0 d'une somme de 1 000 $ à recevoir dans n périodes

Taux d'intérêt (i)	Nombre de périodes (n)			
	1	**5**	**10**	**15**
0%	1 000,00 $	1 000,00 $	1 000,00 $	1 000,00 $
5%	952,38 $	783,53 $	613,91 $	481,02 $
10%	909,09 $	620,92 $	385,54 $	239,39 $
15%	869,57 $	497,18 $	247,18 $	122,89 $
20%	833,33 $	401,88 $	161,51 $	64,91 $

Remarque. La table 2 (annexe B, à la fin de l'ouvrage) donne la valeur du facteur $(1+i)^{-n}$ pour différentes valeurs de i et de n.

Exemple A.9 — **Actualisation d'une somme d'argent à recevoir dans le futur**

Vous avez le choix entre recevoir une somme P maintenant ou une somme de 20 000 $ dans 8,5 ans. Sachant que vous pouvez placer votre argent au taux nominal de 10% capitalisé trimestriellement, pour quelle valeur de P êtes-vous indifférent entre les deux possibilités?

■ **Solution**

Ici, on a :

$$n = (8,5)(4) = 34$$

et

$$i = \frac{10\%}{4} = 2,5\%$$

Par conséquent : $P = 20\ 000(1 + 0,025)^{-34} = 8\ 638,11\ \$.$

Compte tenu d'un taux d'intérêt nominal de 10% capitalisé trimestriellement, recevoir aujourd'hui une somme de 8 638,11 $ équivaut donc à recevoir une somme de 20 000 $ dans 8,5 ans. En effet, si l'on recevait aujourd'hui un montant de 8 638,11 $, ce dernier montant pourrait être investi dès maintenant au taux nominal de 10% capitalisé trimestriellement, ce qui permettrait de disposer d'une somme de 20 000 $ dans 8,5 ans.

Le montant de 8 638,11 $ peut également s'obtenir directement en procédant comme suit avec la calculatrice SHARP EL-738 :

Calculatrice

20 000	• • FV
2.5	• • I/Y
34	• • n
COMP	• • PV

La calculatrice affiche alors la valeur présente d'une somme de 20 000 $ à recevoir dans 34 périodes, soit PV = 8 638,11 $.

A.5 Les annuités simples

Définition

Annuité
Paiements habituellement égaux faits à des intervalles de temps réguliers

Une annuité est une suite de versements généralement égaux effectués à des intervalles de temps égaux. Le terme annuité désigne aussi bien des versements effectués à tous les ans, qu'à tous les semestres, trimestres ou mois.

Genres d'annuités

Une annuité peut être payable en début ou fin de période. Généralement, les annuités de début de période visent à accumuler un capital alors que les annuités de fin de période ont comme but de rembourser une dette. En pratique, les annuités de fin de période sont beaucoup plus fréquentes que celles de début de période.

On peut aussi classifier les annuités d'après la coïncidence entre la période de capitalisation des intérêts et la période des versements. Dans le cas de l'annuité simple, la période de capitalisation des intérêts est la même que la période des versements. On a alors $c = v$, où c représente le nombre de périodes de capitalisation des intérêts dans une année et v le nombre de versements effectués. Un exemple d'annuité simple serait une série de versements semestriels avec une capitalisation semestrielle des intérêts. D'autre part, dans le cas de l'annuité générale, la période de capitalisation des intérêts est différente de la période des versements ($c \neq v$). Un exemple serait une série de versements mensuels avec une capitalisation semestrielle des intérêts. Enfin, on peut classifier les annuités d'après le comportement temporel des versements périodiques effectués. Ainsi, dans le cas d'une annuité constante,

- c'est, de loin, la situation la plus courante en pratique -, tous les versements sont égaux alors que dans le cas d'une annuité variable ils sont inégaux.

Dans la présente section, nous ne traitons que des annuités simples à versements égaux. À la section suivante (A.6), nous abordons le cas des annuités à versements variables (annuités en progression géométrique). Pour leur part, les annuités générales font l'objet de la section A.7.

A.5.1 Les annuités simples de fin de période

Comme c'est le cas pour un versement unique, on peut être intéressé à calculer la valeur définitive ou la valeur actuelle d'une série de versements périodiques.

Calcul de la valeur définitive ou accumulée

Définissons d'abord les symboles suivants :

V_d : Valeur définitive ou accumulée d'une annuité simple de fin de période de R \$

R : Versement périodique

n : Nombre de périodes de capitalisation des intérêts. Dans le cas de l'annuité simple, n correspond également au nombre de versements effectués.

i : Taux d'intérêt par période de capitalisation, soit i_c/c.

$S_{\overline{n}|i}$: Valeur définitive ou accumulée d'une annuité simple de fin de période de 1 \$.

Dans le cas particulier où R = 1 \$, on a évidemment $V_d = S_{\overline{n}|i}$.

Pour déterminer la valeur accumulée d'une annuité, il s'agit de calculer la valeur accumulée de chacun des versements R (voir le schéma ci-dessous) à la fin de la période n et d'en faire la somme.

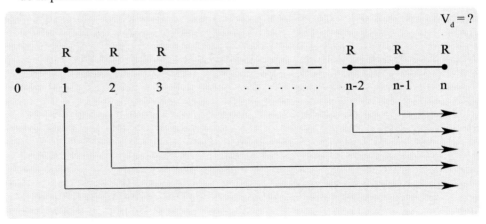

On observe, à partir du schéma précédent, que le premier versement (c.-à-d. celui effectué à la fin de la période 1) rapportera des intérêts pendant $n-1$ périodes. Sa valeur définitive sera donc de $R(1+i)^{n-1}$ à la fin de la période n. Le second versement rapportera des intérêts pendant $n-2$ périodes et aura une valeur définitive de $R(1+i)^{n-2}$ à la fin de la période n, etc. Finalement, le dernier versement, qui aura lieu à la fin de la période n, ne rapportera évidemment aucun intérêt et sa valeur définitive sera donc de $R(1+i)^0$ ou, plus simplement, R. Par conséquent, V_d, la valeur définitive d'une annuité de fin de période, peut se calculer ainsi :

$$V_d = R(1+i)^{n-1} + R(1+i)^{n-2} + R(1+i)^{n-3}$$
$$+ ... + R(1+i)^2 + R(1+i)^1 + R(1+i)^0$$
$$V_d = \sum_{t=1}^{n} R(1+i)^{n-t}$$

On pourrait utiliser l'expression ci-dessus pour évaluer V_d. Toutefois, si n est grand, les calculs risquent d'être laborieux. Il est préférable de reconnaître que cette expression est la somme des termes d'une progression géométrique, dont la raison est le facteur $(1+i)^{-1}$. L'expression mathématique suivante permet de cumuler tous ces termes :

$$\frac{a(r^n - 1)}{r - 1} \qquad (A.9)$$

où a : Premier terme de la progression géométrique. Ici, $a = R(1+i)^{n-1}$.

r : Raison de la progression géométrique: quotient de deux termes successifs.

Ici, $r = \dfrac{R(1+i)^{n-2}}{R(1+i)^{n-1}} = (1+i)^{-1}$.

n : Nombre de termes.

En effectuant les substitutions appropriées dans l'expression (A.9), on trouve :

$$V_d = R(1+i)^{n-1} \left[\frac{(1+i)^{-1 \times n} - 1}{(1+i)^{-1} - 1} \right]$$

$$V_d = R(1+i)^{n-1} \left[\frac{(1+i)^{-n} - 1}{\dfrac{1 - (1+i)}{1+i}} \right]$$

$$V_d = R(1+i)^{n} \left[\frac{(1+i)^{-n} - 1}{-i} \right]$$

$$V_d = R \left[\frac{1 - (1+i)^{n}}{-i} \right]$$

$$V_d = R \left[\frac{(1+i)^{n} - 1}{i} \right] \qquad (A.10)$$

ou, en fonction de $S_{\overline{n}|i}$:

$$V_d = R\ S_{\overline{n}|i} \qquad (A.10a)$$

Remarques. 1. La différence entre V_d et $n \cdot R$ représente le total des intérêts gagnés.

2. La table 3 (annexe B, à la fin de l'ouvrage) donne la valeur du facteur $S_{\overline{n}|i} = \left[\dfrac{(1+i)^{n} - 1}{i} \right]$ pour différentes valeurs de i et de n.

Exemple A.10 | **Calcul de la valeur accumulée d'une annuité de fin de période**

Un individu place dans un REÉR une somme de 200 $ à la fin de chaque mois pendant 5 ans. De quelle somme disposera-t-il à la fin de cette période si le taux de rendement nominal capitalisé mensuellement est de 6%?

■ **Solution**

La somme totale (capital plus intérêts) dont disposera l'épargnant dans 5 ans se calcule en utilisant l'équation (A.10). En utilisant un taux d'intérêt périodique équivalent de 0,50% (soit 6%/12), on trouve :

$$V_d = 200 \left[\frac{(1+0,0050)^{60} - 1}{0,0050} \right] = 200 S_{\overline{60}|0,50\%} = 13\ 954,01\ \$$$

Le résultat ci-dessus peut également s'obtenir directement en ayant recours à la calculatrice SHARP EL-738. La procédure à suivre est la suivante :

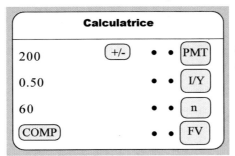

(PMT: versement périodique ou montant de l'annuité).

L'écran affiche alors la valeur définitive des versements effectués, soit FV = 13 954,01 $.

Calcul de la valeur actuelle ou présente

Posons:

V_p : Valeur actuelle ou présente d'une annuité simple de fin de période de R$

$A_{\overline{n}|i}$: Valeur actuelle ou présente d'une annuité simple de fin de période de 1$.

Pour déterminer la valeur actuelle d'une annuité, il s'agit de trouver la valeur actuelle de chacun des versements R (voir le schéma ci-dessous) et d'en faire la somme.

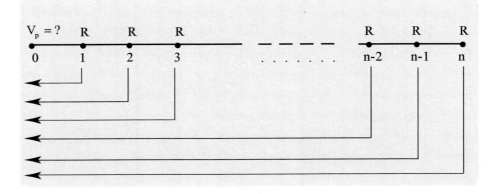

On constate, à partir du schéma précédent, que la valeur actuelle du premier versement est $R(1+i)^{-1}$, que celle du second versement est $R(1+i)^{-2}$, etc. Finalement, on note que la valeur actualisée du dernier versement est $R(1+i)^{-n}$. La valeur actuelle d'une annuité de fin de période, V_p, peut donc se calculer ainsi :

$$V_p = R(1+i)^{-1} + R(1+i)^{-2} + R(1+i)^{-3} + ... + R(1+i)^{-n+2} + R(1+i)^{-n+1} + R(1+i)^{-n}$$

$$V_p = \sum_{t=1}^{n} R(1+i)^{-t}$$

L'expression précédente est une progression géométrique, dont le premier terme est $R(1+i)^{-1}$, la raison $(1+i)^{-1}$ et le nombre de termes n. En utilisant la formule donnant la somme des termes d'une telle progression, on peut écrire :

$$V_p = R(1+i)^{-1} \left[\frac{(1+i)^{-1 \times n} - 1}{(1+i)^{-1} - 1} \right]$$

En simplifiant, on trouve :

$$V_p = R \left[\frac{1 - (1+i)^{-n}}{i} \right] \tag{A.11}$$

ou, en fonction de $A_{\overline{n}|i}$:

$$V_p = RA_{\overline{n}|i} \tag{A.11a}$$

Remarque. La table 4 (annexe B, à la fin de l'ouvrage) donne la valeur de $A_{\overline{n}|i} = \left[\dfrac{1 - (1+i)^{-n}}{i} \right]$ pour différentes valeurs de i et de n.

Exemple A.11 | **Calcul de la valeur actualisée d'une annuité de fin de période**

Un épargnant est en mesure d'investir son argent au taux annuel de 10% et désire recevoir 10 000 $ à la fin de chaque année pendant 3 ans. Déterminez le montant qu'il doit placer maintenant.

■ **Solution**

Le montant qu'il doit placer maintenant correspond à la valeur actualisée, au temps 0, des sommes d'argent qu'il désire recevoir au cours des trois prochaines années. À partir de l'expression (A.11), la valeur présente des paiements se calcule comme suit :

$$V_p = 10\,000 \left[\frac{1 - (1+0,10)^{-3}}{0,10} \right] = 10\,000\, A_{\overline{3}|10\%} = 24\,868,52\ \$$$

Ce résultat signifie qu'il doit placer maintenant 24 868,52 $ afin de recevoir 10 000 $ à la fin de chaque année pendant 3 ans.

Preuve

Somme disponible à la fin de l'année 1	
en plaçant maintenant 24 868,52 $ à 10% =	
(24 868,52) (1 + 0,10)	27 355,37 $
Moins: retrait à la fin de l'année 1	10 000,00
	17 355,37 $
Somme disponible à la fin de l'année 2 =	
(17 355,37) (1 + 0,10)	19 090,91 $
Moins: retrait à la fin de l'année 2	10 000,00
	9 090,91 $
Somme disponible à la fin de l'année 3 =	
(9 090,91) (1 + 0,10)	10 000,00 $
Moins: retrait à la fin de l'année 3	10 000,00
	0,00 $

Exemple A.12 | **Calcul du taux d'intérêt chargé par un prêteur**

Une banque vous prête une somme de 10 000 $. En retour, vous vous engagez à effectuer 60 versements de fin de mois de 200 $ pour rembourser cette somme.

a) Quel est le taux d'intérêt nominal capitalisé mensuellement exigé par la banque?
b) Quel est le taux d'intérêt effectif annuel exigé par la banque?

■ **Solution**

a) Le montant emprunté correspond à la valeur actualisée des 60 versements mensuels qui seront nécessaires pour rembourser complètement la dette. On peut donc écrire :

$$10\ 000 = 200 \left[\frac{1 - (1+i)^{-60}}{i} \right]$$

À l'aide de la calculatrice financière SHARP EL-738, on trouve rapidement le taux d'intérêt mensuel (i) en procédant comme suit :

L'écran affiche alors le résultat cherché, soit $i = 0{,}6183\%$. Le taux d'intérêt nominal, capitalisé mensuellement, chargé par la banque s'élève donc à 7,42% (12 × 0,6183%).

Le calcul du taux d'intérêt est cependant beaucoup plus fastidieux lorsque l'on ne dispose pas d'une calculatrice financière. Dans un tel cas, on doit procéder par approximations successives et, par la suite, utiliser l'interpolation linéaire. Cette façon de procéder est décrite ci-après.

À un taux de 0,50%, on obtient :

$$200 \left[\frac{1 - (1 + 0,0050)^{-60}}{0,0050} \right] = 10\ 345,11 > 10\ 000$$

Par conséquent, le taux d'intérêt mensuel exigé est supérieur à 0,50% (car il existe une relation inverse entre la valeur actualisée des versements et le taux d'intérêt utilisé). Essayons maintenant un taux un peu plus élevé, soit 0,70%. À ce taux, on trouve :

$$200 \left[\frac{1 - (1 + 0,0070)^{-60}}{0,0070} \right] = 9771,17 < 10\ 000$$

Le taux d'intérêt cherché est donc compris entre 0,50% et 0,70%. Par interpolation linéaire, on obtient :

$$\begin{bmatrix} 0,70\% & \to & 9\ 771,17 \\ \begin{bmatrix} i & \to & 10\ 000 \\ 0,50\% & \to & 10\ 345,11 \end{bmatrix} \end{bmatrix}$$

$$\frac{i - 0,0050}{0,0070 - 0,0050} \approx \frac{10\ 000 - 10\ 345,11}{9771,17 - 10\ 345,11}$$

En isolant i, on trouve :

$i \approx 0,6203\%$

Le taux d'intérêt nominal, capitalisé mensuellement, correspondant est donc :

$$i_{12} \approx (12)(0,6203\%) \approx 7,44\%$$

b) Le taux d'intérêt effectif annuel exigé se calcule ainsi :

$$r = (1 + 0,006183)^{12} - 1 = 7,68\%$$

• • •
Annuité de début de période
Le premier versement a lieu dès aujourd'hui

A.5.2 Les annuités simples de début de période

À la section A.5.1, nous avons supposé que les versements étaient effectués en fin de période. Toutefois, dans certaines situations rencontrées en pratique - c'est généralement le cas des versements exigibles en vertu d'un contrat de location -, les versements ont lieu en début de période plutôt qu'en fin de période. Dans ce contexte, il convient d'expliquer comment calculer la valeur accumulée et la valeur actuelle d'une annuité de début de période.

Calcul de la valeur accumulée ou définitive

Définissons:

$\ddot{V}_d$: Valeur accumulée ou définitive d'une annuité simple de début de période de R $

$\ddot{S}_{\overline{n}|i}$: Valeur accumulée ou définitive d'une annuité simple de début de période de 1 $.

Le schéma ci-dessous compare les versements à effectuer dans le cas d'une annuité de fin de période et dans le cas d'une annuité de début de période.

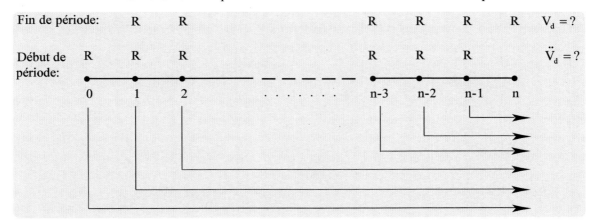

Comme le schéma précédent permet de le constater, dans le cas d'une annuité de début de période, chaque versement a lieu une période plus tôt et, par conséquent, porte intérêt une période de plus que dans le cas de l'annuité de fin de période. Par conséquent, la valeur définitive d'une annuité simple de début de période ($\ddot{V}_d$) devrait égaler la valeur définitive d'une annuité de fin de période (V_d) multipliée par le facteur $(1 + i)$. On peut donc écrire :

$$\ddot{V}_d = V_d(1 + i)$$

ou

$$\ddot{V}_d = R\left[\frac{(1+i)^n - 1}{i}\right](1 + i) \qquad \text{(A.12)}$$

ou

$$\ddot{V}_d = R\ S_{\overline{n}|i}(1 + i) \qquad \text{(A.12a)}$$

ou

$$\ddot{V}_d = R\ \ddot{S}_{\overline{n}|i} \qquad \text{(A.12b)}$$

Exemple A.13 **Comparaison entre la valeur accumulée d'une annuité de début de période et la valeur accumulée d'une annuité de fin de période**

Jean place 5 000 $ dans son REÉR à la fin de chaque année pendant 20 ans. Pour sa part, Marie-Josée effectue le même versement au début de chaque année pendant la même période de temps (20 versements au total). En supposant un taux de rendement annuel de 10%, calculez le montant total dont disposera chacun des deux investisseurs dans 20 ans.

■ **Solution**

Le montant total dont disposera Jean dans 20 ans correspond à la valeur accumulée d'une annuité de fin de période de 5 000 $ comportant au total 20 versements. L'expression (A.10) permet de trouver cette valeur :

$$V_d = 5\,000\left[\frac{(1+0,10)^{20}-1}{0,10}\right] = 5\,000 S_{\overline{20}|10\%} = 286\,375\ \$$$

Avec la calculatrice SHARP EL-738, le calcul s'effectue comme suit :

Calculatrice

5000	+/-	PMT
20		n
10		I/Y
COMP		FV

La calculatrice affiche alors la valeur définitive de l'annuité de fin de période, soit FV = 286 375 $.

Dans le cas de Marie-Josée, le résultat cherché correspond à la valeur définitive dans 20 ans d'une annuité de début de période comportant au total 20 versements. À partir de l'équation (A.12), on obtient :

$$\ddot{V}_d = 5\,000\left[\frac{(1+0,10)^{20}-1}{0,10}\right](1+0,10) = 5\,000\ddot{S}_{\overline{20}|10\%} = 315\,012,50\ \$$$

Le même résultat peut s'obtenir plus rapidement avec la calculatrice SHARP EL-738 en procédant de la façon suivante :

Calculatrice

2nd F	FV		
5000	+/-		PMT
20			n
10			I/Y
COMP			FV

En appuyant sur les touches 2nd F et FV, BGN devrait apparaître à l'écran. Cela permet d'indiquer à la calculatrice qu'il s'agit d'une annuité de début de période.

La calculatrice affiche alors la valeur définitive de l'annuité de début de période, soit FV = 315 012,50 $.

En effectuant un an plus tôt des versements identiques à ceux de Jean, Marie-Josée pourra donc bénéficier dans 20 ans d'un montant additionnel de 28 662,50 $, soit 315 012,50 $ − 286 350 $. Il s'agit là d'une différence non négligeable. C'est d'ailleurs pour cette raison que les experts en planification financière recommandent à leurs clients de contribuer au REÉR en début d'année plutôt que d'attendre vers la fin de l'année.

Calcul de la valeur actuelle ou présente

Soit:

$\ddot{V}_p$: Valeur actuelle ou présente d'une annuité simple de début de période de R $

$\ddot{A}_{\overline{n}|i}$: Valeur actuelle ou présente d'une annuité simple de début de période de 1 $.

Puisque dans le cas d'une annuité de début de période les versements sont actualisés une période de moins que dans le cas d'une annuité de fin de période, la valeur actuelle d'une annuité de début de période ($\ddot{V}_p$) devrait correspondre à la valeur actuelle d'une annuité de fin de période (V_p) multipliée par le facteur $(1+i)$. On obtient alors les expressions suivantes :

$$\ddot{V}_p = V_p(1+i)$$

ou

$$\ddot{V}_p = R\left[\frac{1-(1+i)^{-n}}{i}\right](1+i) \qquad (A.13)$$

ou

$$\ddot{V}_p = R\ A_{\overline{n}|i}(1+i) \qquad (A.13a)$$

ou

$$\ddot{V}_p = R\ \ddot{A}_{\overline{n}|i} \qquad (A.13b)$$

Exemple A.14

Calcul du montant à investir aujourd'hui pour être en mesure de recevoir une rente pendant un certain nombre d'années

Vous désirez recevoir une rente certaine de 25 000 $ payable en début d'année pendant 20 ans. De quel capital devez-vous disposer aujourd'hui pour acquérir cette rente si le taux de rendement effectif annuel offert s'élève à 8%?

■ **Solution**

Le capital dont vous devez disposer aujourd'hui correspond à la valeur actualisée d'une annuité de début de période comportant au total 20 versements. Le recours à l'équation (A.13) permet d'obtenir le résultat suivant :

$$\ddot{V}_p = 25\ 000\left[\frac{1-(1+0,08)^{-20}}{0,08}\right](1+0,08) = 25\ 000\ \ddot{A}_{\overline{20}|8\%} = 265\ 089,98\ \$$$

Avec la calculatrice financière, on procède ainsi :

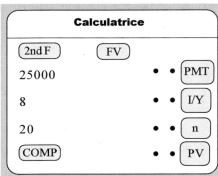

La calculatrice affiche alors le montant que l'on doit investir maintenant, soit PV = 265 089,98 $ (le signe négatif indique qu'il s'agit d'une sortie de fonds ou d'un flux monétaire négatif).

A.5.3 Les annuités différées

Annuité différée
Le premier versement n'a pas lieu aujourd'hui ni à la fin de la première période

Une annuité différée est une suite de versements qui ne devient due ou payable qu'après une certaine période d'attente. Au lieu d'être immédiat, le début des versements est reporté à une date ultérieure. Le schéma ci-dessous permet de visualiser une annuité différée de h périodes.

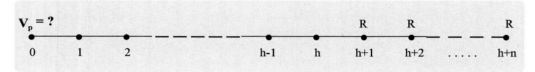

Pour calculer la valeur actuelle d'une telle annuité au temps 0, il existe deux façons de procéder.

Méthode 1

Il s'agit de considérer les n versements périodiques comme étant une annuité de fin de période. Dans ce cas, l'expression $RA_{\overline{n}|i}$ représente la valeur présente de l'annuité au temps h. Par la suite, on ramène au temps 0 la valeur calculée précédemment en la multipliant par le facteur $(1+i)^{-h}$. Algébriquement, on a :

$$V_p = R \ A_{\overline{n}|i} (1+i)^{-h} \tag{A.14}$$

Méthode 2

Une seconde façon de calculer la valeur actuelle d'une annuité différée est de supposer des versements fictifs au cours de la période d'attente. Dans ce cas, la valeur actuelle de l'annuité différée correspond à la différence entre la valeur actuelle de deux annuités de fin de période, la première constituée de h versements fictifs et n versements réels (h + n versements au total) et la seconde de versements fictifs (h versements). Le schéma ci-dessous montre les versements en cause.

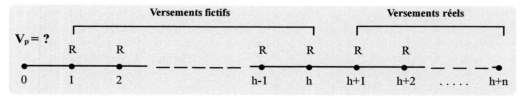

Le calcul de la valeur présente de l'annuité différée s'effectue comme suit :

$$V_p = \begin{pmatrix} \text{Valeur actuelle des} \\ \text{versements réels} \end{pmatrix}$$

$$V_p = \begin{pmatrix} \text{Valeur actuelle des} \\ \text{versements fictifs et réels} \end{pmatrix} - \begin{pmatrix} \text{Valeur actuelle des} \\ \text{versements fictifs} \end{pmatrix}$$

$$V_p = R\, A_{\overline{h+n}|i} - R\, A_{\overline{h}|i}$$

$$V_p = R\left[A_{\overline{h+n}|i} - A_{\overline{h}|i} \right] \tag{A.15}$$

Remarque. $A_{\overline{h+n}|i} - A_{\overline{h}|i} \neq A_{\overline{n}|i}$.

Exemple A.15 | **Calcul de la valeur actualisée d'une annuité différée**

Quelle est la valeur actualisée d'une série de 8 paiements annuels de 200 $ commençant dans 4 ans si le taux d'intérêt effectif annuel est de 10%?

■ **Solution**

Méthode 1

Les versements en cause sont représentés sur le schéma ci-dessous :

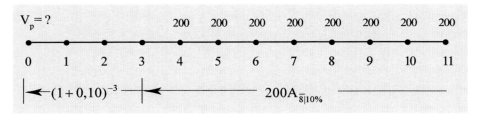

Selon cette méthode, on calcule, dans un premier temps, la valeur actuelle de l'annuité au temps 3. Par la suite, il s'agit de multiplier le résultat obtenu par le facteur $(1+0,10)^{-3}$. En suivant ce raisonnement, on peut écrire l'équation suivante :

$$V_p = 200 A_{\overline{8}|10\%}\,(1+0,10)^{-3} = 801,64\,\$$$

Méthode 2

Le schéma se présente comme suit :

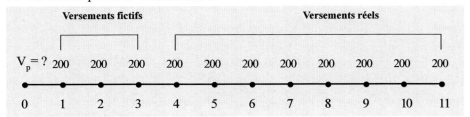

Selon cette méthode, on a :

$$V_p = \left(\begin{array}{c}\text{Valeur actuelle des}\\\text{versements fictifs et réels}\end{array}\right) - \left(\begin{array}{c}\text{Valeur actuelle des}\\\text{versements fictifs}\end{array}\right)$$

$$V_p = 200 A_{\overline{11}|10\%} - 200 A_{\overline{3}|10\%} = 801,64\,\$$$

Annuités multiples

Dans certaines situations rencontrées en pratique, on doit déterminer la valeur actualisée d'une suite d'annuités. L'exemple de la page suivante illustre la démarche à suivre.

Exemple A.16 | **Calcul de la valeur actualisée d'une suite d'annuités**

Suite à de longues négociations, un jeune joueur de hockey professionnel signe avec son équipe une entente à long terme (soit 10 ans) prévoyant qu'il sera rémunéré de la façon suivante :

- 5 000 000 $ à la fin de chaque année (années 1 à 4)
- 7 000 000 $ à la fin de chaque année (années 5 à 7)
- 9 000 000 $ à la fin de chaque année (années 8 à 10)

Calculez la valeur actualisée, au temps 0, des paiements prévus selon ce contrat. Supposez que les versements ont lieu en fin d'année et utilisez un taux d'actualisation de 6%.

■ **Solution**

Les versements prévus sont représentés sur le schéma ci-dessous.

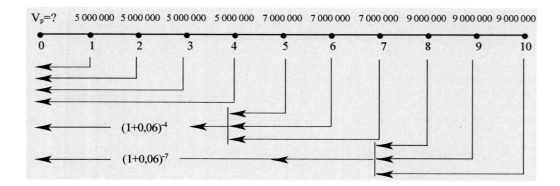

Comme l'illustre le schéma précédent, la valeur actualisée des paiements concernés correspond à la somme des valeurs actualisées de trois annuités, soit une annuité simple de fin de période comportant quatre versements et deux annuités différées comportant chacune trois versements. Algébriquement, la valeur actualisée de ces paiements peut s'exprimer ainsi :

$$V_p = 5\ 000\ 000\,A_{\overline{4}|6\%} + 7\ 000\ 000\,A_{\overline{3}|6\%}(1+0{,}06)^{-4} + 9\ 000\ 000\,A_{\overline{3}|6\%}(1+0{,}06)^{-7}$$

$$V_p = 17\ 325\ 528{,}06 + 14\ 820\ 930{,}79 + 15\ 999\ 350{,}50$$

$$V_p = 48\ 145\ 809{,}35\ \$$$

Compte tenu de la valeur temporelle de l'argent, la valeur de ce contrat s'élève donc à 48 145 809,35 $.

A.5.4 Remboursements de prêts

Plusieurs prêts (prêt automobile, prêt aux entreprises, prêt hypothécaire, prêt personnel, etc.) doivent être remboursés par une série de versements périodiques uniformes. Chaque versement périodique comporte une partie intérêt et une partie remboursement de capital. Pour diverses raisons, il peut être utile de déterminer la partie intérêt et la partie remise de capital de chaque versement. Ainsi, d'un point de vue fiscal, pour les entreprises et les individus en affaires, seuls les intérêts constituent une dépense admissible, d'où la nécessité de pouvoir identifier la partie intérêt de chaque versement. D'autre part, au niveau comptable, on doit, lors de l'établissement des états financiers d'une entreprise ou d'un particulier, déterminer le capital restant à rembourser sur les emprunts contractés.

L'établissement du tableau d'amortissement d'un prêt est illustré à partir des données de l'exemple suivant.

Exemple A.17 — **Établissement du tableau d'amortissement d'un prêt et calcul du solde d'une dette à une date donnée**

Une entreprise de construction emprunte 100 000 $ au taux nominal de 12% capitalisé semestriellement. Cet emprunt est remboursable par une série de 8 versements semestriels égaux de fin de période.

a) Quel versement semestriel devra-t-elle effectuer pour rembourser sa dette?
b) Quel sera le solde de la dette immédiatement après le 5e versement?
c) Dressez le tableau d'amortissement du prêt.

■ **Solution**

a) Le montant emprunté correspond à la valeur actualisée des 8 versements semestriels qui seront nécessaires pour rembourser complètement la dette. Étant donné que les versements sont identiques et de fin de période, on peut écrire :

$$100\ 000 = R(1+0{,}06)^{-1} + R(1+0{,}06)^{-2} + R(1+0{,}06)^{-3} + \ldots + R(1+0{,}06)^{-8}$$
$$100\ 000 = R\,A_{\overline{8}|6\%}$$

Le versement semestriel s'élèvera donc à :

$$R = \frac{100\ 000}{A_{\overline{8}|6\%}} = 16\ 103{,}59\ \$$$

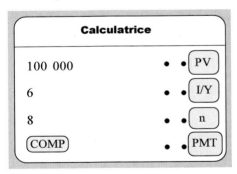

La calculatrice affiche alors le versement semestriel qui sera nécessaire pour rembourser la dette, soit PMT = 16 103,59 $.

b) Le solde d'une dette à une date donnée doit nécessairement égaler la valeur actualisée des versements qui restent à effectuer à cette date. Pour obtenir le solde de la dette immédiatement après le 5e versement, il s'agit donc de calculer, au début du 6e semestre, la valeur actualisée des trois versements de 16 103,59 $ qui n'ont pas encore été effectués. On trouve :

$$\text{Solde de la dette} \atop \text{après 5 versements} = 16\ 103{,}59\ A_{\overline{3}|6\%} = 43\ 045{,}09\ \$$$

Un paiement comptant de 43 045,09 $, au début du 6ᵉ semestre, acquitterait donc complètement la dette de l'entreprise à ce moment-là.

En utilisant les données déjà en mémoire, on obtient le même résultat avec la calculatrice SHARP EL-738 en procédant comme suit :

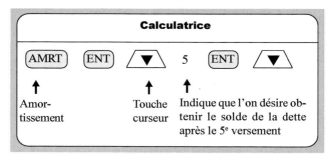

La calculatrice affiche alors le solde de la dette immédiatement après le 5ᵉ versement, soit 43 045,10 $.

Remarque. De façon générale, le solde d'une dette à une date donnée peut se calculer ainsi :

$$\text{Solde de la dette à } t = m = R\,A_{\overline{n-m}|i}$$

où n : Nombre total de versements à effectuer pour rembourser le capital emprunté au temps 0. Dans l'exemple ci-dessus, n = 8.

  m : Nombre de versements qui ont déjà été effectués pour rembourser le capital emprunté au temps 0. Dans l'exemple ci-dessus, m = 5.

---

c) Tableau d'amortissement du prêt

(1) Période	(2) Solde en début de période	(3) Versement de fin de période	(4) = (2) × 6% Intérêt sur le solde	(5) = (3) – (4) Remboursement de capital	(6) = (2) – (5) Solde en fin de période
1	100 000,00	16 103,59	6000,00	10 103,59	89 896,41
2	89 896,41	16 103,59	5393,78	10 709,81	79 186,60
3	79 186,60	16 103,59	4751,20	11 352,39	67 834,21
4	67 834,21	16 103,59	4070,05	12 033,54	55 800,67
5	55 800,67	16 103,59	3348,04	12 755,55	43 045,12
6	43 045,12	16 103,59	2582,71	13 520,88	29 524,24
7	29 524,24	16 103,59	1771,45	14 332,14	15 192,10
8	15 192,10	16 103,59	911,53	15 192,06	≈ 0

Remarques. 1. L'intérêt décroît de période en période puisqu'il est calculé sur un solde décroissant.

2. Le capital remboursé augmente de période en période selon une progression géométrique dont la raison est le facteur (1+i). Par exemple, le remboursement de capital inclus dans le 2ᵉ versement (RC_2) peut se calculer à partir du remboursement de capital inclus dans le 1er versement (RC_1) de la façon suivante :

$$RC_2 = RC_1(1+i)^{2-1}$$

$$10\,709,81 = 10\,103,59(1+0,06)^{2-1}$$

De même, on a:

$$RC_3 = RC_2(1+i)^{3-2} = RC_1(1+i)^{3-1} = 10\,103,59(1+0,06)^{3-1}$$

$$RC_4 = RC_3(1+i) = RC_2(1+i)^{4-2} = RC_1(1+i)^{4-1} = 10\,103,59(1+0,06)^{4-1}$$

...

$$RC_n = RC_1(1+i)^{n-1}$$

3. L'amortissement total sur n périodes (c.-à-d. le capital total remboursé dans les n premiers versements) peut se calculer ainsi :

$$\text{Capital remboursé dans les n premiers versements} = RC_1 + RC_2 + RC_3 + ... + RC_n$$

$$= RC_1 + RC_1(1+i)^1 + RC_1(1+i)^2 + ... + RC_1(1+i)^{n-1}$$

En utilisant la formule donnant la somme des termes d'une progression géométrique, on peut écrire :

$$\text{Capital remboursé dans les n premiers versements} = RC_1\left[\frac{(1+i)^n - 1}{(1+i)-1}\right] = RC_1\left[\frac{(1+i)^n - 1}{i}\right] = RC_1 \, S_{\overline{n}|i}$$

Par exemple, le capital remboursé dans les 5 premiers versements est :

$$\text{Capital remboursé dans les 5 premiers versements} = 10\ 103,59 \, S_{\overline{5}|6\%} = 56\ 954,88\$$$

Le lecteur peut vérifier ce dernier résultat en additionnant les 5 premiers nombres apparaissant à la 5ᵉ colonne du tableau d'amortissement du prêt, soit :

$10\ 103,59 + 10\ 709,81 + 11\ 352,39 + 12\ 033,54 + 12\ 755,55 = 56\ 954,88\$$.

À l'aide des données déjà en mémoire dans la calculatrice SHARP EL-738, on trouve ce résultat ainsi que le total des intérêts payés dans les 5 premiers versements en procédant ainsi :

Calculatrice		
	Affichage	**Interprétation**
(AMRT) (ENT) /▼\ 5 (ENT) /▼\	43 045,10 $	Solde de la dette après le 5ᵉ versement
(AMRT) (ENT) /▼\ 5 (ENT) /▼\ /▼\	56 954,90 $	Capital total remboursé dans les 5 premiers versements
(AMRT) (ENT) /▼\ 5 (ENT) /▼\ /▼\ /▼\	23 563,07 $	Total des intérêts payés dans les 5 premiers versements

A.6 Les annuités en progression géométrique

Jusqu'à maintenant, nous avons supposé des versements constants d'une période à l'autre. Toutefois, en pratique, on peut facilement concevoir des situations où les versements augmentent ou diminuent avec le temps. Ainsi, dans le but de préserver son pouvoir d'achat, un individu peut désirer recevoir une rente qui augmente périodiquement d'un certain pourcentage.

Dans cette section, nous étudierons particulièrement le cas où les versements augmentent ou diminuent d'un pourcentage constant d'une période à l'autre. Ce genre d'annuité constitue une annuité en progression géométrique. Comme dans le cas d'une annuité à versements uniformes, on peut être intéressé à calculer la valeur définitive ou la valeur présente.

Calcul de la valeur définitive

Supposons que l'on désire calculer la valeur définitive d'une annuité de fin de période, dont les versements augmentent ou diminuent d'un pourcentage constant (appelé g) d'une période à l'autre. On a alors le schéma suivant :

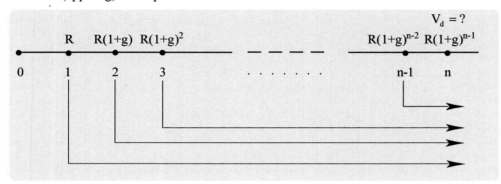

Pour déterminer la valeur définitive d'une telle annuité, il s'agit de calculer la valeur accumulée à la fin de la période n de chacun des versements apparaissant sur le schéma précédent et d'en faire la somme. On observe, sur ce schéma, que le premier versement (c.-à-d. celui effectué à la fin de la période 1) rapportera des intérêts pendant n-1 périodes. Sa valeur définitive sera donc de $R(1+i)^{n-1}$ à la fin de la période n. Le second versement rapportera des intérêts pendant n-2 périodes et aura une valeur définitive de $R(1+g)(1+i)^{n-2}$ à la fin de la période n, etc. Finalement, le dernier versement, qui a lieu à la fin de la période n, ne rapportera évidemment aucun intérêt et sa valeur définitive correspondra alors au montant du versement effectué, c'est-à-dire $R(1+g)^{n-1}$. Par conséquent, la valeur définitive d'une annuité de fin de période en progression géométrique peut se calculer ainsi :

$$V_d = R(1+i)^{n-1} + R(1+g)(1+i)^{n-2} + R(1+g)^2(1+i)^{n-3} + ... + R(1+g)^{n-2}(1+i)$$
$$+ R(1+g)^{n-1}$$

$$V_d = \sum_{t=0}^{n-1} R(1+g)^t (1+i)^{n-1-t}$$

On peut simplifier cette dernière équation en observant que celle-ci représente la somme des termes d'une progression géométrique, dont le premier terme est $R(1+i)^{n-1}$, la raison $\left(\dfrac{1+g}{1+i}\right)$ et le nombre de termes n. En utilisant l'équation (expression A.9) donnant la somme des termes d'une telle progression, on peut écrire :

$$V_d = R(1+i)^{n-1} \left[\frac{\left(\dfrac{1+g}{1+i}\right)^n - 1}{\left(\dfrac{1+g}{1+i}\right) - 1} \right]$$

Après quelques manipulations algébriques, on trouve l'expression (A.16) :

$$V_d = R(1+i)^n \left[\frac{\left(\frac{1+g}{1+i}\right)^n - 1}{g-i} \right] \qquad (A.16)$$

Notons que si $g = 0$ (c.-à-d. si les versements périodiques sont constants), l'expression précédente devient :

$$V_d = R \left[\frac{(1+i)^n - 1}{i} \right]$$

L'équation (A.10) n'est donc qu'un cas particulier de l'expression (A.16).

Exemple A.18 **Calcul de la valeur accumulée d'une annuité de fin de période en progression géométrique**

Anne a comme objectif d'accumuler dans son REÉR une somme minimale de 70 000 $ d'ici 12 ans. À cette fin, elle prévoit investir les montants suivants : 3 000 $ dans un an, 3 150 $ [soit, 3 000(1 + 0,05)] dans deux ans, 3 307,50 $ [soit, 3 000 (1 + 0,05)^2] dans trois ans et ainsi de suite pendant douze ans. En supposant qu'elle réalisera un taux de rendement effectif annuel de 8% sur ses placements, les dépôts qu'elle prévoit effectuer seront-ils suffisants pour atteindre l'objectif fixé?

■ Solution

La valeur définitive prévue dans 12 ans des cotisations annuelles croissantes au REÉR qu'effectuera Anne au cours des prochaines années se calcule à partir de l'expression (A.16). Les valeurs des différents paramètres à insérer dans cette équation sont respectivement :

$g = 5\%$
$i = 8\%$
$n = 12$ et
$R = $ Première cotisation $= 3\ 000$ $

d'où:

$$V_d = 3\ 000(1+0,08)^{12} \left[\frac{\left(\frac{1+0,05}{1+0,08}\right)^{12} - 1}{0,05 - 0,08} \right] = 72\ 231,38\ \$$$

En effectuant les cotisations aux dates prévues, Anne atteindra donc son objectif et disposera d'une somme globale de 72 231,38 $ dans 12 ans.

Calcul de la valeur présente

Comme l'illustre le schéma ci-dessous, la valeur présente d'une annuité correspond à sa valeur définitive multipliée par le facteur $(1+i)^{-n}$.

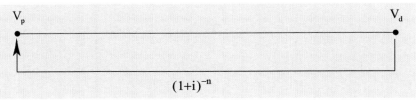

Dans le cas particulier d'une annuité en progression géométrique, on a :

$$V_p = V_d (1+i)^{-n}$$

$$V_p = R(1+i)^n \left[\frac{\left(\dfrac{1+g}{1+i}\right)^n - 1}{g-i} \right](1+i)^{-n}$$

En simplifiant, on obtient :

$$V_p = R \left[\frac{1 - \left(\dfrac{1+g}{1+i}\right)^n}{i-g} \right] \qquad (A.17)$$

Exemple A.19 | **Calcul du montant à investir aujourd'hui afin de recevoir une rente indexée pendant un certain nombre d'années**

Annie, qui est présentement âgée de 48 ans, envisage prendre sa retraite à l'âge de 55 ans. Elle désirerait recevoir à ce moment-là une première prestation annuelle d'un montant de 30 000 $. Par la suite, à la date de chacun de ses anniversaires de naissance, elle souhaiterait, dans le but de préserver son pouvoir d'achat, recevoir des prestations annuelles indexées au taux de 4% et ce, jusqu'à l'âge de 80 ans inclusivement. Compte tenu d'un taux de rendement effectif annuel de 10%, quelle somme doit-elle investir maintenant dans le but de recevoir les prestations désirées?

■ **Solution**

Le montant que Annie doit investir maintenant correspond à la valeur actualisée à l'âge de 48 ans des 26 prestations annuelles indexées qu'elle désire recevoir à partir de 55 ans. Il s'agit en fait de calculer la valeur actualisée d'une annuité différée en progression géométrique (V_p) en procédant comme suit :

$$V_p = \begin{pmatrix} \text{Valeur actualisée,} \\ \text{à l'âge de 54 ans,} \\ \text{des prestations désirées} \end{pmatrix}(1+0{,}10)^{-6}$$

$$V_p = 30\ 000 \left[\frac{1 - \left(\dfrac{1+0{,}04}{1+0{,}10}\right)^{26}}{0{,}10 - 0{,}04} \right](1+0{,}10)^{-6}$$

$$V_p = 216\ 581{,}50\ \$$$

Annie doit donc investir dès maintenant une somme globale de 216 581,50 $.

Cas particulier : i = g

Lorsque le taux d'intérêt (i) est identique au taux de croissance (g), l'application des expressions (A.16) et (A.17) donne des résultats indéterminés (0/0). Dans ce contexte particulier, il convient de procéder comme suit pour déterminer la valeur définitive et la valeur présente d'une annuité en progression géométrique.

Calcul de la valeur définitive

Nous avons vu précédemment que la valeur définitive d'une annuité de fin de période en progression géométrique se calculait comme suit :

$$V_d = R(1+i)^{n-1} + R(1+g)(1+i)^{n-2} + R(1+g)^2(1+i)^{n-3} + ... +$$
$$R(1+g)^{n-2}(1+i) + R(1+g)^{n-1}$$

Si i = g, on obtient alors :

$$V_d = R(1+i)^{n-1} + R(1+i)(1+i)^{n-2} + R(1+i)^2(1+i)^{n-3} + ... +$$
$$R(1+i)^{n-2}(1+i) + R(1+i)^{n-1}$$

En simplifiant, on arrive au résultat suivant :

$$V_d = R(1+i)^{n-1} + R(1+i)^{n-1} + R(1+i)^{n-1} + ... + R(1+i)^{n-1}$$
$$V_d = n \cdot R(1+i)^{n-1} \tag{A.18}$$

Calcul de la valeur présente

Comme nous l'avons déjà mentionné, la valeur présente d'une annuité correspond à sa valeur définitive multipliée par le facteur $(1+i)^{-n}$, soit :

$$V_p = V_d(1+i)^{-n}$$

En remplaçant V_d par $n \cdot R(1+i)^{n-1}$ dans l'équation ci-dessus, on trouve :

$$V_p = n \cdot R(1+i)^{n-1}(1+i)^{-n}$$

Finalement, en simplifiant, on obtient :

$$V_p = n \cdot R(1+i)^{-1} \tag{A.19}$$

Exemple A.20 | **Calcul de la valeur définitive et de la valeur présente d'une annuité en progression géométrique lorsque i = g**

Considérez une annuité de fin de période en progression géométrique comportant au total 15 versements. Les versements augmentent au rythme de 8% par année, le taux d'intérêt effectif annuel est aussi de 8% et le montant du premier versement s'élève à 10 000 $.

a) Déterminez la valeur définitive de cette annuité dans 15 ans.
b) Déterminez la valeur présente (au temps 0) de cette annuité.

■ **Solution**

a) À l'aide de l'expression (A.18), on trouve :

$$V_d = (15)(10\ 000)(1 + 0,08)^{15-1} = 440\ 579,04\ \$$$

b) L'équation (A.19) permet d'obtenir le résultat suivant :

$$V_p = (15)(10\ 000)(1 + 0,08)^{-1} = 138\ 888,89\ \$$$

A.7 Les annuités générales

Annuité générale
Suite de paiements habituellement égaux effectués à des intervalles de temps réguliers dans un contexte où la période de capitalisation des intérêts diffère de la période des versements

Une annuité générale est une suite de versements généralement égaux effectués à des périodes de temps égales et dont le nombre de périodes de capitalisation des intérêts diffère du nombre de versements. Un exemple courant est un emprunt hypothécaire. Dans ce cas particulier, les intérêts sont généralement capitalisés semestriellement et les versements sont effectués en fin de mois.

Principe pour calculer une annuité générale

Il s'agit de ramener le taux d'intérêt annoncé sur une même base que la fréquence des versements. Ainsi, si les intérêts sont capitalisés semestriellement et les versements effectués mensuellement, comme c'est généralement le cas en pratique pour un emprunt hypothécaire, on devra, dans un premier temps, trouver le taux d'intérêt mensuel équivalent au taux nominal annoncé. Par la suite, il s'agit de procéder de la même façon que pour une annuité simple.

Posons :

v : Nombre de versements dans une année

c : Nombre de périodes de capitalisation des intérêts dans une année

i : Taux d'intérêt périodique, soit $\dfrac{i_c}{c}$

j : Taux d'intérêt équivalent par période de versement.

Selon la relation d'équivalence entre les différents taux d'intérêt, on doit avoir :

$$(1 + j)^v = (1 + i)^c$$

d'où: $\quad j = (1+i)^{c/v} - 1 = \left(1 + \dfrac{i_c}{c}\right)^{c/v} - 1$ \hfill (A.20)

Par exemple, dans le cas où les versements sont effectués mensuellement et les intérêts capitalisés semestriellement, on a :

$$j = \left(1 + \dfrac{i_2}{2}\right)^{2/12} - 1$$

Le taux j ainsi calculé est le taux d'intérêt mensuel qui équivaut à un taux d'intérêt nominal i_2 capitalisé semestriellement.

Exemple A.21 **Remboursement d'un prêt hypothécaire**

Vous empruntez une somme de 100 000 $ pour acquérir une maison unifamiliale. La période d'amortissement du prêt (c.-à-d. le temps nécessaire pour rembourser l'emprunt au complet) est de 25 ans et le terme du prêt (c.-à-d. la période pendant laquelle le taux d'intérêt est fixe) est de 5 ans. De plus, le taux hypothécaire est de 10% capitalisé semestriellement et les versements sont mensuels (fin de période).

a) Déterminez le versement mensuel que vous devrez effectuer.

b) Quel sera le solde de l'hypothèque immédiatement après le 60e versement?

c) Calculez les intérêts inclus dans le 61e versement.

d) Si, dans 5 ans, au moment du renouvellement du prêt, le taux hypothécaire s'élève à 12% capitalisé semestriellement, quelle sera alors votre nouvelle mensualité?

■ **Solution**

a) On doit, en premier lieu, trouver le taux d'intérêt mensuel j. Pour ce faire, on utilise l'équation (A.20) :

$$j = \left(1 + \frac{0,10}{2}\right)^{2/12} - 1 = 0,008164846$$

Par la suite, on pose:

$$\begin{matrix} \text{Montant} \\ \text{du prêt} \end{matrix} = \left(\begin{matrix} \text{Valeur actualisée de tous les} \\ \text{versements qui seront nécessaires} \\ \text{pour rembourser complètement le prêt} \end{matrix}\right)$$

$$100\ 000 = R\ A_{\overline{300}|0,008164846}$$

d'où: R = Versement mensuel = 894,49 $

b) $\begin{matrix} \text{Solde de l'hypothèque} \\ \text{immédiatement après} \\ \text{le } 60^e \text{ versement} \end{matrix} = \left(\begin{matrix} \text{Valeur actuelle des versements} \\ \text{restants à effectuer} \\ (25)(12) - 60 = 240 \text{ versements} \end{matrix}\right)$

$$= 894,49\ A_{\overline{240}|0,008164846} = 93\ 992,17\ \$$$

c) $\begin{matrix} \text{Intérêts compris} \\ \text{dans le } 61^e \text{ versement} \end{matrix} = \left(\begin{matrix} \text{Solde de l'hypothèque} \\ \text{après le } 60^e \text{ versement} \end{matrix}\right) \cdot j$

$$= (93\ 992,17)(0,008164846) = 767,43\ \$$$

d) On détermine d'abord le nouveau taux d'intérêt mensuel (j) équivalent à un taux nominal (i_2) de 12% capitalisé semestriellement. À l'aide de l'expression (A.20), on obtient :

$$j = \left(1 + \frac{0,12}{2}\right)^{2/12} - 1 = 0,009758794$$

Par la suite, on pose:

$$\begin{matrix} \text{Solde de l'hypothèque} \\ \text{immédiatement après} \\ \text{le } 60^e \text{ versement} \end{matrix} = \left(\begin{matrix} \text{Valeur actuelle, au taux mensuel} \\ \text{équivalent de } 0,9758794\%, \text{ des } 240 \\ \text{versements mensuels restants à effectuer} \end{matrix}\right)$$

$$93\ 992,17 = R\ A_{\overline{240}|0,009758794}$$

d'où: R = Nouveau versement mensuel = 1016,03 $

Comme il fallait s'y attendre, suite à la hausse des taux hypothécaires, le versement mensuel à effectuer se trouve à augmenter.

Calcul de la valeur définitive d'une annuité générale

Vous déposez dans une institution financière 800 $ au début de chaque trimestre et ce, pendant 40 trimestres. De quelle somme disposerez-vous dans 10 ans si le taux d'intérêt nominal capitalisé semestriellement offert est de 8%?

■ Solution

Selon l'expression (A.20), le taux trimestriel équivalent (j) vaut :

Par conséquent :

$$V_d = 800 \left[\frac{(1+0,0198)^{40} - 1}{0,0198} \right] (1+0,0198) = 800 \, \ddot{S}_{\overline{40}|,98\%} = 49\ 065,27 \text{ \$}$$

A.8 Les perpétuités

Perpétuité
Paiements habituellement égaux faits à des intervalles de temps réguliers et ce, indéfiniment

Une perpétuité est une annuité dont les versements débutent à une date précise et se poursuivent indéfiniment. On ne peut calculer la valeur accumulée d'une perpétuité, puisque cette valeur tend vers l'infini. Par contre, il est très facile de déterminer sa valeur présente.

Comme c'est le cas pour les annuités, il existe plusieurs genres de perpétuités. Ci-dessous, nous montrons comment calculer la valeur actuelle d'une perpétuité dans les situations suivantes :

1. lorsque les versements sont uniformes et ont lieu en fin de période;
2. lorsque les versements sont uniformes et ont lieu en début de période;
3. lorsque les versements constituent une progression géométrique et ont lieu en fin de période.

Les autres situations pouvant se présenter ne devraient pas causer de difficultés particulières si l'on maîtrise bien l'ensemble de la matière se rapportant aux annuités.

Valeur actuelle d'une perpétuité de fin de période

Le schéma ci-dessous illustre une perpétuité de fin de période.

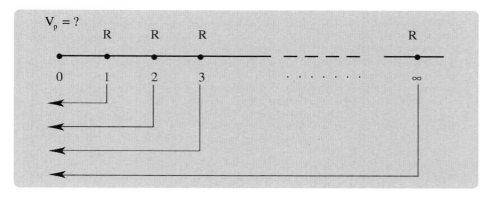

Pour calculer la valeur actuelle, au temps 0, des versements montrés sur le schéma précédent, il s'agit de faire tendre n (c.-à-d. le nombre de versements) vers l'infini dans la formule donnant la valeur présente d'une annuité simple de fin de période (équation A.11). On obtient alors :

$$V_p = \lim_{n \to \infty} R \left[\frac{1 - (1 + i)^{-n}}{i} \right]$$

$$V_p = \frac{R}{i} \qquad (A.21)$$

puisque $(1+i)^{-n}$ tend vers 0 lorsque n est grand.

Comme l'indique l'expression (A.21), le calcul de la valeur actuelle d'une perpétuité de fin de période est très facile à effectuer. En effet, il s'agit simplement de diviser le montant du versement régulier par le taux d'intérêt périodique.

Exemple A.23 | **Calcul de la valeur actualisée d'une perpétuité de fin de période**

Trouvez la valeur actuelle d'une perpétuité de 800 $ payable à la fin de chaque trimestre si le taux nominal capitalisé trimestriellement est de 10%.

■ **Solution**

La valeur actuelle est :

$$V_p = \frac{800}{0,025} = 32\ 000\ \$$$

Valeur actuelle d'une perpétuité de début de période

Dans une situation où les versements sont effectués en début de période, il s'agit, comme dans le cas d'une annuité, de multiplier V_p par $(1 + i)$. On obtient alors :

$$\ddot{V}_p = \frac{R(1+i)}{i} \qquad (A.22)$$

Exemple A.24 | **Calcul de la valeur actualisée d'une perpétuité de début de période**

En utilisant les données de l'exemple précédent, calculez la valeur actuelle de la perpétuité en supposant cette fois que les versements ont lieu au début de chaque trimestre.

■ **Solution**

À l'aide de l'équation (A.22) on obtient :

$$\ddot{V}_p = \frac{800(1 + 0,025)}{0,025} = 32\ 800\ \$$$

On constate que la valeur actuelle d'une perpétuité de début de période excède celle d'une perpétuité de fin de période d'un montant équivalent à celui d'un versement.

Valeur actuelle d'une perpétuité de fin de période en progression géométrique

Nous avons vu à la section A.6 que la valeur actuelle d'une annuité de fin de période en progression géométrique se calculait ainsi :

$$V_p = R\left[\frac{1-\left(\frac{1+g}{1+i}\right)^n}{i-g}\right]$$

En supposant que $g < i$, on peut déterminer la valeur actuelle d'une perpétuité de fin de période en progression géométrique en faisant tendre n vers l'infini dans l'expression ci-dessus. On obtient alors :

$$\lim_{n \to \infty} R\left[\frac{1-\left(\frac{1+g}{1+i}\right)^n}{i-g}\right]$$

$$V_p = \frac{R}{i-g} \tag{A.23}$$

puisque $\left(\frac{1+g}{1+i}\right)^n$ tend vers 0 lorsque $n \to \infty$ et si $g < i$.

Exemple A.25 **Calcul du montant à investir aujourd'hui afin de recevoir une rente indexée indéfiniment**

Quelle somme doit-on investir maintenant pour être en mesure de retirer à compter de la fin de la première année et ce, indéfiniment des prestations annuelles indexées à 6% (c.-à-d. que chaque prestation est de 6% supérieure à la précédente). Le taux d'intérêt effectif annuel est de 11% et la première prestation que l'on veut retirer est de 10 000 $.

■ **Solution**

Ici, on a :

R = 10 000 $

i = 11%

et

g = 6%.

Par conséquent :

Montant à investir au temps 0 = $\left(\begin{array}{l}\text{Valeur actuelle, au temps 0,}\\ \text{des prestations que l'on veut retirer}\end{array}\right)$

$$V_p = \frac{10\ 000}{0,11-0,06} = 200\ 000\ \$$$

A.9 Concepts fondamentaux

- Le concept de valeur temporelle de l'argent signifie qu'un dollar aujourd'hui vaut davantage qu'un dollar à encaisser à une date future.

- Dans le cas de l'intérêt simple, les intérêts sont payés à la fin de chaque période et le capital initial ne varie pas.

- Lorsqu'un placement est effectué à intérêt composé, les intérêts de la période sont ajoutés au capital pour former un nouveau capital qui, à son tour, générera des intérêts plus élevés la période suivante.

- La capitalisation permet de déterminer ce que vaudra à une date future un placement effectué aujourd'hui à un certain taux d'intérêt. Inversement, l'actualisation vise à ramener en dollars d'aujourd'hui une somme d'argent à recevoir à une date future.

- Lorsque les intérêts sont capitalisés plusieurs fois dans l'année, il s'avère alors nécessaire d'apporter une distinction entre le taux nominal, le taux périodique et le taux effectif annuel. Le taux nominal réfère à un taux exprimé sur une base annuelle qui se capitalise plusieurs fois dans l'année. Pour sa part, le taux périodique est celui qui est appliqué à chaque période de capitalisation. On obtient sa valeur en divisant le taux nominal par le nombre de périodes de capitalisation des intérêts dans l'année. Finalement, le taux effectif annuel est un taux qui se capitalise une seule fois dans l'année. Ce dernier taux représente le rendement annuel exact d'un placement ou le vrai coût annuel d'un emprunt.

- Pour établir une comparaison valable entre plusieurs taux d'intérêt qui ne sont pas capitalisés le même nombre de fois dans l'année, il s'agit simplement d'exprimer les différents taux offerts sur une base effective annuelle.

- Toutes choses étant égales par ailleurs, plus la fréquence de capitalisation des intérêts est élevée, plus la valeur capitalisée de l'investissement sera élevée au terme de l'horizon fixé.

- Une annuité constitue une suite de versements généralement égaux effectués à des intervalles de temps réguliers.

- La valeur présente d'une annuité représente simplement la somme des valeurs actualisées des versements périodiques effectués.

- La classification des annuités s'effectue sur la base des quatre paramètres suivants :

    ❶ **La date prévue du premier versement**

    ✓ Annuité de fin de période: le premier versement aura lieu à la fin de la première période.

    ✓ Annuité de début de période: le premier versement a lieu dès aujourd'hui.

    ✓ Annuité différée: le premier versement n'a pas lieu aujourd'hui ni à la fin de la première période.

❷ **Le montant de chacun des versements**

✓ Annuité simple : le montant du versement périodique ne varie pas.

✓ Annuité en progression géométrique : le montant du versement périodique s'accroît à chaque période d'un pourcentage fixe.

❸ **La coïncidence entre la période des versements et la période de capitalisation des intérêts**

✓ Annuité simple : la période de capitalisation des intérêts est la même que la période des versements (c = v).

✓ Annuité générale : la période de capitalisation des intérêts diffère de la période des versements (c ≠ v).

❹ **Le nombre total de versements à effectuer**

✓ Annuité simple : il y a un nombre déterminé de versements à effectuer.

✓ Annuité perpétuelle ou perpétuité : le nombre de versements à faire est infini.

■ Pour obtenir la valeur définitive (ou la valeur présente) d'une annuité de début de période, il s'agit simplement de multiplier la valeur définitive (ou la valeur présente) de l'annuité de fin de période par le facteur (1 + i).

■ Le calcul de la valeur actualisée d'une annuité différée s'effectue en deux étapes. Dans un premier temps, on détermine la valeur présente de l'annuité une période avant la date anticipée du premier versement en procédant de la même façon que dans le cas de l'annuité simple de fin de période. Par la suite, on ramène le résultat obtenu en date d'aujourd'hui en le multipliant par le facteur utilisé pour actualiser un versement unique.

■ Le montant d'un prêt correspond nécessairement à la valeur actualisée des versements périodiques qui devront être effectués pour le rembourser complètement.

■ Le solde d'une dette à une date donnée est égal à la valeur actualisée des versements qui n'ont pas encore été faits à cette date.

■ Pour déterminer la valeur définitive ou la valeur présente d'une annuité générale, on doit, dans un premier temps, convertir le taux d'intérêt stipulé sur la même base que la fréquence des versements. Par la suite, il s'agit d'utiliser, selon le contexte, l'une ou l'autre des équations applicables aux annuités simples.

■ La valeur actualisée d'une perpétuité de fin de période s'obtient simplement en divisant le montant du versement périodique par le taux d'intérêt périodique.

A.10 Mots clés

Actualisation	Intérêt simple
Annuité de début de période	Perpétuité
Annuité de fin de période	Progression géométrique
Annuité différée	Remboursement d'un prêt
Annuité en progression géométrique	Solde d'une dette
Annuité générale	Taux effectif annuel
Annuité multiple	Taux nominal
Capitalisation	Taux périodique
Équivalence de taux d'intérêt	Valeur accumulée ou définitive
Fréquence de capitalisation	Valeur actuelle ou présente
Intérêt composé	Versement périodique

A.11 Sommaire des principales formules

Intérêt simple

(A.2) $\qquad S_n = P(1 + in)$

où $\quad$ P $\quad:\quad$ Capital initial

$\qquad$ i $\quad:\quad$ Taux d'intérêt par période

$\qquad$ n $\quad:\quad$ Nombre de périodes

$\qquad S_n \quad:\quad$ Valeur définitive, finale ou accumulée.

Intérêt composé

Valeur accumulée ou définitive

(A.3) $\qquad S_n = P(1 + i)^n$

où $\quad$ P $\quad:\quad$ Capital initial

$\qquad$ i $\quad:\quad$ Taux d'intérêt par période de capitalisation

$\qquad$ n $\quad:\quad$ Nombre de périodes

$\qquad S_n \quad:\quad$ Valeur définitive, finale ou accumulée.

Valeur actuelle ou présente

(A.8) $\qquad P = S_n (1 + i)^{-n}$

Équivalences de taux d'intérêt

Passage d'un taux nominal à un taux effectif annuel

(A.6a) $\qquad r = \left(1 + \dfrac{i_c}{c}\right)^c - 1$

où $\quad i_c \quad:\quad$ Taux nominal capitalisé c fois l'an

$\qquad$ c $\quad:\quad$ Fréquence de capitalisation des intérêts

$\qquad$ r $\quad:\quad$ Taux effectif annuel

Passage d'un taux effectif annuel à un taux nominal

(A.6b) $\qquad i_c = c[(1 + r)^{1/c} - 1]$

Équivalence entre deux taux nominaux

(A.7) $\qquad i_c = c\left[\left(1 + \dfrac{i_c}{c'}\right)^{c'/c} - 1\right]$

Annuités simples

Valeur accumulée ou définitive (fin de période)

(A.10)
et
(A.10a)

où R : Versement périodique

i : Taux d'intérêt par période de capitalisation

n : Nombre de périodes de capitalisation des intérêts (ou nombre de versements)

$S_{\overline{n}|i}$: Valeur accumulée ou définitive d'une annuité simple de fin de période de 1 \$

V_d : Valeur accumulée ou définitive d'une annuité simple de fin de période de R \$.

Valeur actuelle ou présente (fin de période)

(A.11)
et
(A.11a)

$$V_p = R \left[\frac{1-(1+i)^{-n}}{i} \right] = R \; A_{\overline{n}|i}$$

où V_p : Valeur actuelle ou présente d'une annuité simple de fin de période de R \$

$A_{\overline{n}|i}$: Valeur actuelle ou présente d'une annuité simple de fin de période de 1 \$.

Valeur accumulée ou définitive (début de période)

(A.12)
et
(A.12b)

$$\ddot{V}_d = R \left[\frac{(1+i)^n - 1}{i} \right] (1+i) = R \; \ddot{S}_{\overline{n}|i}$$

où $\ddot{V}_d$: Valeur accumulée ou définitive d'une annuité simple de début de période de R \$

$\ddot{S}_{\overline{n}|i}$: Valeur accumulée ou définitive d'une annuité simple de début de période de 1 \$.

Valeur actuelle ou présente (début de période)

(A.13)
et
(A.13b)

$$\ddot{V}_p = R \left[\frac{1-(1+i)^{-n}}{i} \right] (1+i) = R \; \ddot{A}_{\overline{n}|i}$$

Valeur actuelle ou présente d'une annuité différée de h périodes

(A.14)

$$V_p = R \; A_{\overline{n}|i}(1+i)^{-h}$$

ou

(A.15)

$$V_p = R \; [A_{\overline{h+n}|i} - A_{\overline{h}|i}]$$

Remboursements de prêts

Solde d'une dette à une date donnée

$$\text{Solde de la dette à } t = m = A_{\overline{n-m}|i}$$

où   n   :   Nombre total de versements à effectuer pour rembourser le capital emprunté au temps 0

         m   :   Nombre de versements qui ont déjà été effectués pour rembourser le capital emprunté au temps 0.

ou

$$\text{Solde de la dette à } t = m = P(1+i)^m - R\,S_{\overline{m}|i}$$

Remboursement de capital inclus dans le n ième versement

$$RC_n = RC_1(1+i)^{n-1}$$

où RC_1 :   Remboursement de capital inclus dans le premier versement.

Capital total remboursé dans les n premiers versements

$$\text{Capital remboursé dans les n premiers versements} = \sum_{t=1}^{n} RC_1 = RC_1 S_{\overline{n}|i}$$

Annuités en progression géométrique

Valeur accumulée ou définitive (fin de période)

(A.16) $$V_d = R(1+i)^n \left[\frac{\left(\dfrac{1+g}{1+i}\right)^n - 1}{g - i} \right]$$

où   g   :   Taux d'augmentation (ou de diminution) constant du versement.

Cas particulier i = g

(A.18) $$V_d = n \cdot R(1+i)^{n-1}$$

où   g   :   Taux d'augmentation (ou de diminution) constant du versement.

Valeur actuelle ou présente (fin de période)

(A.17) $$V_p = R \left[\frac{1 - \left(\dfrac{1+g}{1+i}\right)^n}{i - g} \right]$$

Cas particulier i = g

(A.19) $$V_p = n \cdot R(1+i)^{-1}$$

Annuités générales

1. Convertir le taux d'intérêt de la transaction sur la même base que la fréquence des versements à l'aide de l'expression suivante :

(A.20)
$$j = \left(1 + \frac{i_c}{c}\right)^{c/v} - 1$$

où j : Taux d'intérêt équivalent par période de versement

i_c : Taux d'intérêt nominal capitalisé c fois l'an

c : Fréquence de capitalisation des intérêts

v : Nombre de versements effectués dans l'année.

2. Utiliser par la suite, selon le contexte, une des formules portant sur les annuités simples.

Perpétuités

Valeur actuelle ou présente (fin de période)

(A.21)
$$V_p = \frac{R}{i}$$

Valeur actuelle ou présente (début de période)

(A.22)
$$\ddot{V}_p = \frac{R(1+i)}{i}$$

Valeur actuelle ou présente (fin de période en progression géométrique)

(A.23)
$$V_p = \frac{R}{i-g}$$

A.12 Exercices

Remarque. Les exercices sont répartis en deux catégories (série A et série B). De façon générale, les exercices appartenant à la série B sont plus difficiles que ceux de la série A.

Série A

1. Un investisseur de 30 ans veut disposer d'une somme de 1 000 000 $ lorsqu'il atteindra l'âge de 65 ans. Quel montant doit-il investir maintenant à un taux nominal de 16% capitalisé trimestriellement pour accumuler cette somme?

2. Combien doit-on investir maintenant à un taux effectif annuel de 12% pour disposer de 10 000 $ dans 5 ans et 3 mois?

3. Combien d'années faut-il pour quadrupler un investissement quelconque si le taux nominal capitalisé trimestriellement est de 16%?

4. Lequel des taux suivants est préférable pour l'emprunteur :

a) Taux nominal de 24% capitalisé semestriellement

b) Taux nominal de 24% capitalisé mensuellement

c) Taux nominal de 24% capitalisé trimestriellement

d) Taux effectif annuel de 25%

e)   Taux nominal de 23% capitalisé mensuellement.

5. Pour le prêteur, lequel des taux de la question précédente est le plus avantageux?

6. Complétez le tableau suivant.

Capital placé	Nombre de fois où les intérêts sont capitalisés dans l'année	Durée du placement en années	Taux d'intérêt périodique	Taux d'intérêt nominal	Taux d'intérêt effectif annuel	Valeur définitive du capital	Intérêts de la 3e période
200$	2	4	6%	(a)	(b)	(c)	(d)
(e)	4	5	(f)	(g)	12,55%	180,61$	(h)
500$	(i)	(j)	10%	(k)	10%	1 071,79$	(l)

7. Sur une propriété mise en vente, M. X offre 18 000 $ payables comptant, Mme Y 25 000 $ exigibles dans 8 ans et M. Z 20 000 $ payables dans 5 ans. Quelle est la meilleure offre si le taux nominal capitalisé trimestriellement est de 8%?

8. Quelle est la valeur actuelle, au temps 0, de la série de versements suivants :
• 1 000 $ à verser dans 2 ans;
• 1 000 $ à verser dans 2,5 ans;
• 2 500 $ à verser dans 3 ans et 3 mois.
Le taux d'intérêt effectif annuel est de 14%.

9. Quelle sera la valeur accumulée dans 10 ans de la série de versements suivants :
• 1 000 $ à verser à la fin de l'année 2;
• 2 000 $ à verser dans 3 ans et 4 mois;
• 5 000 $ à verser dans 7 ans et 2 mois.
Le taux d'intérêt effectif annuel est de 12%.

10. Un emprunt de 10 000 $ est remboursable par des paiements de 400 $ effectués au début de chaque trimestre pendant 10 ans. Déterminez :
a) le taux nominal capitalisé trimestriellement de l'emprunt;
b) le taux effectif annuel de l'emprunt.

11. Votre associé vous prête une somme de 10 000 $ pour 10 ans. Vous devez rembourser cet emprunt par des versements de 398,36 $ à la fin de chaque trimestre. Déterminez :
a) le taux trimestriel de l'emprunt;
b) le taux effectif annuel de l'emprunt.

12. Vous désirez emprunter 20 000 $ pour acheter une nouvelle voiture. On vous fait les deux propositions suivantes:

Banque A :   Taux nominal de 13% capitalisé mensuellement. L'emprunt de 20 000 $ est remboursable par une série de 60 versements mensuels de fin de période.

Concessionnaire XYZ : L'emprunt de 20 000 $ est remboursable par une série de 60 versements mensuels de fin de période de 415 $. Le concessionnaire a « oublié » de vous mentionner le taux d'intérêt chargé.

Quelle est la meilleure offre? Justifiez votre réponse.

13. Déterminez la valeur accumulée dans 10 ans d'une série de 4 paiements annuels de 300 $ débutant dans un an, suivis de 6 autres paiements annuels de 500 $. Le taux d'intérêt effectif annuel est de 12%.

14. Un prêt de 25 000 $, effectué au taux d'intérêt annuel de 14%, est remboursable au moyen de 5 versements annuels de fin d'année.
a) Quel est le versement annuel?
b) Dressez un tableau montrant la partie capital et la partie intérêt de chacun des versements.

15. Pour acquérir une nouvelle voiture, vous empruntez à la banque une certaine somme X. On sait que cet emprunt est remboursable au moyen d'une série de 10 versements annuels égaux de fin de période. De plus, l'amortissement du 1er versement est de 5 500 $ alors que celui du 5e versement est de 8 052,55 $.
a) Déterminez le taux d'intérêt effectif annuel chargé par la banque.
b) Déterminez le montant emprunté.
c) Déterminez le solde de la dette immédiatement après le 3e versement.
d) Déterminez le total des intérêts que vous devrez payer pendant la durée de l'emprunt.

16. Un prêt de 2 000 $, effectué à un taux effectif annuel de 10%, est remboursable au moyen d'une série de 10 versements croissants de fin d'année. Sachant que le montant du versement augmente au rythme annuel de 5%, déterminez le montant du premier versement.

17. Vous empruntez 200 $ au début de chaque mois pendant 4 ans. Quelle sera votre dette au bout de 4 ans si le taux d'intérêt effectif annuel est de 10%?

18. En supposant un taux d'intérêt nominal de 19% capitalisé mensuellement, déterminez la valeur présente de 24 versements semestriels de 300$ dont le premier aura lieu dans 3 ans.

19. En supposant un taux d'intérêt nominal de 12% capitalisé trimestriellement, déterminez la valeur actualisée d'une perpétuité trimestrielle de 500 $
a) de fin de période;
b) de début de période;
c) dont le 1er versement aura lieu dans 4 ans et 6 mois.

20. Vrai ou faux.

a) Un taux d'intérêt de 2% par mois correspond à un taux effectif annuel de 24%.

b) En supposant que i > i', on a $A_{\overline{n}|i} > A_{\overline{n}|i'}$.

c) La valeur définitive d'une perpétuité est infinie.

d) Un taux nominal de 14% capitalisé semestriellement équivaut à un taux effectif annuel de 14,49%.

e) Un taux nominal de 14% capitalisé sur une base hebdomadaire équivaut à un taux effectif annuel de 15,01%.

f) En supposant que i > i', on a $S_{\overline{n}|i} > S_{\overline{n}|i'}$.

g) La valeur actualisée d'une série de 10 paiements de fin d'année faits dans le but d'accumuler 1 000 $ dans 10 ans est $1\,000(1+i)^{-10}$.

h) L'expression $A_{\overline{14}|i} - A_{\overline{4}|i}$ est équivalente à $A_{\overline{10}|i}$.

i) Dans le cas particulier où i = 0%, on a $A_{\overline{n}|i} = n$.

j) $\ddot{A}_{\overline{n}|i} = 1 + A_{\overline{n-1}|i}$.

k) $\ddot{S}_{\overline{n}|i} = S_{\overline{n+1}|i} - 1$.

l) $A_{\overline{7}|i} = A_{\overline{4}|i} + A_{\overline{3}|i}(1+i)^{-4}$

m) Si l'on actualise une certaine somme d'argent en utilisant un taux d'intérêt nominal capitalisé mensuellement, la valeur obtenue sera plus petite que si l'on utilise le même taux d'intérêt nominal mais que ce taux est capitalisé semestriellement.

n) Toutes choses étant égales par ailleurs, la valeur actualisée d'une annuité de début de période est supérieure à la valeur actualisée d'une annuité de fin de période.

o) Le solde d'une dette, à un moment donné dans le temps, correspond à la valeur actualisée des versements restant à effectuer.

Série B

21. Quel est le taux nominal capitalisé à tous les trois ans équivalent à un taux effectif annuel de 4%?

22. Un investisseur place une somme de 10 000 $ pour 3 ans. Le taux nominal capitalisé semestriellement offert est de 11% pour la première année. Pour la seconde année, le taux nominal capitalisé semestriellement offert est de 15%. Finalement, pour la troisième année, le taux effectif annuel offert est de 8%. Quel est le taux effectif annuel correspondant à ces trois taux successifs?

23. Déterminez la valeur actuelle d'une somme de 50 000 $ payable dans 10 ans en supposant que le taux nominal capitalisé trimestriellement est de 12% pour les 4 premières années et de 18% pour les 6 dernières années.

24. Quel montant doit-on placer pour accumuler 1 000 $ dans 4 ans? On reçoit 6% d'intérêt par année, mais ce revenu est réinvesti à 3%.

25. Lise emprunte 5 000 $ aujourd'hui et s'engage à effectuer les versements suivants : 1 500 $ dans un an, 3 000 $ dans 2 ans et 8 mois et 3 500 $ dans 4 ans et 3 mois. Déterminez le taux d'intérêt effectif annuel chargé par le prêteur.

26. La valeur actuelle, au temps 0, de la rente suivante est :

$V_p = ?$

	2	2	0	0	2	2	2	2	2	2
	1	2	3	4	5	6	7	8	9	10

0

a) $2\,A_{\overline{10}|i}$ b) $2\,A_{\overline{10}|i} - 2\,A_{\overline{2}|i}$

c) d) $2\,A_{\overline{10|}i} - 2\,A_{\overline{2|}i}(1+i)^{-1}$

e) b et c sont vrais

f) b, c et d sont vrais

27. La valeur actuelle, au temps 0, des versements suivants est :

$V_p = ?$

	3	3	3	3	2	2	2	1	1	1
	1	2	3	4	5	6	7	8	9	10

0

a) $3\,A_{\overline{4|}i} + 2\,A_{\overline{3|}i}(1+i)^{-4} + A_{\overline{3|}i}(1+i)^{-7}$

b) $3\,A_{\overline{4|}i} + 2\,A_{\overline{3|}i} + A_{\overline{3|}i}$

c)

d) $3\,A_{\overline{10|}i} - A_{\overline{3|}i}(1+i)^{-4} - 2\,A_{\overline{3|}i}(1+i)^{-7}$

e) a et d sont vrais

f) c et d sont vrais

28. Quelle est la valeur actuelle, au temps 0, des versements suivants :

$V_p = ?$

	1	1		1	1	1	1
	1	2	3	4	5	6	7	8

0

a) $A_{\overline{2|}i} + A_{\overline{4|}i}$

b)

c) $[S_{\overline{2|}i} \cdot (1+i)^5 + S_{\overline{4|}i}](1+i)^{-8}$

d) $A_{\overline{8|}i} - (1+i)^{-4}$

e) $A_{\overline{2|}i} + A_{\overline{4|}i}(1+i)^{-4}$

f) aucune de ces réponses

29. Quelle sera la valeur accumulée, au temps 10, des versements suivants :

$V_d = ?$

	3	3	3	3		4	4	4	4	
0	1	2	3	4	5	6	7	8	9	10

a) $3S_{\overline{4|}i}(1+i)^5 + 4S_{\overline{4|}i}(1+i)$ b) $4S_{\overline{10|}i} - S_{\overline{4|}i}(1+i)^6 - 4(1+i)^5 - 4$

c) $[3A_{\overline{4}|i} + 4A_{\overline{4}|i}(1+i)^{-5}](1+i)^9$

d) $3S_{\overline{4}|i}(1+i)^5 + 4S_{\overline{4}|i}$

e) aucune de ces réponses

30. Un emprunt de 5 000 $ est remboursable par une série de 15 versements semestriels uniformes de 1 400 $, le premier étant exigible dans 6,5 ans. Quel est le taux d'intérêt nominal capitalisé semestriellement exigé par le prêteur?

31. Albertine, qui est présentement âgée de 57 ans, envisage prendre sa retraite à l'âge de 60 ans. Elle désirerait recevoir à ce moment-là une première prestation d'un montant de 25 000 $. Par la suite, à la date de chacun de ses anniversaires de naissance, elle souhaiterait, dans le but de préserver son pouvoir d'achat, recevoir des prestations annuelles indexées aux taux de 6% et ce, jusqu'à l'âge de 70 ans inclusivement. Compte tenu qu'elle peut placer son argent au taux effectif annuel de 10%, quelle somme doit-elle investir maintenant dans le but d'être en mesure de recevoir les prestations désirées?

32. Trouvez le versement X à effectuer à la fin de chaque trimestre, pendant 17 ans, pour être en mesure de retirer à compter de la fin de la 18e année et ce, pendant 16 ans, des prestations annuelles indexées à 8% (c.-à-d. que chaque prestation est de 8% supérieure à la précédente). Le taux d'intérêt effectif annuel est de 8% et la première prestation sera de 11 000 $. Refaites les calculs en supposant cette fois que chaque prestation annuelle sera indexée au taux annuel de 6%.

33. On veut faire un paiement au début de chaque mois pendant 4 ans (48 paiements au total) dans le but de constituer un fonds qui permettra de faire 5 paiements annuels de 10 000 $ à partir du début de la 6e année. En supposant que le taux d'intérêt est de 7% par semestre, quel paiement mensuel devra-t-on effectuer?

34. Vous envisagez l'achat d'une maison de 100 000 $ et vous ne disposez que de 25 000 $. Lors de vos démarches en vue de négocier une hypothèque, vous vous trouvez en face de deux propositions :

Proposition 1 :   Emprunt de 75 000 $, remboursable par 300 versements mensuels de 960 $.

Proposition 2 :   Emprunt de 75 000 $ au taux nominal de 14% capitalisé semestriellement, renégociable dans 5 ans jusqu'à l'échéance 20 ans plus tard.

Il existe cependant une troisième possibilité. En effet, vous pouvez placer vos 25 000 $ dans un compte offrant un taux d'intérêt annuel de 12% capitalisé mensuellement et acheter la maison dans 5 ans. Son prix va cependant augmenter au taux d'inflation, soit 6% par année. Vous êtes convaincu que le taux d'intérêt hypothécaire capitalisé semestriellement sera de 11% dans 5 ans. Déterminez :

a) le taux effectif annuel de la proposition 1;

b) le taux nominal capitalisé semestriellement de la proposition 1;

c) le versement mensuel pour les 5 premières années si vous adoptez la proposition 2;

d) le montant à renégocier dans 5 ans;

e) le taux mensuel qui sera en vigueur dans 5 ans;

f) le montant des versements mensuels qui devront alors être effectués;

g) le montant des versements mensuels à effectuer si l'on utilise la troisième possibilité et que l'on emprunte pour 20 ans.

35. Il y a cinq ans, Jean a contracté un emprunt hypothécaire de 125 000 $ au taux nominal de 8,50% capitalisé semestriellement. Il lui reste actuellement 180 versements mensuels à effectuer pour amortir entièrement cette dette. Jean devra renouveler son hypothèque dans quelques jours. Les taux hypothécaires se situent toujours à 8,50% (taux nominal, capitalisé semestriellement). Il prévoit continuer à rembourser sa dette par des versements mensuels de fin de période.

a) Calculez le solde actuel du prêt hypothécaire de Jean.

b) En supposant qu'il rembourse le solde actuel de sa dette sur 10 ans (plutôt que sur 15 ans), déterminez le montant total des intérêts qu'il pourra économiser.

36. Anne-Marie possède une maison acquise il y a 6 ans au coût de 120 000 $. Au moment de l'achat, elle a effectué un versement initial de 12 000 $ et a financé le solde (soit 108 000 $) par le biais d'une hypothèque conventionnelle de 20 ans. Actuellement, il reste encore 168 versements mensuels de 830,86 $ à effectuer pour amortir complètement la dette. Depuis que l'emprunt a été contracté, le taux d'intérêt nominal, capitalisé semestriellement, chargé par le prêteur s'est toujours élevé à 7%. Anne-Marie considère actuellement la possibilité de rembourser le solde de sa dette par des versements hebdomadaires (le montant du versement hebdomadaire serait alors égal au versement mensuel actuel divisé par quatre).

a) Déterminez le solde actuel de son prêt hypothécaire.

b) En effectuant des versements hebdomadaires plutôt que mensuels, de combien d'années Anne-Marie pourrait-elle raccourcir la période d'amortissement de son prêt hypothécaire?

37. Josée considère la possibilité d'acquérir une maison coûtant 150 000 $. Elle prévoit effectuer une mise de fonds initiale de 25 000 $ et financer le solde (soit 125 000 $) auprès d'une banque au moyen d'une hypothèque conventionnelle de 20 ans. Le taux d'intérêt nominal, capitalisé semestriellement, chargé par l'institution prêteuse serait de 8%. Les informations suivantes sont disponibles concernant les revenus de Josée et ses engagements financiers actuels et potentiels :

- Revenus annuels bruts : 75 000 $
- Taux d'imposition marginal : 48%
- Mensualité du prêt auto : 475 $
- Solde de la carte de crédit : 5 000 $ (la limite autorisée est de 8 000 $ et le paiement mensuel minimal à effectuer correspond à 3% du solde)

- Taxes municipales et scolaires sur la résidence : 2 500 $/année
- Frais de chauffage : 1 000 $/année

Croyez-vous que la banque accordera le prêt à Josée?

Indice : Pour en arriver à une décision, les institutions financières calculent le ratio d'amortissement total de la dette (ATD) du particulier. Ce ratio se calcule ainsi :

$$ATD = \frac{\substack{\text{Versement hypothécaire} \\ \text{mensuel (incluant les} \\ \text{taxes et le chauffage)}} + \substack{\text{Mensualité} \\ \text{du prêt} \\ \text{auto}} + \substack{\text{Frais mensuels} \\ \text{des cartes de} \\ \text{crédit (on suppose} \\ \text{l'utilisation maximale} \\ \text{des limites autorisées)}} + \substack{\text{Autres engagements} \\ \text{(ex.: pension alimen-} \\ \text{taire, impôts à payer)}}}{\text{Revenus mensuels bruts}}$$

En règle générale, l'ATD ne doit pas excéder 40% pour que le prêt soit octroyé. Pour en apprendre davantage sur ce ratio, vous pouvez notamment consulter le site Internet de la Banque Royale (http://www.banqueroyale.com).

38. Un prêt de 10 000 $ est remboursable par une série de 12 versements annuels de fin d'année. Les 5 premiers versements seront de X $ et les 7 derniers de 2X $. Le taux d'intérêt nominal capitalisé semestriellement est de 11%. Trouvez le solde de la dette immédiatement après le 8e versement.

39. Un prêt de 5 000 $ est remboursable par une série de 21 versements annuels de fin d'année. Les versements prévus sont les suivants :

Année	Versement
1 à 10	500 $ par année
11 à 20	800 $ par année
21	Montant nécessaire pour liquider le prêt

Le taux d'intérêt effectif annuel est de 10%. Déterminez le remboursement de capital inclus dans le 12e versement.

40. Quelle est la valeur actualisée (au temps 0) de la série de versements suivants :

Année	Versement annuel
1	0
2	0
3	0
4	100 $
5	100
6	100
7	0
8	200
9	200
10	200

Tous les versements ont lieu en fin d'année. Le taux d'intérêt effectif annuel est de 12%.

41. Quelle est la valeur actualisée (au temps 0) de la perpétuité en croissance suivante :

Année	Versement
1	-
2	-
3	-
4	100 $
5	$100 \cdot (1,08)$
6	$100 \cdot (1,08)^2$
7	$100 \cdot (1,08)^3$
.	.
.	.
.	.
∞	$100 \cdot (1,08)^\infty$

Le taux d'intérêt effectif annuel est de 14% et les versements ont lieu en fin d'année.

42. Un versement de 1000 $ est effectué maintenant et des versements du même montant seront faits perpétuellement par la suite chaque trois ans. Sachant que le taux d'intérêt effectif annuel est de 14%, déterminez la valeur actualisée (au temps 0) de ces versements?

43. Vous déposez dans une institution financière 500 $ à la fin de chaque mois pendant 15 ans. De quelle somme disposerez-vous dans 15 ans si les taux d'intérêt annuels successifs offerts sont les suivants :
- 10% capitalisé semestriellement pour les 5 premières années;
- 8% capitalisé trimestriellement pour les 5 années suivantes;
- 12% capitalisé mensuellement pour les 5 dernières années.

44. Vous venez de gagner à la Loto Nationale. On vous offre le choix entre les deux prix suivants :
Prix A : 60 000 $ à la fin de chaque année pendant 10 ans.
Prix B : 70 000 $ à la fin de chaque année pendant 8 ans.

Pour quel taux d'intérêt effectif annuel êtes-vous indifférent entre ces deux prix?

45. Déterminez la valeur actualisée (au temps 0) d'une annuité en progression géométrique dont les deux premiers versements sont respectivement de 2 000 $ et de 2 300 $. Supposez que le taux d'intérêt effectif annuel est de 15%, que le premier versement aura lieu dans 4 ans et qu'il y a au total 20 versements à effectuer.

46. Nancy place à la banque de Trois-Rivières une somme de 25 000 $. À la fin de chaque semestre, la banque lui verse des intérêts de 1 000 $. Ces intérêts sont immédiatement réinvestis au taux nominal de 12% capitalisé semestriellement. Dans 5 ans, la banque remboursera à Nancy la somme qu'elle a investie initialement, soit 25 000 $. Déterminez le taux de rendement effectif annuel réalisé par Nancy au cours de cette période de 5 ans.

47. À quel taux d'intérêt nominal, capitalisé semestriellement, doit-on investir maintenant une somme de 100 000 $ pour être en mesure d'effectuer des versements de 10 000 $ au début de chaque année et ce, indéfiniment?

48. Un emprunt de 5 000 $, contracté au taux effectif annuel de 6%, est remboursable par une série de 25 versements croissants de fin de période. Le second paiement correspond à 107% du premier; le troisième à 107% du second, etc. Calculez le montant total déboursé pour rembourser cet emprunt.

Annexe B

Tables financières avec Excel

Table 1. Valeur définitive de 1$ ou valeur de $(1+i)^n$

Table 2. Valeur présente de 1$ ou valeur de $(1+i)^{-n}$

Table 3. Valeur définitive (acquise) d'une annuité de 1$

ou valeur de $S_{\overline{n}|i} = \dfrac{(1+i)^n - 1}{i}$.

Table 4. Valeur présente d'une annuité de 1$

ou valeur de $A_{\overline{n}|i} = \dfrac{1 - (1+i)^{-n}}{i}$

Table 1. Valeur définitive de 1$ ou valeur de $(1+i)^n$

n \ i	0,5%	1,0%	1,5%	2,0%	2,5%	3,0%	3,5%	4,0%	4,5%	5,0%
1	1,005000	1,010000	1,015000	1,020000	1,025000	1,030000	1,035000	1,040000	1,045000	1,050000
2	1,010025	1,020100	1,030225	1,040400	1,050625	1,060900	1,071225	1,081600	1,092025	1,102500
3	1,015075	1,030301	1,045678	1,061208	1,076891	1,092727	1,108718	1,124864	1,141166	1,157625
4	1,020151	1,040604	1,061364	1,082432	1,103813	1,125509	1,147523	1,169859	1,192519	1,215506
5	1,025251	1,051010	1,077284	1,104081	1,131408	1,159274	1,187686	1,216653	1,246182	1,276282
6	1,030378	1,061520	1,093443	1,126162	1,159693	1,194052	1,229255	1,265319	1,302260	1,340096
7	1,035529	1,072135	1,109845	1,148686	1,188686	1,229874	1,272279	1,315932	1,360862	1,407100
8	1,040707	1,082857	1,126493	1,171659	1,218403	1,266770	1,316809	1,368569	1,422101	1,477455
9	1,045911	1,093685	1,143390	1,195093	1,248863	1,304773	1,362897	1,423312	1,486095	1,551328
10	1,051140	1,104622	1,160541	1,218994	1,280085	1,343916	1,410599	1,480244	1,552969	1,628895
11	1,056396	1,115668	1,177949	1,243374	1,312087	1,384234	1,459970	1,539454	1,622853	1,710339
12	1,061678	1,126825	1,195618	1,268242	1,344889	1,425761	1,511069	1,601032	1,695881	1,795856
13	1,066986	1,138093	1,213552	1,293607	1,378511	1,468534	1,563956	1,665074	1,772196	1,885649
14	1,072321	1,149474	1,231756	1,319479	1,412974	1,512590	1,618695	1,731676	1,851945	1,979932
15	1,077683	1,160969	1,250232	1,345868	1,448298	1,557967	1,675349	1,800944	1,935282	2,078928
16	1,083071	1,172579	1,268986	1,372786	1,484506	1,604706	1,733986	1,872981	2,022370	2,182875
17	1,088487	1,184304	1,288020	1,400241	1,521618	1,652848	1,794676	1,947900	2,113377	2,292018
18	1,093929	1,196147	1,307341	1,428246	1,559659	1,702433	1,857489	2,025817	2,208479	2,406619
19	1,099399	1,208109	1,326951	1,456811	1,598650	1,753506	1,922501	2,106849	2,307860	2,526950
20	1,104896	1,220190	1,346855	1,485947	1,638616	1,806111	1,989789	2,191123	2,411714	2,653298
21	1,110420	1,232392	1,367058	1,515666	1,679582	1,860295	2,059431	2,278768	2,520241	2,785963
22	1,115972	1,244716	1,387564	1,545980	1,721571	1,916103	2,131512	2,369919	2,633652	2,925261
23	1,121552	1,257163	1,408377	1,576899	1,764611	1,973587	2,206114	2,464716	2,752166	3,071524
24	1,127160	1,269735	1,429503	1,608437	1,808726	2,032794	2,283328	2,563304	2,876014	3,225100
25	1,132796	1,282432	1,450945	1,640606	1,853944	2,093778	2,363245	2,665836	3,005434	3,386355
26	1,138460	1,295256	1,472710	1,673418	1,900293	2,156591	2,445959	2,772470	3,140679	3,555673
27	1,144152	1,308209	1,494800	1,706886	1,947800	2,221289	2,531567	2,883369	3,282010	3,733456
28	1,149873	1,321291	1,517222	1,741024	1,996495	2,287928	2,620172	2,998703	3,429700	3,920129
29	1,155622	1,334504	1,539981	1,775845	2,046407	2,356566	2,711878	3,118651	3,584036	4,116136
30	1,161400	1,347849	1,563080	1,811362	2,097568	2,427262	2,806794	3,243398	3,745318	4,321942
31	1,167207	1,361327	1,586526	1,847589	2,150007	2,500080	2,905031	3,373133	3,913857	4,538039
32	1,173043	1,374941	1,610324	1,884541	2,203757	2,575083	3,006708	3,508059	4,089981	4,764941
33	1,178908	1,388690	1,634479	1,922231	2,258851	2,652335	3,111942	3,648381	4,274030	5,003189
34	1,184803	1,402577	1,658996	1,960676	2,315322	2,731905	3,220860	3,794316	4,466362	5,253348
35	1,190727	1,416603	1,683881	1,999890	2,373205	2,813862	3,333590	3,946089	4,667348	5,516015
36	1,196681	1,430769	1,709140	2,039887	2,432535	2,898278	3,450266	4,103933	4,877378	5,791816
37	1,202664	1,445076	1,734777	2,080685	2,493349	2,985227	3,571025	4,268090	5,096860	6,081407
38	1,208677	1,459527	1,760798	2,122299	2,555682	3,074783	3,696011	4,438813	5,326219	6,385477
39	1,214721	1,474123	1,787210	2,164745	2,619574	3,167027	3,825372	4,616366	5,565899	6,704751
40	1,220794	1,488864	1,814018	2,208040	2,685064	3,262038	3,959260	4,801021	5,816365	7,039989
41	1,226898	1,503752	1,841229	2,252200	2,752190	3,359899	4,097834	4,993061	6,078101	7,391988
42	1,233033	1,518790	1,868847	2,297244	2,820995	3,460696	4,241258	5,192784	6,351615	7,761588
43	1,239198	1,533978	1,896880	2,343189	2,891520	3,564517	4,389702	5,400495	6,637438	8,149667
44	1,245394	1,549318	1,925333	2,390053	2,963808	3,671452	4,543342	5,616515	6,936123	8,557150
45	1,251621	1,564811	1,954213	2,437854	3,037903	3,781596	4,702359	5,841176	7,248248	8,985008
46	1,257879	1,580459	1,983526	2,486611	3,113851	3,895044	4,866941	6,074823	7,574420	9,434258
47	1,264168	1,596263	2,013279	2,536344	3,191697	4,011895	5,037284	6,317816	7,915268	9,905971
48	1,270489	1,612226	2,043478	2,587070	3,271490	4,132252	5,213589	6,570528	8,271456	10,401270
49	1,276842	1,628348	2,074130	2,638812	3,353277	4,256219	5,396065	6,833349	8,643671	10,921333
50	1,283226	1,644632	2,105242	2,691588	3,437109	4,383906	5,584927	7,106683	9,032636	11,467400

Table 1. Valeur définitive de 1$ ou valeur de $(1+i)^n$ (suite)

n \ i	6,0%	7,0%	8,0%	9,0%	10,0%	11,0%	12,0%	13,0%	14,0%	15,0%
1	1,060000	1,070000	1,080000	1,090000	1,100000	1,110000	1,120000	1,130000	1,140000	1,150000
2	1,123600	1,144900	1,166400	1,188100	1,210000	1,232100	1,254400	1,276900	1,299600	1,322500
3	1,191016	1,225043	1,259712	1,295029	1,331000	1,367631	1,404928	1,442897	1,481544	1,520875
4	1,262477	1,310796	1,360489	1,411582	1,464100	1,518070	1,573519	1,630474	1,688960	1,749006
5	1,338226	1,402552	1,469328	1,538624	1,610510	1,685058	1,762342	1,842435	1,925415	2,011357
6	1,418519	1,500730	1,586874	1,677100	1,771561	1,870415	1,973823	2,081952	2,194973	2,313061
7	1,503630	1,605781	1,713824	1,828039	1,948717	2,076160	2,210681	2,352605	2,502269	2,660020
8	1,593848	1,718186	1,850930	1,992563	2,143589	2,304538	2,475963	2,658444	2,852586	3,059023
9	1,689479	1,838459	1,999005	2,171893	2,357948	2,558037	2,773079	3,004042	3,251949	3,517876
10	1,790848	1,967151	2,158925	2,367364	2,593742	2,839421	3,105848	3,394567	3,707221	4,045558
11	1,898299	2,104852	2,331639	2,580426	2,853117	3,151757	3,478550	3,835861	4,226232	4,652391
12	2,012196	2,252192	2,518170	2,812665	3,138428	3,498451	3,895976	4,334523	4,817905	5,350250
13	2,132928	2,409845	2,719624	3,065805	3,452271	3,883280	4,363493	4,898011	5,492411	6,152788
14	2,260904	2,578534	2,937194	3,341727	3,797498	4,310441	4,887112	5,534753	6,261349	7,075706
15	2,396558	2,759032	3,172169	3,642482	4,177248	4,784589	5,473566	6,254270	7,137938	8,137062
16	2,540352	2,952164	3,425943	3,970306	4,594973	5,310894	6,130394	7,067326	8,137249	9,357621
17	2,692773	3,158815	3,700018	4,327633	5,054470	5,895093	6,866041	7,986078	9,276464	10,761264
18	2,854339	3,379932	3,996019	4,717120	5,559917	6,543553	7,689966	9,024268	10,575169	12,375454
19	3,025600	3,616528	4,315701	5,141661	6,115909	7,263344	8,612762	10,197423	12,055693	14,231772
20	3,207135	3,869684	4,660957	5,604411	6,727500	8,062312	9,646293	11,523088	13,743490	16,366537
21	3,399564	4,140562	5,033834	6,108808	7,400250	8,949166	10,803848	13,021089	15,667578	18,821518
22	3,603537	4,430402	5,436540	6,658600	8,140275	9,933574	12,100310	14,713831	17,861039	21,644746
23	3,819750	4,740530	5,871464	7,257874	8,954302	11,026267	13,552347	15,178629	20,361585	24,891458
24	4,048935	5,072367	6,341181	7,911083	9,849733	12,239157	15,178629	18,788091	23,212207	28,625176
25	4,291871	5,427433	6,848475	8,623081	10,834706	13,585464	17,000064	21,230542	26,461916	32,918953
26	4,549383	5,807353	7,396353	9,399158	11,918177	15,079865	19,040072	23,990513	30,166584	37,856796
27	4,822346	6,213868	7,988061	10,245082	13,109994	16,738650	21,324881	27,109279	34,389906	43,535315
28	5,111687	6,648838	8,627106	11,167140	14,420994	18,579901	23,883866	30,633486	39,204493	50,065612
29	5,418388	7,114257	9,317275	12,172182	15,863093	20,623691	26,749930	34,615839	44,693122	57,575454
30	5,743491	7,612255	10,062657	13,267678	17,449402	22,892297	29,959922	39,115898	50,950159	66,211772
31	6,088101	8,145113	10,867669	14,461770	19,194342	25,410449	33,555113	44,200965	58,083181	76,143538
32	6,453387	8,715271	11,737083	15,763329	21,113777	28,205599	37,581726	49,947090	66,214826	87,565068
33	6,840590	9,325340	12,676050	17,182028	23,225154	31,308214	42,091533	56,440212	75,484902	100,699829
34	7,251025	9,978114	13,690134	18,728411	25,547670	34,752118	47,142517	63,777439	86,052788	115,804803
35	7,686087	10,676581	14,785344	20,413968	28,102437	38,574851	52,799620	72,068506	98,100178	133,175523
36	8,147252	11,423942	15,968172	22,251225	30,912681	42,818085	59,135574	81,437412	111,834203	153,151852
37	8,636087	12,223618	17,245626	24,253835	34,003949	47,528074	66,231843	92,024276	127,490992	176,124630
38	9,154252	13,079271	18,625276	26,436680	37,404343	52,756162	74,179664	103,987432	145,339731	202,543324
39	9,703507	13,994820	20,115298	28,815982	41,144778	58,559340	83,081224	117,505798	165,687293	232,924823
40	10,285718	14,974458	21,724521	31,409420	45,259256	65,000867	93,050970	132,781552	188,883514	267,863546
41	10,902861	16,022670	23,462483	34,236268	49,785181	72,150963	104,217087	150,043153	215,327206	308,043078
42	11,557033	17,144257	25,339482	37,317532	54,763699	80,087569	116,723137	169,548763	245,473015	354,249540
43	12,250455	18,344355	27,366640	40,676110	60,240069	88,897201	130,729914	191,590103	279,839237	407,386971
44	12,985482	19,628460	29,555972	44,336960	66,264076	98,675893	146,417503	216,496816	319,016730	468,495017
45	13,764611	21,002452	31,920449	48,327286	72,890484	109,530242	163,987604	244,641402	363,679072	538,769269
46	14,590487	22,472623	34,474085	52,676742	80,179532	121,578568	183,666116	276,444784	414,594142	619,584659
47	15,465917	24,045707	37,232012	57,417649	88,197485	134,952211	205,706050	312,382606	472,637322	712,522358
48	16,393872	25,728907	40,210573	62,585237	97,017234	149,796954	230,390776	352,992345	538,806547	819,400712
49	17,377504	27,529930	43,427419	68,217908	106,718957	166,274619	258,037669	398,881350	614,239464	942,310819
50	18,420154	29,457025	46,901613	74,357520	117,390853	184,564827	289,002190	450,735925	700,232988	1083,657442

Expression générale pour le calcul avec Excel : $=(1+i)^n$

Pour i = 5% et n = 5, on obtient 1,276282

	A	B	C	D	E
D45			=	$=(1+0,05)^5$	
44					
45				1,276282	

Table 2. Valeur présente de 1$ ou valeur de $(1+i)^{-n}$

n \ i	0,5%	1,0%	1,5%	2,0%	2,5%	3,0%	3,5%	4,0%	4,5%	5,0%
1	0,995025	0,990099	0,985222	0,980392	0,975610	0,970874	0,966184	0,961538	0,956938	0,952381
2	0,990075	0,980296	0,970662	0,961169	0,951814	0,942596	0,933511	0,924556	0,915730	0,907029
3	0,985149	0,970590	0,956317	0,942322	0,928599	0,915142	0,901943	0,888996	0,876297	0,863838
4	0,980248	0,960980	0,942184	0,923845	0,905951	0,888487	0,871442	0,854804	0,838561	0,822702
5	0,975371	0,951466	0,928260	0,905731	0,883854	0,862609	0,841973	0,821927	0,802451	0,783526
6	0,970518	0,942045	0,914542	0,887971	0,862297	0,837484	0,813501	0,790315	0,767896	0,746215
7	0,965690	0,932718	0,901027	0,870560	0,841265	0,813092	0,785991	0,759918	0,734828	0,710681
8	0,960885	0,923483	0,887711	0,853490	0,820747	0,789409	0,759412	0,730690	0,703185	0,676839
9	0,956105	0,914340	0,874592	0,836755	0,800728	0,766417	0,733731	0,702587	0,672904	0,644609
10	0,951348	0,905287	0,861667	0,820348	0,781198	0,744094	0,708919	0,675564	0,643928	0,613913
11	0,946615	0,896324	0,848933	0,804263	0,762145	0,722421	0,684946	0,649581	0,616199	0,584679
12	0,941905	0,887449	0,836387	0,788493	0,743556	0,701380	0,661783	0,624597	0,589664	0,556837
13	0,937219	0,878663	0,824027	0,773033	0,725420	0,680951	0,639404	0,600574	0,564272	0,530321
14	0,932556	0,869963	0,811849	0,757875	0,707727	0,661118	0,617782	0,577475	0,539973	0,505068
15	0,927917	0,861349	0,799852	0,743015	0,690466	0,641862	0,596891	0,555265	0,516720	0,481017
16	0,923300	0,852821	0,788031	0,728446	0,673625	0,623167	0,576706	0,533908	0,494469	0,458112
17	0,918707	0,844377	0,776385	0,714163	0,657195	0,605016	0,557204	0,513373	0,473176	0,436297
18	0,914136	0,836017	0,764912	0,700159	0,641166	0,587395	0,538361	0,493628	0,452800	0,415521
19	0,909588	0,827740	0,753607	0,686431	0,625528	0,570286	0,520156	0,474642	0,433302	0,395734
20	0,905063	0,819544	0,742470	0,672971	0,610271	0,553676	0,502566	0,456387	0,414643	0,376889
21	0,900560	0,811430	0,731498	0,659776	0,595386	0,537549	0,485571	0,438834	0,396787	0,358942
22	0,896080	0,803396	0,720688	0,646839	0,580865	0,521893	0,469151	0,421955	0,379701	0,341850
23	0,891622	0,795442	0,710037	0,634156	0,566697	0,506692	0,453286	0,405726	0,363350	0,325571
24	0,887186	0,787566	0,699544	0,621721	0,552875	0,491934	0,437957	0,390121	0,347703	0,310068
25	0,882772	0,779768	0,689206	0,609531	0,539391	0,477606	0,423147	0,375117	0,332731	0,295303
26	0,878380	0,772048	0,679021	0,597579	0,526235	0,463695	0,408838	0,360689	0,318402	0,281241
27	0,874010	0,764404	0,668986	0,585862	0,513400	0,450189	0,395012	0,346817	0,304691	0,267848
28	0,869662	0,756836	0,659099	0,574375	0,500878	0,437077	0,381654	0,333477	0,291571	0,255094
29	0,865335	0,749342	0,649359	0,563112	0,488661	0,424346	0,368748	0,320651	0,279015	0,242946
30	0,861030	0,741923	0,639762	0,552071	0,476743	0,411987	0,356278	0,308319	0,267000	0,231377
31	0,856746	0,734577	0,630308	0,541246	0,465115	0,399987	0,344230	0,296460	0,255502	0,220359
32	0,852484	0,727304	0,620993	0,530633	0,453771	0,388337	0,332590	0,285058	0,244500	0,209866
33	0,848242	0,720103	0,611816	0,520229	0,442703	0,377026	0,321343	0,274094	0,233971	0,199873
34	0,844022	0,712973	0,602774	0,510028	0,431905	0,366045	0,310476	0,263552	0,223896	0,190355
35	0,839823	0,705914	0,593866	0,500028	0,421371	0,355383	0,299977	0,253415	0,214254	0,181290
36	0,835645	0,698925	0,585090	0,490223	0,411094	0,345032	0,289833	0,243669	0,205028	0,172657
37	0,831487	0,692005	0,576443	0,480611	0,401067	0,334983	0,280032	0,234297	0,196199	0,164436
38	0,827351	0,685153	0,567924	0,471187	0,391285	0,325226	0,270562	0,225285	0,187750	0,156605
39	0,823235	0,678370	0,559531	0,461948	0,381741	0,315754	0,261413	0,216621	0,179665	0,149148
40	0,819139	0,671653	0,551262	0,452890	0,372431	0,306557	0,252572	0,208289	0,171929	0,142046
41	0,815064	0,665003	0,543116	0,444010	0,363347	0,297628	0,244031	0,200278	0,164525	0,135282
42	0,811009	0,658419	0,535089	0,435304	0,354485	0,288959	0,235779	0,192575	0,157440	0,128840
43	0,806974	0,651900	0,527182	0,426769	0,345839	0,280543	0,227806	0,185168	0,150661	0,122704
44	0,802959	0,645445	0,519391	0,418401	0,337404	0,272372	0,220102	0,178046	0,144173	0,116861
45	0,798964	0,639055	0,511715	0,410197	0,329174	0,264439	0,212659	0,171198	0,137964	0,111297
46	0,794989	0,632728	0,504153	0,402154	0,321146	0,256737	0,205468	0,164614	0,132023	0,105997
47	0,791034	0,626463	0,496702	0,394268	0,313313	0,249259	0,198520	0,158283	0,126338	0,100949
48	0,787098	0,620260	0,489362	0,386538	0,305671	0,241999	0,191806	0,152195	0,120898	0,096142
49	0,783182	0,614119	0,482130	0,378958	0,298216	0,234950	0,185320	0,146341	0,115692	0,091564
50	0,779286	0,608039	0,475005	0,371528	0,290942	0,228107	0,179053	0,140713	0,110710	0,087204

Table 2. Valeur présente de 1$ ou valeur de $(1+i)^{-n}$ (Suite)

n \ i	6,0%	7,0%	8,0%	9,0%	10,0%	11,0%	12,0%	13,0%	14,0%	15,0%
1	0,943396	0,934579	0,925926	0,917431	0,909091	0,900901	0,892857	0,884956	0,877193	0,869565
2	0,889996	0,873439	0,857339	0,841680	0,826446	0,811622	0,797194	0,783147	0,769468	0,756144
3	0,839619	0,816298	0,793832	0,772183	0,751315	0,731191	0,711780	0,693050	0,674972	0,657516
4	0,792094	0,762895	0,735030	0,708425	0,683013	0,658731	0,635518	0,613319	0,592080	0,571753
5	0,747258	0,712986	0,680583	0,649931	0,620921	0,593451	0,567427	0,542760	0,519369	0,497177
6	0,704961	0,666342	0,630170	0,596267	0,564474	0,534641	0,506631	0,480319	0,455587	0,432328
7	0,665057	0,622750	0,583490	0,547034	0,513158	0,481658	0,452349	0,425061	0,399637	0,375937
8	0,627412	0,582009	0,540269	0,501866	0,466507	0,433926	0,403883	0,376160	0,350559	0,326902
9	0,591898	0,543934	0,500249	0,460428	0,424098	0,390925	0,360610	0,332885	0,307508	0,284262
10	0,558395	0,508349	0,463193	0,422411	0,385543	0,352184	0,321973	0,294588	0,269744	0,247185
11	0,526788	0,475093	0,428883	0,387533	0,350494	0,317283	0,287476	0,260698	0,236617	0,214943
12	0,496969	0,444012	0,397114	0,355535	0,318631	0,285841	0,256675	0,230706	0,207559	0,186907
13	0,468839	0,414964	0,367698	0,326179	0,289664	0,257514	0,229174	0,204165	0,182069	0,162528
14	0,442301	0,387817	0,340461	0,299246	0,263331	0,231995	0,204620	0,180677	0,159710	0,141329
15	0,417265	0,362446	0,315242	0,274538	0,239392	0,209004	0,182696	0,159891	0,140096	0,122894
16	0,393646	0,338735	0,291890	0,251870	0,217629	0,188292	0,163122	0,141496	0,122892	0,106865
17	0,371364	0,316574	0,270269	0,231073	0,197845	0,169633	0,145644	0,125218	0,107800	0,092926
18	0,350344	0,295864	0,250249	0,211994	0,179859	0,152822	0,130040	0,110812	0,094561	0,080805
19	0,330513	0,276508	0,231712	0,194490	0,163508	0,137678	0,116107	0,098064	0,082948	0,070265
20	0,311805	0,258419	0,214548	0,178431	0,148644	0,124034	0,103667	0,086782	0,072762	0,061100
21	0,294155	0,241513	0,198656	0,163698	0,135131	0,111742	0,092560	0,076798	0,063826	0,053131
22	0,277505	0,225713	0,183941	0,150182	0,122846	0,100669	0,082643	0,067963	0,055988	0,046201
23	0,261797	0,210947	0,170315	0,137781	0,111678	0,090693	0,073788	0,060144	0,049112	0,040174
24	0,246979	0,197147	0,157699	0,126405	0,101526	0,081705	0,065882	0,053225	0,043081	0,034934
25	0,232999	0,184249	0,146018	0,115968	0,092296	0,073608	0,058823	0,047102	0,037790	0,030378
26	0,219810	0,172195	0,135202	0,106393	0,083905	0,066314	0,052521	0,041683	0,033149	0,026415
27	0,207368	0,160930	0,125187	0,097608	0,076278	0,059742	0,046894	0,036888	0,029078	0,022970
28	0,195630	0,150402	0,115914	0,089548	0,069343	0,053822	0,041869	0,032644	0,025507	0,019974
29	0,184557	0,140563	0,107328	0,082155	0,063039	0,048488	0,037383	0,028889	0,022375	0,017369
30	0,174110	0,131367	0,099377	0,075371	0,057309	0,043683	0,033378	0,025565	0,019627	0,015103
31	0,164255	0,122773	0,092016	0,069148	0,052099	0,039354	0,029802	0,022624	0,017217	0,013133
32	0,154957	0,114741	0,085200	0,063438	0,047362	0,035454	0,026609	0,020021	0,015102	0,011420
33	0,146186	0,107235	0,078889	0,058200	0,043057	0,031940	0,023758	0,017718	0,013248	0,009931
34	0,137912	0,100219	0,073045	0,053395	0,039143	0,028775	0,021212	0,015680	0,011621	0,008635
35	0,130105	0,093663	0,067635	0,048986	0,035584	0,025924	0,018940	0,013876	0,010194	0,007509
36	0,122741	0,087535	0,062625	0,044941	0,032349	0,023355	0,016910	0,012279	0,008942	0,006529
37	0,115793	0,081809	0,057986	0,041231	0,029408	0,021040	0,015098	0,010867	0,007844	0,005678
38	0,109239	0,076457	0,053690	0,037826	0,026735	0,018955	0,013481	0,009617	0,006880	0,004937
39	0,103056	0,071455	0,049713	0,034703	0,024304	0,017077	0,012036	0,008510	0,006035	0,004293
40	0,097222	0,066780	0,046031	0,031838	0,022095	0,015384	0,010747	0,007531	0,005294	0,003733
41	0,091719	0,062412	0,042621	0,029209	0,020086	0,013860	0,009595	0,006665	0,004644	0,003246
42	0,086527	0,058329	0,039464	0,026797	0,018260	0,012486	0,008567	0,005898	0,004074	0,002823
43	0,081630	0,054513	0,036541	0,024584	0,016600	0,011249	0,007649	0,005219	0,003573	0,002455
44	0,077009	0,050946	0,033834	0,022555	0,015091	0,010134	0,006830	0,004619	0,003135	0,002134
45	0,072650	0,047613	0,031328	0,020692	0,013719	0,009130	0,006098	0,004088	0,002750	0,001856
46	0,068538	0,044499	0,029007	0,018984	0,012472	0,008225	0,005445	0,003617	0,002412	0,001614
47	0,064658	0,041587	0,026859	0,017416	0,011338	0,007410	0,004861	0,003201	0,002116	0,001403
48	0,060998	0,038867	0,024869	0,015978	0,010307	0,006676	0,004340	0,002833	0,001856	0,001220
49	0,057546	0,036324	0,023027	0,014659	0,009370	0,006014	0,003875	0,002507	0,001628	0,001061
50	0,054288	0,033948	0,021321	0,013449	0,008519	0,005418	0,003460	0,002219	0,001428	0,000923

Expression générale pour le calcul avec Excel : =(1+i)^-n

Pour i = 2% et n = 25, on obtient 0,609531

	D45	▼		=	=(1+0,02)^-25	
	A	B	C	D	E	
44						
45				0,609531		

Table 3. Valeur définitive d'une annuité de 1$ ou valeur de $S_{\overline{n}|i} = \dfrac{(1+i)^n - 1}{i}$

n	0,5%	1,0%	1,5%	2,0%	2,5%	3,0%	3,5%	4,0%	4,5%	5,0%
1	1,000000	1,000000	1,000000	1,000000	1,000000	1,000000	1,000000	1,000000	1,000000	1,000000
2	2,005000	2,010000	2,015000	2,020000	2,025000	2,030000	2,035000	2,040000	2,045000	2,050000
3	3,015025	3,030100	3,045225	3,060400	3,075625	3,090900	3,106225	3,121600	3,137025	3,152500
4	4,030100	4,060401	4,090903	4,121608	4,152516	4,183627	4,214943	4,246464	4,278191	4,310125
5	5,050251	5,101005	5,152267	5,204040	5,256329	5,309136	5,362466	5,416323	5,470710	5,525631
6	6,075502	6,152015	6,229551	6,308121	6,387737	6,468410	6,550152	6,632975	6,716892	6,801913
7	7,105879	7,213535	7,322994	7,434283	7,547430	7,662462	7,779408	7,898294	8,019152	8,142008
8	8,141409	8,285671	8,432839	8,582969	8,736116	8,892336	9,051687	9,214226	9,380014	9,549109
9	9,182116	9,368527	9,559332	9,754628	9,954519	10,159106	10,368496	10,582795	10,802114	11,026564
10	10,228026	10,462213	10,702722	10,949721	11,203382	11,463879	11,731393	12,006107	12,288209	12,577893
11	11,279167	11,566835	11,863262	12,168715	12,483466	12,807796	13,141992	13,486351	13,841179	14,206787
12	12,335562	12,682503	13,041211	13,412090	13,795553	14,192030	14,601962	15,025805	15,464032	15,917127
13	13,397240	13,809328	14,236830	14,680332	15,140442	15,617790	16,113030	16,626838	17,159913	17,712983
14	14,464226	14,947421	15,450382	15,973938	16,518953	17,086324	17,676986	18,291911	18,932109	19,598632
15	15,536548	16,096896	16,682138	17,293417	17,931927	18,598914	19,295681	20,023588	20,784054	21,578564
16	16,614230	17,257864	17,932370	18,639285	19,380225	20,156881	20,971030	21,824531	22,719337	23,657492
17	17,697301	18,430443	19,201355	20,012071	20,864730	21,761588	22,705016	23,697512	24,741707	25,840366
18	18,785788	19,614748	20,489376	21,412312	22,386349	23,414435	24,499691	25,645413	26,855084	28,132385
19	19,879717	20,810895	21,796716	22,840559	23,946007	25,116868	26,357180	27,671229	29,063562	30,539004
20	20,979115	22,019004	23,123667	24,297370	25,544658	26,870374	28,279682	29,778079	31,371423	33,065954
21	22,084011	23,239194	24,470522	25,783317	27,183274	28,676486	30,269471	31,969202	33,783137	35,719252
22	23,194431	24,471586	25,837580	27,298984	28,862856	30,536780	32,328902	34,247970	36,303378	38,505214
23	24,310403	25,716302	27,225144	28,844963	30,584427	32,452884	34,460414	36,617889	38,937030	41,430475
24	25,431955	26,973465	28,633521	30,421862	32,349038	34,426470	36,666528	39,082604	41,689196	44,501999
25	26,559115	28,243200	30,063024	32,030300	34,157764	36,459264	38,949857	41,645908	44,565210	47,727099
26	27,691911	29,525631	31,513969	33,670906	36,011708	38,553042	41,313102	44,311745	47,570645	51,113454
27	28,830370	30,820888	32,986678	35,344324	37,912001	40,709634	43,759060	47,084214	50,711324	54,669126
28	29,974522	32,129097	34,481479	37,051210	39,859801	42,930923	46,290627	49,967583	53,993333	58,402583
29	31,124395	33,450388	35,998701	38,792235	41,856296	45,218850	48,910799	52,966286	57,423033	62,322712
30	32,280017	34,784892	37,538681	40,568079	43,902703	47,575416	51,622677	56,084938	61,007070	66,438848
31	33,441417	36,132740	39,101762	42,379441	46,000271	50,002678	54,429471	59,328335	64,752388	70,760790
32	34,608624	37,494068	40,688288	44,227030	48,150278	52,502759	57,334502	62,701469	68,666245	75,298829
33	35,781667	38,869009	42,298612	46,111570	50,354034	55,077841	60,341210	66,209527	72,756226	80,063771
34	36,960575	40,257699	43,933092	48,033802	52,612885	57,730177	63,453152	69,857909	77,030256	85,066959
35	38,145378	41,660276	45,592088	49,994478	54,928207	60,462082	66,674013	73,652225	81,496618	90,320307
36	39,336105	43,076878	47,275969	51,994367	57,301413	63,275944	70,007603	77,598314	86,163966	95,836323
37	40,532785	44,507647	48,985109	54,034255	59,733948	66,174223	73,457869	81,702246	91,041344	101,628139
38	41,735449	45,952724	50,719885	56,114940	62,227297	69,159449	77,028895	85,970336	96,138205	107,709546
39	42,944127	47,412251	52,480684	58,237238	64,782979	72,234233	80,724906	90,409150	101,464424	114,095023
40	44,158847	48,886373	54,267894	60,401983	67,402554	75,401260	84,550278	95,025516	107,030323	120,799774
41	45,379642	50,375237	56,081912	62,610023	70,087617	78,663298	88,509537	99,826536	112,846688	127,839763
42	46,606540	51,878989	57,923141	64,862223	72,839808	82,023196	92,607371	104,819598	118,924789	135,231751
43	47,839572	53,397779	59,791988	67,159468	75,660803	85,483892	96,848629	110,012382	125,276404	142,993339
44	49,078770	54,931757	61,688868	69,502657	78,552323	89,048409	101,238331	115,412877	131,913842	151,143006
45	50,324164	56,481075	63,614201	71,892710	81,516131	92,719861	105,781673	121,029392	138,849965	159,700156
46	51,575785	58,045885	65,568414	74,330564	84,554034	96,501457	110,484031	126,870568	146,098214	168,685164
47	52,833664	59,626344	67,551940	76,817176	87,667885	100,396501	115,350973	132,945390	153,672633	178,119422
48	54,097832	61,222608	69,565219	79,353519	90,859582	104,408396	120,388257	139,263206	161,587902	188,025393
49	55,368321	62,834834	71,608698	81,940590	94,131072	108,540648	125,601846	145,833734	169,859357	198,426663
50	56,645163	64,463182	73,682828	84,579401	97,484349	112,796867	130,997910	152,667084	178,503028	209,347996

Table 3. Valeur de $S_{\overline{n}|i} = \dfrac{(1+i)^n - 1}{i}$ **(Suite)**

n \ i	6,0%	7,0%	8,0%	9,0%	10,0%	11,0%	12,0%	13,0%	14,0%	15,0%
1	1,000000	1,000000	1,000000	1,000000	1,000000	1,000000	1,000000	1,000000	1,000000	1,000000
2	2,060000	2,070000	2,080000	2,090000	2,100000	2,110000	2,120000	2,130000	2,140000	2,150000
3	3,183600	3,214900	3,246400	3,278100	3,310000	3,342100	3,374400	3,406900	3,439600	3,472500
4	4,374616	4,439943	4,506112	4,573129	4,641000	4,709731	4,779328	4,849797	4,921144	4,993375
5	5,637093	5,750739	5,866601	5,984711	6,105100	6,227801	6,352847	6,480271	6,610104	6,742381
6	6,975319	7,153291	7,335929	7,523335	7,715610	7,912860	8,115189	8,322706	8,535519	8,753738
7	8,393838	8,654021	8,922803	9,200435	9,487171	9,783274	10,089012	10,404658	10,730491	11,066799
8	9,897468	10,259803	10,636628	11,028474	11,435888	11,859434	12,299693	12,757263	13,232760	13,726819
9	11,491316	11,977989	12,487558	13,021036	13,579477	14,163972	14,775656	15,415707	16,085347	16,785842
10	13,180795	13,816448	14,486562	15,192930	15,937425	16,722009	17,548735	18,419749	19,337295	20,303718
11	14,971643	15,783599	16,645487	17,560293	18,531167	19,561430	20,654583	21,814317	23,044516	24,349276
12	16,869941	17,888451	18,977126	20,140720	21,384284	22,713187	24,133133	25,650178	27,270749	29,001667
13	18,882138	20,140643	21,495297	22,953385	24,522712	26,211638	28,029109	29,984701	32,088654	34,351917
14	21,015066	22,550488	24,214920	26,019189	27,974983	30,094918	32,392602	34,882712	37,581065	40,504705
15	23,275970	25,129022	27,152114	29,360916	31,772482	34,405359	37,279715	40,417464	43,842414	47,580411
16	25,672528	27,888054	30,324283	33,003399	35,949730	39,189948	42,753280	46,671735	50,980352	55,717472
17	28,212880	30,840217	33,750226	36,973705	40,544703	44,500843	48,883674	53,739060	59,117601	65,075093
18	30,905653	33,999033	37,450244	41,301338	45,599173	50,395936	55,749715	61,725138	68,394066	75,836357
19	33,759992	37,378965	41,446263	46,018458	51,159090	56,939488	63,439681	70,749406	78,969235	88,211811
20	36,785591	40,995492	45,761964	51,160120	57,274999	64,202832	72,052442	80,946829	91,024928	102,443583
21	39,992727	44,865177	50,422921	56,764530	64,002499	72,265144	81,698736	92,469917	104,768418	118,810120
22	43,392290	49,005739	55,456755	62,873338	71,402749	81,214309	92,502584	105,491006	120,435996	137,631638
23	46,995828	53,436141	60,893296	69,531939	79,543024	91,147884	104,602894	120,204837	138,297035	159,276384
24	50,815577	58,176671	66,764759	76,789813	88,497327	102,174151	118,155241	136,831465	158,658620	184,167841
25	54,864512	63,249038	73,105940	84,700896	98,347059	114,413307	133,333870	155,619556	181,870827	212,793017
26	59,156383	68,676470	79,954415	93,323977	109,181765	127,998771	150,333934	176,850098	208,332743	245,711970
27	63,705766	74,483823	87,350768	102,723135	121,099942	143,078656	169,374007	200,840611	238,499327	283,568766
28	68,528112	80,697691	95,338830	112,968217	134,209936	159,817286	190,698887	227,949890	272,889233	327,104080
29	73,639798	87,346529	103,965936	124,135356	148,630930	178,397187	214,582754	258,583376	312,093725	377,169693
30	79,058186	94,460786	113,283211	136,307539	164,494023	199,020878	241,332684	293,199215	356,786847	434,745146
31	84,801677	102,073041	123,345868	149,575217	181,943425	221,913174	271,292606	332,315113	407,737006	500,956918
32	90,889778	110,218154	134,213537	164,036987	201,137767	247,323624	304,847719	376,516078	465,820186	577,100456
33	97,343165	118,933425	145,950620	179,800315	222,251544	275,529222	342,429446	426,463168	532,035012	664,665524
34	104,183755	128,258765	158,626670	196,982344	245,476699	306,837437	384,520979	482,903380	607,519914	765,365353
35	111,434780	138,236878	172,316804	215,710755	271,024368	341,589555	431,663496	546,680819	693,572702	881,170156
36	119,120867	148,913460	187,102148	236,124723	299,126805	380,164406	484,463116	618,749325	791,672881	1014,345680
37	127,268119	160,337402	203,070320	258,375948	330,039486	422,982490	543,598690	700,186738	903,507084	1167,497532
38	135,904206	172,561020	220,315945	282,629783	364,043434	470,510564	609,830533	792,211014	1030,998076	1343,622161
39	145,058458	185,640292	238,941221	309,066463	401,447778	523,266726	684,010197	896,198445	1176,337806	1546,165485
40	154,761966	199,635112	259,056519	337,882445	442,592556	581,826066	767,091420	1013,704243	1342,025099	1779,090308
41	165,047684	214,609570	280,781040	369,291865	487,851811	646,826934	860,142391	1146,485795	1530,908613	2046,953854
42	175,950545	230,632240	304,243523	403,528133	537,636992	718,977896	964,359478	1296,528948	1746,235819	2354,996933
43	187,507577	247,776496	329,583005	440,845665	592,400692	799,065465	1081,082615	1466,077712	1991,708833	2709,246473
44	199,758032	266,120851	356,949646	481,521775	652,640761	887,962666	1211,812529	1657,667814	2271,548070	3116,633443
45	212,743514	285,749311	386,505617	525,858734	718,904837	986,638559	1358,230032	1874,164630	2590,564800	3585,128460
46	226,508125	306,751763	418,426067	574,186021	791,795321	1096,168801	1522,217636	2118,806032	2954,243872	4123,897729
47	241,098612	329,224386	452,900152	626,862762	871,974853	1217,747369	1705,883752	2395,250816	3368,838014	4743,482388
48	256,564529	353,270093	490,132164	684,280411	960,172338	1352,699580	1911,589803	2707,633422	3841,475336	5456,004746
49	272,958401	378,999000	530,342737	746,865648	1057,189572	1502,496533	2141,980579	3060,625767	4380,281883	6275,405458
50	290,335905	406,528929	573,770156	815,083556	1163,908529	1668,771152	2400,018249	3459,507117	4994,521346	7217,716277

Expression générale pour le calcul avec Excel : =((1+i)^n-1)/i
Pour i = 7% et n = 30, on obtient 94,460786

C115			=((1+0,07)^30-1)/0,07		
	A	B	C	D	E	F
114						
115			94,460786			

Table 4. Valeur présente d'une annuité de 1$ ou valeur de $A_{n|i} = \dfrac{1-(1+i)^{-n}}{i}$

n \ i	0,5%	1,0%	1,5%	2,0%	2,5%	3,0%	3,5%	4,0%	4,5%	5,0%
1	0,995025	0,990099	0,985222	0,980392	0,975610	0,970874	0,966184	0,961538	0,956938	0,952381
2	1,985099	1,970395	1,955883	1,941561	1,927424	1,913470	1,899694	1,886095	1,872668	1,859410
3	2,970248	2,940985	2,912200	2,883883	2,856024	2,828611	2,801637	2,775091	2,748964	2,723248
4	3,950496	3,901966	3,854385	3,807729	3,761974	3,717098	3,673079	3,629895	3,587526	3,545951
5	4,925866	4,853431	4,782645	4,713460	4,645828	4,579707	4,515052	4,451822	4,389977	4,329477
6	5,896384	5,795476	5,697187	5,601431	5,508125	5,417191	5,328553	5,242137	5,157872	5,075692
7	6,862074	6,728195	6,598214	6,471991	6,349391	6,230283	6,114544	6,002055	5,892701	5,786373
8	7,822959	7,651678	7,485925	7,325481	7,170137	7,019692	6,873956	6,732745	6,595886	6,463213
9	8,779064	8,566018	8,360517	8,162237	7,970866	7,786109	7,607687	7,435332	7,268790	7,107822
10	9,730412	9,471305	9,222185	8,982585	8,752064	8,530203	8,316605	8,110896	7,912718	7,721735
11	10,677027	10,367628	10,071118	9,786848	9,514209	9,252624	9,001551	8,760477	8,528917	8,306414
12	11,618932	11,255077	10,907505	10,575341	10,257765	9,954004	9,663334	9,385074	9,118581	8,863252
13	12,556151	12,133740	11,731532	11,348374	10,983185	10,634955	10,302738	9,985648	9,682852	9,393573
14	13,488708	13,003703	12,543382	12,106249	11,690912	11,296073	10,920520	10,563123	10,222825	9,898641
15	14,416625	13,865053	13,343233	12,849264	12,381378	11,937935	11,517411	11,118387	10,739546	10,379658
16	15,339925	14,717874	14,131264	13,577709	13,055003	12,561102	12,094117	11,652296	11,234015	10,837770
17	16,258632	15,562251	14,907649	14,291872	13,712198	13,166118	12,651321	12,165669	11,707191	11,274066
18	17,172768	16,398269	15,672561	14,992031	14,353364	13,753513	13,189682	12,659297	12,159992	11,689587
19	18,082356	17,226008	16,426168	15,678462	14,978891	14,323799	13,709837	13,133939	12,593294	12,085321
20	18,987419	18,045553	17,168639	16,351433	15,589162	14,877475	14,212403	13,590326	13,007936	12,462210
21	19,887979	18,856983	17,900137	17,011209	16,184549	15,415024	14,697974	14,029160	13,404724	12,821153
22	20,784059	19,660379	18,620824	17,658048	16,765413	15,936917	15,167125	14,451115	13,784425	13,163003
23	21,675681	20,455821	19,330861	18,292204	17,332110	16,443608	15,620410	14,856842	14,147775	13,488574
24	22,562866	21,243387	20,030405	18,913926	17,884986	16,935542	16,058368	15,246963	14,495478	13,798642
25	23,445638	22,023156	20,719611	19,523456	18,424376	17,413148	16,481515	15,622080	14,828209	14,093945
26	24,324018	22,795204	21,398632	20,121036	18,950611	17,876842	16,890352	15,982769	15,146611	14,375185
27	25,198028	23,559608	22,067617	20,706898	19,464011	18,327031	17,285365	16,329586	15,451303	14,643034
28	26,067689	24,316443	22,726717	21,281272	19,964889	18,764108	17,667019	16,663063	15,742874	14,898127
29	26,933024	25,065785	23,376076	21,844385	20,453550	19,188455	18,035767	16,983715	16,021889	15,141074
30	27,794054	25,807708	24,015838	22,396456	20,930293	19,600441	18,392045	17,292033	16,288889	15,372451
31	28,650800	26,542285	24,646146	22,937702	21,395407	20,000428	18,736276	17,588494	16,544391	15,592811
32	29,503284	27,269589	25,267139	23,468335	21,849178	20,388766	19,068865	17,873551	16,788891	15,802677
33	30,351526	27,989693	25,878954	23,988564	22,291881	20,765792	19,390208	18,147646	17,022862	16,002549
34	31,195548	28,702666	26,481728	24,498592	22,723786	21,131837	19,700684	18,411198	17,246758	16,192904
35	32,035371	29,408580	27,075595	24,998619	23,145157	21,487220	20,000661	18,664613	17,461012	16,374194
36	32,871016	30,107505	27,660684	25,488842	23,556251	21,832252	20,290494	18,908282	17,666041	16,546852
37	33,702504	30,799510	28,237127	25,969453	23,957318	22,167235	20,570525	19,142579	17,862240	16,711287
38	34,529854	31,484663	28,805052	26,440641	24,348603	22,492462	20,841087	19,367864	18,049990	16,867893
39	35,353089	32,163033	29,364583	26,902589	24,730344	22,808215	21,102500	19,584485	18,229656	17,017041
40	36,172228	32,834686	29,915845	27,355479	25,102775	23,114772	21,355072	19,792774	18,401584	17,159086
41	36,987291	33,499689	30,458961	27,799489	25,466122	23,412400	21,599104	19,993052	18,566109	17,294368
42	37,798300	34,158108	30,994050	28,234794	25,820607	23,701359	21,834883	20,185627	18,723550	17,423208
43	38,605274	34,810008	31,521232	28,661562	26,166446	23,981902	22,062689	20,370795	18,874210	17,545912
44	39,408232	35,455454	32,040622	29,079963	26,503849	24,254274	22,282791	20,548841	19,018383	17,662773
45	40,207196	36,094508	32,552337	29,490160	26,833024	24,518713	22,495450	20,720040	19,156347	17,774070
46	41,002185	36,727236	33,056490	29,892314	27,154170	24,775449	22,700918	20,884654	19,288371	17,880066
47	41,793219	37,353699	33,553192	30,286582	27,467483	25,024708	22,899438	21,042936	19,414709	17,981016
48	42,580318	37,973959	34,042554	30,673120	27,773154	25,266707	23,091244	21,195131	19,535607	18,077158
49	43,363500	38,588079	34,524683	31,052078	28,071369	25,501657	23,276564	21,341472	19,651298	18,168722
50	44,142786	39,196118	34,999688	31,423606	28,362312	25,729764	23,455618	21,482185	19,762008	18,255925

Table 4. Valeur de $A_{n|i} = \dfrac{1-(1+i)^{-n}}{i}$ (Suite)

n	6,0%	7,0%	8,0%	9,0%	10,0%	11,0%	12,0%	13,0%	14,0%	15,0%
1	0,943396	0,934579	0,925926	0,917431	0,909091	0,900901	0,892857	0,884956	0,877193	0,869565
2	1,833393	1,808018	1,783265	1,759111	1,735537	1,712523	1,690051	1,668102	1,646661	1,625709
3	2,673012	2,624316	2,577097	2,531295	2,486852	2,443715	2,401831	2,361153	2,321632	2,283225
4	3,465106	3,387211	3,312127	3,239720	3,169865	3,102446	3,037349	2,974471	2,913712	2,854978
5	4,212364	4,100197	3,992710	3,889651	3,790787	3,695897	3,604776	3,517231	3,433081	3,352155
6	4,917324	4,766540	4,622880	4,485919	4,355261	4,230538	4,111407	3,997550	3,888668	3,784483
7	5,582381	5,389289	5,206370	5,032953	4,868419	4,712196	4,563757	4,422610	4,288305	4,160420
8	6,209794	5,971299	5,746639	5,534819	5,334926	5,146123	4,967640	4,798770	4,638864	4,487322
9	6,801692	6,515232	6,246888	5,995247	5,759024	5,537048	5,328250	5,131655	4,946372	4,771584
10	7,360087	7,023582	6,710081	6,417658	6,144567	5,889232	5,650223	5,426243	5,216116	5,018769
11	7,886875	7,498674	7,138964	6,805191	6,495061	6,206515	5,937699	5,686941	5,452733	5,233712
12	8,383844	7,942686	7,536078	7,160725	6,813692	6,492356	6,194374	5,917647	5,660292	5,420619
13	8,852683	8,357651	7,903776	7,486904	7,103356	6,749870	6,423548	6,121812	5,842362	5,583147
14	9,294984	8,745468	8,244237	7,786150	7,366687	6,981865	6,628168	6,302488	6,002072	5,724476
15	9,712249	9,107914	8,559479	8,060688	7,606080	7,190870	6,810864	6,462379	6,142168	5,847370
16	10,105895	9,446649	8,851369	8,312558	7,823709	7,379162	6,973986	6,603875	6,265060	5,954235
17	10,477260	9,763223	9,121638	8,543631	8,021553	7,548794	7,119630	6,729093	6,372859	6,047161
18	10,827603	10,059087	9,371887	8,755625	8,201412	7,701617	7,249670	6,839905	6,467420	6,127966
19	11,158116	10,335595	9,603599	8,950115	8,364920	7,839294	7,365777	6,937969	6,550369	6,198231
20	11,469921	10,594014	9,818147	9,128546	8,513564	7,963328	7,469444	7,024752	6,623131	6,259331
21	11,764077	10,835527	10,016803	9,292244	8,648694	8,075070	7,562003	7,101550	6,686957	6,312462
22	12,041582	11,061240	10,200744	9,442425	8,771540	8,175739	7,644646	7,169513	6,742944	6,358663
23	12,303379	11,272187	10,371059	9,580207	8,883218	8,266432	7,718434	7,229658	6,792056	6,398837
24	12,550358	11,469334	10,528758	9,706612	8,984744	8,348137	7,784316	7,282883	6,835137	6,433771
25	12,783356	11,653583	10,674776	9,822580	9,077040	8,421745	7,843139	7,329985	6,872927	6,464149
26	13,003166	11,825779	10,809978	9,928972	9,160945	8,488058	7,895660	7,371668	6,906077	6,490564
27	13,210534	11,986709	10,935165	10,026580	9,237223	8,547800	7,942554	7,408556	6,935155	6,513534
28	13,406164	12,137111	11,051078	10,116128	9,306567	8,601622	7,984423	7,441200	6,960662	6,533508
29	13,590721	12,277674	11,158406	10,198283	9,369606	8,650110	8,021806	7,470088	6,983037	6,550877
30	13,764831	12,409041	11,257783	10,273654	9,426914	8,693793	8,055184	7,495653	7,002664	6,565980
31	13,929086	12,531814	11,349799	10,342802	9,479013	8,733146	8,084986	7,518277	7,019881	6,579113
32	14,084043	12,646555	11,434999	10,406240	9,526376	8,768600	8,111594	7,538299	7,034983	6,590533
33	14,230230	12,753790	11,513888	10,464441	9,569432	8,800541	8,135352	7,556016	7,048231	6,600463
34	14,368141	12,854009	11,586934	10,517835	9,608575	8,829316	8,156564	7,571696	7,059852	6,609099
35	14,498246	12,947672	11,654568	10,566821	9,644159	8,855240	8,175504	7,585572	7,070045	6,616607
36	14,620987	13,035208	11,717193	10,611763	9,676508	8,878594	8,192414	7,597851	7,078987	6,623137
37	14,736780	13,117017	11,775179	10,652993	9,705917	8,899635	8,207513	7,608718	7,086831	6,628815
38	14,846019	13,193473	11,828869	10,690820	9,732651	8,918590	8,220993	7,618334	7,093711	6,633752
39	14,949075	13,264082	11,878582	10,725523	9,756956	8,935666	8,233030	7,626844	7,099747	6,638045
40	15,046297	13,331709	11,924613	10,757360	9,779051	8,951051	8,243777	7,634376	7,105041	6,641778
41	15,138016	13,394120	11,967235	10,786569	9,799137	8,964911	8,253372	7,641040	7,109685	6,645025
42	15,224543	13,452449	12,006699	10,813366	9,817397	8,977397	8,261939	7,646938	7,113759	6,647848
43	15,306173	13,506962	12,043240	10,837950	9,833998	8,988646	8,269589	7,652158	7,117332	6,650302
44	15,383182	13,557908	12,077074	10,860505	9,849089	8,998780	8,276418	7,656777	7,120467	6,652437
45	15,455832	13,605522	12,108402	10,881197	9,862808	9,007910	8,282516	7,660864	7,123217	6,654293
46	15,524370	13,650020	12,137409	10,900181	9,875280	9,016135	8,287961	7,664482	7,125629	6,655907
47	15,589028	13,691608	12,164267	10,917597	9,886618	9,023545	8,292822	7,667683	7,127744	6,657310
48	15,650027	13,730474	12,189136	10,933575	9,896926	9,030221	8,297163	7,670516	7,129600	6,658531
49	15,707572	13,766799	12,212163	10,948234	9,906296	9,036235	8,301038	7,673023	7,131228	6,659592
50	15,761861	13,800746	12,233485	10,961683	9,914814	9,041653	8,304498	7,675242	7,132656	6,660515

Expression générale pour le calcul avec Excel :=(1-(1+i)^-n)/i

Pour i = 10% et n = 50, on obtient 9,914814

D116	▼		=(1-(1+0,1)^-50)/0,1	
	A	B	C	D	E
115					
116				9,914814	

Annexe C

Table statistique

Table 5. Table de la loi normale centrée réduite

Table 5. Table de la loi normale centrée réduite

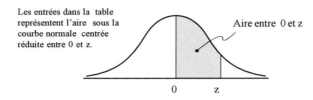

Les entrées dans la table représentent l'aire sous la courbe normale centrée réduite entre 0 et z.

Aire entre 0 et z

Z	0,00	0,01	0,02	0,03	0,04	0,05	0,06	0,07	0,08	0,09
0,0	0,0000	0,0040	0,0080	0,0120	0,0160	0,0199	0,0239	0,0279	0,0319	0,0359
0,1	0,0398	0,0438	0,0478	0,0517	0,0557	0,0596	0,0636	0,0675	0,0714	0,0753
0,2	0,0793	0,0832	0,0871	0,0910	0,0948	0,0987	0,1026	0,1064	0,1103	0,1141
0,3	0,1179	0,1217	0,1255	0,1293	0,1331	0,1368	0,1406	0,1443	0,1480	0,1517
0,4	0,1554	0,1591	0,1628	0,1664	0,1700	0,1736	0,1772	0,1808	0,1844	0,1879
0,5	0,1915	0,1950	0,1985	0,2019	0,2054	0,2088	0,2123	0,2157	0,2190	0,2224
0,6	0,2257	0,2291	0,2324	0,2357	0,2389	0,2422	0,2454	0,2486	0,2517	0,2549
0,7	0,2580	0,2611	0,2642	0,2673	0,2704	0,2734	0,2764	0,2794	0,2823	0,2852
0,8	0,2881	0,2910	0,2939	0,2967	0,2995	0,3023	0,3051	0,3078	0,3106	0,3133
0,9	0,3159	0,3186	0,3212	0,3238	0,3264	0,3289	0,3315	0,3340	0,3365	0,3389
1,0	0,3413	0,3438	0,3461	0,3485	0,3508	0,3531	0,3554	0,3577	0,3599	0,3621
1,1	0,3643	0,3665	0,3686	0,3708	0,3729	0,3749	0,3770	0,3790	0,3810	0,3830
1,2	0,3849	0,3869	0,3888	0,3907	0,3925	0,3944	0,3962	0,3980	0,3997	0,4015
1,3	0,4032	0,4049	0,4066	0,4082	0,4099	0,4115	0,4131	0,4147	0,4162	0,4177
1,4	0,4192	0,4207	0,4222	0,4236	0,4251	0,4265	0,4279	0,4292	0,4306	0,4319
1,5	0,4332	0,4345	0,4357	0,4370	0,4382	0,4394	0,4406	0,4418	0,4429	0,4441
1,6	0,4452	0,4463	0,4474	0,4484	0,4495	0,4505	0,4515	0,4525	0,4535	0,4545
1,7	0,4554	0,4564	0,4573	0,4582	0,4591	0,4599	0,4608	0,4616	0,4625	0,4633
1,8	0,4641	0,4649	0,4656	0,4664	0,4671	0,4678	0,4686	0,4693	0,4699	0,4706
1,9	0,4713	0,4719	0,4726	0,4732	0,4738	0,4744	0,4750	0,4756	0,4761	0,4767
2,0	0,4772	0,4778	0,4783	0,4788	0,4793	0,4798	0,4803	0,4808	0,4812	0,4817
2,1	0,4821	0,4826	0,4830	0,4834	0,4838	0,4842	0,4846	0,4850	0,4854	0,4857
2,2	0,4861	0,4864	0,4868	0,4871	0,4875	0,4878	0,4881	0,4884	0,4887	0,4890
2,3	0,4893	0,4896	0,4898	0,4901	0,4904	0,4906	0,4909	0,4911	0,4913	0,4916
2,4	0,4918	0,4920	0,4922	0,4925	0,4927	0,4929	0,4931	0,4932	0,4934	0,4936
2,5	0,4938	0,4940	0,4941	0,4943	0,4945	0,4946	0,4948	0,4949	0,4951	0,4952
2,6	0,4953	0,4955	0,4956	0,4957	0,4959	0,4960	0,4961	0,4962	0,4963	0,4964
2,7	0,4965	0,4966	0,4967	0,4968	0,4969	0,4970	0,4971	0,4972	0,4973	0,4974
2,8	0,4974	0,4975	0,4976	0,4977	0,4977	0,4978	0,4979	0,4979	0,4980	0,4981
2,9	0,4981	0,4982	0,4982	0,4983	0,4984	0,4984	0,4985	0,4985	0,4986	0,4986
3,0	0,4987	0,4987	0,4987	0,4988	0,4988	0,4989	0,4989	0,4989	0,4990	0,4990
3,1	0,4990	0,4991	0,4991	0,4991	0,4992	0,4992	0,4992	0,4992	0,4993	0,4993
3,2	0,4993	0,4993	0,4994	0,4994	0,4994	0,4994	0,4994	0,4995	0,4995	0,4995
3,3	0,4995	0,4995	0,4995	0,4996	0,4996	0,4996	0,4996	0,4996	0,4996	0,4997
3,4	0,4997	0,4997	0,4997	0,4997	0,4997	0,4997	0,4997	0,4997	0,4997	0,4998
3,5	0,4998	0,4998	0,4998	0,4998	0,4998	0,4998	0,4998	0,4998	0,4998	0,4998
3,6	0,4998	0,4998	0,4999	0,4999	0,4999	0,4999	0,4999	0,4999	0,4999	0,4999
3,7	0,4999	0,4999	0,4999	0,4999	0,4999	0,4999	0,4999	0,4999	0,4999	0,4999
3,8	0,4999	0,4999	0,4999	0,4999	0,4999	0,4999	0,4999	0,4999	0,4999	0,4999
3,9	0,5000	0,5000	0,5000	0,5000	0,5000	0,5000	0,5000	0,5000	0,5000	0,5000

Bibliographie

Albouy, M., « La mesure de la création de valeur : théorie, applications et limites », *Revue française de gestion*, janvier-février 1999, pp. 81-90.

Baillargeon, G., *Méthodes statistiques, volume 2*, 2ᵉ édition, Les Éditions SMG, 1995.

Baumol, W.J., « The Transactions Demand for Cash: An Inventory Theoretic Approach », *Quarterly Journal of Economics*, novembre 1952, pp. 545-556.

Biddle, G.C. et al., « Evidence on EVA », *Journal of Applied Corporate Finance,* volume 12, Été 1999.

Block, S.B., Hirt, G.A. et A. Conway, *Foundations of Financial Management*, First Canadian Edition, Irwin, 1988.

Brassard, E., *La finance et la comptabilité de gestion*, 1994.

Brigham, E.F., Kahl, A.L., Rentz, W.F. et L.C. Gapenski, *Canadian Financial Management*, 3ᵉ édition, Holt, Rinehart et Winston, 1991.

Davis, A.H. et G.E. Pinches, *Canadian Financial Management*, 2ᵉ édition, Harper Collins, 1991.

Gallinger, G.W. et P.B. Healey, *Liquidity Analysis and Management*, Addison-Wesley, 1987.

Grant, J.L., *Foundations of Economic Value Added*, 2ᵉ édition, Wiley, 2003.

Hague, I., « Instruments financiers », *CA Magazine*, novembre 2004.

Institut canadien des valeurs mobilières, *Cours sur le commerce des valeurs mobilières au Canada*, 2003.

Laroche, D.C., Martel, L., Rousseau, J.G. et J. Turbide, *Le gestionnaire et les états financiers*, 4ᵉ édition, Éditions du Renouveau Pédagogique, 2004..

Lewellen, G. et R.W. Johnson, « A Better Way to Monitor Accounts Receivable », *Harvard Business Review*, mai-juin 1972, pp. 101-109.

Miller, M.H. et D. Orr, « A Model of the Demand for Money by Firms », *Quarterly Journal of Economics*, août 1966, pp. 413-435.

Morissette, D., *Gestion financière*, Les Éditions SMG, 2003.

Morissette, D., *Valeurs mobilières et gestion de portefeuille*, 4ᵉ édition, Les Éditions SMG, 2005.

Stone, B.K., « The Use of Forecasts and Smoothing in Control-Limit Models for Cash Management », *Financial Management*, printemps 1972, pp. 72-84.

White, G.I., Sondhi, A.C. et D. Fried, *The Analysis and Use of Financial Statements*, 3ᵉ édition, Whiley, 2003.

Réponses aux exercices

Chapitre 1 L'objectif financier de l'entreprise et la fonction finance

1. a) F   b) F   c) F   d) V   e) V   f) V   g) F   h) V   i) V
j) V   k) F   l) F   m) F   n) V

Chapitre 2 Les états financiers fondamentaux

1. a) F   b) V   c) F   d) F   e) F   f) F   g) F   h) F   i) V   j) V
k) V   l) F   m) F   n) V   o) F   p) V   q) F   r) V   s) F   t) F
u) V   v) F   w) F   x) F   y) F   z) F   aa) F   bb) F   cc) F   dd) V

2.

	Actif à court terme	Actif à long terme	Dette à court terme	Dette à long terme	Avoir des actionnaires
a) Trésorerie et équivalents de trésorerie	x				
b) Comptes fournisseurs			x		
c) Salaires à payer			x		
d) Terrain		x			
e) Obligations à payer				x	
f) Passif d'impôts futurs à long terme				x	
g) Bénéfices non répartis					x
h) Équipement		x			
i) Billet à court terme à payer			x		
j) Tranche de la dette à long terme échéant à moins d'un an			x		
k) Capital-actions					x
l) Part des actionnaires sans contrôle				x	
m) Surplus d'apport					x

2. (suite)	Actif à court terme	Actif à long terme	Dette à court terme	Dette à long terme	Avoir des actionnaires
n) Obligations découlant de contrats de location-acquisition				X	
o) Écart d'acquisition		X			
p) Emprunt hypothécaire				X	
q) Dividendes à payer			X		
r) Charges payées d'avance	X				
s) Placements à court terme	X				
t) Tranche des obligations locatives échéant à moins d'un an			X		
u) Frais de constitution		X			
v) Comptes clients	X				
w) Produits perçus d'avance			X		

3. a) 2,83 $ b) 103 400 $

4. 8 000 $

5. La sous-estimation du montant des créances irrécouvrables permet de diminuer les charges et, par conséquent, de présenter un bénéfice net plus élevé.

6. Une augmentation des rendus et rabais sur ventes nettement supérieure à la croissance des ventes suggère que la qualité des produits vendus s'est détériorée significativement. Cela pourrait avoir des conséquences néfastes sur les ventes et la rentabilité à venir de l'entreprise.

7. Cela suggère que l'entreprise éprouve de la difficulté à générer suffisamment de liquidités pour assurer le bon fonctionnement de son exploitation. Afin de combler ce manque de liquidités, les actionnaires prêtent régulièrement de l'argent à l'entreprise, d'où l'augmentation régulière du poste « Avance des actionnaires » au cours des dernières années.

8. L'augmentation de la durée de vie des immobilisations permet à l'entreprise Gamma inc. de diminuer la charge annuelle d'amortissement et, par conséquent, de présenter un bénéfice net plus élevé. Étant donné que l'amortissement constitue une charge qui ne provoque aucune sortie de fonds, la durée de vie utile attribuée aux immobilisations corporelles n'exerce aucun impact sur les flux de trésorerie de l'entreprise.

9. a)

Années	Écarts temporaires	Impôts futurs
XX+1	9 500 $	3 420 $
XX+2	5 100	1 836
XX+3	1 580	568,80
XX+4	-1 236	-444,96

b) 30 400 $ pour chacune des années

10. Flux de trésorerie liés aux activités d'exploitation = 113 000 $
Flux de trésorerie liés aux activités de financement = - 120 000 $
Flux de trésorerie liés aux activités d'investissement = 15 000 $

11. Flux de trésorerie liés aux activités d'exploitation = 2 365 000 $
Flux de trésorerie liés aux activités de financement = - 300 000 $
Flux de trésorerie liés aux activités d'investissement = - 1 660 000 $
Trésorerie et équivalents de trésorerie à la fin de l'année XX+2 = 705 000 $

12. a) Bénéfice net = 98 500 $

b) Solde des bénéfices non répartis au 31/12/XX+2 = 230 500 $

c) Actif total = 634 500 $
Passif total = 304 000 $
Avoir des actionnaires = 330 500 $

d) Flux de trésorerie liés aux activités d'exploitation = 133 500 $
Flux de trésorerie liés aux activités de financement = - 30 000 $
Flux de trésorerie liés aux activités d'investissement = - 50 000 $

Chapitre 3 L'analyse et l'interprétation des états financiers

1. a) F   b) F   c) V   d) F   e) F   f) F   g) V   h) F   i) V
j) V   k) V   l) V   m) V   n) V   o) F   p) V   q) F   r) F
s) V   t) V   u) F   v) V   w) V   x) F   y) F   z) F

2. a) Entreprise A : 6%   b) Entreprise C : 9%

3. Bénéfice net : 30 000 $
Actif à court terme : 50 000 $
Passif à court terme : 25 000 $
Dette à long terme : 75 000 $
Bénéfices non répartis : 60 000 $

4. Total de l'actif : 456 250 $

5. a) Augmentation   b) Diminution   c) Aucun effet
d) Diminution   e) Aucun effet   f) Augmentation
g) Augmentation   h) Augmentation

6. a) Surestimation   b) Surestimation   c) Surestimation
d) Sous-estimation   e) Surestimation

7. Alpha

8. a) Marge nette sur les ventes : 3%
Rentabilité de l'actif total : 12%
Rentabilité de l'avoir des actionnaires : 15%

b) 20,83%

c) Il faudrait que le ratio d'endettement passe de 20% à 42,39%.

9. 1,36. Toutes choses étant égales par ailleurs, cette valeur signale une qualité supérieure des bénéfices.

10. Non

11. a) Sous-évalué   b) Aucun impact   c) Surévalué
d) Surévalué   e) Surévalué   f) Surévalué

12. a) Augmentation   b) Diminution   c) Diminution   d) Diminution

13. a) Diminution   b) Diminution   c) Augmentation   d) Diminution

14. 150 000 $

15. a)

	20X1	20X2
1. Ratio du fonds de roulement	2,37	1,96
2. Ratio de trésorerie	1,49	1,22
3. Ratio du passif total à l'actif total	0,47	0,46
4. Ratio de couverture des intérêts	5,26 fois	3,88 fois
5. Rotation des stocks	5,60 fois	5,14 fois
6. Délai moyen de recouvrement des comptes clients	32,61 jours	45,07 jours
7. Rotation des immobilisations	2,77 fois	2,25 fois
8. Rotation de l'actif total	1,30 fois	1,12 fois
9. Marge nette sur les ventes	6,24%	4,13%
10. Marge brute sur les ventes	26,44%	25,51%
11. Rentabilité de l'actif total	8,12%	4,62%
12. Rentabilité de l'avoir des actionnaires	15,39%	8,58%

d) 12,10%   e) 20X1 : 3,40; 20X2 : 3,02

16. a)
1. Ratio du fonds de roulement = 1,64
2. Ratio de trésorerie = 0,65
3. Ratio du passif total à l'actif total = 0,6749
4. Ratio de couverture des intérêts = 3,24 fois
5. Rotation des stocks = 3,05 fois
6. Délai moyen de recouvrement des comptes clients = 52,79 jours
7. Rotation des immobilisations = 2,83 fois
8. Rotation de l'actif total = 1,26 fois
9. Marge nette sur les ventes = 5,04%
10. Marge brute sur les ventes = 23,21%
11. Rentabilité de l'actif total = 6,32%
12. Rentabilité de l'avoir des actionnaires = 19,45%

d) 74 630 $

17. c)

	20X1	**20X2**	**20X3**
Ratio du fonds de roulement	2,04	1,99	2,04
Ratio de trésorerie	0,64	0,54	0,62
Ratio du passif total à l'actif total	0,47	0,51	0,47
Ratio de couverture des intérêts	4,42 fois	3,19 fois	2,94 fois
Rotation des stocks	1,03 fois	0,99 fois	1,14 fois
Délai moyen de recouvrement des comptes clients	57,8 jours	57,6 jours	63,5 jours
Rotation des immobilisations	1,36 fois	2,14 fois	3,25 fois
Rotation de l'actif total	0,59 fois	0,73 fois	0,90 fois
Marge nette sur les ventes	14,08%	7,96%	5,98%
Marge brute sur les ventes	40%	39,22%	40%
Rentabilité de l'actif total	8,35%	5,81%	5,40%
Rentabilité de l'avoir des actionnaires	15,88%	11,87%	11,41%

Chapitre 4 Les mesures de création de valeur

1. a) F   b) F   c) F   d) F   e) V   f) V   g) F   h) F   i) V   j) V

k) F   l) F   m) V   n) F   o) V   p) F   q) F   r) F   s) V   t) F   u) V

2. $VAE_3 = 44,93\ \$$ et $VAE_4 = 48,19\ \$$

3. $4\,090\,737,24\ \$$

4. a) $VAE_{XX+1} = 442\,000\ \$$, $VAE_{XX+2} = 537\,000\ \$$, $VAE_{XX+3} = 581\,500\ \$$

b) $10\,453\,333\ \$$

5. a) $FTD_1 = 1\,130\,000\ \$$ $FTD_2 = 1\,297\,000\ \$$ $FTD_3 = 1\,370\,000\ \$$

b) $652\,925\ \$$ c) Valeur globale de l'entreprise $= 39\,186\,350\ \$$
Valeur d'une action ordinaire $= 36,39\ \$$

Chapitre 5 L'analyse du point mort et l'effet de levier

1. a) V   b) F   c) F   d) F   e) F   f) F   g) V

h) F   i) F   j) F   k) F   l) V   m) F   n) F

2. d   **3.** b   **4.** e   **5.** e

6. a) 120 000 unités   b) 103 333 unités   c) 5

d) Indéfini   e) 5   f) -5

7. a) Point mort en unités vendues = 8 081

Point mort en dollars de ventes = 258 592 $

c) 7 027 unités

8. a) 710 unités et 1 690 unités   b)   1 200 unités; Profit = 4 000 $

9. a) 25 000 unités

   b) CLE (à 0 unité) = 0

   CLE (à 10 000 unités) = - 0,67

   CLE (à 20 000 unités) = - 4

   CLE (à 25 000 unités) = Indéfini

   CLE (à 30 000 unités) = 6

   CLE (à 40 000 unités) = 2,67

   CLE (à 50 000 unités) = 2

10. a) CLE = 2,33

   CLF = 1,5

   CLT = 3,5

   b) Augmentation en % = 22,86%

   Augmentation en $ = 228 600 $

11. a) 37 931 unités

   b) CLE = 1,32

   CLF = 1,22

   CLT = 1,61

12. Émission d'actions privilégiées : CLF = 1,83

   Émission d'obligations : CLF = 1,6

13. a) Entreprise A :   15 833 unités

   Entreprise B :   10 000 unités

   Entreprise C :   3 250 unités

   b) Entreprise A :   12 500 unités

   Entreprise B :   7 500 unités

   Entreprise C :   2 500 unités

   c) Entreprise A :   1,66

   Entreprise B :   1,33

   Entreprise C :   1,09

   d) La plus risquée : Entreprise A; la moins risquée : Entreprise C

14. 40 000 $

Exercice en annexe: a) 15 000 unités b) 0,9633 c) 0,3133

Chapitre 6 La prévision financière

1. Surplus d'encaisse (mai) = 28 000 $
   Financement total requis (juin) = 38 000 $
   Surplus d'encaisse (juillet) = 3500 $

2. a) Surplus d'encaisse (septembre) = 16 750 $

   Surplus d'encaisse (octobre) = 3125$

   Financement total requis (novembre) = 89 812 $

   Financement total requis (décembre) = 183 687 $

   b) Environ 200 000 $ (plus exactement 183 687 $ si l'on se base sur le budget de caisse)

3. Total de l'actif = 600 000 $

   Financement externe requis = 22 800 $

4. a) 45 276 $ b) 3,83%

5. a) 35 247 $ b) 34,84%

6. a) $\hat{y}_i = -238{,}11295 + 0{,}313485 x_i$ b) 545 600 $ c) 476 000 $

7. Bénéfice net = 476 617 $

   Total de l'actif = 1 081 936 $

   Total du passif à court terme = 224 862 $

8. Bénéfice net = 268 500 $

   Total de l'actif = 1 793 500 $

   Total du passif à court terme = 147 750 $

9. Coût des produits vendus = 386 930 $

   Bénéfice net = 68 442 $

   Total de l'actif = 350 320 $

Chapitre 7 La gestion du fonds de roulement

1. a) F   b) V   c) F   d) F   e) F   f) V   g) V   h) V   i) F
   j) F   k) V   l) V   m) F   n) F   o) V   p) F   q) F

2. a) 1 440 000 $ b) 840 000 $

3. a) 11%   b) 10,1%   c) 10,93%   d) 11,33%. Diminuer le risque

4. a)

	Stratégie A	Stratégie B	Stratégie C
1. Fonds de roulement	-100 000 $	50 000 $	200 000 $
2. Ratio du fonds de roulement	0,75	1,20	3
3. Taux de rendement espéré des actionnaires	11,01%	10,24%	9,47%
4. Ratio d'endettement	50%	50%	50%
5. Ratio de couverture des intérêts	2,59 fois	2,33 fois	2,12 fois

4. b) La plus risquée : Stratégie A
La moins risquée : Stratégie C

5. BFFR ≈ 44 133 $

6. a) 8 000 000 $

b)
1er trimestre (XX+1) :	12 000 000 $
2e trimestre (XX+1) :	18 000 000 $
3e trimestre (XX+1) :	21 000 000 $
4e trimestre (XX+1) :	15 000 000 $
1er trimestre (XX+2) :	18 000 000 $
2e trimestre (XX+2) :	12 000 000 $
3e trimestre (XX+2) :	21 000 000 $
4e trimestre (XX+2) :	15 000 000 $

c) 560 000 $

7. a)

	Conservatrice	Intermédiaire	Audacieuse
Actif total	1 100 000 $	1 100 000 $	1 100 000 $
Passif à court terme	0	100 000 $	400 000 $
Passif à long terme	600 000 $	500 000 $	200 000 $
Avoir des actionnaires ordinaires	500 000 $	500 000 $	500 000 $

b)
Conservatrice :	74 500 $
Intermédiaire :	71 500 $
Audacieuse :	62 500 $

c)

	Conservatrice	Intermédiaire	Audacieuse
Bénéfice net	195 300 $	197 100 $	202 500 $

Chapitre 8 La gestion de l'encaisse et des titres négociables

1. a) F   b) F   c) F   d) V   e) F   f) F   g) F   h) F   i) V
j) F   k) F   l) F   m) F

2.

a) Diminution
b) Augmentation
c) Diminution
d) Aucun impact
e) Aucun impact
f) Diminution
g) Aucun impact
h) Diminution
i) Augmentation
j) Aucun impact
k) Augmentation
l) Augmentation
m) Diminution
n) Aucun impact
o) Aucun impact
p) Aucun impact
q) Aucun impact
r) Diminution
s) Aucun impact
t) Augmentation

3. a) Non, car les revenus annuels d'intérêt prévus (4 558,90 $) sont inférieurs aux coûts annuels prévus (7 000 $)

b) 15,35%

4. 1 873,97 $

5. a) Non, car les revenus annuels d'intérêt prévus (10 958,90 $) sont inférieurs aux coûts prévus (15 000 $).

b) 10 958,90 $

6. 20 au minimum

7. a) 50 000 $ b) 24   c) 25 000 $ d) 6 000 $

e)

8. a) 1. Les frais de transaction et de gestion attribuables à l'achat ou à la vente des titres.

2. La variance des fluctuations journalières du solde d'encaisse.

3. Le taux d'intérêt quotidien sur les placements à court terme de l'entreprise.

4. La limite inférieure de l'encaisse.

b) W = 18 650,61 $ c) M = 51 951,83 $ d) 24 200,81 $

9. Jour 1: Acheter des titres pour un montant de 50 000 $

Jour 10: Vendre des titres pour un montant de 55 000 $

10. a) 17,94%

b) 12,19%

11. a) Bon du Trésor numéro 1 : 6,17%

Bon du Trésor numéro 2 : 5,80%

Le premier bon du Trésor procure donc le taux de rendement effectif annuel le plus élevé.

Chapitre 9 La gestion des comptes clients

1. a) V b) F c) V d) V e) F f) F g) F h) V i) V
j) F k) F l) V m) F

2. Oui. Augmentation du bénéfice avant impôt = 42 830,14 $

3. Oui. Augmentation du bénéfice avant impôt = 2 349,32 $

4. Oui. On devrait retenir la proposition 3.
Augmentation du bénéfice avant impôt (proposition 1) = 57 123,29 $
Augmentation du bénéfice avant impôt (proposition 2) = 76 452,05 $
Augmentation du bénéfice avant impôt (proposition 3) = 113 706,85 $

5. a) Avril :   57 250 $
Mai :   150 250 $
Juin :   215 000 $
Juillet :   295 000 $
Août :   362 500 $
Septembre :   425 000 $
Octobre :   287 500 $
Novembre :   110 000 $
Décembre :   65 000 $

b) Avril :   32,95 jours
Mai :   50,64 jours
Juin :   40,98 jours
Juillet :   41,85 jours
Août :   40,86 jours
Septembre :   39,88 jours
Octobre :   31,89 jours
Novembre :   25,81 jours
Décembre :   36,05 jours

6. a) Juin :   22,37 jours
Juillet :   23,59 jours
Août :   27 jours
Septembre :   27,50 jours

La gestion des comptes clients a tendance à se détériorer avec le temps.

b)   **Pourcentage des ventes impayées à la fin du mois**

	Juin	Juillet	Août	Septembre
Avril	0%			
Mai	25%	0%		
Juin	60%	23%	0%	
Juillet		54,33%	23%	0%
Août			53,83%	22%
Septembre				52%

La gestion des comptes clients a tendance à s'améliorer avec le temps.

Chapitre 10 La gestion des stocks

1. a) F   b) F   c) F   d) V   e) F   f) F   g) F   h) F   i) V
j) F   k) V   l) F

2. a)

Taille d'une commande	Stock moyen	Frais de détention annuels	Frais de commande annuels	Coût total annuel
1 000	500	1 500 $	24 000 $	25 500 $
2 000	1 000	3 000 $	12 000 $	15 000 $
3 000	1 500	4 500 $	8 000 $	12 500 $
6 000	3 000	9 000 $	4 000 $	13 000 $
8 000	4 000	12 000 $	3 000 $	15 000 $

   b)   4 000 unités

3. a) 250 unités   b) 8   c) 205 unités
   d) 832,50 $ e) 112 unités

4. a) 60 unités   b) 40 commandes   c) 2 160 $ d) 30 unités

5. a) 5 000 unités
   b) Elle devrait profiter de l'escompte. Les économies annuelles nettes s'élèvent à 14 250 $.

6. a) 2 000 unités
   b) 5 000 unités

7. a) 600 000 $
   b) 489 898 $
   c) Le modèle QEC

Chapitre 11 Les sources de financement à court et moyen termes

1. a) F   b) F   c) V   d) F   e) V   f) F   g) F   h) F   i) F
j) V   k) V   l) F   m) F   n) F   o) F   p) F   q) F   r) F
s) V   t) V   u) F   v) F   w) F   x) V   y) V

2. a) 75,26%   b) 29,80%   c) 49,66%   d) 7,37%   e) 14,11%

3. a) 37,63%   b) 18,62%   c) 24,83%   d) 5,67%   e) 11,88%
Effet de cette pratique : diminuer le coût implicite du crédit commercial.

4. 60 jours

5. a) 82 191,78 $ b) 27 397,26 $

6. Emprunter à la banque au taux effectif annuel de 15%. Le taux effectif annuel associé aux conditions de crédit « 2/10, net 60 » est de 15,88%.

7. Emprunter à la banque X au taux de 10%. Le taux effectif annuel de la banque Y est de 10,50%.

8. La meilleure possibilité est la première.
   Taux effectif annuel (possibilité 1) = 14%
   Taux effectif annuel (possibilité 2) = 15%
   Taux effectif annuel (possibilité 3) = 15,07%

9. a) 11,25%   b) 11,74%

Annexe A: Valeurs actualisées et valeurs capitalisées

Série A

1. 4 124,13 $

2. 5 515,76 $

3. 8,84 années

4. d

5. b

6. a) 12%   b) 12,36%   c) 318,77 $ d) 13,48 $ e) 100 $ f) 3%
   g) 12%   h) 3,18 $ i) 1   j) 8   k) 10%   l) 60,50 $

7. 18 000 $ comptant

8. 3123,19 $

9. 13 626,62 $

10. $i_4 = 10,72\%$ et $r = 11,16\%$

11. a) 2,5%   b) 10,38%

12. Celle du concessionnaire XYZ (le paiement mensuel est moins élevé que celui de la banque A qui est de 455,06 $)

13. 6887,66 $

14. a) 7282,09 $

15. a) 10%   b) 87 655,84 $ c) 69 450,82 $ d) 54 999,96 $

16. 268,82 $

17. 11 732,95 $

18. 1697,30 $

19. a) 16 666,67 $ b) 17 166,67 $ c) 10 083,61 $

20. a) F   b) F   c) V   d) V   e) V   f) V   g) V   h) F   i) V   j) V k) V
    l) V   m) V   n) V   o) V

Série B

21. 4,16%

22. 11,58%

23. 10 833,87 $

24. 799,35 $

25. 17,42%

26. c

27. e

28. c

29. b

30. 15,42%

31. 172 860,50 $

32. 1172,51 $ (prestations indexées à 8%)
1022,93 $ (prestations indexées à 6%)

33. 529,76 $

34. a) 16,06%   b) 15,47%   c) 880,41 $ d) 72 451,24 $
       e) 0,8963393%   f) 735,84 $ g) 897,88 $

35. a) 109 941,23 $ b) 30 636 $

36. a) 89 348,72 $ b) 1,75 année

37. ATD = 32,67%. Le prêt sera fort probablement octroyé.

38. 6751,20 $

39. 330 $

40. 388,25 $

41. 1124,95 $

42. 3076,65 $

43. 211 450,40 $

44. 8,12%

45. 22 870,13 $

46. 8,84%

47. 10,82%

48. 11 952,80 $

Index analytique